Maria Lúcia de Arruda Aranha

História da Educação e da Pedagogia

Geral e Brasil

Maria Lúcia de Arruda Aranha

História da Educação e da Pedagogia

Geral e Brasil

3ª edição
revista e ampliada

Moderna

Moderna

COORDENAÇÃO EDITORIAL Lisabeth Bansi e Ademir Garcia Telles
COORDENAÇÃO DE PRODUÇÃO GRÁFICA André Monteiro, Maria de Lourdes Rodrigues
PREPARAÇÃO DE TEXTO Edna Viana
COORDENAÇÃO DE REVISÃO Estevam Vieira Lédo Jr.
REVISÃO José Alessandre S. Neto
EDIÇÃO DE ARTE Ricardo Postacchini
CAPA E PROJETO GRÁFICO Ricardo Postacchini
COORDENAÇÃO DE PESQUISA ICONOGRÁFICA Ana Lucia Soares
PESQUISA ICONOGRÁFICA Ana Claudia Fernandes
As imagens identificadas com a sigla CID foram fornecidas pelo Centro de Informação e Documentação da Editora Moderna.
DIAGRAMAÇÃO Camila Fiorenza Crispino
COORDENAÇÃO DE TRATAMENTO DE IMAGENS Américo Jesus
TRATAMENTO DE IMAGENS Rubens. M. Rodrigues
SAÍDA DE FILMES Helio P. de Souza Filho, Marcio H. Kamoto
COORDENAÇÃO DE PRODUÇÃO INDUSTRIAL Wilson Aparecido Troque
IMPRESSÃO E ACABAMENTO Prol Gráfica

Dados Internacionais de Catalogação na Publicação (CIP)
(Câmara Brasileira do Livro, SP, Brasil)

Aranha, Maria Lúcia de Arruda
História da educação e da pedagogia : geral e Brasil / Maria Lúcia de Arruda Aranha. — 3. ed. — rev e ampl. — São Paulo : Moderna 2006.

Bibliografia

1. Educação - História I. Título.

05-8901 CDD-370.9

Índices para catálogo sistemático:
1. Educação : História 370.9

EDITORA MODERNA LTDA.
Rua Padre Adelino, 758 - Belenzinho
São Paulo - SP - Brasil - CEP 03303-904
Vendas e Atendimento: Tel. (0_ _11) 6090-1500
Fax (0_ _11) 6090-1501
www.moderna.com.br
2008
Impresso no Brasil
1 3 5 7 9 10 8 6 4 2

Para meu neto Cassiel, na esperança de tempos mais justos.
Para Karina, que, em condições adversas,
luta para construir seu futuro.

Apresentação

A alteração que logo se percebe nesta 3ª edição do antigo *História da educação* é que ampliamos o título para *História da educação e da pedagogia:* geral e Brasil, que melhor explicita o conteúdo deste livro. Além disso, modificamos profundamente alguns capítulos, em outros introduzimos novos fatos e interpretações e atualizamos a história contemporânea.

Desde a primeira edição, datada de 1989, sabíamos que um livro didático sobre a história da educação e da pedagogia não se resume apenas em uma cronologia. Mais que isso, depende da seleção intencional de elementos significativos, segundo pressupostos metodológicos que servem de base para as interpretações dos fatos, a fim de se tecer uma visão de conjunto que supere o relato inevitavelmente lacunar. Assim, nesse percurso importa o tempo todo estabelecer as relações entre educação e política, entre teoria e poder.

Para tanto, a maior parte dos capítulos foi estruturada em três tópicos: *Contexto histórico*, *Educação* e *Pedagogia*. Ao iniciar com o *Contexto histórico*, buscamos elementos para melhor compreender como as questões educacionais são engendradas no seio das relações econômicas, sociais e políticas das quais fazem parte indissolúvel. A separação entre *Educação* e *Pedagogia* deve-se à intenção de deixar claro, sobretudo para o aluno iniciante, que no tópico *Educação* apresentamos as realizações dos educadores, na sua atividade cotidiana. Podemos conferir, então, as práticas efetivas, as lutas de poder que antecedem a formulação das leis, a participação ou omissão do Estado e assim por diante. No tópico *Pedagogia* selecionamos as principais teorias que, por serem frutos da crítica aos modelos vigentes, geralmente se direcionam para o futuro, sugerindo mudanças (ou esforçando-se para manter o *status quo*), embora em algumas delas percebamos forte ligação entre teoria e prática efetiva. Deixamos de seguir a divisão entre *Educação* e *Pedagogia* no capítulo 1, *Comunidades tribais: a educação difusa*, e no capítulo 2, *Antiguidade oriental: a educação tradicionalista*, devido à inexistência de uma pedagogia propriamente dita naquelas sociedades.

Reconhecemos os riscos de separar arbitrariamente campos que estão interligados, mas confiamos na argúcia e sensibilidade do leitor para fazer a interação entre os aspectos que, por questão didática, preferimos tratar de modo distinto. Deixamos, também, a critério do professor enfatizar o tópico que preferir, seja *Educação*, seja *Pedagogia* ou ainda o capítulo na sua íntegra, de acordo com a disponibilidade de tempo e os interesses da classe.

Ao tratar concomitantemente da história da educação universal e da brasileira, mantivemos a inovação introduzida desde a primeira edição deste livro: a partir do Renascimento (capítulo 6), o capítulo se divide em duas partes, em que a segunda é dedicada ao Brasil. Essa opção permite distinguir com mais clareza as conexões entre a nossa educação e aquela do restante do mundo, bem como as relações de dependência e/ou as discrepâncias entre elas. Esse procedimento modifica-se nos capítulos 10 e 11, referentes ao século XX: devido ao volume maior de informações e temáticas discutidas, optamos por um capítulo à parte para a educação no Brasil.

As questões educacionais e pedagógicas são tratadas de maneira didática, com linguagem clara e acessível. Ao final de cada capítulo, pequenos dropes oferecem uma diversificação temática, as leituras complementares ampliam as discussões, e as atividades sugeridas apresentam questões em diversos níveis de dificuldade.

No final do livro, o *Índice de nomes* auxilia a identificação, facilitando a consulta rápida, e a *Bibliografia* amplia as possibilidades de pesquisas.

Esperamos continuar auxiliando a atividade didática e agradecemos toda crítica que possibilite o aperfeiçoamento desta obra.

A autora

Sumário

Introdução

História e história da educação

1. Somos feitos de tempo

Somos seres históricos, já que nossas ações e pensamentos mudam no tempo, à medida que enfrentamos os problemas não só da vida pessoal, como também da experiência coletiva. É assim que produzimos a nós mesmos e a cultura a que pertencemos.

Cada geração assimila a herança cultural dos antepassados e estabelece projetos de mudança. Ou seja, estamos inseridos no tempo: o presente não se esgota na ação que realiza, mas adquire sentido pelo passado e pelo futuro desejado. Pensar o passado, porém, não é um exercício de saudosismo, curiosidade ou erudição: o passado não está morto, porque nele se fundam as raízes do presente.

Se resultamos desse devir, desse movimento incessante, é impossível pensar em uma natureza humana com características universais e eternas. Não há um conceito de "ser humano universal" que sirva de modelo em todos os tempos. Melhor seria nos referirmos à "condição humana" plasmada no conjunto das relações sociais, sempre mutáveis. Não nos compreendemos fora de nossa prática social, porque esta, por sua vez, se encontra mergulhada em um contexto histórico-social concreto.

‹ Há muitas maneiras de resgatar a memória do passado a partir de documentos, mas caberá ao historiador levantar hipóteses sobre as fontes investigadas. (Túmulo de um guerreiro Mochem, com cerca de 1500 anos, Peru.)

Da mesma maneira, com a história da educação construímos interpretações sobre as maneiras pelas quais os povos transmitem sua cultura e criam as instituições escolares e as teorias que as orientam. Por isso, é indispensável que o educador consciente e crítico seja capaz de compreender sua atuação nos aspectos de continuidade e de ruptura em relação aos seus antecessores, a fim de agir de maneira intencional e não meramente intuitiva e ao acaso.

Se somos seres históricos, nada escapa à dimensão do tempo. Lembrando o poeta Paul Claudel: "O tempo é o sentido da vida. (Sentido: como se diz o sentido de um riacho, o sentido de uma frase, o sentido de um pano, o sentido do odor)". No entanto, a concepção de historicidade não foi a mesma ao longo da história. Ao contrário, como veremos neste livro, inúmeros foram os modos de compreender o ser humano no tempo e, portanto, a sua história.

2. A história da história

A história resulta da necessidade de reconstituirmos o passado, relatando os acontecimentos que decorreram da ação transformadora dos indivíduos no tempo, por meio da seleção (e da construção) dos fatos considerados relevantes e que serão interpretados a partir de métodos diversos, como veremos.

A preservação da memória, porém, não foi idêntica ao longo do tempo, tendo variado também conforme a cultura.

As antigas concepções de história

Os povos tribais, por exemplo, não privilegiam os acontecimentos da vida da comunidade, porque, para eles, o passado os remete aos "primórdios", às origens dos tempos sagrados em que os deuses realizaram seus feitos extraordinários. Fazer história, nesse caso, é recontar os mitos, os acontecimentos sagrados que são "reatualizados" nos rituais, pela imitação dos gestos dos deuses.

À medida que as sociedades se tornavam mais complexas, o relato oral registrava pela tradição os feitos dos antepassados humanos, mas, ainda assim, na dependência da proteção ou da ira dos deuses. Por exemplo, examinemos a civilização micênica, na Grécia antiga, no segundo milênio a.C., quando ainda predominava o pensamento mítico: constatamos nesse período a prevalência da interferência divina sobre as ações humanas. No século IX a.C. (ou VIII a.C.), Homero – cuja existência real é uma incógnita – relatou na epopéia *Ilíada* a Guerra de Tróia, ocorrida no século XII a.C., e conta, na *Odisséia*, o retorno do herói Ulisses a Ítaca, sua ilha de origem. Nessas narrativas míticas cada herói encontra-se sob a proteção de um dos deuses do Olimpo, portanto, não há propriamente história, mas a constante intervenção divina no destino humano. Assim, a deusa Atena diz a Ulisses: "Eu sou uma divindade que te guarda sem cessar, em todos os trabalhos". Ou Agamémnon, rei de Micenas, justifica do mesmo modo um desvario momentâneo: "Não sou eu o culpado, mas Zeus, o Destino e a Erínia, que caminha na sombra".

A partir do século VI a.C., a filosofia surgiu na colônia grega da Jônia (atual Turquia) como uma maneira reflexiva de pensar o mundo, que rejeita a prevalência religiosa do mito e admite a pluralidade de interpretações racionais sobre a realidade. Apesar disso, em toda a filosofia antiga, passando depois pela Idade Média, permaneceram a visão estática do mundo e a concepção essencialista do ser humano.

Vejamos um exemplo. Para os gregos, o Universo era dividido em mundo sublunar e supralunar: o primeiro é o mundo terreno, temporal, sujeito à mudança, à corrupção e à morte, enquanto o supralunar é o mundo perfeito das esferas fixas, constituído pela "quinta essência" e, portanto, imóvel e eterno. Esse gosto pelo permanente revela-se também na concepção dos filósofos Platão e Aristóteles (século IV a.C.), ao buscarem as essências, as idéias universais acima da transitoriedade do conhecimento das coisas particulares.

No entanto, já antes de Aristóteles, Heródoto de Halicarnasso, grego nascido na Jônia no século V a.C., ousou abordar a mudança, o tempo, procurando descrever os fatos, de modo que os grandes eventos gloriosos e extraordinários não fossem esquecidos. Naquele tempo, o termo grego *historiê* significava na verdade "investigação", tendo por base o próprio testemunho de alguém ou o relato oral de outras pessoas. Assim começa seu livro, *Histórias*, referindo-se a si mesmo na terceira pessoa: "Heródoto de Halicarnasso apresenta aqui os resultados de sua investigação (*historiê*), para que o tempo não apague os trabalhos dos homens e para que as grandes proezas, praticadas pelos gregos ou pelos bárbaros, não sejam esquecidas; e, em particular, ele mostra o motivo do conflito que opôs esses dois povos". Por esse pioneirismo, Heródoto foi mais tarde chamado "pai da História".

Com os historiadores que se seguiram prevaleceu o viés de uma história "mestra da vida", porque sempre teria algo a ensinar com os feitos de figuras exemplares que expressam modelos de conduta política, moral ou religiosa. Apesar da novidade dessa investigação histórica, aberta à mudança, o que permaneceu na Antiguidade e na Idade Média foi a visão platônico-aristotélica de um mundo estático em que se buscava o universal, o que não garantia à história o *status* de ciência (*episteme*), sendo vista, portanto, como uma forma menor de retórica destituída de rigor e na qual, segundo alguns, eram feitas concessões demais à imaginação no relato dos fatos.

Outra tendência das teorias na Antiguidade foi a compreensão da história como um movimento cíclico, esquema que serve de base a Políbio (séc. II a.C.) ao explicar a ascensão, a decadência e a regeneração dos regimes políticos: quando um bom regime como a *monarquia* se corrompe com a *tirania*, a *aristocracia*, constituída pelos "melhores", toma o poder, mas com o tempo degenera em *oligarquia*; a revolta do povo funda então a *democracia*, que, por sua vez, descamba para a *demagogia*, reiniciando-se o ciclo.

História moderna e contemporânea

Somente a partir da modernidade, isto é, com as mudanças que começaram a ocorrer no século XVII, o estudo da história tomou nova configuração, consolidada no Iluminismo do século XVIII. Esse período foi marcado pela ruptura com a tradição aristocrática do Antigo Regime, levada a efeito pelas revoluções burguesas. No mesmo bojo, os valores do feudalismo foram substituídos aos poucos pelo impacto da Revolução Industrial, em que ciência e técnica provocaram alterações no ambiente humano antes jamais suspeitadas. A história cíclica foi então substituída pela descrição linear dos fatos no tempo, segundo as relações de causa e efeito. Desse modo, os historiadores não mais se orientavam pelo passado como um modelo a seguir, mas desenvolveram a noção de processo, de *progresso*, investigando o que entendiam por "aperfeiçoamento da humanidade".

Essa concepção aparece na corrente positivista, iniciada por Augusto Comte (1798-1857), fundador da sociologia. Impregnado pela idéia de progresso, para ele o espírito humano teria passado por estados históricos diferentes e sucessivos até chegar ao "estado positivo", caracterizado pelo rigor do conhecimento científico. A história seria, então, a realização no tempo daquilo que já existe em forma embrionária e que se desenvolve até alcançar o seu ponto máximo.

A visão cientificista do positivismo reduz de certa forma as ciências humanas ao modelo do método das ciências da natureza, introduzindo nelas a noção de determinismo. Embora Comte não tenha se ocupado com o estudo da história, a corrente positivista inspirou os historiadores do final do século XIX e do início do século XX, para os quais a reconstituição do "fato histórico" deve ser feita por meio de técnicas cientificamente objetivas que permitam a crítica rigorosa dos documentos. Daí a utilização de ciências auxiliares que garantam a verificação da autenticidade das fontes e que possam datá-las com precisão.

Ainda no século XIX, outros pensadores inovaram a noção de história. Para Hegel (1770-1831) a história não é a simples acumulação e justaposição de fatos acontecidos no tempo, mas resulta de um processo cujo motor interno é a *contradição dialética*. Ou seja, esse movimento da história ocorre em três etapas — tese, antítese e síntese — em que a *tese* é a afirmação, a *antítese* é a negação da tese, e a *síntese* é a superação da contradição entre tese e antítese. Esta, por sua vez, vai gerar uma nova tese, que é negada pela antítese e assim por diante. Como se vê, a maneira dialética de abordar a realidade considera as coisas na sua dependência recíproca e não-linear.

Karl Marx (1818-1883) apropriou-se da dialética hegeliana, mas contrapôs ao idealismo de seu antecessor uma concepção materialista da história. Enquanto para Hegel o mundo é a manifestação da Idéia, para Marx a história deve ser analisada a partir da infra-estrutura (fatores materiais, econômicos, técnicos) e da luta de classes. Recusa, assim, a interpretação de que a história humana se transforma pela ação das próprias idéias (muito menos pela ação de "heróis" e "grandes vultos"), para justificar que o motor da história é a luta de classes: para entender o movimento histórico, não se deve partir do que os indivíduos pensam, dizem, imaginam ou valoram (isto é, da supra-estrutura) e sim da maneira pela qual produzem os bens materiais necessários à sua vida. Somente nesse campo percebemos o embate das forças contraditórias entre proprietários e não-proprietários e entre estes últimos e os seus meios e objetos de trabalho. Desse modo é possível compreender o conflito de interesses antagônicos entre senhor x escravo (na Antiguidade), senhor feudal x servo (na Idade Média), capitalista x proletário (a partir da modernidade).

Sem perder de vista que nosso interesse aqui é a educação, lembramos que Marx a examina do ponto de vista dos interesses da classe dominante, o que explicaria, para ele, a ideologia da exclusão dos não-proprietários no acesso pleno à cultura. Sob esse enfoque, a chamada história oficial silencia o pobre, o negro, a mulher e também os excluídos da escola, porque as interpretações são feitas de acordo com os valores e interesses dos que ocupam o poder.

No final do século XIX e começo do seguinte, surgiram teorias que sob alguns aspectos se contrapuseram à tendência positivista, ressaltando que o fato histórico é de certa forma "construído" desde as hipóteses que orientam a sua seleção até a escolha de um método (e não de outro). Por isso, dizem esses novos historiadores, é ilusão pensar que a história reconstitui o fato "tal como ocorreu". Além disso, a noção de progresso — segundo a qual a história realizaria algo existente em estado latente, em germe, bastando aos atores sociais a atualização do processo — também foi duramente criticada.

O risco dessa concepção sobre o progresso está em, por exemplo, nos referirmos aos sucessos da expansão da civilização dos romanos (e, por extensão, de qualquer civilização) esquecendo que o sentido da chamada "paz romana" é a paz dos cemitérios, a paz imposta pela força, que faz calar os vencidos. De fato, é ilusório — e ideológico — constatar o "progresso" das civilizações sem perceber que ele pode trazer no seu bojo a violência e, portanto, a barbárie, isto é, o retorno a formas anteriores ao processo civilizatório que convivem dentro dessa própria civilização. Basta lembrarmos que, se árabes fundamentalistas foram capazes de arquitetar e consumar a destruição das torres gêmeas em Nova York em 2001, também o governo dos Estados Unidos foi responsável pelo bombardeio atômico que dizimou a população civil das cidades japonesas de Hiroshima e Nagasaki, em 1945.

A partir de 1929 (data da fundação da revista francesa *Annales*) começou o movimento conhecido como *Escola dos Anais*, do qual participaram diversas gerações de historiadores que buscavam o intercâmbio da história com as diversas ciências sociais e psicológicas, ampliando o campo da pesquisa histórica, ao mesmo tempo que abriam fecundo debate teórico-metodológico para a renovação dos estudos historiográficos. Dessa maneira, aglutinaram-se tendências diferentes, algumas delas aparentemente inconciliáveis, mas que coexistiram. Mesmo porque com o termo "Escola" não devemos supor uma orientação monolítica de um método ou de uma teoria específica, mas um movimento que estimulou inovações e que comportava várias matrizes teórico-metodológicas, desde o seu início até hoje.

Os fundadores da revista foram Marc Bloch (1886-1944) e Lucien Febvre (1878-1956), que marcaram o período de formação dos Anais até a Segunda Grande Guerra; nos anos 1960, foi importante a contribuição de Fernand Braudel (que por sinal, ainda jovem, lecionou no Brasil na Universidade de São Paulo a partir de 1936); nos anos de 1970, Jacques Le Goff deu impulso à *nova história*, que ampliou o campo das indagações, com destaque para a *história das mentalidades*. Essa tendência conquistou o grande público, por privilegiar temas antropológicos, como as antigas formas de vida e atitudes coletivas: família, festas, rituais de nascimento, infância, sexualidade, casamento, morte etc.

A historiografia marxista também foi renovada com Eric Hobsbawm e Thompson, que, além das análises baseadas na infra-estrutura e luta de classes, incluíram outros aspectos culturais do cotidiano que ajudam a compreender a construção da consciência de classe.

Desse modo, o que se percebe é que a historiografia contemporânea faz articulações entre a micro e a macro-história, estabelecendo as ligações entre a história econômica e o papel dos indivíduos, bem como de segmentos pouco estudados.

Nas décadas de 1980 e 1990, com o pós-modernismo, alguns pensadores criticaram os métodos anteriores. Assim comenta Luz Helena Toro Zequera: "Segundo essas teorias (Barthes, Derrida, White e LaCapra), a historiografia deve ser entendida como um gênero puramente literário, com uma linguagem que conserva uma estrutura sintática em si mesma. O texto não guarda relação com o mundo exterior, não faz referência à realidade, nem depende de seu autor. Isto não é apenas válido para o texto literário, mas também para o texto histórico-científico"[1].

---

[1] *História da educação em debate*: as tendências teórico-metodológicas na América Latina. Campinas, Alínea, 2002, p. 55.

No cenário atual continuam as discussões metodológicas, o que nos leva a reconhecer que mais importante do que saber o que o historiador estuda é perguntar-se como ele o estuda, porque em toda seleção de fatos existem sempre pressupostos teóricos, ou seja, uma orientação metodológica e uma filosofia da história subjacente ao processo de interpretação.

Diante de um livro de história, portanto, chamamos a atenção para dois aspectos: a) a diversidade metodológica não deve ser entendida como fragilidade da história como ciência, mas, ao contrário, como esforço para definir caminhos da investigação rigorosa; b) sempre é bom conhecer a orientação epistemológica em que se fundamenta o pesquisador, para melhor compreender a interpretação das fontes consultadas e para que possamos, nós mesmos, nos posicionar criticamente.

3. História da educação

Tudo o que foi dito até aqui vale para a história da educação, já que o fenômeno educacional se desenrola no tempo e faz igualmente parte da história. Portanto, não se trata apenas de uma disciplina escolar chamada história da educação, mas igualmente da abordagem científica de um importante recorte da realidade.

Estudar a educação e suas teorias no contexto histórico em que surgiram, para observar a concomitância entre as suas crises e as do sistema social, não significa, porém, que essa sincronia deva ser entendida como simples paralelismo entre fatos da educação e fatos políticos e sociais. Na verdade, as questões de educação são engendradas nas relações que se estabelecem entre as pessoas nos diversos segmentos da comunidade. A educação não é, portanto, um fenômeno neutro, mas sofre os efeitos do jogo do poder, por estar de fato envolvida na política.

Os estudos sobre a história da educação enfrentam as mesmas dificuldades metodológicas já mencionadas sobre a história geral, com o agravante de que os trabalhos no campo específico da pedagogia são recentes e bastante escassos. Apenas no século XIX os historiadores começaram a se interessar por uma história sistemática e exclusiva da educação, antes apenas um "apêndice" da história geral.

Ainda assim, conhece-se melhor a história da pedagogia ou das doutrinas pedagógicas do que propriamente das práticas efetivas de educação. Neste último caso, alguns graus de ensino (como o secundário e o superior) sempre preservaram documentação mais abundante do que, por exemplo, o elementar e o técnico, trazendo dificuldades para a sua reconstituição.

A situação é mais difícil no Brasil, até há bem pouco tempo sem historiadores da educação de importância, com enormes lacunas a serem preenchidas. Segundo o professor Casemiro dos Reis Filho, em obra publicada em 1981, "somente depois de realizados estudos analíticos capazes de aprofundar o conhecimento da realidade educacional, tal como foi sendo constituída", é que poderá ser elaborada uma história da educação brasileira "na sua forma de síntese". E completa: "Trata-se de um conhecimento histórico capaz de fornecer à reflexão filosófica o conteúdo da realidade sobre a qual se pensa, tendo em vista descobrir as diretrizes e as coordenadas da ação pedagógica"[2].

Outra dificuldade deve-se ao fato de serem recentes entre nós os cursos específicos de educação. As escolas normais (de magistério) criadas no século XIX tinham

[2] *A educação e a ilusão liberal*. São Paulo, Cortez/Autores Associados, 1981, p. 2.

baixíssima freqüência, e o ensino de história da educação não constava no currículo. Quando muito, era oferecida história geral e do Brasil.

Naqueles cursos, a atenção maior estava centrada nas matérias de cultura geral, descuidando-se das que poderiam propiciar a formação profissional. Apenas a partir das reformas de 1930 a disciplina de história da educação passou a fazer parte do currículo dos cursos de magistério.

Durante muito tempo, porém, a disciplina de história da educação esteve ligada à filosofia da educação nos cursos de nível secundário e superior (magistério e pedagogia), sem merecer a autonomia e o estatuto de ciência já conferidos a disciplinas como psicologia, sociologia e biologia. Além disso, sofria freqüentemente o viés pragmático que enfatizava a missão de interpretar o passado para construir o futuro, com forte caráter doutrinário moral e religioso, uma vez que a disciplina ficava a cargo de padres, seminaristas e cristãos em geral.

Nas décadas de 1930 e 1940, com a implantação das universidades, foram criadas faculdades de educação, dando oportunidade para a pesquisa e elaboração de monografias e teses. Mesmo assim, nem sempre foi dispensado à história da educação o tempo necessário para os alunos se ocuparem devidamente de tão extensa e complexa disciplina.

Diz a professora Mirian Jorge Warde: "Há indícios de que nos anos 50 começa a se esboçar na USP, a partir do setor de Educação e, posteriormente, da relação entre este setor e o Centro Regional de Pesquisa Educacional, o CRPE/SP, algo como um projeto de construção de uma história da educação brasileira, autônoma, apoiada em levantamentos documentais originais, capaz de recobrir o processo de desenvolvimento do sistema público de ensino". Esse movimento inaugura o diálogo da história da educação com a sociologia da educação, além de ter a intenção de "gerar uma linhagem de pesquisa que produzisse a identidade da história da educação brasileira a partir de fontes empíricas novas"[3].

O período da ditadura militar (ver capítulo 11) foi danoso para a educação brasileira, com o fechamento de escolas experimentais e centros de pesquisa e a formação de grupos com forte orientação ideológica que prepararam as leis das reformas do ensino superior em 1968 e a do curso secundário profissionalizante em 1971. No entanto, a reforma universitária trouxe o benefício da criação dos cursos de pós-graduação e a conseqüente fermentação intelectual que resultou em inúmeras teses, entre as quais aquelas focadas em educação. Além disso, os educadores foram estimulados a se aglutinarem em centros e associações de pesquisa, seja nas universidades, seja pela iniciativa particular (ver dropes 4 e 5). A ampliação das discussões de temas educacionais com a criação de centros regionais e congressos nacionais resultou em incremento da produção científica, sobretudo durante as décadas de 1980 e 1990, inclusive com o acolhimento do mercado editorial, disposto a publicar essas teses e a fazer coletâneas desses pronunciamentos.

Conclusão

Este capítulo introdutório teve o objetivo de distinguir duas funções da história da educação: a de docência e a de pesquisa. A primeira refere-se à história da educação como disciplina de um curso (para cuja proposta desenvolvemos os capítulos subse-

[3] "Questões teóricas e de método: a história da educação nos marcos de uma história das disciplinas", in Dermeval Saviani, José Claudinei Lombardi e José Luís Sanfelice (orgs.), *História e história da educação*: o debate teórico-metodológico atual. São Paulo, Autores Associados/HISTEDBR, 2000, p. 92 e 93.

qüentes), a fim de que as pessoas envolvidas com o projeto de educar as novas gerações tenham consciência do caminho já percorrido e possam, da maneira mais intencional possível, estabelecer as metas para a implementação desse processo, atentas para as mudanças necessárias. Outra função, bem distinta, mas inegavelmente fruto daquela, é a da história da educação como atividade científica de busca e interpretação das fontes, para melhor conhecer nosso passado e nosso presente.

Por fim, essas duas funções da história da educação devem exercer fecunda influência na política educacional, sobretudo nas situações críticas em que são gestadas as reformas educativas, depois transformadas em leis, a fim de que se possa defender a implantação de uma educação pública democrática e de qualidade.

A esse respeito, não deixa de ser significativa a fala do professor Dermeval Saviani na abertura do "I Congresso Brasileiro de História da Educação", no Rio de Janeiro, em 2000, promovido pela então recém-fundada Sociedade Brasileira de Historiadores da Educação (SBHE). Segundo Saviani, cabe aos historiadores, "com a percepção da dimensão histórica dos problemas enfrentados, não apenas manter e deixar disponível o registro das informações, mas alertar os responsáveis pelos rumos da educação no país trazendo à baila, nos momentos oportunos, as informações que, por ofício, eles detêm. E aqui cabe, mais uma vez, considerar que, se essa é uma tarefa difícil de ser realizada e talvez mesmo nem seja apropriada aos grupos de pesquisa é, no entanto, pertinente e mais facilmente realizável por meio de uma Sociedade de Historiadores da Educação"[4].

[4] "História da educação e política educacional", in Sociedade Brasileira de História da Educação (org.), *Educação no Brasil*: história e historiografia. Campinas/São Paulo, Autores Associados/SBHE, 2001, p. 18 e 19.

Dropes

1 - A escola tradicional ensinou que a abolição dos escravos foi o fruto da ação dos abolicionistas (geralmente brancos) e culminou com a assinatura da Lei Áurea, em 13 de maio de 1888, pela qual a princesa Isabel outorgou a liberdade aos negros. Por muito tempo, nenhuma ênfase foi dada à ação de Zumbi e seus companheiros nos Quilombos dos Palmares nem a centenas de outros gestos de rebeldia dos escravos, considerados como "irrelevantes". Atualmente, os movimentos de conscientização dos negros lutam para resgatar essa memória, preferindo comemorar a data da morte de Zumbi, 20 de novembro de 1695.

2 - A história é androcêntrica, isto é, feita conforme a visão masculina. Por isso, a mulher aparece como uma sombra, um apêndice, e até o começo do século XX seu mundo se restringia aos limites domésticos, sendo-lhe negada a dimensão pública. Apesar das conquistas, em muitas partes do mundo ela ainda vive em condição subalterna.

3 - A obra sobrevive aos seus leitores; ao final de cem ou duzentos anos é lida por outros que lhe impõem diferentes sistemas de leitura e interpretação. Os temíveis leitores desaparecem e em seu lugar surgem outras gerações, cada uma dona de uma interpretação distinta. A obra sobrevive graças às interpretações de seus leitores. Elas são na verdade ressurreições: sem elas não haveria obra. A obra transpõe sua própria história só para se inserir em outra. Acredito que posso concluir: a compreensão da obra de sóror Juana inclui necessariamente a de sua vida e seu mundo. Nesse sentido, meu ensaio é uma tentativa de *restituição*; pretendo restituir seu mundo, a Nova Espanha do século XVII, a vida e obra de sóror Juana. Por sua vez, elas nos restituem, seus leitores do século XX, a sociedade da Nova Espanha do século XVII. Restituição: sóror Juana em seu mundo e nós em seu mundo. Ensaio: esta restituição é histórica, relativa, parcial. Um mexicano do século XX lê a obra de uma freira da Nova Espanha do século XVII. Podemos começar. (Octavio Paz)

4 - Ao examinar o legado das associações que fermentaram o debate sobre educação, Dermeval Saviani diz que entre as "entidades de cunho acadêmico-científico, isto é, voltadas para a produção, discussão e divulgação de diagnósticos, análises, críticas e formulação de propostas para a construção de uma escola pública de qualidade", situam-se: a Associação Nacional de Pesquisa e Pós-Graduação em Educação (Anped), criada em 1977; o Centro de Estudos Educação & Sociedade (Cedes), em 1978; a Associação Nacional de Educação (Ande), em 1979; essas três entidades organizaram as Conferências Brasileiras de Educação (CBE), ocorridas a cada dois anos, de 1980 a 1988 e depois em 1991.[5]

5 - Discorrendo sobre a historiografia da educação, o professor José Claudinei Lombardi[6] destaca, entre outros assuntos, a importância de algumas instituições para o incremento das pesquisas em história da educação no Brasil. São elas: o Instituto Histórico e Geográfico do Brasil (IHGB); fundado ainda no século XIX, em 1838; e o Conselho Nacional de Desenvolvimento Científico e Tecnológico (CNPq), órgão responsável pelo fomento do desenvolvimento científico e tecnológico brasileiro, fundado em 1951. Em 1985, com a criação do Ministério da Ciência e Tecnologia, o CNPq tornou-se o centro do planejamento estratégico da ciência no Brasil, estimulando a formação de instituições públicas e privadas de pesquisa. Entre estas, no campo da história da educação, foi reforçada a tendência de constituição de *coletivos de pesquisa*, cuja orientação valoriza a socialização de experiências que resultam de formas de organização coletiva dos pesquisadores. Entre os grupos que se constituíram no Brasil, o autor destaca o Grupo de Estudos e Pesquisas História, Sociedade e Educação no Brasil (HISTEDBR), fundado em 1986 e que se multiplou em vários grupos de trabalho regionais e tem sido responsável por diversos eventos e publicações. Outra instituição foi a Sociedade Brasileira de História da Educação (SBHE), criada em 1999.

---

[5] Dermeval Saviani *et al.* (orgs.), *O legado educacional do século XX no Brasil*. Campinas, Autores Associados, 2004, p. 45.

[6] "História e historiografia da educação, atentando para as fontes", in José Claudinei Lombardi e Isabel Moura Nascimento (orgs.), *Fontes, história e historiografia da educação*. Campinas, Autores Associados/HISTEDBR, 2004, p. 141-176.

● Leituras complementares

❶ [O trabalho do historiador]*

Há (...) alguma coisa de irreversível no modo pelo qual a prática dos historiadores se converteu ao "espírito dos Anais", algo que merece o nome de revolução. Mais do que a renovação dos temas e objetos de pesquisa que propõe aos historiadores, é a mudança radical que preconiza em relação ao passado que define o paradigma dos Anais. Mais que a novidade dos métodos que difundiu, é a importância que ele dá no trabalho do historiador aos problemas de método. "Só há história do presente", gostava de repetir Lucien Febvre. Os Anais ajudaram o historiador a libertar-se da visão "bela adormecida" de um passado condenado à sua própria reconstituição, com sua organização cronológica, à medida que o erudito exuma arquivos. O objeto da ciência histórica não é dado pelas fontes, mas construído pelo historiador a partir das solicitações do presente. Passado e presente se esclarecem reciprocamente a partir do momento em que a análise histórica estabelece entre eles uma relação "generativa" (quando o historiador reconstitui a gênese de uma configuração presente) ou "comparativa" (quando o efeito de distância entre uma forma de organização, um comportamento de uma outra época e seus equivalentes atuais permite comparar e conferir sentido à realidade social que nos cerca).

O que confere valor ao trabalho do historiador não é a qualidade das fontes que ele conseguiu descobrir, mas a qualidade das perguntas que ele lhes faz. Essas perguntas não procedem nem de uma projeção subjetiva para o passado, como pensava Croce, nem de uma produção ideológica, como parecem acreditar certos "althussériens"[7], mas de uma elaboração científica sustentada ao mesmo tempo pela coesão interna da análise e pelos procedimentos de validação da tradição erudita; entre o positivismo e a Escola dos Anais não há ruptura metodológica. Preconizando o "regresso às investigações", chamando a atenção para fontes inexploradas, cadastros, arquivos notariais[8], mercuriais[9] etc., Bloch e Febvre reconheciam que o documento escrito ou não-escrito permanece o "campo" obrigatório do historiador. Mas, insistindo na necessidade de promover novos métodos de descrição ou de análise (a cartografia, a estatística etc.), eles deixam entender igualmente que o futuro da história, o enriquecimento de seu saber não estão do lado das fontes inexploradas que ainda dormem no fundo dos arquivos, mas na capacidade praticamente infinita dos historiadores de interrogá-las.

Verbete "Anais (Escola dos)" redigido por André Burguière, in André Burguière (org.), *Dicionário das ciências históricas*. Rio de Janeiro, Imago, 1993, p. 53 e 54.

❷ Para que a história da educação?

"Toda a *acusação* suscita uma *defesa*. Assim sendo, não espanta a proliferação de textos que procuram defender a história da educação. Não voltarei, agora, a esta literatura excessivamente autojusticativa. Mas vale a

---

* Os títulos que aparecem entre colchetes nas leituras complementares ao longo do livro não constam da obra original.

7 *Althussérien*: relativo aos seguidores de Louis Althusser, filósofo marxista francês (consultar o capítulo 10).

8 Arquivo notarial: relativo aos registros de tabeliães.

9 Arquivos mercurial: relativo aos registros de preços do mercado. O termo "mercurial" vem de Mercúrio, deus romano do comércio.

pena ensaiar quatro respostas à pergunta "Para que a história da Educação?".

Para cultivar um saudável ceticismo[10] – Vivemos num mundo do espetáculo e da moda, particularmente no campo da educação. A "novidade" tende a ser vista como um elemento intrinsecamente positivo. Há uma inflação de métodos, técnicas, reformas, tecnologias. Mais do que nunca é preciso estarmos avisados em relação a estas "novidades", evitando o frenesi da mudança que serve, regra geral, para que tudo continue na mesma. A história da educação é um dos meios mais eficazes para cultivar um saudável ceticismo, que evita a "agitação" e promove a "consciência crítica". Não estou a falar de uma história cronológica, fechada no passado. Estou a falar de uma história que nasce nos problemas do presente e que sugere pontos de vista ancorados num estudo rigoroso do passado.

Para compreender a lógica das identidades múltiplas — Vivemos uma época marcada por fenômenos de globalização e por uma desenraizada circulação de idéias e conceitos e, ao mesmo tempo, por um exacerbar de identidades locais, étnicas, culturais ou religiosas. Uma das funções principais do historiador da educação é compreender esta lógica de "múltiplas identidades", por meio da qual se definem memórias e tradições, pertenças e filiações, crenças e solidariedades. Pouco importa se as comunidades são "reais" ou "imaginadas". Não há *memória* sem *imaginação* (e vice-versa). À história cumpre elucidar este processo e, por esta via, ajudar as pessoas (e as comunidades) a darem um sentido ao seu trabalho educativo.

Para pensar os indivíduos como produtores de história – As palavras do cineasta Manuel de Oliveira na apresentação do seu último filme merecem ser recordadas: "O presente não existe sem o passado, e estamos a fabricar o passado todos os dias. Ele é um elemento de nossa memória, é graças a ele que sabemos quem fomos e como somos". Nunca, como hoje, tivemos uma consciência tão nítida de que somos *criadores*, e não apenas *criaturas*, da história. A reflexão histórica, mormente no campo educativo, não serve para "descrever o passado", mas sim para nos colocar perante um patrimônio de idéias, de projetos e de experiências. A inscrição do nosso percurso pessoal e profissional neste retrato histórico permite uma compreensão crítica de "quem fomos" e de "como fomos".

Para explicar que não há mudança sem história – O trabalho histórico é muito semelhante ao trabalho pedagógico. Estamos sempre a lidar com a experiência e a fabricar a memória. Hoje, as políticas conservadoras revestem-se de vernizes "tradicionais" ou "inovadores". O seu sucesso depende de um aniquilamento da história, por excesso ou por defeito. Por excesso, isto é, pela referência nostálgica ao passado, à mistificação dos valores de outrora. Por defeito, isto é, pelo anúncio, repetido até à exaustão, de um futuro transformado em prospectiva e em tecnologia. Por isso, é tão importante denunciar a vã ilusão da mudança, imaginada a partir de um não-lugar sem raízes e sem história.

Aqui ficam quatro apontamentos, entre tantos outros, que permitem esboçar uma resposta à pergunta "Para que a história da Educação?" São muitos os exemplos suscetíveis de confirmar (...) a importância de desenvolvermos uma atitude crítica face às modas pedagógicas, de analisarmos o jogo de identidades no espaço educativo, de situarmos a nossa própria existência na narrativa histórica e de compreendermos que a mudança se faz sempre a partir de pessoas e de lugares concretos.

António Nóvoa, Apresentação da coleção dos livros de Maria Stephanou e Maria Helena Camara Bastos (orgs.), *Histórias e memórias da educação no Brasil.* Petrópolis, Vozes, v. I: *Séculos XVI-XVIII*, 2004; v. II: *Século XIX;* e v. III: *Século XX*, 2005.

[10] Ceticismo: doutrina segundo a qual o espírito humano nada pode conhecer com certeza; conclui pela suspensão do juízo e pela dúvida permanente.

Atividades

Questões gerais

1. Faça com os colegas da classe um levantamento de documentos familiares e pessoais de memória (fotos, diários da família, diários íntimos, objetos, coleções, relatos orais, correspondência etc.) que seriam importantes para a história de cada um. Depois, discutam sobre qual é o valor dessas fontes para a história da cidade, do país etc.

2. Justifique a frase do historiador da educação René Hubert: "Não há doutrina pedagógica concebível, grande reforma exeqüível, sem conhecimento geral dos fatos e das teorias do passado".

3. Compare os diferentes enfoques para a compreensão do passado, segundo as sociedades tribais e a Antiguidade grega (antes e depois do advento da filosofia).

4. "A renovação do olhar que investiga e interpreta temas e questões educacionais tem sido redimensionada pela incorporação de fontes antes inimaginadas. / Desequilibrando a objetividade pretensamente contida nos documentos escritos e nas fontes oficiais, estes novos mananciais de apreensão do específico educacional estão permitindo o deslocamento do olhar do pesquisador para a amplitude de processos individuais e coletivos, racionais e subjetivos, ao incluir no repertório da pesquisa novas fontes como a fotografia, a iconografia, as plantas arquitetônicas, o material escolar, o resgate da memória por meio de fontes orais, sermões, relatos de viajantes e correspondências, os diários íntimos e as escritas autobiográficas, ao lado de outros produtos culturais como a literatura e a imprensa pedagógica" (Libânia Nacif). A partir do trecho citado, responda:

a) Que crítica um historiador positivista faria a esse texto?

b) E como seria a crítica de um marxista dos primeiros tempos a esse mesmo texto?

c) Que tendência historiográfica mais se aproxima do texto?

d) Explique como você se posiciona a respeito.

5. Comente o conteúdo dos dropes 1 e 2, a partir da citação de Edgar de Decca: "os documentos (...) não falam por si, os historiadores obrigam que eles falem, inclusive, a respeito de seus próprios silêncios".

6. Poderíamos considerar a citação de Octavio Paz (dropes 3) como uma visão subjetiva da história? Justifique sua resposta.

7. Pesquise a bibliografia indicada (no final do livro) e/ou os *sites* (no final deste capítulo) e selecione os tipos de temas que têm sido privilegiados nas pesquisas de história da educação no Brasil.

8. Abra uma discussão em grupo sobre filmes baseados em fatos históricos:

a) De início, cada um faz o levantamento de filmes desse teor.

b) Em que medida seria possível o cineasta ser fiel aos fatos? Quais as vantagens e as desvantagens dessa decisão?

c) Como avaliar a liberdade do cineasta para "recriar" os fatos, já que ele é um artista?

Questões sobre as leituras complementares

Sobre o texto de André Burguière, responda às questões a seguir.

1. Por que, segundo o autor, a história não é uma "bela adormecida"?

2. O que há de comum e de diferente entre os Anais e o positivismo?

3. Segundo o autor, que aspecto do trabalho do historiador deve merecer atenção?

Sobre o texto de António Nóvoa, responda às questões a seguir.

4. Explique o que o autor quer dizer com "um saudável ceticismo". E se, no extremo, o historiador estivesse imbuído de um ceticismo radical, quais seriam as conseqüências para o estudo da história?

5. Analise as palavras do cineasta português Manoel de Oliveira sob os seguintes aspectos:

a) O que significa dizer que "fabricamos" nosso passado? Você concorda com a afirmação? Justifique.

b) Às expressões "quem fomos" e "como somos", poderíamos acrescentar mais uma: "como poderemos vir a ser". Identifique as que predominam no trabalho do historiador e quais se referem à atividade do professor. Justifique sua resposta.

6. Analise o aspecto político que ressalta no texto.

Sites para consulta

História, Sociedade e Educação no Brasil (HISTEDBR):
www.histedbr.fae.unicamp.br (consultado em 2005).
Sociedade Brasileira de História da Educação (SBHE):
www.sbhe.org.br (consultado em 2005).

Capítulo 1

Comunidades tribais: a educação difusa

Segundo uma explicação literal e, portanto, simplificadora, costuma-se caracterizar a vida tribal, marcada pela tradição oral dos mitos e ritos, como *pré-histórica*, por ter ocorrido "antes da história", quando os povos ainda não tinham escrita e, por conseguinte, não registravam os acontecimentos.

A pré-história constitui um período extremamente longo, em que instrumentos utilizados para a sobrevivência humana se transformaram muito lentamente. É bom lembrar que as mudanças não ocorreram de forma igual em todos os lugares. Também não há uniformidade no tempo, uma vez que o modo de vida das tribos nos primórdios não desapareceu de todo, tanto que ainda há tribos que vivem dessa maneira na Austrália, na África e no interior do Brasil.

A Idade da Pedra Lascada (Paleolítico) e a Idade da Pedra Polida (Neolítico) representam momentos diversos, em que as tribos passam de hábitos de nomadismo — sustentado pela simples coleta de alimentos — para a fixação ao solo, com o desenvolvimento de técnicas de agricultura e pastoreio.

A terra pertence a todos, e o trabalho e seus produtos são coletivos, o que define um regime de propriedade coletiva

‹ As crianças indígenas desenvolvem habilidades e aprendem os mitos dos ancestrais por meio da educação difusa, no convívio com os adultos da tribo. (Índios waurá, Parque do Xingu, MT, 2005.)

dos meios de produção. Em decorrência, a sociedade é homogênea, una, indivisível.

Com o tempo, a metalurgia, a utilização da energia animal e dos ventos, a invenção da roda e dos barcos a vela ampliam a produção e estimulam a diversificação dos ofícios especializados dos camponeses, artesãos, mercadores e soldados, tornando as comunidades cada vez mais complexas.

Veremos neste capítulo as características genéricas das comunidades "primitivas", bem como a sua educação difusa. É preciso lembrar que essas populações não tinham uma cultura homogênea, existindo diferenças conforme o lugar e o tempo.

1. A cultura tribal

Estamos tão acostumados com a escola que às vezes nos parece estranho o fato de que essa instituição não existiu sempre, em todas as sociedades. Nos demais capítulos, veremos as condições do aparecimento da escola, as transformações ao longo do tempo, e também a relação indissolúvel entre ela e o modo pelo qual os indivíduos interagem para produzir a sua existência. Antes, porém, veremos por que não há necessidade de escolas nas comunidades tribais.

Por motivos diversos é muito difícil dar as características gerais desse tipo de sociedade. Primeiro porque, por mais que façamos generalizações, há muitas diferenças entre tais sociedades, e depois porque, com freqüência, corremos o risco de etnocentrismo, ou seja, a tentação de avaliá-las segundo padrões da nossa cultura. Dessa perspectiva, diríamos: as sociedades tribais *não* têm Estado, *não* têm classes, *não* têm escrita, *não* têm comércio, *não* têm história, *não* têm escola.

Segundo o etnólogo francês Pierre Clastres, explicar as sociedades tribais pelo que lhes falta impede compreender melhor a sua realidade e, em muitos casos, até tem justificado a atitude paternalista e missionária de "levar o progresso, a cultura e a verdadeira fé" ao povo "atrasado". Uma abordagem mais adequada, no entanto, consideraria esses povos *diferentes* de nós, e não *inferiores*. Mesmo porque, afinal, nem sempre ausência significa necessariamente falta. Aliás, o antropólogo Lévi-Strauss lembra como nós, urbanos, se por um lado ganhamos muito com a tecnologia, por outro perdemos algumas de nossas capacidades, por exemplo, por utilizarmos consideravelmente menos as nossas percepções sensoriais. Por isso mesmo, à falta de um termo melhor, Lévi-Strauss prefere colocar aspas em "primitivo", com a intenção de minorar a carga pejorativa do conceito.

De maneira geral as sociedades tribais são predominantemente míticas e de tradição oral. Para esses povos a natureza está "carregada de deuses", e o sobrenatural penetra em todas as dependências da realidade vivida e não apenas no campo religioso, isto é, na ligação entre o indivíduo e o divino. O sagrado se manifesta na explicação da origem divina da técnica, da agricultura, dos males, na natureza mágica dos instrumentos, das danças e dos desenhos.

Ao agir, o "primitivo" imita os deuses nos ritos que tornam atuais, presentes, os mitos primordiais, ou seja, cada um repete o que os deuses fizeram no início dos tempos. Só assim a semente brota da terra, as mulheres se tornam fecundas, as árvores dão frutos, o dia sucede à noite e assim por diante. As danças antes da guerra, por exemplo, representam uma antecipação mágica que visa a garantir o sucesso do confronto. Do mesmo modo, os caçadores "matam" suas futuras presas ao desenhar renas e bisões nas partes escuras e pouco acessíveis das cavernas, como ainda podemos ver em Altamira (na Espanha) e Lascaux (na França).

Também no Brasil foram descobertos registros rupestres, como os do centro arqueológico de São Raimundo Nonato, no Piauí, datados de 12 mil anos antes da chegada dos colonizadores, e os da gruta da Pedra Furada, encontrados no Pará.

Os mitos e os ritos são transmitidos oralmente, e a tradição se impõe por meio da crença, permitindo a coesão do grupo e a repetição dos comportamentos considerados desejáveis. Assim são constituídas comunidades estáveis, no sentido de que nelas as mudanças acontecem muito lentamente. Por exemplo, os membros da tribo passam de um estado a outro pelos ritos de passagem que marcam o nascimento, a passagem da infância para a vida adulta, o casamento, a morte.

A organização social das tribos baseia-se em uma estrutura que mantém homogêneas as relações, sem a dominação de um segmento sobre o outro. Mesmo que a divisão de tarefas leve as pessoas a exercerem funções diferentes, o trabalho e o seu produto são sempre coletivos. Também as atividades das mulheres adquirem um caráter social, por não se restringirem ao mundo doméstico.

No exercício do poder, algumas pessoas especiais — como o chefe guerreiro ou o feiticeiro xamã — possuem prestígio, merecem a confiança das demais e geralmente são objeto de consideração e respeito. Em nenhum momento, no entanto, abusam dos privilégios para estabelecer a relação mando–obediência. O chefe é o porta-voz do desejo da comunidade como um todo e, nesse sentido, não dá ordens, mesmo porque sabe que ninguém o obedecerá. É sua tarefa apaziguar os indivíduos ou famílias em conflito, apelando para o bom senso, para os bons sentimentos e para as tradições dos ancestrais[1]. Dessa forma, as esferas do social e do político não se separam, e o poder não constitui uma instância à parte, como acontece nas sociedades em que o Estado foi instituído.

As oposições, inexistentes na própria comunidade, geralmente surgem entre as tribos em guerra, ocasião em que o chefe assume a vontade que a sociedade tem de aparecer como una e autônoma, falando em nome dela. Aliás, o "primitivo" é guerreiro por excelência, e dessa disposição decorrem os valores apreciados pela comunidade e que são objeto da educação.

2. A educação difusa

Nas comunidades tribais as crianças aprendem imitando os gestos dos adultos nas atividades diárias e nos rituais. Tanto nas tribos nômades como naquelas que já se sedentarizaram, para se ocupar com a caça, a pesca, o pastoreio ou a agricultura, as crianças aprendem "para a vida e por meio da vida", sem que ninguém esteja especialmente destinado para a tarefa de ensinar.

A cuidadosa adaptação aos usos e valores da tribo geralmente é levada a efeito sem castigos. Os adultos demonstram muita paciência com os enganos infantis e respeitam o seu ritmo próprio. Por meio dessa educação difusa, de que todos participam, a criança toma conhecimento dos mitos dos ancestrais, desenvolve aguda percepção do mundo e aperfeiçoa suas habilidades.

A formação é integral — abrange todo o saber da tribo — e universal, porque todos podem ter acesso ao saber e ao fazer apropriados pela comunidade. É bem verdade que alguns se destacam, detendo um conhecimento mais amplo ou especial

[1] Pierre Clastres, *Arqueologia da violência*: ensaio de antropologia política. São Paulo, Brasiliense, 1982, p. 108.

— como no caso do feiticeiro —, o que, no entanto, não resulta em privilégio, mas apenas em prestígio, como já foi dito.

O conhecimento mítico imprime uma tonalidade especial à educação, pois os relatos aprendidos não são propriamente históricos, no sentido da revelação do passado da tribo. Diferentemente, o mito é atemporal e conta o ocorrido no "início dos tempos", nos primórdios. Daí os diversos ritos que marcam as passagens, como o nascimento e a morte ou ainda a iniciação à vida adulta (ver leituras complementares).

3. Para além da vida tribal

A escrita surge como uma necessidade da administração dos negócios, à medida que as atividades se tornam mais complexas. As transformações técnicas e o aparecimento das cidades em decorrência da produção excedente e da comercialização alteraram as relações humanas e o modo de sua sociabilidade. Com o tempo, enquanto nas tribos a organização social era homogênea, indivisa, foram criadas hierarquias devido a privilégios de classes, e no trabalho apareceram formas de servidão e escravismo; as terras de uso comum passaram a ser administradas pelo Estado, instituição criada para legitimar o novo regime de propriedade; a mulher, que na tribo desempenhava destacado papel social, ficou restrita ao lar, submetida a rigoroso controle da fidelidade, a fim de se garantir a herança apenas para os filhos legítimos.

Finalmente o saber, antes aberto a todos, tornou-se patrimônio e privilégio da classe dominante. Nesse momento surgiu a necessidade da escola, para que apenas alguns iniciados tivessem acesso ao conhecimento. Se analisarmos atentamente a história da educação, veremos como a escola, ao elitizar o saber, tem desempenhado um papel de exclusão da maioria.

Algumas dessas transformações e suas conseqüências para a educação serão vistas nos próximos capítulos.

Dropes

1 - Em *A educação moral*, Durkheim observa que as punições quase não existem nas sociedades primitivas: "Um chefe Sioux achava os brancos bárbaros por baterem nos filhos". A coerção da infância aparece nas sociedades em pleno desenvolvimento cultural, como a de Roma imperial, ou a da Renascença, onde a necessidade de um ensino organizado mais se faz sentir. (...) É que à medida que a sociedade progride, torna-se mais complexa, a educação deve ganhar tempo e violentar a natureza, para cobrir a distância sempre maior entre a criança e os fins a ela impostos. (Olivier Reboul)

2 - As crianças [nas sociedades orais] seguem os adultos nas mais diferentes atividades, na caça, na coleta, no cuidado com as plantas cultivadas, na pesca. Imitam os adultos e, ao imitá-los, estão imitando os próprios heróis culturais, pois foram eles que fundaram (...) todas as formas de fazer as coisas no interior das culturas. Assim, um homem pesca como pesca porque assim faziam seus antepassados míticos que lhes transmitiram estes conhecimentos, e que seguem transmitindo-os sempre que necessário de diferentes formas. (Paula Caleffi)

Leituras complementares

❶ [Ritos de passagem]

O rito, a tortura

(...) De uma tribo a outra, de uma a outra região, diferem as técnicas, os meios, os objetivos explicitamente afirmados da crueldade; mas a meta é sempre a mesma: provocar o sofrimento. Em outra obra, tivemos a oportunidade de descrever a iniciação dos jovens guaiaquis, cujos corpos, em toda a sua superfície, são escavados e revolvidos. A dor acaba sempre tornando-se insuportável: sem proferir palavra, o torturado desmaia. (...)

Poder-se-iam multiplicar ao infinito os exemplos que seriam unânimes em nos ensinar uma única e mesma coisa: nas sociedades primitivas, a tortura é a essência do ritual de iniciação. Mas essa crueldade imposta ao corpo, será que ela não visa a avaliar a capacidade de resistência física dos jovens, a tornar a sociedade confiante na qualidade dos seus membros? Seria o objetivo da tortura no rito apenas fornecer a oportunidade de demonstração de um *valor individual*? (...)

Entretanto, se nos limitarmos a essa interpretação, estaremos condenados a desconhecer a função do sofrimento, a reduzir infinitamente o alcance de seu propósito, a esquecer que a tribo, através dele, ensina alguma coisa ao indivíduo.

A tortura, a memória

(...) Na exata medida em que a iniciação é, inegavelmente, uma comprovação da coragem pessoal, esta se exprime — se é que podemos dizê-lo — no silêncio oposto ao sofrimento. Entretanto, depois da iniciação, já *esquecido* todo o sofrimento, ainda subsiste algo, um saldo irrevogável, os sulcos deixados no corpo pela operação executada com a faca ou a pedra, as cicatrizes das feridas recebidas. Um homem iniciado é um homem marcado. O objetivo da iniciação, em seu momento de tortura, é marcar o corpo: no ritual iniciatório, *a sociedade imprime a sua marca no corpo* dos jovens. Ora, uma cicatriz, um sulco, uma marca são indeléveis. Inscritos na profundidade da pele, atestarão para sempre que, se por um lado a dor pode não ser mais do que uma recordação desagradável, ela foi sentida num contexto de medo e de terror. A marca é um obstáculo ao esquecimento, o próprio corpo traz impressos em si os sulcos da lembrança — *o corpo é uma memória*.

Pois o problema é não perder a memória do segredo confiado pela tribo, a memória desse saber de que doravante são depositários os jovens iniciados. Que sabem agora o jovem caçador guaiaqui, o jovem guerreiro mandan? A marca proclama com segurança o seu pertencimento ao grupo: "És um dos nossos e não te esquecerás disso". (...)

Avaliar a resistência pessoal, proclamar um pertencimento social: tais são as duas funções evidentes da iniciação como inscrição de marcas sobre o corpo. Mas estará realmente aí tudo o que a memória adquirida na dor deve guardar? Será de fato preciso passar pela tortura para que haja sempre a lembrança do valor do eu e da consciência tribal, étnica, nacional? Onde está o segredo transmitido, onde se encontra o saber revelado?

A memória, a lei

O ritual de iniciação é uma pedagogia que vai do grupo ao indivíduo, da tribo aos jovens. Pedagogia de afirmação, e não diálogo: é por isso que os iniciados devem permanecer silenciosos quando torturados. Quem cala consente. Em que consentem os jovens? Consentem em aceitar-se no papel que passaram a ter: o de membros integrais da comunidade. (...)

Os primeiros cronistas diziam, no século XVI, que os índios brasileiros eram pessoas sem fé, sem rei, sem lei. É certo que essas tribos ignoravam a dura lei separada, aquela que, numa sociedade dividida, impõe o poder de alguns sobre todos os demais. Tal lei, lei de rei, lei do Estado, os mandan, os guaiaquis e os abipones a ignoram. A lei que eles aprendem a conhecer na dor é a lei da sociedade primitiva, que diz a cada um: *Tu não és menos importante nem mais importante do que ninguém*. A lei, inscrita sobre os corpos, afirma a recusa da sociedade primitiva em correr o risco da divisão, o risco de um poder separado dela mesma, *de um poder que lhe escaparia*. A lei primitiva, cruelmente ensinada, é uma proibição à desigualdade de que todos se lembrarão. Substância inerente ao grupo, a lei primitiva faz-se substância do indivíduo, vontade pessoal de cumprir a lei.

Pierre Clastres, *A sociedade contra o Estado*. 2. ed. Rio de Janeiro, Francisco Alves, 1978, p. 125-130.

❷ [Américo Vespúcio tinha razão?]

Américo Vespúcio, relatando sua viagem às terras do Império Português na Índias Ocidentais, em um trecho de carta dirigido a Lorenzo de Pietro Medice, desde Lisboa, diz o seguinte:

"Esta terra é povoada de gentes completamente nuas, tanto os homens quanto as mulheres. Trabalhei muito para estudar suas vidas pois durante 27 dias dormi e vivi em meio a eles. Não tem lei nem fé alguma, vivem de acordo com a natureza e não conhecem a imortalidade da alma. Não possuem nada que lhes seja próprio e tudo entre eles é comum; não tem fronteiras entre províncias e reinos, não tem reis e não obedecem a ninguém [...] (1502)".

Ao lermos esta carta, e principalmente o trecho selecionado acima, constatamos que uma leitura a partir de uma outra hermenêutica[2] corrobora tanto as descobertas arqueológicas sobre as populações indígenas, como os estudos de etnologia.

A mesma afirmação, examinada sem o preconceito da época na qual foi escrita, indica que estas sociedades indígenas eram sociedades que se oganizavam a partir de laços de parentesco e não a partir de um poder separado do corpo social e institucionalizado chamado Estado, por isto Vespúcio não encontra um rei. Eram sociedades onde a religiosidade perpassava todos seus aspectos, em todos os momentos, nas quais a relação com a natureza era muito importante e o mito possuía um papel fundamental, porém, Vespúcio, não encontrando ídolos, imagens ou códices religiosos, considerou que eram sociedades sem fé. Eram também sociedades de tradição oral onde as idéias e as normas eram transmitidas de outras maneiras que não a escrita. Vespúcio, novamente não compreendendo esta característica e ao não encontrar leis escritas, concluiu que as sociedades indígenas eram sociedades sem lei.

(...)

Américo Vespúcio não possuía os recursos da etnologia e da história oral para entender as populações indígenas, mas nós os possuímos. As populações indígenas que sobreviveram a todo o processo de conquista e colonização estão aí, são nossas companheiras no território nacional. Mudaram desde a época da conquista, são sociedades

[2] Hermenêutica: interpretação do sentido das palavras, das leis, dos textos; no contexto, trata-se da interpretação do modo de vida das populações indígenas (tanto a do ponto de vista de Vespúcio, como a da etnologia contemporânea).

com culturas dinâmicas, nossa sociedade e cultura também mudou e continua mudando no cotidiano, assim como as indígenas, que, mesmo mudando, mantiveram a lógica de seus sistemas de tradição oral, de religiosidade, de educação, enfim de compreensão do mundo.

Paula Caleffi, "Educação autóctone nos séculos XVI ao XVIII ou Américo Vespúcio tinha razão?", in Maria Stephanou e Maria Helena Camara Bastos (orgs.), *Histórias e memórias da educação no Brasil*. Petrópolis, Vozes, 2004, v. I: *Séculos XVI-XVIII*, p. 35, 36 e 42.

Atividades

Questões gerais

1. Levando em conta as discussões do capítulo introdutório, quais são as dificuldades de se fazer a história das sociedades primitivas?
2. Em que sentido dizemos que a tribo constitui uma sociedade sem classes?
3. De que tipo é o poder exercido pelo chefe e pelo feiticeiro?
4. Explique a natureza da educação tribal usando os seguintes conceitos: mítica, espontânea, difusa e integral.
5. Em que circunstâncias surge a necessidade da educação formal, ou seja, da escola?
6. Considerando os ritos de passagem da infância para a vida adulta, é de supor que nas sociedades tribais não havia adolescência. Discuta a repercussão desse fato no processo de educação dos seus membros.
7. A partir da citação do Oliver Reboul (dropes 1), explique em que medida a educação pela disciplina do castigo persiste até hoje, apesar de toda a discussão pedagógica em torno da sua condenação. Haveria saída para esse impasse nas sociedades complexas de hoje?
8. Embora a educação dos povos tribais fosse estritamente difusa, ainda hoje ocorre esse fenômeno, pela educação informal na família, na sociedade e até na escola. Dê exemplos.

Questões sobre as leituras complementares

Responda às questões a seguir, com base no texto de Pierre Clastres.
1. Pierre Clastres argumenta que a tortura no rito não visa apenas a demonstrar um valor individual. Qual é, portanto, seu maior significado?
2 . O que o autor quer dizer com "um homem iniciado é um homem marcado" e com "o corpo é uma memória"?
3. Que significa "a recusa da sociedade primitiva em correr o risco da divisão"?
4. Compare os trotes de calouros a um rito de passagem.
5. Além dos trotes, que outros costumes contemporâneos poderiam ser comparados, sob certos aspectos, a "ritos de passagem dessacralizados"?

Responda às questões a seguir, com base no texto de Paula Caleffi.
6. Explique por que a descrição de Vespúcio sobre os indígenas "sem fé, sem rei, sem lei" revela o preconceito de uma concepção etnocêntrica?
7. Faça uma pesquisa para exemplificar a última afirmação da autora.

1911
4-8
786
104096

Capítulo 2

Antiguidade oriental: a educação tradicionalista

‹ A formação do escriba, restrita a poucos privilegiados, tinha início bem cedo. Na foto, uma "lição de casa" — encontrada em uma escavação ao sul da antiga Mesopotâmia, atual Iraque — nos dá pistas sobre a atividade da criança que aprendia a manejar o estilete para inscrever na argila úmida os caracteres cuneiformes.

Neste capítulo, vamos estudar alguns dos inúmeros povos que constituíram a chamada *Antiguidade oriental*. Apesar de nossa tradição ser predominantemente ocidental, greco-romana, não deixa de ser importante examinar os primórdios do que entendemos por "civilização". Mesmo porque os gregos conheceram e admiraram aquelas culturas, como atestam inúmeros testemunhos, e sem dúvida sofreram sua influência. Além disso, entre aqueles povos, encontravam-se os hebreus, cuja cultura chegou até nós pela herança hebraico-cristã.

No capítulo anterior, vimos que os povos primitivos vivem em tribos cujas relações sociais ainda permanecem igualitárias. Com o desenvolvimento da técnica e dos ofícios especializados, deu-se o incremento da agricultura, do pastoreio e do comércio de excedentes. A sociedade tornou-se mais complexa, pela rígida divisão de classes, pela religião organizada e pelo Estado centralizador. As primeiras civilizações, surgidas no norte da África e na Ásia (Oriente Próximo, Oriente Médio e Extremo Oriente), construíram aí as primeiras cidades, com seus templos, palácios e monumentos, além de terem inventado a escrita.

Do ponto de vista da educação — por serem sociedades de forte teor religioso —, o que há de comum em todas elas é o seu caráter estático ou de muito lenta mutação. Devido à complexidade delas, a educação exigiu a criação da escola, apesar de restrita a poucos e muito tradicionalista.

Contexto histórico

1. A revolução neolítica e as primeiras civilizações

O processo de hominização passou por diversos períodos, até que por volta de 8 mil ou 10 mil anos atrás ocorreu o chamado *Neolítico*, ou Idade da Pedra Polida, caracterizada por verdadeira revolução cultural. Com o aperfeiçoamento das técnicas agrícolas e de pastoreio, grupos humanos abandonaram a vida nômade, tornando-se sedentários. Esses povos fabricavam utensílios de pedra polida, de cerâmica, de cestaria etc. e, com o tempo, passaram a utilizar metais como o cobre e o bronze. Desenvolveram também uma arte cada vez mais refinada, além de inventarem formas diferentes de escrita e acumularem saberes diversos.

Há cerca de 5 mil anos teve início o que podemos chamar de *civilização* nas regiões banhadas por rios. Por isso, os historiadores a conheceram como *civilizações fluviais* (ou sociedades hidráulicas), uma vez que, nessas planícies incrustadas nos desertos, a terra se tornava fértil e o curso d'água favorecia o intercâmbio de mercadores. Assim surgiram a Mesopotâmia (às margens dos rios Tigre e Eufrates), o Egito ("uma dádiva do Nilo"), a Índia (rios Indo e Ganges) e a China (rios Yangtsé e Hoang-Ho).

Apesar das diferenças entre essas civilizações, todas impuseram governos despóticos de caráter teocrático, em que o poder absoluto do rei ou do imperador se sustentava na crença em sua origem divina. No Egito o faraó era o supremo sacerdote e considerado filho do deus Sol, enquanto na China o imperador era o Filho do Céu. Esse tipo de organização política mantinha as sociedades tradicionalistas, apegadas ao passado. A China, uma das mais conservadoras, ficou à margem da influência ocidental até o século XIX.

As civilizações orientais distinguiam-se tanto das comunidades tribais como das civilizações greco-romanas, que viriam mais tarde, por representarem a transição de uma comunidade indivisa para a sociedade de classes. Em outras palavras, a terra não pertencia a todos, como na tribo, nem a particulares, mas era propriedade do Estado.

A administração burocrática do Estado controlava a produção agrícola, arrecadava impostos, recrutava mão-de-obra para a construção de grandes templos, túmulos, palácios, monumentos, diques, sistemas de irrigação. À medida que o Estado se tornava cada vez mais centralizado e poderoso, crescia a importância dos dirigentes, como altos funcionários do governo, sacerdotes e escribas. Surgiu então uma minoria privilegiada pertencente à administração dos negócios, enquanto a grande massa da população se ocupava com a produção propriamente dita. Entre estas últimas estavam os escravos, além de mercadores, artesãos, soldados e camponeses obrigados à servidão.

A maneira pela qual os povos das primeiras civilizações orientais se relacionavam para produzir sua subsistência é conhecida como *modo de produção asiático*. Há quem também assim denomine as relações de produção dos povos pré-colombianos da América, como os incas, os maias e os astecas.

Além dos mesopotâmios, egípcios, hindus e chineses, outros povos se sucederam nas regiões do Oriente Médio e do Oriente Próximo, ora ocupados com o pastoreio e levando vida nômade, ora dedicados ao comércio e à navegação. São eles os hebreus, os medas, os persas e os fenícios, que constituíram civilizações florescentes no segundo e primeiro milênios a.C.

2. A invenção da escrita

Hoje usamos para a escrita o sistema *fonético alfabético*, que registra sons, e cada som representa uma letra. No entanto, muitas vezes não imaginamos o processo pelo qual se deu a invenção da escrita.

Costuma-se chamar de *pictográfica* a escrita que representa figuras, enquanto em um nível maior de abstração, a escrita *ideográfica* representa objetos e idéias. Escritas como os hieróglifos egípcios, os caracteres cuneiformes da Mesopotâmia e os ideogramas chineses são ideográficas, ainda quando passaram por etapas anteriores de registro pictográfico, mais presas à imagem. Já as escritas *fonéticas* decompõem as palavras em unidades sonoras: neste caso, libertados da figura, do objeto e da idéia, os sinais diminuem drasticamente de quantidade para registrar apenas os sons em infinitas composições possíveis. A escrita fonética ainda pode ser silábica (um sinal para a sílaba) ou alfabética (um sinal para cada letra).

Na Antiguidade oriental a invenção da escrita não se dissocia do aparecimento do Estado, pois a manutenção da máquina estatal supunha uma classe especial de funcionários capazes de exercer funções administrativas e legais cujo registro era imprescindível.

Provavelmente, desde 3500 a.C. os egípcios faziam inscrições em *hieróglifos* (literalmente, "escrita sagrada"). Essa escrita era no início pictográfica — representava figuras — e só posteriormente adquiriu características ideográficas, concomitantemente à aplicação da fonética silábica, isto é, "a escrita egípcia dispõe de todo um estoque de sinais figurados, cada um dos quais pode

Cronologia das primeiras civilizações

(datas aproximadas)

Egito: desde o final do 4º milênio a.C. (segundo alguns, começo do 3º milênio); até o século IV d.C.
Mesopotâmia: desde o final do 4º milênio a.C. (sumérios e sucessão de vários povos) até o século VI d.C.
China: 2750 a.C. (2500?) (metade do 3º milênio a.C.?)
Índia: primeira metade do 3º milênio a.C.
Israel: os hebreus ocuparam Canaã em 1250 a.C. (2º milênio, século XIII a.C.) até a dispersão no século I a.C.

Como ler as datas

O chamado *calendário gregoriano*, que vigora até hoje, foi adotado no século VI da nossa era, por influência da cultura cristã, que definiu o nascimento de Cristo como marco divisório. A seguir, exemplos:

3450 a.C.: metade do 4º milênio a.C. ou século XXXV a.C.
2940 a.C.: 3º milênio a.C. ou século XXX a.C.
1710 a.C.: 2º milênio a.C. ou século XVIII a.C.
970 a.C.: 1º milênio a.C. ou século X a.C.
720 a.C.: 1º milênio a.C. ou século VIII a.C.
510 a.C.: metade do 1º milênio ou século VI a.C.
52 a.C.: 1º milênio ou século I a.C.
150 d.C.: ano 150 ou século II (fica subentendido "da nossa era").
1543: ano de 1543 ou século XVI.

ter um valor seja de ideograma, seja de elemento fonético" (Février, apud Wilson Martins). Composta por cerca de seiscentos sinais, o que a tornava especialmente difícil, era utilizada pelos escribas, a minoria encarregada de exercer funções para o Estado e que, por isso, gozava de condição privilegiada.

Além das inscrições nas pedras de túmulos e monumentos, os egípcios usavam madeira e papiro para o registro das atas administrativas, da justiça e para as anotações contábeis nas atividades do comércio.

Na Mesopotâmia, a escrita cuneiforme (inscrições em forma de cunhas) também foi inicialmente pictográfica e depois ideográfica e fonética, quando o signo não mais indicava o objeto, mas o som (de sílabas).

Diferentemente, a China manteve a escrita ideográfica até meados do século XX. Era muito complicada e abstrata, em que os sinais gráficos representavam idéias e não figuras. Os mandarins ocupavam-se dessa função privilegiada, após serem submetidos a difíceis exames pelo Estado.

Escribas no Egito, mandarins na China, magos na Mesopotâmia e brâmanes na Índia exerciam suas funções monopolizando a escrita em meio à população analfabeta. O saber representava uma forma de poder.

A escrita, no entanto, difundiu-se muito mais no segundo milênio, por volta de 1500 a.C. (data incerta), quando os fenícios inventaram a escrita fonética alfabética, ou a aperfeiçoaram, não se sabe bem. O termo *alfabeto*, inicialmente formado pelas primeiras letras fenícias *aleph* e *bet*, é composto das letras gregas *alpha* (α) e *beta* (β). Os 22 sinais permitem as mais diferentes combinações, tornando bem mais práticos o uso e a aprendizagem da escrita.

Os fenícios destacaram-se como exímios navegadores e excelentes negociantes, e a invenção do alfabeto facilitava enormemente os registros das transações comerciais. A simplificação da escrita contribuiu para que ela deixasse de ser monopólio de uma minoria e perdesse aos poucos o caráter sagrado.

As antigas civilizações orientais

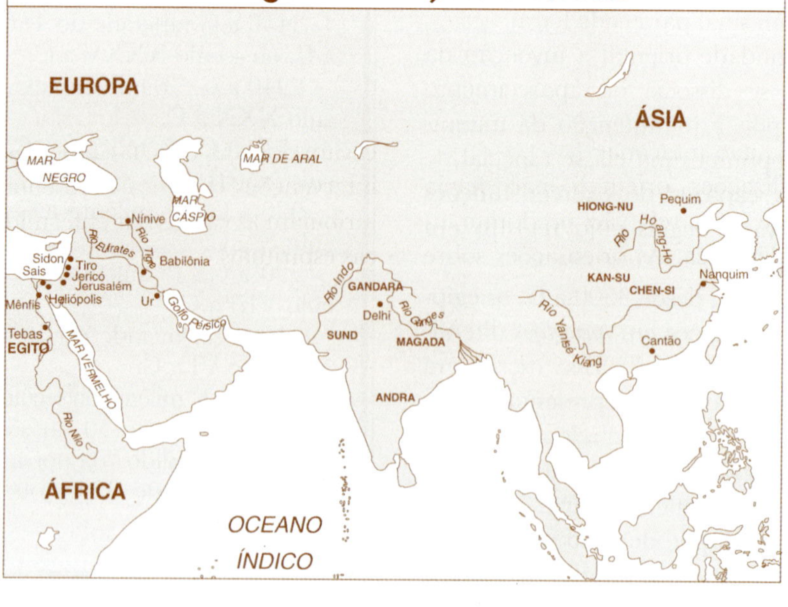

Os gregos assimilaram o alfabeto fenício por volta do século VIII a.C., transmitindo-o posteriormente aos latinos, por meio dos quais chegou até nós.

Educação e pedagogia

1. A educação tradicionalista

Quando as sociedades se tornaram mais complexas, vimos que a divisão se instalou no seio delas: as mulheres, confinadas no lar, passaram a ser dependentes dos homens, os segmentos sociais se especializaram entre governantes, sacerdotes, mercadores, produtores e escravos, criando-se uma hierarquia de riqueza e poder. Essas mudanças exigiram uma revolução na educação, que deixou de ser igualitária e difusa, portanto acessível a todos, como nas tribos. Enquanto alguns eram privilegiados, o restante da população não tinha direitos políticos nem acesso ao saber da classe dominante.

Em decorrência, estabeleceu-se uma diferenciação entre os destinados aos estudos do sagrado e da administração e aqueles voltados ao adestramento para os diversos ofícios especializados. Teve início, então, o *dualismo escolar*, que destina um tipo de ensino para o povo e outro para os filhos dos nobres e de altos funcionários. A grande massa era excluída da escola e submetida à educação familiar informal.

Nas civilizações orientais não havia propriamente uma reflexão predominantemente pedagógica. As orientações sobre como educar permeiam os livros sagrados, que oferecem regras ideais de conduta, segundo as prescrições religiosas e morais, a fim de perpetuar os costumes e evitar a transgressão das normas. Daí o caráter religioso dos compromissos impostos e não discutidos.

A princípio o conhecimento da escrita era bastante restrito, devido ao seu caráter sagrado e esotérico. Com o tempo, aumentou o número dos que procuravam instrução, embora apenas os filhos dos privilegiados conseguissem atingir os graus superiores.

Até as pesquisas atuais, as civilizações consideradas mais antigas são as do Egito e da Mesopotâmia. Lembramos que as referências às datas são sempre aproximadas, e muitas delas sujeitas a modificações, dependendo de novas descobertas arqueológicas, quando algum documento até então desconhecido venha à luz.

2. Egito

A partir do final do quarto milênio a.C., formou-se no Egito talvez a mais antiga das civilizações orientais. Desenvolvida às margens do rio Nilo, beneficiava-se das terras fertilizadas pelo húmus deixado no solo após as enchentes. O trabalho para proceder ao sistema de irrigação das regiões áridas e os conhecimentos de geometria para a medição das terras destinadas ao plantio após as enchentes são indicativos do desenvolvimento da engenharia daquele povo — confirmado pela construção das pirâmides. Também a astronomia avançou, possibilitando a confecção de um calendário solar, importante para prever as cheias do Nilo. No campo da medicina os egípcios identificavam doenças e até faziam alguns tipos de intervenções cirúrgicas. No entanto, ainda atribuíam as causas das enfermidades a forças espirituais.

Apesar do forte teor religioso da cultura egípcia, as informações eram muito práticas, como o cálculo da ração das tropas em campanha, o número de tijolos necessários para uma construção e complicados problemas de geometria destinados à agrimensura. Extensas listas de plantas e animais indicavam significativo conhecimento de botânica, zoologia, mineralogia e geografia.

É interessante notar que esse volume de informação geralmente não vinha acompanhado de questões teóricas de demonstração, nem de princípios ou leis científicas, o que, diga-se de passagem, viria a ser a grande contribuição do pensamento grego. Por exemplo, os egípcios conheciam as relações entre a hipotenusa e os catetos de um triângulo retângulo, mas foi o grego Pitágoras que procedeu à demonstração desse teorema, no século VI a.C.

Essas atividades da nascente civilização egípcia eram de tal monta que exigiam um esforço conjunto rigidamente controlado pelo Estado centralizador e teocrático. Por isso, a transmissão do saber, tanto religioso como técnico, era restrita a poucos, como os sacerdotes, que submetiam os alunos a práticas de iniciação.

Embora o núcleo mais forte da tradição tenha se mantido ao longo do tempo, notam-se pequenas mudanças, conforme o período, o que também determinou alterações nas formas de ensinar.

As escolas eram freqüentadas por pouco mais de vinte alunos cada uma, segundo as raras informações de que dispomos. Apesar de já se perceber a institucionalização das escolas, elas não funcionavam em prédios especialmente construídos para essa função, mas sim nos templos e em algumas casas. Os mestres sentavam-se em uma esteira e os alunos ao redor dele, muitas vezes ao ar livre, "sob uma figueira", como atesta a rica iconografia egípcia. Os textos eram aprendidos mediante a repetição mnemônica, isto é, pela leitura em voz alta, em conjunto, para facilitar a memorização. O ensino autoritário tinha por finalidade curvar o aluno à obediência. Mas como diz Mario Alighiero Manacorda: "num reino autocrático, a arte do comando é também, e antes de tudo, arte da obediência: a subordinação é uma das constantes milenares desta inculturação da qual, portanto, faz parte integrante o castigo e o rigor" [1]. E completa citando o ensinamento egípcio: "Pune duramente e educa duramente!"

Segundo um ensinamento antigo, além da obediência, o falar bem constituía importante instrumento político para a arte do convencimento daqueles que faziam parte dos conselhos ou deviam discursar para aplacar as multidões.

A atenção dos educadores também se voltava para a educação física, destinada aos nobres e aos guerreiros, inicialmente centrada na natação e com o tempo ampliada para atividades de tiro com arco, corrida, caça, pesca.

Dissemos que a educação enfatizava a arte de bem falar, mas a técnica do "escrever bem" não era inicialmente o intuito principal dessa educação, mas daquela voltada para a formação de peritos, dos escribas encarregados dos registros de atos oficiais, ou ainda, em um nível inferior, dos registros do comércio. Por volta do final do terceiro milênio a.C. e começo do segundo, porém, os textos escritos assumiram importância maior, o que trouxe prestígio para a função do escriba. Recorremos novamente a Manacorda: "escriba é aquele que lê as escrituras antigas, que escreve os rolos de papiro na casa do rei, que, seguindo os ensinamento do rei, instrui seus colegas e guia seus superiores, ou que é mestre das crianças e mestre dos filhos do rei, que conhece o cerimonial do palácio e é introduzido na doutrina da majestade do faraó".

Conforme atesta um antigo papiro, o reconhecimento do valor do escriba era tão grande que um pai estimulava o filho a levar a escola a sério: "Eu conheci fadigas, mas tu deves dedicar-te à arte de escrever, porque vi quem é livre do seu trabalho: eis que

[1] *História da educação*: da Antiguidade aos nossos dias. 11. ed. São Paulo, Cortez, 2004, p. 15.

não existe nada mais útil do que os livros". E acrescenta em outra passagem: "Eis que não existe uma profissão sem que alguém dê ordens, exceto a de escriba, porque é ele que dá ordens. Se souberes escrever, estarás melhor do que nos ofícios que te mostrei".

As escolas mais adiantadas de Mênfis, Heliópolis ou Tebas formavam escribas de categoria mais elevada. Além de funcionários administrativos e legais, preparavam médicos, engenheiros e arquitetos.

Havia ainda o ensino dos ofícios especializados para formar artesãos e para o treinamento dos guerreiros, o que separava a escola nos seus objetivos "intelectuais" ou "práticos" (profissionais). Mas uma abundante iconografia representando as crianças no ambiente de trabalho dos adultos nos faz supor que a grande maioria aprendia com pais e parentes.

3. Mesopotâmia

A Mesopotâmia — designação dada posteriormente pelos gregos, que significa "entre rios" — surgiu por volta do fim do quarto milênio a.C. ou início do terceiro no vale dos rios Tigre e Eufrates, território do atual Iraque. Ali se sucederam povos diversos, primeiramente os sumérios, depois os acádios, os assírios e os caldeus, entre outros, até a ocupação pelos persas no século VI a.C. Apesar dessa seqüência de conquistas, a cultura suméria — religião, arte, leis e literatura — permaneceu com pequenas alterações por 3 mil anos.

Embora as enchentes dos dois rios não fossem tão fecundas como as do Nilo, exigiam, da mesma forma, um trabalho intenso e coletivo para a construção de diques e adequado aproveitamento da irrigação natural. Portanto, além de usarem ferramentas e armas de bronze e de terem inventado a escrita cuneiforme, a que já nos referimos, os mesopotâmios dispunham de conhecimentos diversos. Construíram bibliotecas, desenvolveram a astronomia, a medicina — conheciam diversas drogas medicinais —, fizeram um calendário lunar. É bem verdade que esses saberes se achavam impregnados de misticismo: as doenças seriam causadas pelos demônios, e a posição dos astros revelava os desígnios dos deuses.

Temos poucas informações sobre os métodos educativos da civilização mesopotâmica. De início, predominava a educação doméstica, em que os saberes, crenças e habilidades eram transmitidos de pai para filho. Após 1240 a.C., quando os assírios conquistaram a Babilônia, foram criadas escolas públicas, com a intenção de impor os valores dos conquistadores. Com o tempo surgiram instâncias de educação superior — os centros de estudos de história natural, astronomia, matemática criados nos palácios reais — a que os historiadores chamaram de "Universidade Palatina da Babilônia". Também proliferaram ricas bibliotecas no interior dos templos, em que os "livros" eram tabuletas ou cilindros gravados com caracteres cuneiformes e versavam sobre os mais diversos assuntos.

À semelhança do Egito, destacava-se a cultura da poderosa classe sacerdotal, depositária do saber e encarregada da educação. A escola formava os escribas, incumbidos de ler e copiar os textos religiosos usando a difícil escrita. Por isso, o aprendizado era longo, minucioso e voltado para a preservação dessa cultura milenar. Os escribas tinham a função de registrar inclusive as transações comerciais, e foi desse modo que ficamos sabendo da intensa atividade comercial internacional dos mesopotâmios.

Ainda durante o segundo milênio a.C., o rei Hamurabi instituiu um código de leis conhecido pelo seu nome. Segundo a tradição, as leis resultavam da autoridade divina e como tal não podiam ser transgredidas, o que supunha castigos severos. Os mesopotâmios também acreditavam que os governantes eram escolhidos pelos deuses, o que garantia a teocracia.

4. Índia

Na Índia floresceu uma civilização por volta do ano 2000 a.C. às margens dos rios Indo e Ganges.

Para nós, ocidentais, a importância da tradição hindu está no fato de ter permanecido viva até os dias de hoje, por meio da herança de duas das principais religiões do mundo, o hinduísmo (bramanismo) e o budismo: "Longe de pertencer inteiramente a um passado encerrado, como as glórias defuntas do Egito e da Babilônia, a aventura hindu prossegue sob nossos olhos"[2].

Para o hinduísmo, religião composta de diversas crenças, das quais a mais disseminada é o bramanismo, os seres e os acontecimentos são manifestações de uma só realidade chamada Brahman, alma ou essência de todas as coisas.

Se nas civilizações orientais as divisões de classe foram marcantes, na Índia estabeleceram extrema discriminação. A população era dividida em castas fechadas: os brâmanes (sacerdotes), os xátrias (guerreiros e magistrados), os vaicias (agricultores e mercadores), os sudras (artesãos) e os párias (servos dedicados aos serviços considerados mais humildes).

Devido à crença de que todos saíram do corpo do deus Brahman, os brâmanes eram considerados mais importantes por terem sido gerados da cabeça do deus. No outro extremo, os párias, por nem sequer terem origem divina, não pertenciam a nenhuma casta e por isso eram intocáveis e reduzidos a uma condição miserável.

Segundo tão rígida hierarquia, que predeterminava as condições de casamentos e a escolha de profissões, a educação também era discriminadora, privilegiando os brâmanes. Encaminhados por mestres, eles aprendiam os textos sagrados dos Vedas e dos Upanishads. Entre os livros dos Vedas, compilados em sânscrito a partir de tradição oral, o mais antigo é o Rig-Veda (talvez do terceiro milênio a.C.). Os Upanishads, textos mais recentes, datam do período entre 1500 e 500 a.C.

As aulas, geralmente ao ar livre, sob árvores, dependiam da iniciativa privada. O mestre era venerado, e a disciplina não abusava de castigos. Os estudos tinham fundo religioso e moral, e o aprendizado era mnemômico. Devido ao predomínio do ideal místico-contemplativo, não havia grande interesse pela educação física. Inicialmente só os brâmanes estendiam os estudos aos cursos superiores, em que, além da religião, estudavam gramática, literatura, matemática, astronomia, filosofia, direito, medicina. Com o tempo, outros segmentos tiveram acesso a esse tipo superior de educação, enquanto as demais castas apenas recebiam educação elementar, da qual estavam excluídos os sudras e os párias.

Além do bramanismo, a educação na Índia foi influenciada pelo budismo, religião fundada no século VI a.C. por Sidarta Gautama, o Buda (que significa "o Iluminado"). Essa doutrina, com caráter mais espiritualizado, valoriza sobremaneira a relação entre mestre e discípulo. Expandiu-se para inúmeras regiões da Ásia, atingindo inicialmente a China e depois o Japão. Chegou até nossos dias, e a partir da década de 1950 exerceu forte influência em parcela da juventude norte-americana, que se achava desgostosa com o modo de vida ocidental.

[2] Louis Renou, in Maurice Crouzet (org.), *História geral das civilizações*. São Paulo, Difel, 1960, tomo I, p. 221.

5. China

A China, desde a metade do segundo milênio a.C., estabeleceu diversas dinastias nas regiões fluviais, sobretudo do Huang-Ho (rio Amarelo).

A história da China revela uma das mais tradicionalistas culturas, mantida sem grandes mudanças mesmo até tempos recentes. É inevitável que a educação também reproduzisse esse caráter conservador, voltado para a transmissão da sabedoria contida nos livros clássicos, ainda que burilada por interpretações posteriores de outros sábios.

Da longa tradição dos chamados livros canônicos ou clássicos, talvez o mais antigo e de maior dificuldade de interpretação seja o *I Ching* (*Livro das mutações*), cuja origem se perdeu nos tempos, uma vez que percorreu longo período de transmissão oral até ser registrado por escrito. Diga-se de passagem, trata-se de um tipo de oráculo que até hoje é consultado pelos orientais. Os sábios Lao Tsé e Confúcio, ambos do século VI a.C., buscaram inspiração e conceitos nesses livros.

Lao Tsé fundou o taoísmo a partir da noção do *Tao* (que originalmente significa "o Caminho") e dos princípios opostos *yin* e *yang*, de complexa simbologia. Mais do que opostos, representam a união dos contrastes, um todo de duas metades, a harmonia que forma o Universo.

O confucionismo, criado por Confúcio (Kung Futsé), seguia uma orientação mais conservadora que a de Lao Tsé. Como sábio e professor, as especulações de Confúcio voltavam-se para a aplicação prática e, nesse sentido, exerceram forte influência na formação moral dos jovens chineses.

Ao contrário das demais civilizações antigas, cujo saber pertencia à classe sacerdotal, na China os letrados eram os mandarins, altos funcionários de estrita confiança do imperador e responsáveis pela máquina burocrática do Estado. O rigoroso sistema de seleção para esse ensino superior baseava-se em exames oficiais que distribuíam os candidatos nas diversas atividades administrativas. Os cursos restringiam-se à classe dirigente, enquanto as oficinas eram reservadas para artesãos e camponeses.

A educação elementar visava ao ensino do cálculo e à alfabetização, muito difícil e demorada devido ao caráter complexo da escrita chinesa. A formação moral baseava-se na transmissão dos valores dos ancestrais. Tudo era feito de maneira rigorosa e dogmática, com ênfase nas técnicas de memorização.

6. Os hebreus

Inicialmente nômade, o povo hebreu saiu da Caldéia, na Mesopotâmia, passou por Canaã (Palestina) e fixou-se no Egito no segundo milênio a.C., de onde foi reconduzido por Moisés a Canaã, a Terra Prometida, por volta de 1250 a.C. (data incerta), onde se juntou a outros grupos, até que as doze tribos hebraicas se unificassem com Saul, primeiro rei de Israel.

Como nas demais civilizações antigas, os hebreus estavam impregnados da religiosidade transmitida pela *Bíblia*, livro sagrado com os fundamentos do judaísmo e que chegou até os tempos atuais. No entanto, significativas diferenças distinguem os hebreus dos demais povos.

Valorizavam os antepassados, mas não como deuses ou semideuses, e sim como seres humanos. Além disso, enquanto as outras civilizações não destacavam propriamente a individualidade, por estarem seus membros mergulhados nas práticas coletivas, os hebreus desenvolveram uma nova ética voltada para os valores da pessoa: os mandamentos são um apelo ao ser humano interior.

A esse propósito, convém lembrar que, embora fosse costume atribuir aos hebreus a primazia pela superação da concepção politeísta, por admitirem a existência de um só deus, Javé (ou Jeová), sabemos hoje que outros povos, antes dos hebreus, já haviam venerado um só deus. Por exemplo, no Egito (século XIV a.C.), o faraó Amenóphis IV (depois autodenominado Akhenaton: "o que apraz a Aton") teria adorado o deus único Aton. No entanto, a crença em um só deus exerceu reduzido impacto na cultura egípcia, enquanto com os hebreus ela se estendeu no tempo. Além disso, foram os hebreus os primeiros a desenvolverem um "monoteísmo ético", isto é, a exigência de que os seguidores de Javé tivessem um comportamento moral baseado no respeito ao próximo e assumido não por imposição, mas como escolha pessoal.

A noção de autonomia espiritual foi reforçada no início do século VIII a.C., com os *profetas*, que, acreditava-se, eram mensageiros de Deus e destinados a educar o "povo eleito" com rigor e disciplina na interpretação da Lei.

Do ponto de vista da história, recusavam a explicação cíclica, para apresentar uma concepção evolutiva, na expectativa da vinda de um Messias, um Salvador, que, segundo eles, ainda não surgiu até os tempos atuais. De início as sinagogas também serviam de local para a instrução religiosa, pela qual se transmitiam as verdades da *Bíblia*, cujos cinco primeiros livros sagrados são chamados *Torá*, que significa "ensinamento" ou "instrução". Apenas no século I da era cristã houve interesse no estudo da escrita e da aritmética.

Outro aspecto do judaísmo é a importância dada a todo ofício, bem como o reconhecimento do valor da educação para o trabalho, o que atestam as seguintes citações: "A mesma obrigação tens de ensinar a teu filho um ofício como a de instruí-lo na Lei" e "É bom acrescentar a teus estudos o aprendizado de um ofício; isso te ajudará a livrar-te do pecado".

Lembramos que foi na Judéia que nasceu Jesus, dando início a uma nova religião, o cristianismo, pois os primeiros adeptos viram em Cristo o Messias prometido. A partir daquele momento, adotaram a *Bíblia* hebraica, chamada então *Antigo Testamento*, ao qual os evangelistas acrescentaram o *Novo Testamento*, no início da nossa era. Por isso, os documentos bíblicos têm inestimável interesse histórico e não somente nos fazem conhecer os valores morais e jurídicos do povo hebreu, como ajudam a compreender as raízes judaico-cristãs da cultura ocidental.

Como veremos mais adiante, quando o cristianismo passou de religião perseguida a culto oficial na Roma antiga, preparou-se o terreno para a herança religiosa que iria marcar todo o período medieval do ocidente cristão, cujos valores repercutem até os dias atuais.

7. E hoje?

Como vivem hoje os povos dessas regiões onde surgiram as primeiras civilizações da nossa história? Ao longo do tempo influenciaram várias culturas mais novas e sofreram conquistas as mais diversas. No século IV a.C. o macedônio Alexandre Magno, após a ocupação da Grécia, estendeu seu império pela Ásia Menor, Oriente Médio, Mesopotâmia, Pérsia, até a Índia. Na África, conquistou o Egito e lá fundou Alexandria, a cidade que ficou famosa pela sua biblioteca e avançado centro de estudos científicos. Esse período histórico, conhecido como *helenismo grego*, não só divulgou a cultura grega, como sofreu influência orientalizante.

Depois vieram os romanos, cujo Império alcançou a máxima extensão no século II da nossa era. No século VII, com Maomé, começou a expansão do islamismo. Embora os árabes tenham recuado na Europa no final da Idade Média —, não sem antes ter fecundado a ciência e a filosofia ocidental — a religião muçulmana permanece até hoje em extensas regiões da África e da Ásia.

Na época do colonialismo europeu, no século XIX, o Egito esteve sob o domínio britânico, que se firmou também na Índia. A partir de meados do século XX, a filosofia e a religião hindus atraíram os jovens norte-americanos desgostosos com os rumos da civilização tecnocrata ocidental, considerada extremamente racionalista e pragmática, e cujo capitalismo desenfreado tudo submeteu aos valores do lucro e da competição, sobrepondo o mundo dos negócios à vida afetiva. Teve início então o movimento de contracultura no Ocidente: os *beatniks* e, depois, os *hippies* voltaram sua atenção para o Oriente, e uma onda mística percorreu o mundo. Vale lembrar que o movimento estudantil de maio de 1968 na França sofreu influências as mais diversas, entre as quais a de segmentos da contracultura com inspiração oriental.

A China, que conseguiu viver à parte do resto do mundo — sofrendo evidentemente as lutas políticas internas —, tornou-se comunista em 1950. Ainda hoje, início do século XXI, mantém o controle político, mas abre-se gradualmente para a economia de mercado ocidental.

Nossa cultura ocidental e, conseqüentemente, nossa educação são tributárias da herança greco-romana e da tradição judaico-cristã. Como vimos, isso não significa que as civilizações orientais não nos digam respeito, sobretudo porque muitos de seus saberes foram assimilados pelos povos que surgiram posteriormente.

Dropes

1 - *Fragmentos de papiros egípcios*

"Se és um homem de qualidade, forma um filho que seja sempre a favor do rei. (...) Curva as costas perante o teu superior, o teu superintendente no palácio real. (...) É prejudicial para quem se opõe ao seu superior. (...) Educa em teu filho um homem obediente. (...) Um filho obediente é um servidor de Hórus, o faraó."

"Atira-te ao trabalho e torna-te escriba, porque então serás guia dos homens."

2 - *Tradição hebraica*

"Não retires da criança o castigo, pois se a fustigares com a vara, não morrerá. Tu a fustigarás com a vara e livrarás a sua alma do inferno." (Livro dos Provérbios)

"Tens filhos? Educa-os bem, e acostuma-os à sujeição, desde a infância." (Eclesiastes)

"Quem não procura que seu filho aprenda um ofício, está preparando-o para que seja ladrão"; "A mesma obrigação tens de ensinar a teu filho um ofício como a de instruí-lo na Lei"; "Grande é a dignidade do trabalho; muito honra ao homem." (Talmude)

"(...) tirai de diante dos meus olhos a malícia dos vossos pensamentos, cessai de fazer o mal, aprendei a fazer o bem, procurai o que é justo, socorrei o oprimido, fazei justiça ao órfão, defendei a viúva." (profeta Isaías)

"Não furtareis. Não mentireis, e ninguém enganará o seu próximo. (...) Não farás o que é iníquo, nem julgarás injustamente. (...) se algum estrangeiro habitar na vossa terra, e morar entre vós, não o impropereis; mas esteja entre vós como um natural; e amai-o como a vós mesmos." (Levítico)

3 - No século VI a.C., viveram vários gênios espirituais e filosóficos: Confúcio e Lao Tsé, na China; Gautama Buda, na Índia; Zaratustra, na Pérsia (atual Irã); Tales de Mileto, Pitágoras de Samos e Heráclito de Éfeso, nas colônias gregas da Jônia e Magna Grécia.

4 - *Zen*

Doutrina difundida no Japão por volta de 1200 da nossa era, resultou da combinação do budismo indiano com o confucionismo e o taoísmo chineses. Seu objetivo é atingir a iluminação, ou seja, o *satori*. Para isso, os mestres zen evitam as argumentações e teorizações e buscam a verdadeira intuição mística. Não se alheiam, porém, do mundo cotidiano e, ao contrário, dão grande importância à vida diária.

● Leituras complementares

❶ A palavra, a escrita e o sujeito

A escrita não poderia reduzir-se à transcrição das línguas faladas. Marcas repetidas, representação de marcas de mãos ou pegadas, vestígios de passagem, marcas no corpo e pinturas corporais, estigmas de filiação, escarificações[3], inscrições, glifos[4], pictogramas, ideogramas, imagens estilizadas, desenhos, grafites, signos, algarismos, letras, a escrita simboliza a ausente presença do outro; ela representa a alteridade do sujeito, mostra a morte ao sujeito.

Nem por isso, fala e escrita são consubstanciais. Se a fala está na origem da identidade de um sujeito singular como inscrito em um grupo que compartilha a mesma língua, por sua vez, a escrita é fundadora da identidade do sujeito universal ausente. Desde sua aparição, a escrita imprime um movimento – da mão, do corpo – paradoxal de descentramento e enraizamento do sujeito. Ela impõe sua indelével subjetividade e permite seu apagamento. Nesta passagem da fala para a escrita, qual é o ganho e/ou a perda de sentido e de liberdade?

Em primeiro lugar, a escrita apresenta-se como uma captação do tempo no espaço da matéria, um desvio e uma transgressão do tempo. As pinturas corporais acompanham um acontecimento, uma festa ou um ritual sazonal; escandem um tempo curto e, à semelhança deste, são efêmeras. As pinturas corporais cadiuéu, caiapó ou carajá, confeccionadas para um período mais ou menos longo de um ritual, estabelecem vínculos com o mundo dos espíritos. A escrita é mediação entre os tempos e os espaços, no caso concreto, espaço humano/espaço sobrenatural. As escarificações vão além desse tempo curto; carregam a marca pe-

[3] Escarificação: pequenas incisões na pele.

[4] Glifo: gravura (inscrição geralmente em pedra).

rene de uma cerimônia de iniciação e inscrevem na carne do sujeito uma passagem entre dois tempos: o da infância que está deixando, para o tempo da idade adulta a que está chegando. Elas constituem — principalmente na África — um sinal de identidade da pessoa, já que podem designar, ao mesmo tempo, sua filiação étnica e sua localização geográfica. Pinturas corporais e escarificações estão relacionadas com o tempo da existência humana. As tabuletas de argila com inscrições cuneiformes falam, igualmente, desse tempo. Por constituírem, freqüentemente, letras promissórias ou inventários comerciais, elas estão votadas a desaparecer, uma vez concluída a transação. Por sua vez, as inscrições nas estelas[5] de pedra, mármore ou granito são destinadas à descendência. Motivos peleolíticos ou genealogias dinásticas, pela própria repetição do traçado em um suporte — sejam figuras de animais ou listas de antepassados —, indicam a vontade de representar diversos tempos: tempo de dança, do cotidiano, do sazonal, dos ciclos da vida humana, do infinito. Por si só, a busca de diferentes suportes da escrita mostra, com toda a evidência, que o ser humano coloca sua engenhosidade a serviço de seu desígnio em construir o tempo e conferir-lhe sentido. (...)

Em segundo lugar, a escrita tem efeitos irreversíveis que a fala não consegue provocar. A escrita desloca, ao mesmo tempo, o autor e o leitor, enquanto sujeitos. Por um lado, o autor, permeado por seu escrito, é transformado por este porque tem necessidade de assumir o ato da escrita (...). Por outro, o leitor é transformado por tal ato; de fato, o que lhe é oferecido para ver e/ou ler leva-o a interrogar-se sobre sua própria apreensão ou leitura do mundo; ora, essa relação com o espaço-tempo da leitura já o deslocou em sua subjetividade. Não é verdade que Gide afirmava que o caráter próprio de um livro era levar o leitor para fora do lugar onde o havia encontrado?

Em terceiro lugar, a escrita cria uma memória adicional, exterior ao sujeito; serve de intermediário para a memória, mas, ao mesmo tempo, a congela. Enquanto a fala garante à memória sua plasticidade, sua reorganização possível ao saber das formulações, a escrita formaliza a memória, embora, ao mesmo tempo, a liberte.

Georges B. Kutukdjam, "A palavra, a escrita e o sujeito", in Eduardo Portella (org.), *Reflexões sobre os caminhos do livro*. São Paulo, Unesco/Moderna, 2003, p. 37-39.

❷ [Civilização e barbárie]

Após o início da Guerra do Iraque, as populações dos países aliados têm sofrido o medo constante de atentados, temor confirmado com as explosões nos trens de Madri, em 2004.

A pronta reação norte-americana de instaurar a "guerra contra o terror" criou uma polarização maniqueísta (de luta do "bem" contra o "mal"), em que o Oriente é visto por radicais de cá como o "eixo do mal", enquanto os de lá classificam os Estados Unidos como o "grande satã", o que só tende a estimular a intolerância xenófoba de parte a parte.

Não por acaso, muitas pessoas fazem generalizações preconceituosas contra os árabes, chamando-os de "bárbaros", ou contra a religião islâmica, atribuindo a ela a culpa de atos que, de fato, se devem a facções fundamentalistas. Outros se regozijam com o que consideram uma ferida na soberba norte-americana. Essas atitudes são prejudiciais à democracia, pelo respeito que devemos aos diversos povos e pela necessidade de não se responder ao terror com o terror.

[5] Estela: pedra com inscrições ou esculpida; exemplo: estelas funerárias.

A esse propósito, o filósofo francês Francis Wolff teceu algumas observações importantes em "Quem é bárbaro?". Nesta palestra, posteriormente publicada[6], ele começa examinando as respostas dadas pelos envolvidos na questão da Guerra do Iraque: para os partidários de Osama Bin Laden, a única civilização seria a do Islã, e bárbaros são os infiéis, ou seja, o Ocidente; já para os ocidentais, há quem afirme "a supremacia da civilização ocidental sobre o Islã".

Para evitar esse tipo de raciocínio tendencioso de ambos os lados, Francis Wolff distingue três sentidos da barbárie, conforme três concepções de *civilização*:

a) *Civilização* como processo de abrandamento dos costumes, de refinamento nos modos de cumprir as funções naturais, como comer, defecar, assoar o nariz etc. e também a polidez no trato com os outros. Bárbaros seriam os brutos grosseiros que ignoram as boas maneiras, a "civilidade".

b) *Civilização* como patrimônio das ciências, letras e artes, enfim, pelo estágio desenvolvido da cultura humana. Os bárbaros seriam os insensíveis ao saber ou à beleza, como "aquele que pilha as igrejas para fundir o ouro que nelas encontra, que queima os livros ou... destrói as estátuas".

c) *Civilização* como "tudo aquilo que, nos costumes, em especial nas relações com outros homens e outras sociedades, parece humano, realmente humano — o que pressupõe respeito pelo outro, assistência, cooperação, compaixão, conciliação e pacificação das relações —, em oposição ao que se supõe natural ou bestial, a uma violência vista como primitiva ou arcaica, a uma luta impiedosa pela vida".

Ora, é importante observar que, muitas vezes, sociedades que se orgulham de ter atingido os dois primeiros estágios descritos de civilização, são capazes de comportamentos que ferem o terceiro sentido. Assim, os civilizados gregos aceitavam com tranqüilidade a escravidão, e os conquistadores espanhóis "civilizados" e cristãos dizimaram os astecas, por eles considerados "bárbaros" por praticarem uma religião que incluía sacrifícios humanos.

Esses exemplos nos mostram que "a barbárie, oposta à idéia única e simples de civilização, não existe", já que povos ditos civilizados são capazes de atos de barbárie (no terceiro sentido), como já citamos anteriormente diversos deles. [E o filósofo Francis Wolff assim conclui:] "Por isso o ataque de 11 de setembro é de fato um ataque bárbaro, e por ser bárbaro é que exige uma resposta civilizada. É bárbaro tanto na forma como no fundo, não por ser organizado por uma religião ou cultura bárbara, mas por ser organizado em nome da idéia do Bem absoluto. E ele exige uma resposta civilizada, ou seja, uma luta sem hipocrisia, não em nome da idéia do Bem ou da civilização, mas em nome da luta pela diversidade da humanidade, da qual todas as civilizações são garantia".

M. L. de Arruda Aranha e M. H. Pires Martins, *Temas de filosofia*. São Paulo, Moderna, 2005, p. 292.

[6] In Adauto Novaes (org.), *Civilização e barbárie*. São Paulo, Companhia das Letras, 2004, p. 19-43.

Atividades

Questões gerais

1. Um grupo de alunos deve trazer para a classe ilustrações que identifiquem as diversas escritas dos povos da Antiguidade oriental. Outro grupo trará mapas históricos das regiões ocupadas por eles (de algum período da Antiguidade) e da situação geográfica atual dessas mesmas regiões.

2. "A dificuldade de traçar esses caracteres e a complexidade do sistema cuneiforme, cujos sinais transcreve sob forma silábica (e não alfabética), concomitantemente os sons, idéias e predicados determinativos (bem como os prefixos, sufixos e infixos de uma língua aglutinante, ou seja, sem flexões), tornam penosa e lenta a formação do escriba, mas fazem dele uma elite no Estado" (Paul Petit). A partir da citação, responda:

a) A que civilização antiga o texto se refere?

b) A importância do escriba tinha igual peso em outras civilizações antigas. Explique quais eram os aspectos religiosos e práticos de possuir o domínio da escrita.

c) Escriba, mago, mandarim, brâmane: quais são as equivalências entre eles? Quais as conseqüências para a educação popular?

d) Em que sentido a divisão social que privilegia a elite que tem acesso à cultura, desde a Antiguidade, ainda pode ser considerada, sob alguns aspectos, atual?

3. Qual a relação entre o caráter religioso das primeiras civilizações e sua marca tradicionalista?

4. Considerando a questão anterior, faça uma pesquisa sobre países contemporâneos que mantêm governos teocráticos e quais as conseqüências do fundamentalismo religioso para a política e também para a cultura e a educação.

5. Que diferenças existem entre o povo hebreu e os demais povos orientais daquele longo período?

Questões sobre as leituras complementares

Considerando a primeira leitura, responda às questões a seguir.

1. Se fala e escrita não são da mesma natureza, qual a semelhança e a diferença entre elas?

2. O que significa dizer que a escrita se apresenta como "um desvio e uma transgressão do tempo"?

3. Em que medida podemos afirmar que a escrita acentua o caráter crítico do discurso?

4. Que relação podemos estabelecer entre invenção da escrita e civilização?

5. Ampliando os exemplos possíveis de "escrita", citados pelo autor, discuta com seus colegas sobre quais seriam hoje as novas linguagens a que muitas pessoas não têm ainda direito ao acesso pela educação.

Considerando o texto [Civilização e barbárie], responda às questões a seguir.

6. Sob que aspectos as civilizações da Antiguidade mereceram o título de *civilizações*?

7. Considerando os três itens de significados atribuídos ao conceito de *civilização*, sob que aspectos podemos comparar (nas suas semelhanças e diferenças) as civilizações atuais com aquelas antigas?

8. É possível uma civilização tecnologicamente desenvolvida ser concomitantemente bárbara?

Capítulo 3

Antiguidade grega: *a* paidéia

Como vimos no capítulo anterior, as civilizações orientais desenvolveram-se no norte da África e na Ásia. Depois foi a vez da Europa, onde floresceram, em momentos sucessivos, duas grandes civilizações: a grega e a romana.

Na Antiguidade, a Grécia não formava uma unidade política, mas se compunha de diversas unidades políticas autônomas, constituídas pelas cidades-estados. Apesar dessa autonomia, o caldeamento inicial de diversos povos convergiu para formar uma mesma civilização, pois as diferentes cidades tinham, em comum, o idioma e a religião, além de similaridades nas instituições sociais e políticas.

Os gregos se distinguiam dos demais povos, denominando sua terra de *Hellás*, ou *Hélade*, a si mesmos de *helenos* e aos outros, pejorativamente, de *bárbaros*. Só mais tarde essa região recebeu a designação latina de *Graii*, de que derivou *Graecia* (que se lê *Grécia*).

Vejamos como se constituiu esse povo de marcante influência na civilização ocidental até os tempos presentes.

‹ A Grécia antiga, berço dos jogos olímpicos, sempre deu destaque à educação física. O cuidado com a destreza corporal nos esportes, porém, não dispensava a igual valorização da formação moral e estética. (Detalhe de vaso grego do século V-VI a.C. Acervo do Museu Britânico, Londres.)

Contexto histórico

> **Periodização da história da Grécia antiga**
>
> • Civilização micênica: séculos XX a XII a.C.
>
> • Tempos homéricos: séculos XII a VIII a.C.
>
> • Período arcaico: séculos VIII a VI a.C.
>
> • Período clássico: séculos V e IV a.C.
>
> • Período helenístico: séculos III e II a.C.

1. A civilização micênica

Desde o início do segundo milênio a.C., a *civilização micênica* reuniu vários povos, sobretudo os aqueus, que se estabeleceram sob o regime de comunidade primitiva. Com o tempo, a figura do guerreiro adquiriu importância cada vez maior, formando-se uma aristocracia militar cujos chefes mais destacados viviam nos castelos de Tirinto e Micenas. Esta última cidade, no início do século XII a.C., era governada por Agamémnon, que, ao lado de Aquiles e Ulisses, partiu para sitiar e conquistar Tróia, no litoral da Ásia Menor. No final daquele mesmo século, a invasão dos bárbaros dórios mergulhou a Grécia em um período obscuro até o século IX a.C. Muitos aqueus fugiram para a Ásia Menor, onde foram fundadas colônias que mais tarde prosperaram pelo comércio.

2. Tempos homéricos

Os *tempos homéricos* (séculos XII a VIII a.C.) são assim chamados porque naquela época teria vivido Homero, talvez no século IX ou VIII a.C. Predominava ainda a concepção mítica do mundo, pela qual se admitia que as ações humanas eram influenciadas pelo sobrenatural, pela interferência divina. Os mitos gregos, recolhidos pela tradição, recebiam forma poética e eram transmitidos oralmente pelos cantores ambulantes conhecidos como *aedos* e *rapsodos*, que os recitavam de cor em praça pública.

Dentre eles, destacou-se Homero, provável autor das epopéias *Ilíada* e *Odisséia*. A primeira trata da Guerra de Tróia (*Ílion*, em grego), e a outra relata o retorno de Ulisses (*Odisseus*, em grego) à ilha de Ítaca, após a Guerra de Tróia. Não se pode afirmar com certeza que Homero tenha realmente existido, além de que alguns estudiosos atribuem aquelas obras a vários autores de diferentes épocas, devido às mudanças de estilo nos dois poemas.

Segundo os relatos míticos dessas epopéias, o herói vive na dependência dos deuses e do destino. Ter sido escolhido pelos deuses é sinal de valor e em nada desmerece a virtude, que para os gregos significa força, excelência e superioridade, alvo supremo do herói. Trata-se da virtude do "guerreiro belo e bom".

Hesíodo, outro poeta que teria vivido por volta do final do século VIII e princípio do VII a.C., produziu uma obra com característica já voltada para a época que se iniciou a seguir, ou seja, de busca da própria individualidade. Ainda assim, predomina na sua *Teogonia* a crença nos mitos.

3. Período arcaico

No *período arcaico* (séculos VIII a VI a.C.) ocorreram grandes transformações nas relações sociais e políticas, muito diferentes das que se conheciam em outras culturas, proporcionando a lenta passagem da predominância do mundo mítico para a reflexão mais racionalizada e a discussão. Nesse processo foram importantes algumas novidades, tais como a introdução da escrita, a utilização da moeda, a lei escrita por legisladores, a formação das cidades-estados (póleis) e o aparecimento dos primeiros filósofos, novidades estas responsáveis por uma nova visão do mundo e do indivíduo. Vejamos por quê.

A *escrita* já existira na Grécia no período micênico, restrita aos escribas, mas desapareceu com a invasão dórica. Ao ressurgir no final do século IX ou VIII a.C., por influência do alfabeto fenício, gerou uma nova idade mental, ao permitir maior abstração, propiciar o confronto das idéias e estimular o espírito crítico. No entanto, isso não significa que a escrita fosse acessível a todos e sim que ocorreu a sua dessacralização (desligamento do sagrado) ao mesmo tempo que deixou de ser o privilégio burocrático para uso dos poderosos. Segundo o helenista Jean-Paul Vernant, a escrita "terá correlação doravante com a função de publicidade; vai permitir divulgar, colocar igualmente sob o olhar de todos, os diversos aspectos da vida social e política".

A invenção da *moeda* ocorreu entre os séculos VII e VI a.C. devido ao incremento do comércio após a expansão do mundo grego com a colonização da Magna Grécia (atual sul da Itália e Sicília) e da Jônia (atual Turquia). A moeda representou um papel revolucionário por superar o sistema de troca, facilitando a administração dos negócios. Além disso, no campo do pensamento, constituiu um artifício racional, por estabelecer uma medida comum entre valores diferentes.

As cidades-estados (póleis) surgiram por volta dos séculos VIII e VII a.C. e provocaram grandes alterações na vida social e nas relações humanas. Isso muito se deve aos legisladores Drácon, Sólon e Clístenes, que instituíram a *lei escrita*. A grande novidade é que a lei deixa de ser a vontade imutável dos deuses ou da arbitrariedade dos governantes, para ser uma criação humana, sujeita à discussão e a modificações. Para Vernant, a originalidade da cidade grega é o fato de ela estar centrada na *ágora* (praça pública), espaço onde eram debatidos os problemas de interesse comum.

No final do período arcaico, várias lutas denunciavam a crise social e política que resultou do conflito entre a aristocracia rural e os setores populares representados pelos comerciantes em ascensão. As leis escritas, decorrentes das reformas do legislador Sólon, favoreceram o acesso dos ricos comerciantes ao poder, e no final do século VI a.C. as reformas de Clístenes deram condições para o nascimento, no século seguinte, de uma nova ordem política, a democracia.

A pólis se constituiu com a autonomia da palavra. Não mais a palavra mágica dos mitos, concedida pelos deuses, mas a palavra humana do conflito, da argumentação. A expressão da individualidade por meio do debate engendrou a política, libertando

> Se Esparta e Atenas (...) representaram os dois modelos opostos da *pólis* grega, a florescência das *póleis* difundiu-se em toda a Grécia (com Corinto, Olímpia, Epidauro etc.), depois desde os limites da atual Turquia (com Mileto e Pérgamo), até a Magna Grécia, que compreendia as costas da Puglia (com Brindisi e Taranto), da Calábria (com Crotona), da Sicília (com Siracusa e Agrigento), da Campânia (com Paestum e Eléia). (Franco Cambi)

o indivíduo dos desígnios divinos, para que ele próprio pudesse tecer seu destino na praça pública. A instauração dessa ordem humana deu origem ao *cidadão da pólis*.

Decorre daí uma nova concepção de virtude, diferente do valor do "guerreiro belo e bom". Se antes a virtude era ética, aristocrática, agora ela é política, voltada para o ideal democrático da igual repartição do poder.

É bem verdade que nem todas as póleis foram democráticas e mesmo as que o foram sofreram variações no tempo. Mas, ainda que mudasse o regime, permanecia o costume de organizar assembléias e estabelecer cargos eletivos.

Finalmente, houve o aparecimento do *filósofo*, nas colônias gregas. Esses pensadores – entre eles Tales e Pitágoras – também eram responsáveis por uma "física" nascente e pela formalização da matemática e da geometria.

A "filosofia é filha da cidade", porque surgiu como problematização e discussão de uma realidade antes não questionada pelo mito. O nascimento da filosofia, fato histórico enraizado no passado, achava-se, portanto, vinculado às já citadas transformações: a escrita, a lei, a moeda, o cidadão, a pólis, as instituições políticas.

Alguns autores costumam chamar de "milagre grego" a passagem do pensamento mítico para o racional e filosófico. Mais recentemente, porém, outros estudiosos admitem que esse foi um processo preparado lentamente pelo passado mítico e cujas características não desapareceram como por encanto na nova visão filosófica do mundo. Segundo essa nova interpretação, a filosofia na Grécia não é, na verdade, um salto realizado por um povo privilegiado, mas a culminância de um processo que se fez ao longo de milênios e para o qual concorreram as novidades introduzidas na época arcaica.

As póleis gregas

4. Período clássico

O *período clássico* (séculos V e IV a.C.) representou o apogeu da civilização grega. A esplêndida produção nas artes, literatura e filosofia delineou definitivamente o que viria a ser a herança cultural do mundo ocidental.

Na política, o auge do ideal grego de democracia é representado por Péricles (século V a.C.), estratego[1] de Atenas. Tratava-se, no entanto, de uma "democracia escravista", em que apenas os homens livres eram cidadãos. Ora, Atenas tinha cerca de meio milhão de habitantes, dos quais 300 mil eram escravos e 50 mil, metecos (estrangeiros); excluídos estes, e mais as mulheres e as crianças, apenas os 10% restantes tinham o direito de decidir por todos. Em todas as atividades artesanais, o braço escravo "libertava" o cidadão para que ele pudesse se dedicar às funções teóricas, políticas e de lazer, consideradas mais dignas.

5. Período helenístico

O *período helenístico* (séculos III e II a.C.) registrou a decadência política. Como vimos, a Grécia nunca constituiu uma unidade política, e as cidades-estados ora se rivalizavam em poder e influência, ora se uniam contra um inimigo comum, como no caso da ameaça persa. Ainda na época clássica, as desavenças entre as poderosas cidades de Esparta e Atenas culminaram em guerra, da qual Atenas saiu derrotada. Dessa situação aproveitou-se o rei Filipe da Macedônia para conquistar as cidades gregas, também convulsionadas por conflitos internos. Mais tarde, seu filho Alexandre expandiu suas conquistas pela Ásia e África, formando um império.

Mesmo que a Grécia tenha sido dominada, não podemos falar em destruição da civilização grega. O próprio Alexandre teve como mestre o filósofo Aristóteles e amava a cultura grega. Após a morte precoce de Alexandre, o Grande, em 323 a.C., o império se fragmentou, e por volta dos séculos II e I a.C. os romanos não só se apropriaram desses territórios, mas assimilaram as expressões culturais da civilização grega. A fusão da tradição grega com a oriental, resultante das conquistas alexandrinas, deu origem ao que se chama *cultura helenística*.

Educação

1. A formação integral

O grau de consciência de si mesmos alcançado pelos gregos antigos não ocorrera até então em lugar algum. A nova concepção de cultura e do lugar ocupado pelo indivíduo na sociedade repercutiu no ensino e nas teorias educacionais. De fato, os filósofos gregos voltavam-se para uma formação que desenvolvesse o processo de construção consciente, permitindo ao indivíduo ser "constituído de modo correto e sem falha, nas mãos, nos pés e no espírito".

A educação grega estava, portanto, centrada na formação integral — corpo e espírito —, embora, de fato, a ênfase se deslocasse ora mais para o preparo militar ou esportivo, ora para o debate intelectual, conforme a época ou o lugar.

Nos primeiros tempos, quando ainda não existia a escrita, a educação era ministrada pela própria família, conforme a tradição religiosa. Quando se constituiu a aristocracia dos senhores de terras, de formação guerreira, os jovens da elite eram

[1] Estratego: comandante militar. A partir do século V a.C., o conselho administrativo destinado a dirigir a política passou a ser formado por uma junta de estrategos. Talvez Péricles tenha sido um dos primeiros escolhidos.

confiados a preceptores. Apenas com o surgimento das póleis apareceram as primeiras escolas, visando a atender à demanda por educação. No período clássico, sobretudo em Atenas, a instituição escolar já se encontrava estabelecida.

Mesmo que essa ampliação da oferta escolar representasse uma "democratização" da cultura, a educação ainda permanecia elitizada, atendendo principalmente os jovens de famílias tradicionais da antiga nobreza ou pertencentes a famílias de comerciantes enriquecidos. Aliás, na sociedade escravagista grega, o chamado *ócio digno* significava a disponibilidade de gozar do tempo livre, privilégio daqueles que não precisavam cuidar da própria subsistência. O que não se confunde com o "fazer nada", mas sim refere-se ao ocupar-se com as funções nobres de pensar, governar, guerrear. Não por acaso, a palavra grega para escola (*scholé*) significava inicialmente "o lugar do ócio".

A educação física, antes predominantemente guerreira, militar, passou a ser orientada sobretudo para os esportes. O hipismo, por exemplo, constituía um esporte elegante e restrito a poucos, por ser de manutenção cara. Com o tempo, o atletismo ampliou a participação do público freqüentador dos ginásios.

Nas escolas, voltadas mais para a formação esportiva que para a intelectual, o ensino das letras e cálculos demorou um pouco para se difundir. Por volta do século VI a.C. (provavelmente no século V a.C.), porém, já se tornara bem mais freqüente. A inversão total do pólo predominante na educação — da formação física para a espiritual — ocorreu bem depois no ensino superior, devido à influência dos filósofos.

Como aspecto comum às cidades gregas, a transmissão da cultura não era prerrogativa apenas da família ou das escolas nascentes, sendo as tradições também aprendidas nas inúmeras atividades coletivas. Convém destacar, nessa "comunidade pedagógica", a importância do teatro, acessível ao povo, que assistia às tragédias e comédias, bem como dos festivais pan-helênicos, que congregavam visitantes de todas as partes do mundo grego. Dentre os mais concorridos destacavam-se a cada quatro anos os *jogos olímpicos*, realizados na cidade de Olímpia, e que reuniam desde o século VIII a.C. as cidades gregas – evento tão valorizado que os conflitos cessavam durante sua realização. Eram educativos também os banquetes e as reuniões na ágora. Esta praça pública, no coração da cidade, servia ao mesmo tempo para o mercado e para as assembléias políticas.

A *paidéia*

A ênfase dada à formação integral deu origem a um conceito de complexa definição, ou seja, à *paidéia*, palavra que teria sido cunhada por volta do século V a.C., mas que exprimia um ideal de *formação* constante no mundo grego. De início significava apenas educação dos meninos (*pais*, *paidós*, "criança"). Com o tempo, adquiriu nuanças que a tornaram intraduzível. O helenista Werner Jaeger, que escreveu uma obra com esse nome (*Paidéia*), diz: "Não se pode evitar o emprego de expressões modernas como *civilização*, *cultura*, *tradição*, *literatura* ou *educação*; nenhuma delas, porém, coincide realmente com o que os gregos entendiam por *paidéia*. Cada um daqueles termos se limita a exprimir um aspecto daquele conceito global e, para abranger o campo total do conceito grego, teríamos de empregá-los todos de uma só vez"[2].

[2] *Paidéia*, "Introdução". São Paulo, Herder, s. d.

O conceito de *paidéia*, entre os gregos, influenciou o que os romanos, nos tempos de Cícero, iriam chamar de *humanitas* (ver próximo capítulo) e que abrangia a formação integral do ser humano. É bem verdade que se tratava de uma orientação aristocrática, já que os "bem formados" não se ocupavam com as "artes servis", ofício de escravos.

Apenas no Iluminismo do século XVIII veremos uma tentativa de estender a formação humanística a todos, num ideal de educação universal. No mundo contemporâneo, por vivermos uma crise de paradigmas, como veremos no capítulo 12, ressurge o ideal de superar a visão pragmática, utilitária da educação, voltada muitas vezes para a estrita especialização, na busca de uma formação mais abrangente e globalizante.

A seguir, veremos os tipos de educação efetivamente existentes no mundo grego, conforme suas modificações no tempo e no espaço.

2. As origens: Homero, "educador da Grécia"

Na época da aristocracia guerreira, descrita sobretudo nas epopéias de Homero, a educação visava à formação militar do nobre. O conceito de *virtude* possui, nesse período, o sentido de força e coragem, atributos do "guerreiro belo e bom", aos quais se acrescentam a prudência, a lealdade, a hospitalidade, bem como a honra, a glória e o desafio à morte. Eram esses os valores de uma sociedade aristocrática que justificava os privilégios de uma linhagem nobre, de origem divina.

A criança nobre permanecia em casa até os 7 anos, quando era enviada aos palácios de outros nobres a fim de aprender, como escudeiro, o ideal cavalheiresco. Também se contratavam preceptores, para a formação integral baseada no afeto e no exemplo. São clássicas as figuras de Fênix, preceptor de Aquiles, e Mentor, mestre de Telêmaco.

Contrapondo Ulisses, "mestre da palavra", a Ájax, "homem de ação", o mestre Fênix recordava ao jovem Aquiles o fim para que foi educado: "Para ambas as coisas: proferir palavras e realizar ações". Ou seja, para participar da assembléia dos nobres e atuar nas guerras.

No período arcaico, que se seguiu aos tempos homéricos, e também na época clássica, ainda prevalecia a influência cultural das epopéias na educação. Ao relatar as ações dos deuses, transmitiam os costumes, a língua, os valores éticos e estéticos. Durante séculos as figuras paradigmáticas de Telêmaco e Aquiles, por exemplo, serviram de modelo de "excelência moral e física" para os jovens gregos.

De início os poemas, transmitidos oralmente, eram recitados de cor em praça pública, e seu conteúdo oferecia os temas básicos de toda educação escolar. Por isso, apesar das restrições que Platão fez à poesia mítica de Homero, não deixou de denominá-lo "o educador da Grécia".

3. Dois modelos de educação: Esparta e Atenas

Como as póleis eram autônomas politicamente, também o modo de educar variou entre elas. Por questões didáticas, vamos privilegiar dois modelos radicalmente diferentes: o de Esparta, cidade militarizada, e o de Atenas, iniciadora do ideal democrático.

Diz o historiador da educação Franco Cambi: "Até seus ideais e modelos educativos se caracterizavam de maneira oposta pela perspectiva militar de formação de cidadãos-guerreiros, homogêneos à ideologia de uma sociedade fechada e compacta, ou por um tipo de formação cultural e aberta, que valorizava o indivíduo e suas capacidades de construção do próprio mundo interior e social. Esparta e Atenas deram vida a dois ideais de educação: um baseado no conformismo e no estatismo, outro na concepção de *paidéia*, de formação humana livre e nutrida de experiências diversas, sociais mas também culturais e antropológicas"[3].

Educação espartana

Esparta era uma importante cidade-estado situada na península do Peloponeso. Após a fase heróica, ao contrário das demais cidades gregas, ainda valorizava as atividades guerreiras, desenvolvendo uma educação severa, orientada para a formação militar.

Por volta do século IX a.C. o legislador Licurgo (cuja existência real é objeto de questionamento) organizou o Estado e a educação. De início, os costumes não eram tão rudes, e o preparo militar era entremeado com a formação esportiva e a musical. Com o tempo — sobretudo no século IV a.C., quando Esparta derrotou Atenas — o rigor da educação acabou assemelhando-se à vida de caserna.

Os cuidados com o corpo começavam com uma política de eugenia — prática de melhoramento da espécie —, que recomendava fortalecer as mulheres para gerarem filhos robustos e sadios, bem como abandonar as crianças deficientes ou frágeis demais.

Após permanecerem com a família até os 7 anos, as crianças recebiam do Estado uma educação pública e obrigatória. Viviam em comunidades constituídas por grupos de acordo com a idade e supervisionados pelos que se distinguiam no desempenho das tarefas exigidas. Como todos os gregos, os espartanos estudavam música, canto e dança coletiva.

Até os 12 anos as atividades lúdicas predominavam. Depois, aumentava o rigor da aprendizagem, e a educação física se transformava em verdadeiro treino militar. Os jovens aprendiam a suportar a fome, o frio, a dormir com desconforto, a vestir-se de forma despojada. A educação moral valorizava a obediência, a aceitação dos castigos, o respeito aos mais velhos e privilegiava a vida comunitária. Sob esses aspectos, as organizações da juventude espartana se assemelham bastante às dos Estados totalitários, como o nazismo, no século XX.

Ao contrário dos atenienses, os espartanos não eram dados a refinamentos intelectuais, nem apreciavam os debates e os discursos longos. Aliás, a palavra *laconismo*, que significa "maneira breve, concisa, de falar ou escrever", deriva de Lacônia, região onde viviam os espartanos.

De toda a Grécia, eram as cidades de Lacônia as que ofereciam maior atenção às mulheres, que participavam das atividades físicas, como exercícios de salto, lançamento de disco, corrida, dança. Por ocasião das festividades, exibiam nos jogos públicos toda a força, a beleza e o vigor dos corpos bem treinados.

Educação ateniense

Segundo o historiador grego Tucídides (século V a.C.), Atenas foi "a escola de toda a Grécia". De fato, a concepção ateniense de Estado fez surgir a figura do cidadão da pólis. Ao lado dos cuidados com a educação física, destacava-se a formação intelectual, para que melhor se pudesse participar dos destinos da cidade. Com a ascensão da classe dos comerciantes, em oposição à an-

[3] *História da pedagogia*. São Paulo, Ed. Unesp, 1999, p. 82.

tiga aristocracia, impôs-se outra forma de exercício de poder e, portanto, uma nova educação.

Vimos que, passado o período heróico, a educação ainda era aristocrática e dela se incumbia a família. No final do século VI a.C., já terminando o período arcaico, surgem formas simples de escolas. Embora o Estado já demonstrasse algum interesse, o ensino não se tornou obrigatório nem gratuito, predominando a iniciativa particular.

A educação se iniciava aos 7 anos. A criança do sexo feminino permanecia no *gineceu*, local da casa onde as mulheres se dedicavam aos afazeres domésticos, menos importantes em um mundo essencialmente masculino. Se fosse menino, desligava-se da autoridade materna para iniciar a alfabetização e a educação física e musical. Era sempre acompanhado por um escravo, conhecido como *pedagogo*. A palavra *paidagogos* significa literalmente "aquele que conduz a criança" (*pais*, *paidós*, "criança"; *agogós*, "que conduz").

O menino era levado à *palestra*[4], para praticar exercícios físicos, sob a orientação do *pedótriba* (instrutor físico). Ali era iniciado na competição famosa de jogos que constituíam as cinco modalidades do *pentatlo*, tais como corrida, salto, lançamento de disco, de dardo e luta. Fortalecia o corpo ao mesmo tempo que aprendia o domínio sobre si mesmo, já que a educação física nunca se reduzia à mera destreza corporal, mas vinha acompanhada pela orientação moral e estética.

Para a educação musical, extremamente valorizada, o pedagogo conduzia a criança ao *citarista*, ou professor de cítara. A música (a arte das musas), de significado muito amplo, abrangia a educação artística em geral. Assim, qualquer jovem bem-educado aprendia a tocar lira ou outros instrumentos, como cítara e flauta. O canto, sobretudo coral, e a declamação de poesias geralmente eram acompanhados por instrumento musical. A dança, expressão corporal abrangente, incluía o exercício físico e a música.

Esse tipo de formação integral se expressa na frase de Platão: "Eles [os mestres de música] familiarizaram as almas dos meninos com o ritmo e a harmonia, de modo que possam crescer em gentileza, em graça e harmonia, e tornar-se úteis em palavras e em ações".

O ensino elementar de leitura e escrita, durante muito tempo, mereceu menor atenção e cuidado do que as práticas esportivas e musicais já referidas. O mestre de letras era geralmente uma pessoa humilde, mal paga e não tinha o prestígio do instrutor físico. Com o tempo, à medida que aumentou a exigência de melhor formação intelectual, delinearam-se três níveis de educação: elementar, secundária e superior.

O gramático (*grammata*, literalmente "letra"), também chamado didáscalo (*didasko*, "eu ensino"), reunia, em qualquer canto — sala, tenda, esquina ou praça pública —, um grupo de alunos, para lhes ensinar leitura e escrita. Os métodos usados dificultavam a aprendizagem, em que se acentuava o recurso de silabação, repetição, memorização e declamação. Geralmente as crianças aprendiam de cor os poemas de Homero e de Hesíodo, as fábulas de Esopo e de outros autores. Escreviam em tabuinhas enceradas, e os cálculos eram feitos com o auxílio dos dedos e do ábaco, instrumento de contar constituído de pequenas bolas.

---

[4] Palestra: de *palaistra*, "lugar onde se luta"; *palaio*, "eu luto". Na cidade de São Paulo, o antigo nome do clube de futebol Palmeiras era Palestra Itália.

A educação elementar completava-se por volta dos 13 anos. As crianças mais pobres saíam em busca de um ofício, enquanto as de família rica prosseguiam os estudos, sendo encaminhadas ao *ginásio*. Esta palavra tem diversos sentidos: inicialmente designava o local para a cultura física onde, com freqüência, os gregos se apresentavam despidos (daí sua origem etimológica: *gimnos*, "nu"). Com o tempo, as atividades musicais se direcionaram para discussões literárias, abrindo espaço para assuntos gerais como matemática, geometria e astronomia, sobretudo sob a influência dos filósofos. Com a criação de bibliotecas e salas de estudo, o ginásio adquiriu feição mais próxima do conceito de local de educação secundária.

Dos 16 aos 18 anos, a educação assumiu uma dimensão cívica de preparação militar, instituição que se desenvolveu por volta do século IV a.C. e é conhecida como *efebia* (*efebo*, "jovem"). Após a abolição do serviço militar em Atenas, a efebia passou a constituir a escola em que se ensinavam filosofia e literatura.

Apenas com os sofistas (século V a.C.) teve início uma espécie de educação superior. Aqueles filósofos também se dedicaram à profissionalização dos mestres e à didática, cuidando inclusive da ampliação das disciplinas de estudo.

Sócrates, Platão e Aristóteles também ministraram educação superior. Enquanto Sócrates se reunia informalmente na praça pública, Platão utilizou um dos ginásios de Atenas, a Academia, e mais tarde seu discípulo Aristóteles ensinou em outro ginásio, o Liceu. Ainda em Atenas, Isócrates abriu uma escola muito concorrida, que valorizava a retórica. Por causa disso, foi estabelecida uma polêmica com Platão, seu contemporâneo, como veremos.

É preciso compreender as mudanças a partir das novas exigências da vida na pólis, pois a política precisava de cidadãos que soubessem convencer pela palavra.

Como se vê por este relato, a educação formal atendia os filhos da elite, excluindo os demais. Segundo o legislador Sólon, "as crianças devem, antes de tudo, aprender a nadar e a ler; em seguida, os pobres devem exercitar-se na agricultura ou em uma indústria qualquer, ao passo que os ricos devem se preocupar com a música e a equitação, e entregar-se à filosofia, à caça e à freqüência aos ginásios".

Não havia, portanto, atenção para o ensino profissional, já que os ofícios se aprendiam no próprio mundo do trabalho. As exceções eram a arquitetura e a medicina, consideradas artes nobres. A medicina, profissão altamente considerada entre os gregos, baseava-se nos ensinamentos de Hipócrates (460-377 a.C.), acrescidos de inúmeras observações, que tornaram a medicina parte integrante da cultura geral grega, ao lado dos preceitos éticos e das regras de conduta. Segundo o helenista Werner Jaeger, esse prestígio decorria da relação da medicina com a *paidéia*, ou seja, o médico era colocado ao lado do pedótriba, do músico e do poeta. Se a saúde fazia parte do ideal grego de educação, é preciso entender que ginastas e médicos concebiam a cultura física na sua dimensão espiritual.

4. Educação no período helenístico

No fim do século IV a.C., iniciou-se a decadência das cidades-estados, até a perda total de sua autonomia. A cultura helênica, no entanto, fundiu-se às civilizações que a dominaram, dando origem ao helenismo. Nos séculos seguintes não haveria cidade importante do Oriente, da África e do mundo romano em expansão que não tivesse teatros, banhos públicos, ginásios e bibliotecas inspirados na cultura helênica.

No período helenístico, a antiga *paidéia* torna-se *enciclopédia*, que significa literalmente "educação geral" e consiste na ampla gama de conhecimentos exigidos para a formação da pessoa culta. À medida que se ampliavam os estudos teóricos, restringia-se o tempo dedicado aos exercícios físicos. Nos grupos superiores predominava o saber erudito, distanciado do cotidiano. As questões metafísicas e políticas foram substituídas por temas éticos.

Ao lado do ensino elementar, orientado pelo gramático, notou-se o desenvolvimento do nível secundário, sendo ainda ampliada a função de *retor*, ou mestre de retórica, tão defendida por Isócrates no período anterior.

O conteúdo abrangente do programa tornou-se cada vez mais caracterizado pelas chamadas *sete artes liberais*: as três disciplinas humanísticas (gramática, retórica e dialética) e as quatro científicas (aritmética, música, geometria e astronomia). A esse conteúdo acrescenta-se o aperfeiçoamento do estudo de filosofia e, posteriormente, o de teologia, na era cristã.

Espalharam-se inúmeras escolas filosóficas, e da junção de algumas (entre as quais a Academia e o Liceu) formou-se a Universidade de Atenas, centro de fermentação intelectual que perdurou inclusive no período da dominação romana.

Outro local importante de estudos superiores foi Alexandria, cidade fundada na foz do rio Nilo pelo imperador Alexandre, o Grande, em 331 a.C., e que se transformou em centro fecundo de pesquisa, constituído por escola, museu e biblioteca, por onde passaram muitos sábios. Aí foram gestadas a astronomia geocêntrica de Ptolomeu, a física de Arquimedes, a geometria de Euclides e, mais tarde, foram acolhidos os primeiros Padres da Igreja.

A biblioteca de Alexandria, famosa pela coleção de manuscritos gregos, hebreus, egípcios e orientais, era bem equipada, com funcionários para organizar os documentos e realizar cópias. É de lastimar a destruição desse tesouro no século VII d.C., quando a região foi conquistada pelos árabes[5].

Pedagogia

1. A pedagogia como reflexão sobre a *paidéia*

Vimos que os povos da Antiguidade oriental não dispunham de uma reflexão especialmente voltada para a educação, porque esse saber e essa prática encontravam-se vinculados às tradições religiosas recebidas dos ancestrais. Por se tratar de sociedades teocráticas, a educação não se separava da religião, e o escriba, o sacerdote ou o mago eram os depositários desses valores.

Na Grécia clássica, ao contrário, as explicações predominantemente religiosas foram substituídas pelo uso da razão autônoma, da inteligência crítica e pela atuação da personalidade livre, capaz de estabelecer uma lei humana e não mais divina. Surgia, pois, a necessidade de elaborar teoricamente o ideal da formação, não do herói, submetido ao destino, mas do cidadão, que deixa de ser o depositário do saber da comunidade, para se tornar aquele que elabora a cultura da cidade. A ênfase no passado foi deslocada para o futuro: ninguém se acha preso a um destino traçado, mas é capaz de projeto, de utopia.

Se, como vimos, a palavra *paidagogos* nomeava inicialmente o escravo que conduzia

[5] Segundo o historiador Paul Monroe, o califa que conquistou Alexandria teria usado os livros como combustível para 4 mil banhos públicos, por um período de seis meses.

a criança, com o tempo, o sentido do conceito ampliou-se para designar toda teoria sobre a educação. Ao discutir os fins da *paidéia*, os gregos esboçaram as primeiras linhas conscientes da ação pedagógica e assim influenciaram por séculos a cultura ocidental.

As questões: *o que* é melhor ensinar?, *como* é melhor ensinar? e *para que* ensinar? enriqueceram as reflexões dos filósofos e marcaram diversas tendências, como veremos a seguir. Aliás, vale observar que até hoje essas perguntas são fundamentais para a pedagogia.

Para compreender melhor essa nova forma de pensar, lembramos que a divisão clássica da filosofia grega está centralizada na figura de Sócrates, daí a denominação dada aos três períodos, conforme mostra o quadro a seguir.

Períodos da filosofia grega

• *Pré-socrático* (séculos VII e VI a.C.): os primeiros filósofos surgiram nas colônias gregas da Jônia e na Magna Grécia. Ao iniciar o processo de separação entre a filosofia e o pensamento mítico, ocupavam-se com questões cosmológicas sobre os elementos constitutivos de todas as coisas.

• *Socrático* ou *clássico* (séculos V e IV a.C.): desse período fazem parte o próprio Sócrates, seu discípulo Platão e posteriormente o discípulo deste, Aristóteles; os sofistas e também Isócrates são dessa época.

• *Pós-socrático* (séculos III e II a.C.): após a morte do imperador Alexandre, teve início o helenismo e surgiram as correntes filosóficas do estoicismo e do epicurismo.

2. Sofistas: a arte da persuasão

Comecemos pelo período clássico, que nos interessa justamente pelo tipo diferente de educação prestes a se formar. Os novos mestres eram os sofistas, sábios itinerantes de todas as partes do mundo grego e que então se encontravam em Atenas. Os mais famosos foram: Protágoras de Abdera (485-410 a.C.), Górgias de Leôncio (485-380 a.C.), Híppias de Élis, e outros, como Trasímaco, Pródico, Hipódamos.

A palavra *sofista*, etimologicamente, vem de *sophos*, que significa "sábio", ou melhor, "professor de sabedoria". Pejorativamente passou a designar quem emprega sofismas, ou seja, quem usa de raciocínio capcioso, de má-fé, com intenção de enganar. Deve-se essa imagem caricatural às críticas de Sócrates e Platão à atitude intelectual dos sofistas e ao costume de cobrarem muito bem por suas aulas. Recentemente essa avaliação depreciativa foi atenuada, redimensionando-se a importância da sofística para a educação democrática.

Enquanto os primeiros filósofos pré-socráticos se voltavam sobretudo para as questões sobre a natureza (*physis*), os sofistas procederam à passagem para a reflexão propriamente antropológica, centrada nas discussões sobre moral e política. Foram também responsáveis por elaborar teoricamente e legitimar o ideal democrático da classe em ascensão, a dos comerciantes enriquecidos.

Na nova ordem política da cidade, as virtudes louvadas não tinham como modelo o aristocrata bem-nascido, "de origem divina", que se destacava pela coragem na guerra. Diferentemente, a virtude do cidadão da pólis é cívica e está na sua capacidade de discutir e deliberar nas assembléias. Por isso os sofistas fascinavam a juventude com o brilhantismo de sua retórica e se propunham a ensinar a arte da persuasão, do convencimento, do discurso, que seria bem aproveitada na praça pública (ágora), sede da assembléia democrática.

Nesse sentido, os sofistas foram os criadores da educação intelectual, que se tornou independente da educação física e da musical, até então predominantes nos ginásios. Além disso, ampliaram a noção de *paidéia*: de simples educação da criança, estendeu-se à contínua formação do adulto, capaz então de repensar por si mesmo a cultura do seu tempo.

À revelia das críticas de Sócrates, os sofistas valorizaram a figura do professor e, ao exigir remuneração, deram destaque ao caráter profissional dessa função.

Outra obra importante dos sofistas refere-se à sistematização do ensino, por terem eles iniciado os estudos de gramática, além de darem ênfase à retórica e à dialética. Por influência dos pitagóricos, desenvolveram a aritmética, a geometria, a astronomia e a música. Ficou assim constituída a tradicional divisão das sete artes liberais, assim chamadas por se destinarem aos homens livres, desobrigados das tarefas manuais. Esse currículo será mais bem organizado no período helenístico e na Idade Média.

Das obras dos sofistas só nos restaram fragmentos, além dos comentários — como já vimos, tendenciosos — dos filósofos do seu tempo. É bem verdade que alguns sofistas abusavam da retórica, elaborando um discurso vazio, um palavreado oco, ou justificando, com igual maestria, posições contrárias sobre o mesmo assunto. Talvez devido à excessiva atenção ao aspecto formal da exposição e defesa de idéias, já que se achavam, naquele momento histórico, mais interessados na arte da persuasão do que na verdade da argumentação. No entanto, não se pode generalizar esse tipo de crítica.

Aliás, a sofística já prenuncia a luta pedagógica que movimentará o século seguinte, ou seja, o duelo entre a filosofia e a retórica, como veremos.

3. O diálogo socrático

Sócrates (c. 469-399 a.C.) é uma figura emblemática na história da filosofia. Apesar de, no seu tempo, muitos o terem confundido com os sofistas, na verdade a eles se opôs de maneira tenaz, criticando-os por cobrarem pelas aulas e também discordando da maneira pela qual encaminhavam as discussões.

Procurado pelos jovens, Sócrates passava horas discutindo nos locais públicos de Atenas, como a praça ou o ginásio, onde interpelava os transeuntes, com perguntas aos que julgavam entender determinado assunto. Mas geralmente os deixava sem saída e obrigados a reconhecer a própria ignorância.

Esse procedimento, conhecido por *método socrático*, nasceu da perplexidade do filósofo diante do oráculo de Delfos, que o identificara como "o homem mais sábio". Por não se considerar sábio, mas sem desacreditar do oráculo, consultou as pessoas que se diziam sábias e descobriu a fragilidade desse saber. Percebeu então que a sabedoria começa pelo reconhecimento da própria ignorância. "Só sei que nada sei" é, para Sócrates, o princípio da sabedoria, atitude em que se assume a tarefa verdadeiramente filosófica de superar o enganoso saber baseado em idéias preconcebidas.

A primeira parte do método socrático chama-se *ironia* (do grego *eironeia*, "perguntar, fingindo ignorar"), processo negativo e destrutivo de descoberta da própria ignorância. A segunda parte, a *maiêutica* (de *maieutiké*, "relativo ao parto"), é construtiva e consiste em dar à luz novas idéias.

Como Sócrates nada deixou escrito, tomamos conhecimento do conteúdo dessas discussões pelas obras de seus discípulos, sobretudo as de Platão. Geralmente seus diálogos tratam de questões morais, como a virtude, a coragem, a piedade, a amizade, o amor. Quando Sócrates inicia as discussões, percebe que os interlocutores, julgando saber do assunto, se perdem em aspectos superficiais e contingentes, como fatos e exemplos, mantendo-se no nível empírico da simples opinião. Sócrates assume uma postura mais radical e procura definir rigorosamente aquilo de que se fala, pois não basta descrever as diversas virtudes, mas saber a essência delas. Por exemplo, diante dos atos de coragem, é preciso descobrir *o que é* a coragem. Com isso Sócrates chega à *definição do conceito*.

Todo esse trabalho, no entanto, não visa a um objetivo puramente intelectual. O que Sócrates pretende, usando a máxima "Conhece-te a ti mesmo", é o reto conhecimento das virtudes humanas, a fim de se poder levar uma vida igualmente reta. A filosofia favorece, portanto, a vida moral, porque conhecer o bem e praticá-lo são para Sócrates a mesma coisa, assim como a maldade provém da ignorância, já que ninguém é mau voluntariamente. Chamamos de *intelectualismo ético* a doutrina socrática que identifica o sábio e o virtuoso.

Derivam daí diversas conseqüências para a educação, tais como: o conhecimento tem por fim tornar possível a vida moral; o processo para adquirir o saber é o diálogo; nenhum conhecimento pode ser dado dogmaticamente, mas como condição para desenvolver a capacidade de pensar; toda educação é essencialmente ativa e, por ser auto-educação, leva ao conhecimento de si mesmo; a análise radical do conteúdo das discussões, retirado do cotidiano, provoca o questionamento do modo de vida de cada um e, em última instância, da própria cidade.

Essa doutrina, considerada subversiva por colocar em questão os valores vigentes, levantou contra Sócrates inimigos rancorosos. Acusado de corromper a mocidade e de não crer nos deuses da cidade, foi condenado à morte. A história da sua acusação, defesa e execução é contada nos belos diálogos de Platão, *Apologia de Sócrates* e *Fédon*.

4. A utopia de Platão

Arístocles era o verdadeiro nome de Platão (428-347 a.C.), assim apelidado talvez por possuir ombros largos. Ateniense de família aristocrática, sentiu-se atraído por política, apesar de ter sofrido pesados reveses ao tentar pôr em prática suas teorias. Por exemplo, após ser bem recebido na Sicília por Dionísio, o Velho, foi vendido como escravo, mas por sorte um rico armador o reconheceu e libertou.

Em Atenas, lecionou durante quarenta anos na Academia, um dos ginásios de ensino superior da cidade. Seus *Diálogos* reproduzem muitas das discussões efetuadas por Sócrates, seu mestre. No entanto, o vigor e a originalidade do seu pensamento nos fazem questionar o que de fato se deve a Sócrates e o que é de sua criação pessoal.

Para compreender a proposta pedagógica de Platão é preciso associá-la ao seu projeto inicial, que é político, antes de tudo. Por isso veremos algumas características do seu pensamento filosófico.

A alegoria da caverna

No Livro VII de *A República*, Platão expõe o "mito" da caverna, na verdade uma alegoria usada para melhor explicar sua teoria. Segundo esse famoso relato, homens se encontram acorrentados em uma caverna desde a infância, de tal forma que, não podendo olhar para a entrada, apenas enxergam o fundo da caverna. Aí são projetadas as *sombras* das coisas que passam às suas costas, onde há uma fogueira. Se um desses homens conseguisse se soltar das correntes para contemplar, à luz do dia, os *verdadeiros objetos*, ao regressar para contar o que vira, não mereceria o crédito de seus antigos companheiros, que o tomariam por louco.

A análise desse "mito" pode ser feita sob dois pontos de vista: o *epistemológico* (relativo ao conhecimento) e o *político* (que por sua vez desdobrará implicações pedagógicas).

Quanto à dimensão epistemológica, Platão compara o acorrentado ao indivíduo comum, dominado pelos sentidos e pelas paixões, e que alcança apenas um conhecimento imperfeito da realidade, restrito ao *mundo dos fenômenos*, no qual as coisas são meras aparências e estão em constante fluxo. A esse conhecimento Platão chama *doxa*, "opinião".

Aquele que se liberta dos grilhões é o filósofo, capaz de atingir o verdadeiro conhecimento, a *episteme*, "ciência", quando a razão ultrapassa o *mundo sensível* e atinge o *mundo das idéias*, lugar da essência imutável de todas as coisas, dos verdadeiros modelos ou arquétipos. Este é o único verdadeiro, e o mundo sensível só existe enquanto participa do mundo das idéias, do qual é apenas sombra ou cópia. Por exemplo, se percebemos inúmeras abelhas dos mais variados tipos, a idéia de abelha deve ser una, imutável, a verdadeira realidade.

Essas idéias gerais estão hierarquizadas e no topo encontra-se a idéia do Bem, a mais alta em perfeição e a mais geral de todas. Os seres e as coisas não existem senão à medida que participam do Bem. E o Bem supremo é também a Suprema Beleza, o Deus de Platão. Conclui-se dessa interpretação epistemológica o *idealismo* de Platão: conforme sua teoria do conhecimento, as idéias são mais reais que as próprias coisas.

Retornemos ao relato da alegoria da caverna. O filósofo, aquele que se liberta dos grilhões, passa do conhecimento opinativo para o científico, por isso tem a obrigação de orientar os demais. Eis aí a dimensão política e pedagógica da alegoria, decorrente da pergunta: "como influenciar aqueles que não vêem?". Ora, cabe ao sábio dirigi-los, sendo-lhe reservada a elevada função da ação política. Ao apresentar sua proposta de governo-modelo, Platão descreve a pedagogia ideal na obra *A República*.

Na continuidade do relato do "mito", na mesma obra, imagina uma cidade *utópica*, a *Callipolis* ("Cidade Bela"). Etimologicamente, *utopia* significa "em nenhum lugar" (do grego, *ou-topos*). Platão imagina, portanto, um lugar que não existe, mas que deve ser o modelo da cidade, em que são eliminadas a propriedade e a família, e todas as crianças recebem educação do Estado. A educação deve ser ministrada de acordo com as diferenças que certamente existem entre as pessoas, a fim de ocuparem suas posições na sociedade, o que é feito por meio de seguidas seleções.

Até os 20 anos, a educação é a mesma para todos. O primeiro corte identifica aqueles que têm a alma de bronze, ou seja, uma sensibilidade grosseira que os qualifica para a agricultura, o artesanato e o comércio. A eles seria confiada a subsistência da cidade.

Os outros continuam na escola por mais dez anos. Com o segundo corte, aqueles que têm a coragem dos guerreiros de "alma de prata" interrompem os estudos a fim de constituir a guarda do Estado, como soldados encarregados da defesa da cidade.

Desses sucessivos cortes sobram os mais notáveis, que, por terem "alma de ouro", serão instruídos na arte de dialogar. Aprendem, então, a filosofia, capaz de elevar a alma até o conhecimento mais puro, fonte de toda a verdade.

Aos 50 anos, aqueles que passaram com sucesso por essa série de provas estarão aptos a ser admitidos no corpo supremo dos magistrados. Cabe-lhes o exercício do poder, pois apenas eles têm a ciência da política.

Note-se que Platão desenvolve idéias avançadas para seu tempo: o Estado assume a educação; a educação da mulher é semelhante à do homem; os estágios superiores dependem do mérito de cada um e não da riqueza; valorização da educação intelectual, coroada pelo estudo das ciências (com especial destaque para a matemática) e pela dialética, processo que eleva a alma das aparências sensíveis às idéias.

Essa utopia representa um modelo aristocrático de poder, em oposição à democracia, que, segundo Platão, confia indevidamente nas decisões do cidadão comum, incapaz de conhecer a ciência política. Não defende, porém, a aristocracia de berço ou riqueza, mas aquela em que o governo é confiado aos mais sábios. Platão propõe, portanto, uma *sofocracia* (etimologicamente, "poder dos sábios") e diz que, para um Estado ser bem governado, é preciso que "os filósofos se tornem reis, ou que os reis se tornem filósofos".

Aprender é lembrar

Retomando a relação contraposta por Platão entre o mundo das idéias e o mundo sensível dos fenômenos, veremos que o filósofo parte do pressuposto de que a alma teria vivido a contemplação do mundo das idéias, na qual conheceu as essências por simples intuição (conhecimento direto e imediato). Ao se encarnar, no entanto, a alma teria se esquecido de tudo.

Por isso, para Platão, *aprender é lembrar*. Segundo a teoria da reminiscência, todo conhecimento consiste no esforço para superar as dificuldades que os sentidos — simples *ocasião*, e não *causa* do conhecimento — interpõem para alcançar a verdade.

Portanto, educar não é levar o conhecimento de fora para dentro, mas despertar no indivíduo o que ele já sabe, proporcionando ao corpo e à alma a realização do bem e da beleza que eles possuem e não tiveram ocasião de manifestar. Para Platão, embora o corpo seja inferior à alma intelectiva, também possui uma alma irracional, composta de duas partes: uma irascível, impulsiva, localizada no peito; outra concupiscível, voltada para os desejos de bens materiais e apetite sexual, localizada no ventre.

O desafio da moral, para Platão, encontra-se na tentativa de dominar a alma inferior. Esta perturba o conhecimento verdadeiro, porque, escravizada pelo sensível, leva à opinião e, conseqüentemente, ao erro. O corpo é também ocasião de corrupção e decadência moral. Se a alma superior não souber controlar as paixões e os desejos, será impossível o comportamento moral.

Que conseqüências resultam dessas teorias para definir um ideal de educação?

Primeiramente, a educação física proporciona ao corpo uma saúde perfeita, permitindo que a alma ultrapasse o mundo dos sentidos e melhor se concentre na contemplação das idéias. Caso contrário, a fraqueza física torna-se empecilho à vida superior do espírito. Do mesmo modo, o amor sensível se subordina ao amor intelectual. No diálogo *O banquete*, Platão nos faz ver que, se na juventude predomina a admiração pela beleza física, o adulto amadurecido é capaz de descobrir que a verdadeira beleza é espiritual.

Essa transposição pode ser favorecida com a educação do corpo e do espírito pela ginástica. Também pela música, entendida no amplo sentido de formação literária e artística. As crianças aprendem o ritmo e a harmonia, condição para alcançar a harmonia da alma.

Platão recomenda ainda o ensino da geometria, e segundo uma tradição antiga parece que na entrada da Academia se destacava a inscrição: "Não entre aqui quem não souber geometria". A aritmética, a geometria e a astronomia, formando o currículo de base científica, não têm, no entanto, o objetivo de formar especialistas, mas preparar para a mais elevada atividade humana, o filosofar.

Contrariando a educação tradicional, baseada nos textos das epopéias, sobretudo as de Homero, Platão recomendava que a poesia fosse excluída do ensino, limitando-se a proporcionar o gozo artístico. O motivo da crítica deve-se ao fato de que o poeta, ao imitar a realidade, cria um mundo de mera aparência, afastando-nos do conhecimento verdadeiro ao estimular as paixões e os instintos. Ao contrário, Platão defende a aprendizagem da resistência racional à dor, ao sofrimento, para não sucumbirmos à vida dos sentimentos.

Numa breve conclusão sobre Platão, podemos ressaltar que ele se contrapõe a diversas tendências do seu tempo. Por exemplo, a sofocracia contraria as concepções democráticas, embora nessa época Atenas já estivesse sofrendo uma série de reveses políticos. Como veremos a seguir, ao defender a formação científico-filosófica, Platão perdeu em popularidade para o educador Isócrates, que representa a tendência literário-retórica. Apesar desses insucessos, as idéias platônicas fecundaram de maneira decisiva a filosofia cristã, sobretudo nos seus primórdios.

5. Isócrates e a retórica

Isócrates (436-338 a.C.), contemporâneo de Platão e, de certa forma, seu opositor, defendia posições que agitaram as discussões sobre educação na antiga Atenas. Discípulo do sofista Górgias e de Sócrates, fundou uma escola de nível superior, na qual formou várias gerações durante 55 anos. Pouco restou da abundante produção de discursos, na maior parte destinados aos exercícios didáticos para as aulas de retórica, a "arte de bem dizer", mas também discursos forenses encomendados.

Vimos que a retórica se tornou importante instrumento para a cidade democrática, na qual os cidadãos procuravam convencer seus iguais nas assembléias do povo ou nos tribunais. Sabemos também como Sócrates e Platão criticaram os sofistas – muitas vezes injustamente — por se ocuparem com um palavreado vazio e formal.

Para Platão, embora o bem falar (ou escrever) não possa ser desprezado, é, no entanto, secundário. Antes de aprender retórica para convencer um oponente, é preciso esforçar-se por conhecer a verdade, porque só o conhecimento dará estrutura orgânica e ordenação lógica ao discurso. Caso contrário, este se torna mero amontoado de banalidades e equívocos.

Em contraposição, para Isócrates Platão era muito intelectualista e seus ensinamentos restritos demais a um público elitista. Duvidava até que fosse possível alcançar a *episteme*, meta do projeto platônico. Mais práticos, os retóricos caçoavam dos filósofos, acusando-os de se dedicarem a discussões estéreis, inúteis, distanciadas da vida cotidiana. Para Isócrates, seria melhor contentar-se com a opinião razoável.

Isócrates foi importante pelo fato de centrar sua atenção na linguagem, descobrindo formas que facilitassem a aprendizagem do discurso. Assim como o corpo necessita de exercício, para treinar o espírito destaca as vantagens da repetição, além de desenvolver diversas técnicas de desdobramento do discurso. Ensina como reunir material de pesquisa, distingue as partes de que se compõe a peça oratória e formula regras para orientar as maneiras de apresentação, como o processo de refutação de teses, as sentenças, a ironia. Para ilustrar um bom discurso, sugere ainda recorrer à história, fecunda em exemplos de conduta moral e de decisões políticas.

Muitas vezes Isócrates se opôs também aos sofistas, por considerar que a concepção de eloqüência deles estava dissociada da formação moral, cívica e patriótica.

A história nos mostra que a atuação dos retóricos no tempo da Grécia clássica foi mais marcante do que a dos filósofos, como Platão, cuja influência só se faria sentir posteriormente. Naquele momento, a ênfase às questões de linguagem e de literatura orientou a educação de maneira definitiva. A propósito, o filósofo e orador romano Cícero diz que Isócrates "ensinou a Grécia a falar".

6. Realismo aristotélico

Aristóteles (384-332 a.C.) nasceu na cidade de Estagira, ao norte da Grécia. Dirigindo-se a Atenas, foi discípulo de Platão, tendo permanecido por vinte anos na Academia. Posteriormente teria sido preceptor do futuro imperador Alexandre, o Grande.

Mais tarde fundou em Atenas sua própria escola, o Liceu, no ginásio de Apolo Lício, em uma dependência chamada *peripatos*, daí o fato de sua filosofia ser conhecida como *peripatética*. Segundo hipótese corrente, Aristóteles daria suas aulas andando pelos jardins da escola, no *peripatos* (de *peri*, "ao redor", e *pateo*, "passear"). Já a helenista Maria Helena da Rocha Pereira discorda dessa interpretação, afirmando que *peripatos* significa "passeio coberto", como costumava existir naqueles edifícios.

Superando a influência do mestre, Aristóteles elaborou um sistema filosófico original, que abrangia os mais diversos aspectos do saber do seu tempo, inclusive das ciências. Filho de médico, herdou o gosto pela observação, tendo classificado cerca de 540 espécies de animais, o que mostra a importância dada à investigação científica, também valorizada na sua concepção pedagógica.

Vejamos algumas linhas do pensamento aristotélico, para melhor compreendermos suas idéias pedagógicas.

Aprendemos que, para Platão, as coisas concretas, em constante movimento, são simples aparências, sombras da verdadeira realidade do mundo das idéias, do mundo imóvel dos conceitos. Aristóteles critica o idealismo do mestre e desenvolve uma teoria realista, segundo a qual a imutabilidade do conceito e o movimento das coisas podem ser compreendidos a partir das coisas mesmas, recusando, portanto, o artifício do mundo das idéias.

Para explicar o ser, Aristóteles usa dois elementos indissociáveis: a *matéria* e a *forma*. A matéria é pura passividade, contendo as virtualidades da forma em potência. A forma é o princípio inteligível, a essência comum aos indivíduos de uma mesma espécie, pela qual cada um é o que é. Fazendo uma analogia um tanto grosseira com uma estátua, a matéria seria o mármore, enquanto a forma seria a idéia que o escultor realiza e pela qual individualiza e determina.

Apoiado na noção de matéria e forma, Aristóteles explica o devir (ou movimento). Todo ser tende a atualizar a forma que tem em si como potência, a atingir a perfeição que lhe é própria e o fim a que se destina. Assim, a semente do carvalho, enterrada, tende a se desenvolver e se transformar no carvalho que era em potência. O movimento é, pois, a passagem da potência para o ato. A teoria do movimento leva à distinção entre as causas possíveis dos seres. Voltando ao exemplo da estátua, para haver transformação, atuam várias delas: a *causa material* é o mármore; a *causa eficiente* é o escultor; a *causa formal* é a forma que a estátua adquire; e a *causa final* é o motivo ou a razão por que uma matéria adquire determinada forma, ou seja, a finalidade da estátua.

A pedagogia aristotélica

Como conseqüência dessa teoria do movimento e das causas, toda educação deve levar em conta o fato de que o ser humano se encontra em constante devir. A educação tem como finalidade ajudá-lo a alcançar a plenitude e a realização do seu ser, a atualizar as forças que tem em potência. Note-se aqui uma característica da *pedagogia da essência*, pois a educação pretende levar a pessoa a "tornar-se o que deve ser", a realizar sua essência.

Não mais discutindo como os seres são, mas como podem vir a ser, encontramo-nos finalmente no campo da ética, parte da filosofia que trata da ação humana tendo em vista o bem. O sumo bem é alcançar a felicidade. Ela consiste na plenitude da realização humana, ao desenvolver suas faculdades físicas, morais e intelectuais.

Para Aristóteles, no entanto, aquilo que mais fundamentalmente caracteriza o ser humano e o distingue do animal é a capacidade de pensar e, portanto, sua perfeição encontra-se no exercício dessa atividade. Se a sua virtude é viver conforme a razão, cabe a esta disciplinar os sentimentos e os instintos.

Diferentemente de Sócrates, que identificava saber e virtude, Aristóteles enfatiza a ação da vontade, exercitada pela repetição, que conduz ao hábito: só é virtuoso quem tem o hábito da virtude. Daí a imitação ser o instrumento por excelência desse processo, segundo o qual a criança se educa repetindo os atos de vida dos adultos, adquirindo hábitos que vão formar uma "segunda natureza".

Essa aprendizagem se faz pela escolha livre do *justo meio* entre dois vícios (que representam os extremos por falta ou por excesso). Por exemplo, a coragem é o meio-termo entre a covardia e a temeridade; a gentileza, entre a indiferença e a irascibilidade; a liberalidade, entre a avareza e a prodigalidade, e assim por diante.

Na sua obra *Política*, Aristóteles define as condições da vida boa em sociedade e esboça uma teoria da educação, discutindo como o Estado deve se ocupar com a formação para a cidadania. Coerente com o pensamento de seu tempo, restringe o benefício da cidadania aos homens livres, sobretudo aos que dispõem de tempo para o ócio digno, excluindo, portanto, os que se dedicam às artes mecânicas, como os artesãos e os escravos.

A metodologia de Aristóteles merece um destaque. É bem verdade que desde Sócrates e os sofistas já existiam questões metodológicas, mas deve-se a Aristóteles a organização rigorosa do *Organon*, ou "órgão", "instrumento de pensar", que mais tarde recebeu a denominação de *lógica formal*. A compreensão precisa dos processos de análise e síntese, indução, dedução e analogia ajudará a desenvolver também o método lógico de ensinar.

A repercussão do pensamento aristotélico não se deu de imediato na Grécia do seu tempo. Sabe-se que seus trabalhos foram levados para a Ásia Menor por volta de 287 a.C. e teriam se perdido por cerca de duzentos anos, até reaparecerem na biblioteca de Alexandria, onde foram classificados e posteriormente levados para Roma.

Durante a Idade Média, sua obra permaneceu muito tempo desconhecida, ressurgindo inicialmente por intermédio dos árabes. Depois, a partir do século XIII, foi incorporada pela filosofia escolástica, que adaptou seu paganismo às concepções cristãs. Daí até os nossos tempos, sempre foi marcante sua influência na filosofia ocidental.

7. Os pós-socráticos

Na segunda metade do século IV a.C., com a conquista macedônica, as cidades-estados gregas perderam a autonomia. Depois dessa época, os tempos ficaram mais conturbados pela expansão do Império Alexandrino.

A insegurança das guerras e o contato com o pensamento oriental mudaram o centro das reflexões filosóficas, fazendo surgir um novo tipo de intelectual. A ênfase foi deslocada da metafísica ou da política para as questões éticas, sobretudo no que dizia respeito à realização subjetiva e pessoal. Na impossibilidade de controlar o que se acha fora de si, o indivíduo procura a serenidade interior. Representam essa tendência as escolas filosóficas do estoicismo e do epicurismo.

O estoicismo não teve origem única, mas sofreu influência de diversas tendências. Segundo seu principal representante, Zeno de Cítio (336-264 a.C.), ao buscar a felicidade o ser humano deve fugir do prazer, que em última análise apenas proporciona dor e sofrimento. O exercício da virtude consiste na auto-suficiência, alcançada quando o indivíduo conseguir afastar-se dos bens materiais e dominar as paixões que trazem intranqüilidade à alma. O domínio racional leva à aceitação do destino e à resignação, por isso o ideal do sábio é a ataraxia (imperturbabilidade), a apatia (ausência de paixão) e a aponia (ausência de dor).

No epicurismo, doutrina iniciada por Epicuro (341-270 a.C.), o ideal do sábio é atingir igualmente a ataraxia, embora diferentemente dos estóicos. Epicuro é um hedonista (*hedoné*, "prazer") e, por isso, ao considerar a felicidade como busca do prazer, não nega as afecções humanas, nem propõe a insensibilidade. O indivíduo deve evitar tudo o que se opõe à felicidade (temor, dor, sofrimento) e aproximar-se de tudo o que a proporciona, como a satisfação das necessidades físicas e espirituais, entre as quais distingue especialmente a amizade.

Contradizendo as pessoas que julgam o epicurismo a busca desenfreada de prazeres, Epicuro destaca o papel da razão na seleção deles, já que a sua realização apressada pode trazer sofrimento no futuro. Atender às verdadeiras necessidades humanas significa buscar o prazer duradouro, sereno, espiritual.

As tendências estóicas e epicuristas que caracterizam a filosofia helenística achavam-se em consonância com uma concepção de educação muito diferente daquela do período clássico. Nos novos tempos diminuiu o interesse pela educação física, enquanto a razão adquiria primazia no controle dos sentidos e das paixões.

O pensamento helenístico aproximou-se das religiões do Oriente e, mais tarde, das concepções cristãs predominantemente ascéticas.

As filosofias epicuristas e, sobretudo, as estóicas (nas suas tendências ecléticas) marcaram o pensamento romano nas figuras de Cícero, Sêneca, Epicteto e Marco Aurélio. Posteriormente, o ascetismo cristão medieval foi tributário do estoicismo.

Conclusão

No longo período que se estende desde os tempos heróicos até o helenismo, o ideal grego de educação sofreu significativas alterações. Embora o cuidado com o corpo fosse uma constante, de início era dada ênfase à habilidade militar do guerreiro. Em seguida, o cidadão da pólis passou a freqüentar os ginásios, onde a educação era predominantemente física e esportiva, até que, por fim, os assuntos de literatura e retórica se tornaram prioritários.

Quanto à concepção do corpo, de início o ideal de beleza física foi muito valorizado. Como veremos, o ascetismo da Igreja cristã primitiva, influenciado por um platonismo impregnado pela visão ascética, transformou o corpo em obstáculo para a vida espiritual.

Outro aspecto a ser realçado é que, por pertencer a uma sociedade escravista, os gregos desvalorizavam a formação profissional e o trabalho manual. Enquanto a técnica se achava associada à atividade servil, o cultivo desinteressado da forma física e a atividade intelectual permaneceram privilégio das classes ociosas.

A Grécia foi ainda o berço das primeiras teorias educacionais, fecundadas pelo embate de tendências pluralistas. Após as inovações dos sofistas, Isócrates exerceu importante atuação, animando a polêmica com Sócrates, Platão e Aristóteles. Embora estes últimos não tenham influenciado a educação do seu tempo tanto quanto os opositores, a contribuição dos filósofos clássicos para a pedagogia encontra-se na concepção de natureza humana, cuja essência é a racionalidade. Essa visão foi retomada pela tradição e marcou profundamente a cultura ocidental, sobretudo a partir da Idade Moderna.

A concepção de natureza humana universal serviu de base para o delineamento da tendência *essencialista da pedagogia*. Ou seja, para Platão, a educação é o instrumento para desenvolver no ser humano tudo o que implica sua participação na realidade ideal, tudo o que define sua essência verdadeira, embora asfixiada pela existência empírica. Também segundo Aristóteles, a educação é um processo da passagem da potência para o ato, pela qual atualizamos a forma humana.

A concepção essencialista durou longo período. Segundo o pedagogo Suchodolski, Rousseau (século XVIII) representa "a primeira tentativa radical e apaixonada de oposição fundamental à pedagogia da essência e de criação de perspectivas para uma pedagogia da existência", processo que assumiu uma forma mais definida no século XIX e sobretudo no XX, como veremos.

Por fim, como já dissemos, no mundo contemporâneo pressionado pela especialização e pela tecnocracia, renasce o ideal grego da *paidéia*, da educação integral.

Dropes

1 - A Olimpíada era um dos quatro grandes festivais pan-helênicos que reuniam participantes de todo o mundo grego. De origem muito antiga, foi organizada no século VIII a.C. e realizava-se na cidade de Olímpia, a cada quatro anos, no verão. Por essa ocasião havia uma trégua sagrada, que interrompia qualquer atividade guerreira. Os atletas disputavam diversos jogos, e os vencedores eram coroados com folhas de oliveira, recebendo as homenagens das cidades que representavam. Poetas e oradores falavam em praça pública, e havia ainda uma grande feira. O estádio de Olímpia podia acomodar 40 mil espectadores sentados.

2 - *Livros* — Na Grécia, por volta do século VI a.C., era utilizado o rolo de papiro, também conhecido por *byblos* (de *bíblion*, "livro"; daí, *biblioteca*). O papiro é uma planta do vale do Nilo, com que os egípcios fabricavam uma tira comprida de mais ou menos 40 centímetros de altura e cerca de seis a nove metros de comprimento. Sobre ela escrevia-se com uma pena de junco fino em colunas sucessivas na direção em que era enrolada (sua maior dimensão). Não se deixavam espaços entre as palavras, nem se usavam sinais de pontuação. No século

IV a.C., já era considerável o número de livros, e Aristóteles se destacava por possuir uma grande coleção. No século III a.C. foi usada pele de animal para a escrita, o pergaminho, assim chamado por ter origem na cidade de Pérgamo, na Ásia Menor. Uma das mais famosas bibliotecas da Antiguidade foi a de Alexandria, que chegou a possuir 700 mil volumes. (Adaptado do *Dicionário Oxford de literatura clássica grega e latina.*)

3 - Quantos alunos passavam por uma escola? Veja o exemplo de Isócrates, que em mais de cinqüenta anos de magistério recebeu pouco mais que cem alunos... (Janine Assa)

4 - Entre Isócrates e Platão há (...) não apenas rivalidade, mas emulação[6], e isto interessa ao desenvolvimento da nossa história: aos olhos da posteridade, a cultura filosófica e a cultura oratória aparecem, realmente, como rivais, mas também como irmãs; elas têm não apenas uma origem comum, mas também ambições paralelas e, por vezes, idênticas; são (...) duas variedades de uma mesma espécie: o debate que mantiveram enriqueceu a tradição clássica, sem comprometer-lhe a unidade. À porta do santuário em que vamos entrar postam-se, de um lado e de outro, como dois pilares, como dois robustos atlantes[7], as figuras destes dois grandes mestres, "equilibrando-se e como que respondendo-se mutuamente". (Henri-Irénée Marrou)

5 - O homem que se revela nas obras dos grandes gregos é o Homem político. A educação grega não é uma soma de técnicas e organizações privadas, orientadas para a formação duma individualidade perfeita e independente. (...) Todo futuro humanismo deve estar essencialmente orientado para o fato fundamental de toda a educação grega, a saber: que a humanidade, o "ser do Homem" se encontrava essencialmente vinculado às características do Homem como ser político. O fato de os homens mais importantes da Grécia se considerarem sempre a serviço da comunidade é índice da íntima conexão que com ela tem a vida espiritual criadora. Coisa análoga parece acontecer com os povos orientais e é natural que assim seja numa ordenação da vida estreitamente vinculada à religião. No entanto, os grandes homens da Grécia não se manifestam como profetas de Deus, mas antes como mestres independentes do povo e formadores dos seus ideais. Mesmo quando falam em forma de inspiração religiosa, esta assenta no conhecimento e formação pessoal. Mas por muito pessoal que esta obra do espírito seja, na sua forma e nos seus propósitos, é considerada pelos seus autores, com vigor infatigável, uma função social. A trindade grega do poeta (*poietés*), do Homem de Estado (*politicós*) e do sábio (*sóphos*) encarna a mais alta direção da nação. (Werner Jaeger)

---

[6] Emulação: estímulo, sentimento que leva a imitar alguém.

[7] Atlante: na arquitetura antiga, a escultura de um homem que sustenta uma coluna (como Atlas, figura mitológica, condenado a sustentar os céus em seus ombros). No sentido figurado, alguém que é forte, do ponto de vista físico; no caso, trata-se da grandeza intelectual.

● Leituras complementares

❶ [A educação como conversão da alma]

Trata-se de um trecho do Livro VII de A República. *No diálogo, as falas de Sócrates estão na primeira pessoa e seus interlocutores são Glauco e Adimanto, irmãos mais novos de Platão. O trecho transcrito vem logo após o relato do "mito" da caverna.*

— Mas então?, pensas ser espantoso que um homem, que passa das contemplações divinas às miseráveis coisas humanas, tenha falta de graça e pareça inteiramente ridículo, quando, ainda com a vista perturbada e insuficientemente acostumado às trevas circundantes, é forçado a entrar em disputa, diante dos tribunais ou alhures, acerca das sombras de justiça ou das imagens que projetam estas sombras, e combater as interpretações que delas fornecem os que nunca viram a própria justiça?

— Não há nada de espantoso nisso.

— Com efeito — prossegui — um homem sensato recordar-se-á que os olhos podem perturbar-se de duas maneiras e por duas causas opostas: pela passagem da luz à obscuridade e pela passagem da obscuridade à luz; e, tendo refletido que sucede o mesmo com a alma, quando avistar uma, perturbada e impedida de discernir certos objetos, não rirá tolamente, porém examinará antes se, proveniente de uma vida mais luminosa, ela está, por falta de hábito, ofuscada pelas trevas, ou se, passando da ignorância à luz, está cega pelo brilho demasiado vivo; no primeiro caso, julgá-la-á feliz, em razão do que ela experimenta e da vida que leva; no segundo, há de lastimá-la, e, se quisesse rir à custa dela, suas troças seriam menos ridículas do que se incidissem sobre a alma que volta da morada da luz.

— Isto que é falar — disse ele — com muita sabedoria.

— Devemos, pois, se tudo isto for verdade, concluir o seguinte: a educação não é de nenhum modo o que alguns proclamam que ela seja; pois pretendem introduzi-la na alma, onde ela não está, como alguém que desse a visão a olhos cegos.

— É o que pretendem, com efeito.

— Ora — reatei — o presente discurso mostra que cada um possui a faculdade de aprender e o órgão destinado a este uso, e que, semelhante a olhos que só pudessem voltar-se com o corpo inteiro das trevas para a luz, este órgão também deve desviar-se com a alma toda daquilo que nasce, até que se torne capaz de suportar a visão do ser e do que há de mais luminoso no ser; e é isso que nós chamamos o bem, não é?

— Sim.

— A educação é, portanto, a arte que se propõe este fim, a conversão da alma, e que procura os meios mais fáceis e mais eficazes de operá-la; ela não consiste em dar a vista ao órgão da alma, pois que este já o possui; mas como ele está mal disposto e não olha para onde deveria, a educação se esforça por levá-lo à boa direção.

— Assim parece — disse ele.

Platão, *A República*. 2. ed. São Paulo, Difel, 1973, v. II, p. 110 e 111.

❷ [Artes liberais e artes mecânicas]

Não é difícil de ver (...) que devem ser ensinados aos jovens os conhecimentos úteis realmente indispensáveis, mas é óbvio que não se lhes devem ensinar todos eles, distinguindo-se as atividades liberais das servis; devem-se transmitir aos jovens, então, apenas os conhecimentos úteis que não tornam vulgares as pessoas que os adquirem. Uma atividade, tanto quanto uma ciência ou arte, deve ser considerada vulgar se seu conhecimento torna o corpo, a alma ou o intelecto de um homem livre inúteis para a posse e a prática das qualidades morais. Eis por que chamamos vulgares todas as artes que pioram as condições naturais do corpo, e as atividades pelas quais se recebem salários; elas absorvem e degradam o espírito.

(...)

Pode-se dizer que há quatro ramos de educação atualmente: a gramática, a ginástica, a música, e o quarto segundo alguns é o desenho; a gramática e o desenho são considerados úteis na vida e com muitas aplicações, e se pensa que a ginástica contribui para a bravura; quanto à música, todavia, levantam-se algumas dúvidas. Com efeito, atualmente a maioria das pessoas a cultiva por prazer, mas aqueles que a incluíram na educação agiram assim porque, como já foi dito muitas vezes, a própria natureza atua no sentido de sermos não somente capazes de ocupar-nos eficientemente de negócios, mas também de nos dedicarmos nobremente ao lazer, pois (...) este é o princípio de todas as coisas. De fato, se ambos são necessários, o lazer é mais desejável que os negócios, e é o objetivo destes; temos portanto de perguntar: como devemos fruir nosso lazer?

(...)

Mas o lazer parece conter em si mesmo o prazer, a felicidade e a bem-aventurança de viver, e isto não está ao alcance dos homens ocupados, e sim dos que usufruem o lazer; o homem de negócios se ocupa na busca de algum objetivo ainda não alcançado, mas a felicidade é um objetivo alcançado, que todos os homens consideram acompanhado não pelo sofrimento, e sim pelo prazer; nem todos os homens, porém, definem este prazer da mesma forma; cada um o concebe segundo sua própria natureza e seu próprio caráter, e o prazer que o melhor dos homens considera ligado à felicidade é o melhor prazer e provém das mais nobres fontes. É claro, portanto, que há ramos do conhecimento e da educação que devemos cultivar apenas com vistas ao lazer dedicado à atividade intelectual, e tais ramos devem ser apreciados por si mesmos, enquanto as formas de conhecimento relacionadas com os negócios são cultivadas como necessárias e como meios para atingir outros fins. Por esta razão os antigos incluíram a música na educação, não por ser necessária (nada há de necessário nela), nem útil no sentido em que escrever e ler são úteis aos negócios e à economia doméstica e à aquisição de conhecimentos e às várias atividades da vida em uma cidade, ou como o desenho também parece útil no sentido de tornar-nos melhores juízes das obras dos artistas, nem como nos dedicamos à ginástica, por causa da saúde e da força (não vemos qualquer destas duas resultarem da música); resta, portanto, que ela seja útil como uma diversão no tempo de lazer; parece que sua introdução na educação se deve a esta circunstância, pois ela é classificada entre as diversões consideradas próprias para os homens livres.

Aristóteles, *Política*. 3. ed. Trad. de Mário da Gama Kury. Brasília, Ed. UnB, 1997, p. 269 e 270.

❸ [O que é ser cidadão?]

Afinal, o que é ser cidadão?

Ser cidadão é ter direito à vida, à liberdade, à propriedade, à igualdade perante a lei: é, em resumo, ter direitos civis. É também participar no destino da sociedade, votar, ser votado, ter direitos políticos. Os direitos civis e políticos não asseguram a democracia sem os direitos sociais, aqueles que garantem a participação do indivíduo na riqueza coletiva: o direito à educação, ao trabalho, ao salário justo, à saúde, a uma velhice tranqüila. Exercer a cidadania plena é ter direitos civis, políticos e sociais. (...)

Cidadania não é uma definição estanque, mas um conceito histórico, o que significa que seu sentido varia no tempo e no espaço. É muito diferente ser cidadão na Alemanha, nos Estados Unidos ou no Brasil (para não falar dos países em que a palavra é tabu), não apenas pelas regras que definem quem é ou não titular da cidadania (por direito territorial ou de sangue), mas também pelos direitos e deveres distintos que caracterizam o cidadão em cada um dos Estados-nacionais contemporâneos. Mesmo dentro de cada Estado-nacional o conceito e a prática da cidadania vêm se alterando ao longo dos últimos duzentos ou trezentos anos. Isso ocorre tanto em relação a uma abertura maior ou menor do estatuto de cidadão para sua população (por exemplo, pela maior ou menor incorporação dos imigrantes à cidadania), ao grau de participação política de diferentes grupos (o voto da mulher, do analfabeto), quanto aos direitos sociais, à proteção social oferecida pelos Estados aos que dela necessitam.

A aceleração do tempo histórico nos últimos séculos e a conseqüente rapidez das mudanças fazem com que aquilo que num momento podia ser considerado subversão perigosa da ordem, no seguinte seja algo corriqueiro, "natural" (de fato, não é nada natural, é perfeitamente social). Não há democracia ocidental em que a mulher não tenha, hoje, direito ao voto, mas isso já foi considerado absurdo, até muito pouco tempo atrás, mesmo em países tão desenvolvidos da Europa como a Suíça. Esse mesmo direito ao voto já esteve vinculado à propriedade de bens, à titularidade de cargos ou funções, ao fato de se pertencer ou não a determinada etnia etc. Ainda há países em que os candidatos a presidente devem pertencer a determinada religião (Carlos Menem se converteu ao catolicismo para poder governar a Argentina), outros em que nem filho de imigrante tem direito a voto e por aí afora. A idéia de que o poder público deve garantir um mínimo de renda a todos os cidadãos e o acesso a bens coletivos como saúde, educação e previdência deixa ainda muita gente arrepiada, pois se confunde facilmente o simples assistencialismo com dever de Estado.

Não se pode, portanto, imaginar uma seqüência única, determinista e necessária para a evolução da cidadania em todos os países (a grande nação alemã não instituiu o trabalho escravo, a partir de segregação racial do Estado, em pleno século XX, na Europa?). Isso não nos permite, contudo, dizer que inexiste um processo de evolução que marcha da ausência de direitos para sua ampliação, ao longo da história.

A cidadania instaura-se a partir dos processos de lutas que culminaram na Declaração dos Direitos Humanos, dos Estados Unidos da América do Norte, e na Revolução Francesa. Esses dois eventos romperam o princípio de legitimidade que vigia até então, baseado nos deveres dos súditos, e passaram a estruturá-lo a partir dos direitos do cidadão. Desse momento em diante todos os tipos de luta foram travados para que se ampliasse o conceito e a prática de cidadania e o mundo ocidental os estendesse para mulheres, crianças, minorias nacionais, étnicas, sexuais, etárias. Nesse sentido pode-se afirmar que, na sua acepção mais ampla, cidadania é a expressão concreta do exercício da democracia.

Jaime Pinsky, "Introdução", in Jaime Pinsky e Carla B. Pinsky (orgs.), *História da cidadania*. São Paulo, Contexto, 2003, p. 9 e 10.

Atividades

Questões gerais

1. De que forma o aparecimento da escrita, da moeda, da lei escrita e o nascimento da pólis contribuíram para a superação do mundo mítico? Que papel o filósofo desempenha nesse processo?

2. "Com a prática do atletismo, era todo o velho ideal homérico do 'valor', da emulação, da façanha, que passava dos Cavalheiros ao Demos. A adoção de um modo de vida civil e não mais militar havia, com efeito, transposto e reduzido este ideal heróico tão-só ao mero plano da competição esportiva." Com base nessa citação do historiador da educação Henri-Irénée Marrou, responda às questões seguintes:

a) Com a expressão "passar dos Cavalheiros ao Demos", Marrou quer indicar a mudança de uma educação aristocrática para outra mais democrática. Explique o que caracteriza uma e outra.

b) O termo *valor* aí referido é tradução do conceito de virtude. Explique que alterações sofreu o significado desse conceito devido à mudança social ocorrida naquele período.

3. Com base no dropes 5, discuta a questão da cidadania na Grécia antiga. Compare o cidadão de Atenas com o conceito atual de cidadania, apontando as semelhanças e as diferenças.

4. Explique a afirmação do sofista Protágoras: "O homem é a medida de todas as coisas", situando-a no mundo grego. Estabeleça também comparações com o período heróico.

5. Considerando o fato de que Sócrates acusava os sofistas de mercenários por cobrarem por suas aulas, discuta as questões:

a) Sobre a remuneração dos professores (a profissionalização, a negação do ofício como "sacerdócio" etc.).

b) O trabalho intelectual também é desvalorizado quando livros são objeto de reprografia sem recolhimento de direitos autorais; o mesmo pode ser dito sobre a pirataria de músicas.

6. "Eu sou semelhante ao torpedo [peixe-elétrico], quando aturdido, posso produzir nos outros o mesmo aturdimento, pois não se trata de que eu esteja certo e semeie dúvidas na cabeça alheia, mas de que, por estar eu mesmo mais cheio de dúvidas do que qualquer pessoa, faço duvidar também os outros." Com base na citação, que se refere a uma fala de Sócrates no diálogo de Platão, *Mênon*, responda às questões:

a) Em que consiste o método socrático?

b) Em que medida a afirmação de Sócrates ainda hoje pode ter valor para a educação?

7. "Os sofistas tinham comparado a cultura ao cultivo da terra, comparação que Platão recolhe. Quem se interessar pela verdadeira semente e a quiser ver transformada em fruto não plantará um jardinzinho de Adônis nem se alegrará ao ver nascer ao cabo de oito dias o que semeou; achará prazer, sim, na arte da verdadeira agricultura e alegrar-se-á ao ver a sua semente dar fruto ao fim de oito meses de trabalho constante e esforçado. É à formação dialética do espírito que Platão aplica a imagem da plantação e da sementeira. Quem se interessar pela verdadeira cultura do espírito não se contentará com os escassos frutos temporãos cultivados como desfastio no horto retórico, mas terá a necessária paciência para deixar amadurecer os frutos da autêntica cultura filosófica do espírito. (...) [Mas] para a massa da gente "culta" era a retórica o caminho mais largo e mais cômodo." A partir da citação de Werner Jaeger, responda às questões:

a) Situe os termos da polêmica entre Platão e Isócrates.

b) Embora Platão não negue a importância da retórica, por que a considera secundária?

c) Por que Jaeger usa a palavra *culta* entre aspas?

d) Analisando o discurso dos políticos de hoje, de que forma a mesma discussão poderia ser recolocada?

Questões sobre as leituras complementares

Sobre a leitura complementar de Platão, responda às questões a seguir.

1. O trecho transcrito começa referindo-se ao mito da caverna: explique-o em linhas gerais.

2. Por que, ao retornar à obscuridade, a vista se perturba? Explique essa alegoria do ponto de vista do processo do conhecimento.

3. Estenda a resposta à questão anterior, a fim de justificar a tarefa do educador, segundo Platão. Posicione-se pessoalmente a esse respeito.

Responda às seguintes questões com base na leitura complementar de Aristóteles.

4. Identifique no texto as características de um pensador que vive em uma sociedade escravagista.

5. A palavra *lazer* poderia ser substituída por *ócio*. Explique o fato de a palavra grega para escola, *scholé*, significar, inicialmente, ócio.

Responda às questões a seguir com base na leitura complementar de Jaime Pinsky.

6. Quais são as diferenças — de um modo genérico, a partir da idéia de *representação* — entre o conceito de cidadania na Grécia antiga e atualmente?

7. Qual é a diferença entre o conceito de legitimidade do poder depois das revoluções burguesas (como a Revolução Francesa) e o conceito anterior, durante o Antigo Regime?

8. Explique, com conceitos e exemplos, o que entende por uma democracia plena, que inclua universalidade, participação e direitos sociais.

9. Debata sobre a fragilidade da democracia: ao mesmo tempo que pode ampliar os direitos, está sempre ameaçada pelo cerceamento deles. Explique e dê exemplos.

10. O Brasil pode ser considerado uma democracia? Justifique, com ênfase na questão da educação para todos.

© TIM THOMPSON/CORBIS – STOCK PHOTOS

Capítulo 4

Antiguidade romana: *a* humanitas

Neste capítulo veremos como o Império de Roma se expandiu, abrangendo toda a Europa, norte da África, parte da Ásia e Oriente Médio. Ao mesmo tempo que espalhou a língua latina e os costumes romanos, transmitiu a cultura grega. Foi tão significativo esse processo que até hoje sentimos a influência greco-romana na civilização ocidental.

Contexto histórico

Períodos da história romana

• *Realeza* (de 753 a 509 a.C.): da fundação de Roma à queda do último rei etrusco.

• *República* (de 509 a 27 a.C.): de início prevalece a luta entre patrícios e plebeus, e depois ocorre o expansionismo militar.

• *Império* (de 27 a.C. a 476 d.C.): da instauração do Império à sua queda, com a invasão dos bárbaros.

‹ Da cidade grega de Éfeso restam ruínas do período da ocupação romana. Na bela fachada da Biblioteca de Celsus, uma das mais importantes da Antiguidade (século II d.C.), a inscrição em grego revela como esta língua permaneceu viva ao lado do latim.

1. Primeiros tempos

A história dos romanos remonta ao segundo milênio a.C., quando a parte centro-sul da península foi povoada por tribos de provável origem indo-européia, os *italiotas* ou *itálicos*. Subdividiam-se em povos com costumes, língua e desenvolvimento diferentes, dedicando-se alguns ao pastoreio, outros à agricultura.

O povo latino vivia, de início, em regime de comunidade primitiva, portanto, inexistia a propriedade privada da terra. Os membros do clã rendiam culto aos antepassados e aceitavam a autoridade máxima do *pater-familias* (ver dropes 1). Ocupavam as colinas do Lácio, onde mais tarde foi fundada a cidade de Roma, provavelmente em 753 a.C., acontecimento este envolto em lendas.

No século VII a.C., os gregos iniciaram a colonização do sul da Península Itálica, que passou a ser conhecida como Magna Grécia. Bem ao norte, na Etrúria, atual Toscana, o povo era adiantado e já conhecia a escrita. Por volta ainda do século VII, os etruscos iniciaram sua expansão, conquistando inclusive a região do Lácio, onde o regime gentílico se achava em processo de desagregação.

2. Realeza

No período da Realeza, com o desenvolvimento da cultura de cereais a economia deixou de se basear no pastoreio. Mais tarde, o comércio transformou Roma em *urbs*, "cidade".

A substituição da posse comum da terra pela propriedade privada provocou a divisão de classes: de um lado a aristocracia de nascimento, representada pelos *patrícios*, e de outro a maioria da população constituída de *plebeus*, geralmente homens livres: camponeses, artesãos, comerciantes, mas sem direitos políticos.

Entre os plebeus, havia os *clientes*, assim chamados por dependerem de uma família patrícia que lhes oferecia proteção jurídica em troca de prestação de serviços. Embora nessa época o número de escravos fosse reduzido, o sistema começava a ser implantado.

3. República

Com a queda do último rei etrusco, teve início a República, que representava os interesses dos patrícios, únicos a terem acesso aos cargos políticos. O poder executivo era representado por dois cônsules eleitos. O Senado, composto por membros vitalícios, constituía o principal órgão da República.

Com o enriquecimento de algumas camadas da plebe — sobretudo as que se dedicavam ao comércio —, intensificaram-se as lutas pela igualdade de direitos políticos e civis. Os plebeus obtiveram diversas conquistas nos séculos V e IV a.C., como a criação do Tribunato da Plebe, a permissão do casamento misto, a publicação da Lei das Doze Tábuas. A importância desta última decorre do fato de constituir o primeiro código escrito romano.

Devem-se essas mudanças ao surgimento de uma nova aristocracia — não mais determinada pelo nascimento, mas pela riqueza —, que aspirava a ocupar os altos cargos públicos. Enquanto isso, os plebeus pobres continuavam à margem do processo político, com sua situação econômica prejudicada pelo aumento da importação de escravos estrangeiros em razão das guerras de conquista. Os pequenos agricultores perdiam suas terras, e o trabalho manual dos artesãos desvalorizava-se por ser comparado ao de escravos.

A política expansionista começou no século V a.C., e já no século III a.C. toda a península se encontrava em poder dos romanos. Após as três Guerras Púnicas, contra os cartagineses (séculos III e II a.C.), aos poucos foram ocupadas as mais diversas regiões até que, no século I a.C., o mar Mediterrâneo ficou conhecido como *Mare Nostrum* (Nosso Mar).

Evidentemente muitas transformações decorreram da expansão romana. Com o estímulo às relações comerciais, nasceram grandes fortunas. Por essa época ampliou-se consideravelmente a escravidão, fator importante para a evolução da economia da Roma antiga. Geralmente os escravos eram prisioneiros de guerra e também plebeus, quando perdiam a liberdade por dívidas. Muitos escravos públicos, pertencentes ao Estado, trabalhavam nas construções monumentais, como palácios e aquedutos, ou nos serviços de urbanização, como calçamento de estradas. Outros, de propriedade particular, trabalhavam no campo ou na cidade, inclusive na função de preceptores, quando instruídos.

Em alguns casos, conseguiam a liberdade, chamada *manumissão*, geralmente por recompensa a serviços prestados. Ocorreram diversas revoltas de escravos nos séculos II e I a.C., das quais a mais famosa foi a de Espártaco (73 a.C.).

A expansão militar alterou profundamente as tradições romanas. A Grécia, que fora anexada em 146 a.C., encontrava-se no período helenístico, caracterizado pelo contato com diversos povos, desde o Egito até a Índia. Essa influência estrangeira se fazia sentir no luxo dos costumes e nos governos cada vez mais personalistas, à imagem do despotismo oriental.

4. Império

As manobras de César em busca do poder absoluto demonstravam a fragilidade da República. Em 27 a.C. Otávio recebeu o título de Augusto (filho dos deuses) e implantou o Império.

No Século de Augusto, conhecido pelo grande desenvolvimento cultural e urbano, foram construídos templos, aquedutos, termas, estradas e edifícios públicos. Portos e estradas abriram mercados, expandindo o comércio. Grandes latifúndios se especializavam em alguns produtos, e o escravismo continuou constituindo a base do processo econômico. Houve incentivo das artes, e escritores como Virgílio, Horácio, Ovídio e Tito Lívio sofreram nítida influência helenística.

Ao atingir sua extensão máxima no início do século II d.C., como necessitava de uma complicada máquina burocrática, o Império aumentou o contingente de funcionários do governo, sobretudo para a arrecadação dos impostos das províncias. Dada a complexidade das questões de justiça, desenvolveu-se a instituição do Direito Romano.

O surgimento do cristianismo foi um fato importante. Jesus nasceu na época de Augusto — portanto, início do Império —, na Judéia, sul da Palestina, território então ocupado pelos romanos. De lá, a doutrina cristã disseminou-se por obra dos *evangelistas*, seguidores de Cristo que levaram o evangelho (ou seja, a "boa nova") com o intuito de converter os pagãos para a nova crença. Durante muito tempo a doutrina cristã foi considerada subversiva pelos romanos, por não aceitar os deuses pagãos — já que era uma crença monoteísta —, nem render culto ao divino imperador, além de ter como adeptos principalmente pobres e escravos.

A perseguição aos cristãos iniciou-se com o imperador Nero (ano 64), repetindo-se periodicamente até que Constantino permitiu a liberdade de culto em 313. No final do século IV, o cristianismo tornou-se religião oficial. A própria doutrina sofreu modificações nesse tempo. Com a adesão da elite, assumiu cada vez mais a estrutura hierarquizada típica do Império,

O Império Romano em sua máxima extensão
(época de Trajano, século II)

Fonte: J. Jobson de Arruda, *Atlas histórico básico.* São Paulo, Ática.

com representantes em todas as suas partes. Na época em que o Império Romano se descentralizou e se fragmentou, a Igreja surgiu como um pólo aglutinador.

A partir do século II d.C. teve início a decadência do Império, o que se nota em diversos aspectos: desmantelamento da máquina burocrática; lutas pelo poder, cada vez mais personalista; altos impostos; corrupção; esvaziamento dos cofres públicos; e dissipação dos costumes, afrouxados pelo luxo.

No século III, com o cessar das guerras de expansão e a crise do escravismo, lentamente surgiu o sistema de colonato, em que os agricultores livres ficavam presos à terra que cultivavam, pagando os proprietários com uma parte da produção. O declínio do artesanato e do comércio provocou a ruralização da economia. Enquanto isso, os bárbaros se infiltravam como colonos ou soldados nas fronteiras, até que uma horda de guerreiros bárbaros de diversas origens invadiu o Império, fragmentando-o, no início do século V.

Em 395 o Império Romano dividiu-se em Ocidental, com sede em Roma, e Oriental, com sede em Constantinopla (antiga Bizâncio e atual Istambul). Em 476 a Itália caiu em poder de Odoacro, rei dos hérulos.

Educação

1. O que é *humanitas*

Uma das características da cultura romana decorre justamente da expansão do seu território. Enquanto a Grécia — composta por inúmeras póleis — nunca se constituiu em uma nação, Roma desenvolveu a concepção de império. Apesar das diferenças existentes entre os povos conquistados, não havia discriminação dos vencidos, mas lhes era conferido o direito da cidadania romana, em troca do pagamento de impostos. No caso específico da Grécia conquistada, em vez de impor o latim, os romanos incorporam-lhe o idioma, bem como vários de seus padrões culturais, que se tornaram herança da humanidade.

A cultura universalizada pode ser expressa na palavra *humanitas* — no sentido literal de humanidade e, mais propriamente, de educação, cultura do espírito —, algo equivalente à *paidéia* grega. Distingue-se desta, no entanto, por se tratar de uma cultura predominantemente humanística e sobretudo cosmopolita e universal, buscando aquilo que caracteriza o ser humano, em todos os tempos e lugares. Essa concepção, muito valorizada por Cícero, não se restringia ao ideal do sábio, muitas vezes inalcançável, mas se estendia à formação do indivíduo virtuoso, como ser moral, político e literário.

Com o tempo, a *humanitas* degenerou, restringindo-se ao estudo das letras e descuidando-se das ciências, como veremos.

De maneira geral, podemos distinguir três fases na educação romana:

- a educação latina original, de natureza patriarcal;
- a influência do helenismo, criticada pelos defensores da tradição;
- por fim, a fusão entre a cultura romana e a helenística, que já supunha elementos orientais, mas com nítida supremacia dos valores gregos.

A fusão dessas culturas trouxe um elemento novo, o bilingüismo, e desde cedo as crianças aprendiam latim e grego. Às vezes, o ensino era trilingüe, quando às duas línguas principais acrescentava-se a língua local.

Em todas as épocas, no entanto, permaneceram alguns aspectos da antiga educação, qual seja o papel da família, representado pela onipotência paterna — mas não destituída de afeto —, e pela ação efetiva da mulher, de que é exemplo o célebre tipo da "mãe romana".

2. Educação heróico-patrícia

Os aristocráticos patrícios (proprietários rurais e guerreiros) recebiam uma educação que visava a perpetuar os valores da nobreza de sangue e cultuar os ancestrais. É bom lembrar que na Antiguidade a família não era *nuclear* como a nossa, composta de mãe, pai e filhos, mas *extensa*, incluindo os filhos casados, escravos e clientes, dos quais o *paterfamilias* era proprietário, juiz e chefe religioso.

Até os 7 anos, as crianças permaneciam sob os cuidados da mãe ou de outra matrona, "mulher respeitável". Depois dessa idade, as meninas aprendiam no lar os serviços domésticos, enquanto o pai se encarregava pessoalmente da educação do filho. O menino o acompanhava às festas e aos acontecimentos mais importantes, ouvia o relato das histórias dos heróis e dos antepassados, decorava a Lei das Doze Tábuas, desenvolvendo desse modo a sua consciência histórica e o patriotismo.

Por viver em uma sociedade agrícola, o menino aprendia a cuidar da terra, atividade que, de início, colocava lado a lado o senhor e o escravo. Aprendia também a ler, escrever e contar, bem como desenvolvia habilidades no manejo das armas, na natação, na luta e na equitação. Os exercícios físicos visavam à preparação do guerreiro, mais do que propriamente ao esporte desinteressado.

Aos 15 anos, ele acompanhava o pai ao foro, praça central onde se fazia o comércio e eram tratados os assuntos públicos e privados, e em torno da qual se erguiam os principais monumentos da cidade, inclusive o tribunal. Aí aprendia o civismo. Caso o pai não pudesse desempenhar pessoalmente essas tarefas — o que às vezes acontecia devido às guerras —, um parente ou mesmo um escravo instruído assumia seu lugar.

Aos 16 anos, o jovem era encaminhado para a função militar ou política. A educação pouco se voltava para o preparo intelectual e mais para a formação moral, baseada na vivência cotidiana e na imitação de modelos representados não só pelo pai, mas também pelos antepassados.

3. Educação cosmopolita

Já na época da República, o desenvolvimento do comércio, o enriquecimento de uma certa camada de plebeus e o início da expansão romana tornaram a sociedade emergente mais complexa, o que exigia outro modo de educar.

A partir do século IV a.C., foram criadas escolas elementares particulares, que se disseminaram no século seguinte. Eram as escolas do *ludi magister* (*ludus*, *ludi*, "jogo, divertimento"; *magister*, "mestre"), nas quais se aprendia demoradamente a ler, escrever e contar, dos 7 aos 12 anos. Os mestres eram simples e mal pagos, e, para desempenhar seu ofício, ajeitavam-se em qualquer espaço: uma tenda, a entrada de um templo ou de um edifício público. As crianças escreviam com estiletes em tabuinhas enceradas, aprendendo tudo de cor, muitas vezes ameaçadas por castigo.

Por volta dos séculos III e II a.C., as incursões militares e o comércio colocaram os romanos em contato com os povos helênicos e o esplendor de sua cultura. Inúmeros professores gregos ensinaram a sua língua, dando início à formação bilíngüe dos romanos.

São desse período as escolas dos *gramáticos*, em que os jovens dos 12 aos 16 anos entravam em contato com os clássicos gregos, ampliando seus conhecimentos literários, ao mesmo tempo que estudavam as chamadas *disciplinas reais*, como geografia, aritmética, geometria e astronomia. Iniciavam-se também na arte de bem escrever e bem falar.

Segundo a tradição helenística, o indivíduo livre devia ter uma educação encíclica: como vimos no capítulo sobre a Grécia, *enciclopédia* significa literalmente "educação geral" e consiste na ampla gama de conhecimentos exigidos para a formação da pessoa culta. Essa nova exigência assustava os mais conservadores, como Catão, o Antigo, que criticava a influência grega, por achá-la deformadora da tradição romana.

Com o tempo, a retórica exigia o aprofundamento do conteúdo e da forma do discurso. Surgiu então a necessidade de um terceiro grau de educação, representado pela escola do *retor* (professor de retórica). Diferentemente dos *ludi magister* e dos gramáticos, os retores eram mais respeitados e bem pagos.

As escolas superiores desenvolveram-se no decorrer do século I a.C. (época de Cícero) e cresceram durante o Império. Eram freqüentadas pelos jovens da elite, que se destacariam na vida pública e que por isso se preparavam para as assembléias e as tribunas. Estudavam política, direito e filosofia, sem esquecer as disciplinas reais, próprias de um saber enciclopédico. Acrescentava-se a essa formação uma viagem de estudos à Grécia.

A educação física merecia a atenção dos romanos, mas com características menos voltadas para o esporte e mais para as artes marciais. Em vez de freqüentar ginásios, lutavam nos circos e anfiteatros. Tratava-se, afinal, de preparar soldados.

Como se vê, predominava a educação aristocrática, não só por ser privilégio da elite, mas por estar interessada nas atividades intelectuais, que excluíam o trabalho manual e por isso eram consideradas mais dignas.

4. Educação no Império

A educação romana durante o Império não foi muito diferente da oferecida no período anterior, a não ser por sua complexidade e organização. Nota-se a crescente intervenção do Estado nos assuntos educacionais, porque a administração do Império requereria uma bem montada máquina burocrática, com funcionários que deveriam ter pelo menos instrução elementar.

É curiosa a procura de cursos de estenografia (ou taquigrafia), um sistema de notação rápida. Segundo o historiador da educação Marrou, a sua origem remonta talvez ao século IV a.C., mas o uso corrente só aparece bem disseminado no tempo de Cícero. Esse recurso era exigido cada vez mais na atividade dos *notários* — hoje conhecidos como tabeliães —, que inicialmente eram apenas secretários incumbidos de fazer anotações, ao acompanhar os magistrados e os altos funcionários nas suas atividades. Depois suas funções foram adquirindo maior responsabilidade e poder.

Embora o Estado se interessasse pelo desenvolvimento da educação, de início pouco interferiu, colocando-se como mero inspetor, mais ou menos distante das atividades ainda restritas à iniciativa particular. Com o tempo, passou a oferecer subvenção, depois a exercer o controle por meio da legislação e por fim tomou para si a inteira responsabilidade. Já no século I a.C., o Estado estimulava a criação de escolas municipais em todo o Império. O próprio César concedera o direito de cidadania aos mestres de artes liberais.

No século I d.C. Vespasiano liberou de impostos os professores de ensino médio e superior e instituiu o pagamento a alguns cursos de retórica, de que se beneficiou o mestre Quintiliano. Pouco tempo depois, Trajano mandou alimentar os estudantes pobres. Mais tarde, outros imperadores legislaram sobre a exigência de as escolas particulares pagarem com pontualidade os professores e também definiram o montante a lhes ser pago.

Coube ao imperador Juliano (ano 362) praticamente oficializar toda nomeação de professor, feita pelo Estado. É bem verdade que esse imperador, também chamado *O Apóstata*, se opunha à expansão do cristianismo e pretendia, com essa medida, impedir a contratação de professores cristãos.

Outro destaque da época do Império foi o desenvolvimento do ensino terciário, com os cursos de filosofia e retórica, a que já nos referimos, e a criação de cátedras de medicina, matemática, mecânica e sobretudo escolas de direito. A continuidade dos estudos era exigida no caso de se aspirar a posições mais altas, como cargos próprios da justiça e da administração superior.

Durante a República, um jurista aprendia o ofício de maneira informal, bastando acompanhar com freqüência o trabalho dos tribunais. Os pretores eram magistrados especiais que julgavam os processos. Com as conquistas romanas, pretores peregrinos se dirigiam às comunidades submetidas e julgavam levando em conta o direito dos diversos povos, o que deu origem ao Direito das Gentes.

O crescente número de situações conflituosas exigiu que os juristas, para facilitar o exame dos casos, compilassem os editos dos pretores, as resoluções do Senado, as decisões dos governadores provinciais e as ordenações judiciais dos imperadores. Esse abundante material propiciaria o aperfeiçoamento do Direito Romano. Por isso, já no Império era exigida a formação sistemática por quatro ou cinco anos, tal a complexidade da nova ciência do direito, desenvolvida em grandes centros de estudo como Roma e Constantinopla.

Inúmeras bibliotecas foram criadas, e os romanos se apropriaram de manuscritos encontrados nas regiões conquistadas. Ainda floresciam o museu de Alexandria, o Círculo de Pérgamo e a Universidade de Atenas. Em Roma, no século II d.C., Adriano fundou o Ateneu, no Capitólio, espaço para discussão e cultura. Também as distantes províncias da Espanha, Gália e África receberam o estímulo imperial e criaram escolas, em que estudaram homens da categoria de Sêneca, Quintiliano e posteriormente Marciano Capella e Santo Agostinho.

Pedagogia

1. Características gerais

Tal como na sociedade grega, os romanos usavam o braço escravo para os trabalhos manuais, igualmente desvalorizados. Em contrapartida, a aristocracia se dedicava ao "ócio digno", ocupando-se com atividades intelectuais, políticas e culturais. Por conseqüência, os educadores orientavam-se pelo modelo adequado à elite dirigente a fim de formar o indivíduo racional, capaz de pensar de modo correto e de se expressar de forma convincente.

Agora vejamos algumas diferenças. A pedagogia grega apresentava duas vertentes: uma que destacava a visão filosófica sistematizada, como a de Platão, e outra em que predominava a retórica, como queria a escola de Isócrates. Ora, a pedagogia dos filósofos exigia que o próprio aluno, nos estágios superiores, se dedicasse à filosofia no seu sentido mais amplo, incluindo sobretudo a metafísica. O que representava alto grau de dificuldade, por se tratar da parte nuclear da filosofia que investiga as causas mais fundamentais do ser.

Em Roma, no entanto, a reflexão filosófica não mereceu atenção de modo tão sistemático. Quintiliano e outros pedagogos encaravam a filosofia até com certa descrença e, quando a ela recorriam, preferiam os assuntos éticos e morais, influenciados pelos pensadores estóicos e epicuristas do período helenístico. Isso porque os romanos adotaram uma postura mais pragmática, voltada para o cotidiano, para a ação política e não para a contemplação e teorização do mundo. Daí o prevalecer da retórica sobre a filosofia.

Essa tendência, que tornava a trama do discurso mais literária que filosófica, acentuou-se no período de declínio, com os riscos do formalismo oco e do palavreado vazio. De fato, com o tempo, descuidou-se da formação científica e artística, prevalecendo uma cultura de letrados, cuja atenção maior estava nas minúcias das regras gramaticais, nas questões filológicas e nos artifícios que proporcionavam o brilho nas conversações.

2. Principais representantes

Assim como a produção filosófica era modesta entre os romanos, também a pedagogia, quando existia, quase sempre estava voltada para questões práticas. É também tardia, uma vez que seus principais representantes — Cícero, Sêneca e Quintiliano — surgem por volta dos séculos I a.C. e I d.C.

Antes desses pensadores existiu Catão, o Antigo (234-149 a.C.), cujos dois livros sobre educação, no entanto, desapareceram. Ele defendia a tradição contra o início da influência helênica e o retorno às suas raízes romanas. Um século depois, Varrão (116-27 a.C.) representa bem a transição pela qual os romanos terminam por aceitar a contribuição grega. Seu trabalho foi sobretudo prático. Escreveu uma enciclopédia didática, em que discute o ensino da gramática e que serviu de base para trabalhos posteriores. Compôs também sátiras, que orientam o jovem na virtude, com máximas edificantes.

Cícero (106-43 a.C.) destaca-se entre os grandes pensadores romanos, embora sua filosofia não fosse original, mas eclética, isto é, composta de idéias de diversos sistemas como o platonismo, o epicurismo e o estoicismo. Ampliou sobremaneira o vocabulário latino, apoiado em sua larga experiência com o grego e vasta erudição. Famoso pela oratória brilhante e contundente, na qualidade de cônsul mais de uma vez interferiu nos rumos da política do Império, atividade intensa que culminou com seu assassinato.

Homem culto, de saber universal, Cícero valorizava a fundamentação filosófica do discurso, o que o diferencia de seus conterrâneos, tornando-o um dos mais claros representantes da *humanitas* romana. Para ele, a educação integral do orador requer cultura geral, formação jurídica, aprendizagem da argumentação filosófica, bem como o desenvolvimento de habilidades literárias e até teatrais, igualmente importantes para o exercício da persuasão.

A influência de Cícero não se restringiu à Antiguidade: chegou a ser um dos principais modelos dos pedagogos renascentistas. O *ciceronismo* foi tão intenso naquele período que o francês Rabelais, crítico do ensino tradicional, o considerava apenas um modismo.

Outro representante da pedagogia romana foi Sêneca (4 a.C.-65), nascido na Espanha. Em Roma, tornou-se preceptor do imperador Nero, por ordem de quem, por questões políticas, foi exilado e depois obrigado a se matar, abrindo as próprias veias.

Filósofo estóico, mas sensível a outras influências, via a filosofia como um instrumento capaz de orientar o indivíduo para o bem viver. A filosofia tinha para ele a função de ensinar a vida humana verdadeira, que não se confunde com o gozo dos prazeres, voltada que está para o domínio das paixões, já que a felicidade consiste na tranqüilidade da alma. Por isso a educação deve ser prática e vivificada pelo exemplo.

Segundo a visão de Sêneca, a educação prepara para o ideal de vida estóico: o domínio dos apetites pessoais. Por isso enfatiza a formação moral e dá menor atenção à retórica, tradicionalmente valorizada. Ocupou-se também com a psicologia como instrumento para a preservação da individualidade.

Plutarco (45-c.125), de origem grega e formação filosófica eclética, ensinou muito tempo em Roma. Reconhecia a importância da música e da beleza, bem como a formação do caráter. Dentre suas obras destaca-se *Vidas paralelas*, em que reúne valores gregos e romanos numa comparação biográfica de figuras importantes das duas nacionalidades, como, por exemplo, Péricles e Fábio Máximo, Demóstenes e Cícero, e assim por diante.

Marco Flávio Quintiliano (c.35-c.95), nascido na Espanha, foi um dos mais respeitados pedagogos romanos. Durante vinte anos lecionou na escola de retórica, fundada em Roma, e que se tornou famosa, tendo sido o primeiro retor a receber pagamento diretamente do governo do imperador Vespasiano.

Ao contrário de Cícero, distanciou-se da filosofia, preferindo os aspectos técnicos da educação, sobretudo da formação do orador. Escreveu várias obras, com destaque para *A educação do orador*.

Quintiliano valoriza a psicologia como instrumento para conhecer a individualidade do aluno. Não se prendia a discussões teóricas, mas procurava fazer observações técnicas e indicações práticas. Assim, os cuidados com a criança começam na primeira infância, desde a escolha da ama. Para a iniciação às letras, sugere o ensino simultâneo da leitura e da escrita, criticando as formas vigentes por dificultarem a aprendizagem. Recomenda alternar trabalho e recreação para que a atividade escolar seja menos árdua e mais proveitosa. Considera importante a aprendizagem em grupo, atividade que favorece a emulação, de natureza altamente saudável e estimulante.

No ideal da formação enciclopédica, Quintiliano inclui os exercícios físicos, desde que realizados sem exagero. No estudo da gramática, busca a clareza, a correção, a elegância. Ao valorizar os clássicos, como Homero e Virgílio, reconhece na literatura não só o aspecto estético, mas o espiritual e o ético.

Baseando-se em Aristóteles, analisa os dados físicos, psicológicos e morais que compõem a figura do orador. Destaca ainda a importância da instrução geral e dos exercícios que tornam a aprendizagem uma segunda natureza. A repercussão do trabalho de Quintiliano não se restringiu a seu tempo, retornando com vigor na época da Renascença.

Outros representantes do estoicismo romano foram Epicteto (c. 50-130), ex-escravo admirado pelo seu talento filosófico, e o imperador Marco Aurélio (121-180), que nos intervalos de longas guerras anotava suas reflexões, depois reunidas na obra *Meditações*.

3. Outras tendências

Convém lembrar que a crescente desagregação do Império Romano levou Constantino, em 330, a transferir a sede do governo de Roma para a cidade de Bizâncio (depois Constantinopla e atualmente Istambul). Em 395, quando o Império Romano foi dividido em duas partes (Oriente e Ocidente), o Império do Oriente (ou Bizantino) desenvolveu intensa vida cultural e religiosa, durante todo o período subseqüente. Essa cidade seria, no início da Idade Média, o local da efervescência intelectual, em que inúmeros copistas aperfeiçoaram cuidadosas técnicas de reprodução de obras clássicas.

Outro aspecto digno de nota no período de decadência foi a crescente importância da educação cristã. Vimos que inicialmente o culto foi proibido, depois restrito ao âmbito doméstico, para então se expandir, tornando-se religião oficial. Surgiram então os teólogos, que adaptaram os textos clássicos pagãos à verdade revelada. Por uma questão didática, trataremos desse assunto no próximo capítulo, no item *A Patrística*, referente aos Padres da Igreja.

Conclusão

Não é simples destacar em poucas linhas os pontos importantes da longa história da Antiguidade romana, se a considerarmos desde seus primórdios no século VIII a.C. até a tomada do Império do Ocidente pelos bárbaros, no século V d.C. Segundo o historiador Henri-Irénée Marrou, "o papel histórico de Roma não foi criar uma nova civilização, mas implantar e radicar solidamente no mundo mediterrâneo a civilização helenística, pela qual ela mesma fora conquistada"[1].

Acompanhamos em breves passos o desenrolar de uma educação inicialmente rural, militar e rude, até os requintes da formação enciclopédica, já amalgamada com a cultura grega, embora literária e com ênfase na retórica. Em todos os momentos estava presente certa lentidão no processo de aprendizagem, levado a efeito com métodos penosos de memorização, entremeados com castigos.

Para destacar os principais traços da pedagogia antiga, podemos relembrar alguns tópicos da conclusão do capítulo anterior. Do ponto de vista da educação efetivamente dada, por se tratar de uma sociedade escravista que desvalorizava o trabalho manual, continuou sendo privilegiada a formação intelectual da elite dominante.

[1] *História da educação na Antiguidade*. São Paulo, EPU/Edusp, 1973, p. 447.

Dos pressupostos antropológicos que embasam a pedagogia, os romanos, como os gregos, representam a tendência essencialista, que, no dizer do pedagogo polonês contemporâneo Suchodolski, atribui à educação a função de realizar "o que o homem deve ser".

Certamente por isso os modelos são tão importantes para os antigos. A professora Janine Assa se refere à imitação — a dos heróis, a dos grandes mestres, a do pai — como um elemento permanente na Antiguidade: "Não foi somente Roma que fez da História um repositório de virtudes exemplares. Sempre houve, desde Homero, alguém por imitar, de Aquiles a Isócrates, passando por Alexandre ou outro grande avoengo[2]. Esse laço entre o herói e a criança, entre o exemplo e o futuro cidadão, é o mestre que o tece"[3].

Quanto às ressonâncias da cultura latina nos tempos atuais, destacamos, entre outras, a herança das línguas neolatinas, do direito e do cristianismo. Resta lembrar que, se a nossa tradição ocidental é greco-romana, mas sobretudo grega, também vale atentar para a advertência do historiador Marrou, quando critica aqueles que engrandecem a Grécia e menosprezam a pouca "originalidade" de Roma. Diz ele: "A criação original não é o único título com que uma civilização possa glorificar-se. Sua grandeza histórica, a importância do seu papel na humanidade medem-se (...) também por sua extensão, por sua radicação no tempo e no espaço".

---

[2] Avoengo: antepassado.

[3] "Antiguidade", in Maurice Debesse e Gaston Mialaret (orgs.), *Tratado das ciências pedagógicas*. São Paulo: Nacional, 1974, v. 2: *História da pedagogia*, p. 76 e 77.

Dropes

1 - *Pater* — A palavra [*pater*] é a mesma em grego, em latim e em sânscrito, e assim podemos já concluir ser esta palavra datada do tempo em que os antepassados dos helenos, dos italianos e dos hindus viviam ainda juntos na Ásia Central. Qual o seu sentido e que idéia podia representar então ao espírito dos homens? Podemos conhecê-los porque guardou o seu significado primitivo nas fórmulas da linguagem religiosa e do vocabulário jurídico. (...) Em linguagem religiosa aplicava-se esta expressão a todos os deuses; no vernáculo do foro, a todo o homem que não dependesse de outro e tendo autoridade sobre uma família e sobre um domínio, *paterfamilias*. Os poetas mostram-nos que era empregada indistintamente a todos quantos se desejava honrar. O escravo e o cliente usam-na para com seu senhor (...) Encerrava, em si, não o conceito de paternidade, mas aquele outro de poder, de autoridade, de dignidade majestosa. (Fustel de Coulanges)

2 - Tão logo os exércitos romanos ocupavam um novo país, os retores instalavam as suas escolas junto às tendas dos soldados. O retor seguia as pegadas dos comerciantes, e isso tanto nas areias da África, quanto nas neves da Bretanha. Plutarco descreveu com que habilidade foi necessário servir-se da educação para habituar os espanhóis a viverem em paz com os romanos. "As armas não tinham conseguido submetê-los, a não ser parcialmente; foi a educação que os domou". (Aníbal Ponce)

3 - No Brasil, perdurou por muito tempo a educação inspirada na tradição greco-romana das humanidades, adaptada pelos cristãos medievais e divulgada pelos jesuítas que exerceram prolongada influência no Renascimento e na Idade Moderna, inclusive no Brasil colônia, como veremos em capítulos adiante. A esse respeito, diz o professor Dermeval Saviani: "O que de fato se organizou no Brasil foi o curso de Humanidades, que tinha a duração de seis anos e cujo conteúdo reeditava o *Trivium* da Idade Média, isto é, a Gramática (quatro séries), com o objetivo de assegurar expressão clara e precisa; a Dialética (uma série), destinada a assegurar expressão rica e elegante; e Retórica (uma série) com que se buscava garantir uma expressão poderosa e convincente".

● Leituras complementares

❶ O ensino do direito

Era, com efeito, a grande originalidade do ensino latino oferecer à ambição dos jovens a carreira jurídica. É este o único ponto em que deixamos de notar o tão perfeito paralelismo existente em tudo o mais entre as escolas gregas e latinas: deixando para os gregos a filosofia e (pelo menos durante muito tempo) a medicina, os romanos criaram com suas escolas de direito um tipo de ensino superior original.

É freqüente considerar o direito como a grande criação do gênio romano: de fato, ele representa a aparição de uma nova forma de cultura, de um tipo de espírito que o mundo grego não havia de modo algum pressentido. É um tipo original o *iures prudens*[4]: o homem que conhece o direito, que sabe a fundo as leis, os costumes, as regras processuais, o repertório da "jurisprudência", conjunto dos precedentes a que em determinados casos se pode referir para invocar a autoridade da analogia, da tradição; o homem também que "diz" o direito[5], que sabe pôr em execução, em um determinado caso, este vasto conhecimento, todos os recursos que lhe fornecem sua erudição e sua memória, que individualiza o caso, sabe propor a elegante solução que triunfa sobre a obscuridade da causa e a ambigüidade da lei. A sabedoria do prudente não é constituída apenas pela astúcia: apóia-se sobre o elevado sentido do justo, do bem, como da ordem. Esta sabedoria, anteriormente intuitiva, torna-se refletida, consciente e irá alimentar-se de toda a contribuição formal do pensamento grego, da robusta armadura lógica do aristotelismo, assim como da riqueza moral do estoicismo.

Há, pois, em Roma, uma ciência do direito; seu conhecimento é um precioso bem, ao qual aspiram muitos jovens romanos: abre uma promissora carreira; mais

---

[4] *Iures prudens* (ou *jures prudens*): traduzido por "jurisprudência"; *prudens* é o homem prudente, sábio, no sentido de "ter discernimento para julgar visando ao justo". Em outro sentido, significa o conjunto de soluções já dadas pelos tribunais superiores e que serve de guia para julgamento de casos similares.

[5] "Diz" o direito: a palavra "jurisdição" significa "ministrar a justiça", em latim *iurisdictio* (ou *jurisdictio*), literalmente "dizer o direito", atributo daquele que tem competência para fazer cumprir leis e punir quem as infrinja.

ainda que a eloqüência, o direito aparece como uma panacéia[6], o meio de distinguir-se e ascender. Surgem, naturalmente, para atender a este desejo, o mestre do direito (*magister iuris*) e o ensino do direito.

Do ponto de vista de instituição, este se apresenta por muito tempo em forma embrionária: ministrava-se, até o tempo de Cícero, no quadro dessa formação prática designada pela expressão *tirocinium fori*[7]. (...) O mestre é certamente mais um prático que um professor. Os jovens discípulos que o cercam assistem às consultas jurídicas que ele dá aos seus clientes e instruem-se escutando-o, pois, certamente, ele sabe aproveitar todas as ocasiões para explicar-lhes as sutilezas do caso, o encadeamento das conseqüências, exatamente como faz o médico no ensino clínico. Somente a partir da geração de Cícero e largamente, parece, graças à sua ação e à sua propaganda, a pedagogia jurídica romana adita a esse ensino prático (...) um ensino sistemático (...): lançando mão de todos os recursos da lógica grega, o direito romano esforça-se desde então para apresentar-se aos iniciantes sob a forma de um corpo de doutrina, de um sistema, constituído por um conjunto de princípios, de divisões e de classificações apoiadas em uma terminologia e definições precisas.

Ao mesmo tempo que vai fixando as regras de seu método, o ensino jurídico tende a encarnar-se em instituições mais caracterizadas, de cunho mais oficial: segue idêntica evolução à da própria função de jurisconsulto, à qual continua ligado. (...) No século II d.C., constatamos a existência, bem estabelecida, de agências de consulta que são ao mesmo tempo escolas públicas de direito (...). Estas escolas estavam estabelecidas à sombra dos templos, sem dúvida para aproveitar recursos das bibliotecas especiais que aí se encontravam anexadas, como a de que Augusto dotara o santuário de Apolo no Palatino.

Henri-Irénée Marrou, *História da educação na Antiguidade*. São Paulo, EPU/Edusp, 1973, p. 443-445.

❷ [A educação da criança]

Trazido o menino para o perito na arte de ensinar, este logo perceberá sua inteligência e seu caráter. Nas crianças, a memória é o principal índice de inteligência, que se revela por duas qualidades: aprender facilmente a guardar com fidelidade. A outra qualidade é a imitação, que prognostica também a aptidão para aprender, desde que a criança reproduza o que se lhe ensina, e não apenas adquira certo aspecto, certa maneira de ser ou certos ditos ridículos.

(...) o mestre deverá perceber de que modo deverá ser tratado o espírito do aluno. Existem alguns que relaxam, se não se insistir com eles incessantemente. Outros se indignam com ordens; o medo detém alguns e enerva outros; alguns não conseguem êxito senão através de um trabalho contínuo; em outros, a violência traz mais resultados. Dêem-me um menino a quem o elogio excite, que ame a glória e chore, se vencido. Este deverá ser alimentado pela ambição; a este a repreensão ofenderá, a honra excitará; neste jamais recearei a preguiça.

A todos, entretanto, deve-se dar primeiro um descanso, porque não há ninguém que possa suportar um trabalho contínuo; mes-

[6] Panacéia: remédio para todos os males, recurso que serve para qualquer coisa.

[7] *Tirocinium fori*: *tirocinium*, "aprendizado"; *fori*, plural de *forum*. "Fórum" é "o lugar de administração da justiça" ou, em sentido mais amplo, "praça pública, local em que se trata de interesse público e privado e onde eram construídos os templos e tribunais". O sentido no texto, portanto, é "aprendizado prático do direito no fórum".

mo aquelas coisas privadas de sentimento e de alma, para conservar suas forças, são afrouxadas por uma espécie de repouso alternado; além do mais, o trabalho tem por princípio a vontade de aprender, a qual não pode ser imposta. (...)

Haja, todavia, uma medida para os descansos; senão, negados, criarão o ódio aos estudos e, em demasia, o hábito da ociosidade. Há, pois, para aguçar a inteligência das crianças, alguns jogos que não são inúteis desde que se rivalizem a propor, alternadamente, pequenos problemas de toda espécie.

Quintiliano, "De Institutione Oratoria", in M. da Glória de Rosa, *A história da educação através dos textos*. São Paulo, Cultrix, s. d., p. 76 e 78.

Atividades

Questões gerais

1. "A Grécia vencida conquistou por sua vez o rude vencedor e levou a civilização ao bárbaro Lácio" (Horácio). Explique quem foi Horácio, o que é o Lácio e qual o significado da frase.

2. "As armas não tinham conseguido submetê-los a não ser parcialmente; foi a educação que os domou." Explique o significado da frase de Plutarco, a propósito da expansão romana.

3. Em que sentido uma sociedade de economia escravista orienta o teor das concepções pedagógicas?

4. Lívio Andrônico, um grego de Tarento, foi levado para Roma como escravo depois de sua cidade ter sido conquistada em 272 a.C. Mais tarde, liberto pelo seu senhor, cujos filhos educara, escreveu vários livros, inclusive a tradução da *Odisséia* de Homero para o latim. Com base nesse relato, analise uma determinada tendência da educação romana, após a conquista da Grécia.

5. "Há, pois, em Roma, uma ciência do direito; seu conhecimento é um precioso bem, ao qual aspiram muitos jovens romanos: abre uma promissora carreira; mais ainda que a eloqüência, o direito aparece como uma panacéia, o meio de distinguir-se e ascender. Surgem, naturalmente, para atender a este desejo, o mestre do direito (*magister iuris*) e o ensino do direito." Com base na citação de Marrou, responda:

a) Por que podemos dizer que o ensino do direito constitui um dos aspectos originais da educação romana?

b) Qual é a importância do ensino jurídico, a partir das necessidades resultantes da expansão do Império Romano?

6. "Há um ano, querido filho Marcus, você vem recebendo as lições de Cratipo, precisamente em Atenas. Embora as lições de tão grande mestre e a vida numa cidade tão famosa, um com o tesouro da Ciência, outra com seus ilustres exemplos, tenham permitido a você, sem dúvida, armazenar copiosa doutrina filosófica, não considero tudo isso suficiente à sua educação. Por isso, aconselho-o a fazer o mesmo que fiz para minha utilidade pessoal: servi-me da língua latina e grega, não só para meus estudos de Filosofia, como também para meus exercícios de Oratória. Assim agindo, você poderá adquirir igual facilidade no perfeito manejo de ambos os idiomas." Com base neste texto de Cícero, responda:

a) Que características da pedagogia de Cícero aí podem ser identificadas?

b) Quais as diferenças entre a pedagogia ciceroniana e a de Quintiliano?

7. *Mens sana in corpore sano*, "Mente sã em corpo são", eis a famosa máxima do poeta Juvenal. Faça uma pesquisa sobre o significado dessa máxima para os povos da Antiguidade greco-romana. Em seguida levante dados da história subseqüente, para observar o lugar que a educação física passou a ocupar, bem como os autores que a destacam. Por fim, reflita sobre o fato de que houve uma retomada da valorização do corpo, a partir de 1960 e durante as décadas seguintes, com a sua exacerbação na década de 1990. Discuta com seu grupo em que medida esse processo significa um desequilíbrio dos dois pólos inseparáveis contidos naquela máxima.

8. Relendo o dropes 4, discuta quais teriam sido os riscos do prolongamento do ensino exclusivo das humanidades após o desenvolvimento das ciências nos séculos XVII e XVIII.

9. Que características são comuns nas teorias dos diversos pedagogos romanos?

10. Justifique a importância da educação pública no Império.

11. "De que me serve saber dividir um campo, se não sei dividi-lo com um irmão?" Com base na pergunta de Sêneca, responda:

a) Qual é o ensinamento moral que esta afirmação transmite?

b) Analise os aspectos que Sêneca — e também outros pedagogos romanos — destaca para a aprendizagem dos jovens.

Questões sobre as leituras complementares

Com base na leitura complementar de Marrou, responda às questões a seguir.

1. Explique por que o estudo de direito constitui uma originalidade na Roma antiga.

2. Relacione o estudo do direito com o gosto pela retórica, indicando em que sentido a retórica é apropriada pelo Direito Romano.

3. Como se deu a evolução do ensino do direito em Roma?

Com base na leitura complementar de Quintiliano, responda às questões a seguir.

4. Quais são as novidades do estilo de ensinar de Quintiliano?

5. Explique como a importância dada à memória e à imitação representa um traço típico da educação antiga.

Capítulo 5

Idade Média: a educação mediada pela fé

‹ **As obras da Antiguidade, sobretudo as greco-latinas, foram preservadas nos mosteiros medievais. Os monges copistas as transcreviam pacientemente em novos manuscritos, faziam traduções e também adaptavam alguns clássicos à luz da teologia cristã. (*O livro dos milagres de Notre-Dame*, 1456.)**

A Idade Média abarca um período de mil anos, desde a queda do Império Romano (476) até a tomada de Constantinopla pelos turcos (1453). Esse longo tempo torna difícil descrever suas principais características sem incorrer no risco da simplificação.

Não convém considerar todo o período medieval intelectualmente obscuro, embora tenha havido retrocessos em diversos setores, dependendo da época e do lugar. Denominações como "a grande noite de mil anos" ou "idade das trevas" resultam da visão pessimista e tendenciosa que o Renascimento teve da Idade Média. Entremeando a estagnação, houve vários momentos em que expressões de uma produção cultural, às vezes muito heterogênea, tornaram difícil caracterizar genericamente o que seria o pensamento medieval.

De fato, a cultura medieval é um amálgama de elementos greco-romanos, germânicos e cristãos, sem nos esquecermos das civilizações de Bizâncio e do Islã, que fecundaram de forma brilhante a primeira fase da Idade Média. Enquanto no Ocidente os bárbaros dividiram o antigo império em diversos reinos, entrando em um período de retração econômica, social e cultural, aqueles povos do Oriente mantiveram uma cultura viva e efervescente.

Veremos neste capítulo como o Império do Oriente, o Islã e a cristandade latina gestaram os novos tempos após a dissolução do Império Romano. E como essas mudanças repercutiram no modo de preservar a tradição, criar novos valores e educar as gerações.

Contexto histórico

Cronologia

- Divisão do Império Romano em Império do Ocidente e Império do Oriente: 395 (ainda na Antiguidade).
- Idade Média: de 476 (queda do Império Romano do Ocidente) a 1453 (tomada de Constantinopla pelos turcos).
- Império Romano do Oriente (ou Império Bizantino): de 395 a 1453.
- Expansão islâmica: iniciada no século VII; na Europa, o último reduto islâmico em Granada (Espanha) foi reconquistado pelos cristãos em 1492.

1. O Império Bizantino

Enquanto o antigo Império Romano do Ocidente se fragmentou em inúmeros reinos bárbaros, o Império Romano do Oriente, ou Bizantino, conseguiu manter uma estrutura relativamente duradoura até o século XV, quando sua capital, Constantinopla, foi tomada pelos turcos.

De início prevaleceu a tradição romana, com o uso do latim, e o papa de Roma ainda dispunha de autoridade para decidir sobre questões da religião cristã. Com a estrutura administrativa herdada da tradição romana, a civilização bizantina manteve-se econômica e culturalmente adiantada, enquanto o Ocidente decaía.

No século VI o imperador Justiniano foi responsável pela grande revisão e sistematização do Direito Romano, levadas a efeito pelos seus juristas na elaboração do *Corpus Juris Civilis*, cuja influência é sentida até hoje nos códigos jurídicos de grande parte da Europa e da América. Durante o governo desse imperador, o Império Bizantino alcançou sua máxima extensão, abrangendo Grécia, Ásia Menor, Oriente Médio, algumas regiões da Itália, norte da África e sul da Espanha. Por volta do século XV, o Império fora reduzido a pequenos territórios na Grécia, além da cidade de Constantinopla.

Com o tempo, falaram mais alto as raízes gregas e asiáticas, e a orientalização de Bizâncio foi inevitável, passando a predominar costumes mais antigos, inclusive com a retomada da língua grega. Os imperadores, investidos de maior poder, assumiam decisões no campo religioso, motivo pelo qual as divergências com o papado culminaram em 1054 com a criação da Igreja Cristã Ordodoxa Grega, acontecimento conhecido como *Cisma do Oriente*[1], pelo qual os bizantinos recusaram a autoridade do papa de Roma e as duas Igrejas se separaram.

2. O Islã

Na Península Arábica viviam tribos em constante conflito, com grandes prejuízos

[1] Cisma: cisão, separação, dissidência (religiosa, política ou literária). Além do Cisma do Oriente, houve na Idade Média o Cisma do Ocidente, quando, de 1378 a 1417, havia dois papas, um em Roma e o outro em Avinhão, na França.

para o comércio. No século VII, o profeta Maomé fundou a religião islâmica, ou muçulmana. Trata-se de uma religião monoteísta, e seu livro sagrado, o Alcorão, traz a palavra de Alá, que orienta a conduta moral e religiosa dos fiéis. Maomé conseguiu unificar as tribos árabes por meio de pregação, mas sem desprezar a ação guerreira. Instaurou um governo teocrático, isto é, sem separar religião e Estado.

Após sua morte, os seguidores iniciaram a expansão islâmica, cujo resultado foi a criação de um grande império, que se estendeu além da Península Arábica pelo Oriente Médio, alcançando a leste o vale do Indo, ocupando a oeste todo o norte da África e depois a Península Ibérica, na Europa.

A civilização islâmica, além da cultura árabe original, assimilou a dos povos vencidos, tornando muito rica a sua influência nos locais onde se instalou. Desse modo, os árabes conheciam a filosofia, a ciência e a literatura dos gregos antigos, traduziram inúmeras obras clássicas, algumas delas conhecidas posteriormente pelos latinos justamente por essa via: por exemplo, os cristãos da Escolástica tiveram o primeiro contato com o pensamento de Aristóteles por meio dos árabes.

A partir do século XIII começaram à leste as incursões dos mongóis e mais tarde dos turcos, enquanto na Europa a reconquista cristã os expulsou lentamente da Península Ibérica, até a queda do Reino de Granada, no século XV. Justamente nessas regiões do sul de Portugal e Espanha, em que os mouros permaneceram por mais tempo, vemos até hoje os sinais fecundos dessa passagem.

3. A Europa cristã

Como já dissemos, no Ocidente europeu, o primeiro período, conhecido como *Alta Idade Média*, caracterizou-se pelas invasões bárbaras e a formação dos primeiros reinos germânicos. A desagregação da antiga ordem e a insegurança dos novos tempos forçaram o despovoamento das cidades, que perderam sua importância, provocando um processo acentuado de ruralização que se estendeu até o século X. Na virada do Ano Mil teve início a *Baixa Idade Média*, caracterizada pelo renascimento das cidades e do comércio, bem como pelo ressurgimento das artes e das lutas sociais e religiosas.

Na primeira fase, todos procuravam proteção ao lado do castelo do senhor, e a sociedade se tornou agrária, auto-suficiente na atividade agrícola e no artesanato caseiro. Desapareceram as escolas, o Direito Romano entrou em desuso, o comércio local retringiu-se, predominando os negócios à base de trocas, a ponto de quase desaparecer a circulação de moedas.

O sistema escravista foi desaparecendo, surgindo em seu lugar o trabalho dos servos, que, embora livres, dependiam dos seus senhores. Aos poucos, configurava-se o *feudalismo*, instituição que não apresentou práticas uniformes nem se desenvolveu ao mesmo tempo e do mesmo modo em todos os lugares.

A sociedade feudal, essencialmente aristocrática, estabeleceu-se sob os laços de *suserania* e *vassalagem* que entremeavam as relações entre os senhores de terras. No alto da pirâmide estavam a nobreza e o clero. O rei teve seu poder enfraquecido pela divisão dos territórios, pela autonomia dos senhores locais e, com o tempo, pela supremacia do papa. A alta e a pequena nobreza, constituídas por duques, marqueses, condes, viscondes, barões, cavaleiros, disputavam entre si, e alguns senhores conseguiam ser até mais poderosos que o rei.

No mundo feudal, a condição social era determinada pela relação com a terra, e por isso os que eram proprietários (nobreza e clero) tinham poder e liberdade. No outro extremo, encontravam-se os servos da gleba, os despossuídos, impossibilitados de abandonar as terras do seu senhor, a quem eram obrigados a prestar serviços.

Apesar dessa instabilidade e turbulência, desde o início da Idade Média, a herança cultural greco-latina foi resguardada nos mosteiros. Os monges eram os únicos letrados, porque os nobres e muito menos os servos sabiam ler. Podemos então compreender a influência que a Igreja exerceu não só no controle da educação, como na fundamentação dos princípios morais, políticos e jurídicos da sociedade medieval.

No contexto de fragmentação do Império Romano, a religião surgiu como elemento agregador. A influência da Igreja, além de espiritual, tornou-se efetivamente política, e para contar com ela os chefes dos reinos bárbaros convertiam-se ao cristianismo. Não deixa de ser significativa a cerimônia em que o rei franco Carlos Magno foi coroado pelo papa Leão III, no ano 800, consolidando o Império Carolíngio, que se estendia dos Pirineus à metade norte da Itália. Após esse período, conhecido como *renascimento carolíngio*, deu-se a fragmentação do Império e novo período de retração.

No decorrer da Baixa Idade Média, a partir do século XI, porém, a atividade da burguesia comercial em ascensão trouxe o reavivamento das cidades, não só do ponto de vista econômico, mas também político, com a formação da nova burguesia que começava a se opor ao poder dos senhores feudais, bem como das heresias que contestavam a ortodoxia religiosa. A efervescência intelectual culminou com a criação das universidades.

Em contrapartida, a Igreja resistia às tentativas de contestação do seu poder, instituindo no século XIII a Inquisição (ou Santo Ofício), para punir os hereges.

No período final da Idade Média, o embate entre os reis e o papa evidenciava o ideal de secularização do poder em oposição à política da Igreja, e anunciava os esforços no intuito da formação das monarquias nacionais. No seio da sociedade, a contradição entre os habitantes da cidade (os burgueses) e os nobres senhores deu início aos tempos do capitalismo.

Educação

Começaremos com rápida referência à educação dos bizantinos e dos árabes, para nos concentrarmos na tradição européia latina, que exerceu maior influência no Ocidente.

Vimos como o Império Bizantino e o Islã, na primeira fase da Idade Média, conseguiram manter uma atividade cultural intensa, não só conservando a literatura clássica, mas também inovando sobre a tradição. Conseqüentemente, a atividade educativa também foi mais rica naquele período, nesses locais.

1. A educação bizantina

No Império Bizantino, como no Ocidente, dava-se ênfase à vida religiosa e havia preocupação com as heresias. Porém, segundo Marrou, a civilização bizantina, embora "tão profundamente cristã, que dá tanta importância às questões propriamente religiosas e especialmente à teologia, continuou obstinadamente fiel às tradições do humanismo antigo".

Há pouca documentação a respeito do ensino primário e secundário, mas é certo que não havia o predomínio do ensino religioso nas escolas, e os clássicos pagãos eram estudados sem restrição, característica que distingue suas escolas daquelas do Ocidente, como veremos. A meta da educação continuava a mesma da estabelecida na Antiguidade, ou seja, a formação humanista e a preparação de funcionários capacitados para a administração do Estado.

Sobre as escolas superiores existem informações mais detalhadas, com destaque para a Universidade de Constantinopla, importante centro cultural de 425 a 1453. Embora tivesse sofrido altos e baixos nesse longo período, aquela universidade acolheu as obras antigas e orientou estudos fecundos de filosofia e ciências, bem como preservou o Direito Romano, sistematizado na época de Justiniano.

Os estudos religiosos eram feitos à parte na escola monástica. Nesse caso, predominava o interesse espiritual e ascético, hostil mesmo ao humanismo pagão. Já na escola patriarcal — em que os professores eram nomeados pelo Patriarca — o ensino não se restringia à formação religiosa, apesar de essa ser bastante vigorosa. Abria-se também à tradição clássica, buscando-se elaborar de forma original o humanismo cristão.

Após a conquista turca, o antigo Império entrou em declínio, tal como ocorrera com o Ocidente no início da Idade Média. Ainda segundo Marrou, na Grécia "em cada aldeia, à sombra da igreja, o padre reúne as crianças e empenha-se, o mais possível, em ensiná-las a ler — o saltério[2] e os demais livros litúrgicos —, de modo a 'preparar para si um sucessor competente'".

2. A educação islâmica

O primeiro renascimento cultural promovido pelos árabes deu-se no século VIII, em Bagdá, intensificado no século seguinte com a criação da "Casa da Sabedoria", constituída de biblioteca e centro de estudos e ensino, além de competente corpo de tradutores de obras vindas da Índia, China, Alexandria e Grécia. Esse modelo repetiu-se no Egito e na Síria.

Havia um nítido interesse pela pesquisa e experimentação, em oposição às restrições que a Igreja cristã ocidental fazia a essa orientação intelectual. Assim, os árabes destacaram-se nas áreas de matemática — difundindo os algarismos, a álgebra, os logaritmos etc. —, medicina, geografia, astronomia e cartografia. Na filosofia, Avicena e Averróis, como veremos no tópico *Pedagogia*, foram importantes divulgadores da obra de Aristóteles.

Por volta do século X, os árabes criaram inúmeras escolas primárias para ensinar a leitura e a escrita. Aprendia-se o Alcorão de cor, a fim de conhecer a palavra de Alá e, por meio dela, ser educado moralmente. Também havia preceptores particulares.

Durante a influência árabe, as cidades de Córdova, Toledo, Granada e Sevilha, na Espanha, tornaram-se grandes centros irradiadores de cultura.

3. A *paidéia* cristianizada

Vejamos agora como foi o longo período de mil anos da Idade Média ocidental, de influência marcadamente católica. Já sabemos que, enquanto as civilizações bizantina e islâmica floresceram culturalmente, o Ocidente mergulhou em fases de retração e obscuridade. No entanto, no século VIII houve o renascimento carolíngio, e, a partir dos anos mil, mudanças importantes fecundaram o período subseqüente, mas sempre com ênfase na cristianização da *paidéia*.

As escolas monacais

Após a queda do Império, escolas romanas leigas e pagãs continuaram funcionando precariamente em algumas cidades, com o clássico programa das sete artes liberais. Quase não há documentos que comprovem a existência dessas escolas depois do século V, mas certos fatos nos levam a

[2] Saltério: coleção de salmos do Antigo Testamento; também designação de um instrumento de cordas.

crer que ainda existiram por algum tempo. Por exemplo, como de início os bárbaros conservaram as características da organização administrativa do Império, o que exigia pessoal instruído, é de supor que necessitassem ser iniciados nas letras latinas.

Com a decadência da sociedade merovíngia, porém, essas escolas também teriam entrado em desagregação. Surgiram então as escolas cristãs, ao lado dos mosteiros e catedrais, e, como conseqüência, os funcionários leigos do Estado passaram a ser substituídos por religiosos, os únicos que sabiam ler e escrever.

O monaquismo é um movimento religioso que começou lentamente com a vida solitária dos monges, mas com o tempo exerceu considerável influência na cultura da Alta Idade Média. Etimologicamente, as palavras *mosteiro* (*monasterion*) e *monge* (*monachós*) são formadas pelo mesmo radical grego *monos*, que significa "só, solitário". Portanto, monge é o religioso que procura a perfeição na solidão e no afastamento da vida mundana.

Em todos os tempos, religiões como o judaísmo, o hinduísmo e o budismo nos deram exemplos dessa forma de busca espiritual. São famosos os monges do Egito e do Tibete, que vivem absolutamente segregados, nas florestas, cavernas ou desertos. Outros se reúnem em mosteiros situados em lugares desabitados, mas se recolhem em celas separadas.

Com a decadência do Império, aumentou o número daqueles que, desgostosos com o afrouxamento dos costumes, se refugiavam nos desertos como eremitas (ou ermitões). Partindo da crença de que o corpo é ocasião de pecado, repudiavam os prazeres sensuais, abstiam-se de sexo, alimentavam-se frugalmente, jejuavam com freqüência e dedicavam o tempo às orações. Para vencer as paixões e atingir a mais pura espiritualidade, submetiam-se a mortificações, como o uso do flagelo. Por isso são chamados de *ascetas*. A palavra *ascese*, segundo o *Novo dicionário da língua portuguesa*, de Aurélio Buarque de Holanda Ferreira, significa "exercício prático que leva à efetiva realização da virtude, à plenitude da vida moral", e *ascetismo* é uma "moral que desvaloriza os aspectos corpóreos e sensíveis do homem".

Ao se juntar nos mosteiros, os ascetas intensificaram a vida comunitária. Embora no século VI já existissem alguns mosteiros, em 529 São Bento fundou em Monte Cassino, na Itália, a Ordem Beneditina, considerada a primeira em importância na Idade Média. Os monges beneditinos submetiam-se a uma disciplina rigorosa e dedicavam-se ao trabalho intelectual e ao manual.

Criar escolas não era a finalidade principal dos mosteiros, mas a atividade pedagógica tornou-se inevitável à medida que era preciso instruir os novos irmãos. Surgiram então as escolas monacais (nos mosteiros), em que se aprendiam o latim e as humanidades. Os melhores alunos coroavam a aprendizagem com o estudo da filosofia e da teologia.

Os mosteiros assumiram o monópolio da ciência, tornando-se o principal reduto da cultura medieval. Guardavam nas bibliotecas os tesouros da cultura greco-latina, traduziam obras para o latim, adaptavam algumas e reinterpretavam outras à luz do cristianismo. Monges copistas, pacientemente, multiplicavam os textos clássicos.

Renascimento carolíngio

A partir do século VIII, com as conquistas do Islã, os europeus perderam o acesso ao mar Mediterrâneo, e com isso o comércio declinou ainda mais, provocando regressão econômica e intensificando o processo de feudalização. As pessoas se desinteressaram de aprender a ler e a escrever, e mesmo na Igreja muitos padres descuidavam-se da cultura e da formação intelectual. Apesar desses fatores, cada vez mais o Estado precisava do clero culto nas atividades administrativas.

No final do século VIII e começo do IX, teve início o chamado *renascimento carolíngio*. Carlos Magno — antes rei dos francos e depois imperador de um vasto território —, trouxe para sua corte em Aix-la-Chapelle (atual cidade de Aachem, na Alemanha) vários intelectuais proeminentes, entre os quais o anglo-saxão Alcuíno. O objetivo do imperador era reformar a vida eclesiástica e, conseqüentemente, o sistema de ensino.

A escola *palatina* (assim chamada porque funcionava ao lado do palácio) tornou-se sede de um novo movimento de difusão dos estudos que visava à reestruturação e fundação de escolas *monacais*, de escolas *catedrais* (ao lado das igrejas, nas cidades) e de escolas *paroquiais*, de nível elementar.

O conteúdo do ensino era o estudo clássico das sete artes liberais — as artes do indivíduo livre, distintas das artes mecânicas do servo —, cujas disciplinas começaram a ser delimitadas desde os tempos dos sofistas gregos, na Antiguidade. Na Idade Média elas constituíram o *trivium* e o *quadrivium*. Como veremos adiante neste capítulo, Marciano Capella (século V) escreveu um livro sobre esse assunto, e daí em diante a divisão das sete artes serviu para esboçar um programa de ensino, embora sua definitiva adoção tenha ocorrido apenas com as reformas de Alcuíno, no século IX.

No *trivium* (três vias), constavam as disciplinas de gramática, retórica e dialética, que correspondiam ao ensino médio. O *quadrivium* (quatro vias), formado por geometria, aritmética, astronomia e música, destinava-se ao ensino superior, a que tinha acesso um número menor de pessoas.

Nos cursos do *trivium*, a gramática incluía o estudo das letras e da literatura; nas aulas de retórica, além da arte do bem falar, ensinava-se história; a dialética cuidava da lógica, ou arte de raciocinar. Enquanto as disciplinas do *trivium* se voltavam para as artes do bem falar e discutir, o *quadrivium* era também conhecido como o conjunto das artes reais (no sentido de terem por objeto o conhecimento da realidade). Dessa forma, a geometria incluía eventualmente a geografia, a aritmética estudava a lei dos números, a astronomia tratava da física, e a música cuidava das leis dos sons e da harmonia do mundo.

Uma ressalva deve ser feita com relação ao conceito de artes reais: se a ciência antiga tinha a intenção de entender a realidade, certamente o fazia de forma incipiente, porque a física aristotélica era qualitativa, a astronomia muitas vezes se enredava na astrologia, o estudo da geometria entremeava discussões sobre formas perfeitas. O teor dessas discussões sofreria modificações sensíveis apenas no século XVII, com a revolução científica levada a efeito por Galileu.

Renascimento das cidades: as escolas seculares

Após o florescimento do período carolíngio, outras invasões bárbaras assolaram a Europa, provocando novo retrocesso. Com o fim dessas incursões, as Cruzadas liberaram a navegação no Mediterrâneo e reiniciou-se o desenvolvimento do comércio, alterando definitivamente o panorama econômico e social. A principal conseqüência foi o renascimento das cidades e o surgimento de uma classe, a burguesia.

A palavra *burgo* inicialmente significava "castelo, casa nobre, fortaleza ou mosteiro", incluindo as cercanias. Com o tempo os burgos transformaram-se em cidades, cujos arredores abrigavam os servos libertos que se dedicavam ao comércio e passaram a ser chamados de burgueses.

Por volta do século XI, o comércio ressurgiu, as moedas voltaram a circular, os negociantes formaram ligas de proteção, montaram feiras em diversas regiões da Europa e passaram a depender das atividades dos banqueiros. As cidades cresceram graças ao comércio florescente. Como resultado das lutas contra o poder dos senhores feudais, as vilas se libertaram aos poucos, transformando-se em *comunas* ou *cidades livres*.

Essas mudanças repercutiram em todos os setores da sociedade. Onde só existia o poder do nobre e do clero, contrapôs-se o do burguês. Eram três os pólos da atividade medieval: o castelo, o mosteiro e a cidade; e três os seus agentes: o nobre, o padre e o burguês.

As modificações exigidas no sistema de educação fizeram surgir as escolas seculares. *Secular* significa "do século, do mundo", e, portanto, adjetiva qualquer atividade não-religiosa. Até então, a educação era privilégio dos clérigos, ou, no caso da formação de leigos, as escolas monacais e catedrais restringiam-se à instrução religiosa. Com o desenvolvimento do comércio, as necessidades eram outras, e os burgueses procuraram uma educação que atendesse aos objetivos da vida prática. Por volta do século XII surgiram pequenas escolas nas cidades mais importantes, com professores leigos nomeados pela autoridade municipal. O latim foi substituído pela língua nacional, e em vez dos tradicionais *trivium* e *quadrivium* foram enfatizadas as noções de história, geografia e ciências naturais, que constituíam de fato as artes reais.

As escolas seculares, portanto, prefiguravam uma revolução, no sentido de contestar o ensino religioso, muito formal, ao qual contrapunham uma proposta ativa, voltada para os interesses da classe burguesa em ascensão.

No início, as escolas não dispunham de acomodações adequadas, e o mestre recebia os alunos em diferentes locais: na própria casa, na igreja ou em sua porta, numa esquina de rua ou ainda alugava uma sala. Conta o historiador francês Philippe Ariès: "Essas escolas, é claro, eram independentes umas das outras. Forrava-se o chão com palha, e os alunos aí se sentavam. (...) Então, o mestre esperava pelos alunos, como o comerciante espera pelos fregueses. Algumas vezes, um mestre roubava os alunos do vizinho. Nessa sala, reuniam-se então meninos e homens de todas as idades, de 6 a 20 anos ou mais"[3].

A partir do século XIII, no entanto, a própria burguesia dividiu-se entre o rico patriciado urbano, dedicado às atividades bancárias, e o segmento de pequenos comerciantes e artesãos. Os primeiros começaram a se aproximar da classe nobre então dirigente, desprezando o trabalho manual exercido pelos artesãos. Conseqüentemente, também preferiram a educação voltada para a cultura "desinteressada", deixando para a burguesia plebéia as escolas profissionais em que leitura e escrita se achavam reduzidas ao mínimo.

A formação das "gentes de ofício"

Nas cidades, os servos libertos se ocupavam com diversos ofícios: alfaiate, ferreiro, boticário, sapateiro, tecelão, marceneiro etc. Com o incremento do comércio, expandiram-se algumas das atividades que antes estavam reduzidas ao necessário para o consumo da própria comunidade. As técnicas foram aperfeiçoadas, sobretudo quando as Cruzadas proporcionaram maior contato com o Oriente. Mais exigente, a sociedade medieval começava a se interessar pelo luxo e pelo conforto.

[3] *História social da criança e da família*. 2. ed. Rio de Janeiro, Zahar, 1981, p. 166 e 167.

Organizaram-se então as corporações de ofício (ou grêmios), segundo as quais nada podia ser produzido sem regulamentação rigorosa. Na cidade, essas corporações determinavam, para cada profissão, o material a ser usado, o processo de fabricação, o preço do produto, o horário de trabalho e as condições de aprendizagem.

Para alguém possuir uma oficina, precisava dispor de economias e provar ser capaz de produzir uma obra-prima em sua especialidade. Se aprovado, pagava uma taxa, recebia o título de mestre e a licença para montar o negócio. Os aprendizes viviam na casa do mestre sem pagamento, alimentados por ele até o momento de se submeterem a um exame para se tornarem companheiros ou oficiais. Podiam então trabalhar por conta própria, empregando-se mediante remuneração. Às vezes viajavam para outras terras, a fim de conhecer novos processos de trabalho, até se submeterem a exame e abrir uma oficina.

As corporações não ofereciam, entretanto, a mobilidade que esta descrição parece sugerir. Com o passar do tempo, as taxas eram tão altas que só os filhos dos mestres tinham acesso às provas de ofício, delas ficando excluídos os mais pobres.

A formação militar: a educação do cavaleiro

No século XI, vários acontecimentos transformaram o modo de vida medieval: o renascimento comercial, o florescimento das cidades, o surgimento da classe burguesa, as Cruzadas e a consolidação da instituição da cavalaria.

Até o século X, os senhores costumavam recrutar os soldados entre os homens livres, que compunham principalmente a infantaria. Com o desmoronamento da autoridade monárquica centralizada e a fragmentação dos reinos em inúmeros ducados e condados, tornou-se costume recorrer ao cavaleiro, soldado que possuía cavalo e roupa adequada, além da caríssima armadura, e era habilidoso no manejo das armas.

A cavalaria era fundamentalmente uma instituição da nobreza, embora entre os cavaleiros houvesse aventureiros de todo tipo e camponeses enriquecidos. Segundo o costume, o filho primogênito herdava as terras, por isso, com muita freqüência, seus irmãos encaminhavam-se para o clero ou para a cavalaria.

A aprendizagem das armas obedecia a um ritual muito severo, culminando com a cerimônia de sagração. Na primeira etapa, dos 7 aos 15 anos, o menino servia como *pajem* em outro castelo. Aí convivia com as damas, aprendia música, poesia, jogos de salão, a falar bem, exercitava-se nos esportes e adquiria as maneiras corteses. A cortesia, isto é, o viver "cortês", significava a maneira adequada de se comportar na corte.

A segunda etapa começava quando o jovem se tornava escudeiro, pondo-se a serviço de um cavaleiro. Aprendia a montar a cavalo, adestrava-se no manejo das armas, exercitava-se nas caçadas e nos torneios ou liças, a fim de estar preparado para as guerras, tão comuns naquela época. Ao mesmo tempo que a preparação física merecia cuidados, era dada continuidade à educação social, com a introdução a assuntos políticos e até rudimentos da conquista amorosa. Aprendia ainda a arte dos cantores e dos jograis, além de poesia trovadoresca, que exaltava a beleza feminina.

Aos 21 anos, após rigorosas provas de valentia e destemor, o escudeiro era sagrado cavaleiro em cerimônia de grande pompa civil e religiosa. Como vemos, a educação do cavaleiro não dava destaque à atividade intelectual, e muitos deles nem sequer sabiam ler ou escrever, mas distinguiam-se pelas habilidades da caça e da guerra, bem como pela formação espiritual, tendo em vista as principais virtudes do cavaleiro: honra, fidelidade, coragem, fé e cortesia.

Um código de honra envolvia os cavaleiros, submetidos a severa disciplina moral. A aura de defensores dos desamparados, mulheres, velhos e crianças durante muito tempo alimentou a criação anônima dos famosos romances de cavalaria. Dentre eles destaca-se o poema épico *A canção de Rolando*, que descreve acontecimentos do século VIII, por ocasião das lutas contra os mouros. O *Poema do Cid*, de autor incerto, relata a história de D. Rodrigo, el Cid, que viveu no século XI.

As universidades

As universidades surgidas na Idade Média representaram um modelo novo e original de educação superior, que exerceu — e ainda exerce — importante papel no desenvolvimento da cultura. A palavra *universidade* (*universitas*) não significava, inicialmente, um estabelecimento de ensino, mas designava qualquer assembléia corporativa, seja de marceneiros, seja de curtidores, seja de sapateiros. No caso que nos interessa aqui, tratava-se da "universidade dos mestres e estudantes". No espírito das corporações, resultaram da influência da classe burguesa, desejosa de ascensão social.

No século XII, procurava-se ampliar os estudos de filosofia, teologia, leis e medicina, a fim de atender às solicitações de uma sociedade cada vez mais complexa. Surgiram então certos mestres, em geral clérigos não-ordenados, que se instalam de início nas escolas existentes, mas aos poucos ficam independentes, mudando de uma cidade para outra, como itinerantes. Alguns se tornaram famosos e atraíam inúmeros alunos. O mais célebre deles foi Pedro Abelardo (1079-1142), conhecido pelo discurso caloroso e pelas polêmicas que enfrentou.

Com o tempo, devido à necessidade de organizar melhor o trabalho disperso dos mestres independentes, estabeleceram-se regras, proibições e privilégios. Como em qualquer corporação, havia a exigência de provas para obter os títulos de bacharel, licenciado e doutor.

A universidade mais antiga de que se tem notícia talvez seja a de Salerno, na Itália, que oferecia o curso de medicina, desde o século X. No final do século XI (em 1088) foram criadas a Universidade de Bolonha, na Itália, especializada em direito, e, no século seguinte, a de teologia, em Paris. Na Inglaterra destacam-se a de Cambridge e a de Oxford, com predominante interesse pelos estudos científicos como matemática, física e astronomia. Outras foram criadas em Montpellier, Salamanca, Roma e Nápoles. Nos territórios germânicos, as universidades de Praga, Viena, Heidelberg e Colônia só apareceram no final do século XIV[4]. Ao longo da Idade Média foram fundadas mais de oitenta na Europa Ocidental.

À medida que aumentava a importância da universidade, os reis e a Igreja disputavam seu controle, e no século XIII os dominicanos conseguiram muitas cátedras. Inicialmente a lógica aristotélica determinava as regras do bem pensar, e com o passar do tempo todas as obras de Aristóteles foram traduzidas para o latim. Como veremos adiante, a Escolástica atingiu o apogeu naquele século, sobretudo com a produção de Tomás de Aquino.

A atividade docente na universidade era desenvolvida conforme o método da Esco-

[4] Nas Américas, as universidades começaram a surgir apenas no século XIX. Nos Estados Unidos, a primeira foi fundada em 1819, no estado de Virgínia. No Brasil, os primeiros cursos superiores foram implantados também no século XIX, mas a primeira universidade data de 1934, em São Paulo.

lástica, baseado na *lectio* (leitura) e na *disputatio* (discussão), pelas quais os estudantes exercitavam as artes da dialética, discutindo as proposições controvertidas.

A universidade tornou-se centro de fermentação intelectual. A Igreja, que mantivera a hegemonia da cultura e espiritualidade no Ocidente, passou a ser afrontada com freqüência pelas heresias, disseminadas com o ressurgimento das cidades. Tão grande era o temor provocado pelas contestações que a Igreja conservadora resolveu instalar a *Inquisição* ou *Santo Ofício*, cujos tribunais se espalharam a partir do século XII na Europa para apurar os "desvios da fé". Ordens religiosas, sobretudo a dos dominicanos, assumiram o trabalho de manter a ortodoxia religiosa, com censura e rigor, determinando a punição dos dissidentes, a queima de livros e... dos seus autores.

No século XIV, as universidades entraram em decadência, asfixiadas pelo dogmatismo decorrente da ausência de debate crítico. Resistindo às mudanças, tentavam manter a influência escolástica de recusa à observação e experimentação, distanciando-se, portanto, das tendências que prenunciavam o nascimento da ciência moderna.

A educação das mulheres

Na Idade Média, as mulheres não tinham acesso à educação formal. A mulher pobre trabalhava duramente ao lado do marido e, como ele, permanecia analfabeta. As meninas nobres só aprendiam alguma coisa quando recebiam aulas em seu próprio castelo. Nesse caso, estudavam música, religião e rudimentos das artes liberais, além de aprender os trabalhos manuais femininos. Embora alguns teóricos fossem hostis à educação feminina, outros a estimulavam, por acharem que a mulher era a depositária dos valores da vida doméstica. Mesmo nesse caso, subentendia-se que essa formação se submeteria aos fins considerados maiores do casamento e da maternidade.

As meninas de outros segmentos sociais, como as da burguesia, começaram a ter acesso à educação apenas quando surgiram as escolas seculares, por ocasião da emancipação das cidades-livres.

Situação diferente ocorria nos mosteiros. Desde o século VI recebiam meninas de 6 ou 7 anos a fim de serem educadas e consagradas a Deus. Aprendiam a ler, a escrever, ocupavam-se com as artes da miniatura e às vezes com a cópia de manuscritos. Algumas chegaram a se distinguir no estudo de latim, grego, filosofia e teologia.

Os beneditinos ocuparam-se especialmente com a educação da mulher, criando não só escolas para as internas, como para as que não se tornariam religiosas. No século XII, uma de suas mais brilhantes alunas, Santa Hildegarda, escritora e conselheira de reis e príncipes, destacou-se pelo saber e religiosidade.

E o servo da gleba?

Na Idade Média predominava uma sociedade relativamente estática, hierarquizada, e por isso mesmo convencida de que Deus determinara a cada um o seu lugar, fosse religioso, nobre ou camponês. Segundo o ideário medieval, a sociedade dividida aparentemente se orientava para fins comuns: alguns rezam para obter a salvação de todos, outros combatem para todos defender, e a maioria trabalha para o sustento de todos.

Portanto, não se julgava necessário ensinar as letras aos camponeses, bastando formá-los cristãos. A ação da Igreja era eficaz nesse propósito, destacando-se as catedrais góticas imponentes que exaltavam a espiritualidade, os inúmeros afrescos com temas religiosos e os livros — de acesso mais restrito — muito ilustrados, para o entendimento dos analfabetos.

O que, no entanto, atingia o povo de modo mais direto eram a poesia e a música, com predominância de temas religiosos. As canções populares e a literatura lendária contavam as histórias de santos e ensinavam a devoção e o comportamento cristão ideal.

Exerceram grande importância também as peregrinações e as festas dos santos. No calendário anual, inúmeros dias santos de guarda interrompiam o trabalho para que o fiel assistisse às cerimônias religiosas, ocasião de imprescindível participação de oradores sacros. Aliás, as ordens mendicantes[5] ficaram famosas pelos pregadores de discurso fácil e inflamado, que pintavam com tintas fortes a recompensa divina e o castigo dos infernos.

Pedagogia

1. Paganismo e cristianismo

Neste item sobre a pedagogia na Idade Média, vamos nos restringir às teorias da educação do Ocidente cristão, por ser as que mais influenciaram as épocas posteriores.

Vimos no início do capítulo que, após a queda do Império Romano, o cristianismo tornou-se elemento de unidade na Europa fragmentada em inúmeros reinos bárbaros. Por ser os únicos letrados, os clérigos se apropriaram do tesouro cultural greco-latino. A produção intelectual da Antiguidade, no entanto, apresenta diferenças profundas do pensar cristão: de maneira geral, ao intelectualismo e ao naturalismo gregos contrapõe-se o espiritualismo cristão.

Mesmo que os filósofos clássicos tivessem refletido sobre um Deus único, superando as crenças politeístas, trata-se de uma contemplação puramente intelectual de um Ser divino. Para eles, não existia a noção de Criação nem de Providência, à medida que Deus, como princípio ordenador impessoal, seria indiferente ao destino humano. Nas reflexões a respeito da moral, os gregos não exigiam os rigores do culto nem indagavam sobre a vida eterna. Os cristãos, ao contrário, subordinavam os valores mundanos aos supremos valores espirituais, tendo em vista a vida após a morte, e por isso as noções de mal e de pecado tornaram-se centrais.

Era inevitável que os monges temessem a influência negativa da produção intelectual da Antiguidade sobre os fiéis, ao mesmo tempo que não podiam rejeitar, em bloco, essa fecunda herança cultural. A solução encontrada foi a lenta adaptação do legado greco-romano à fé cristã. Aos poucos, os mosteiros enriqueceram suas bibliotecas com o trabalho cuidadoso e paciente de monges copistas, de tradutores experientes, que vertiam para o latim textos selecionados da literatura e filosofia gregas, de bibliotecários meticulosos, que controlavam, mediante ordens superiores, as leituras permitidas ou proibidas, a fim de disseminar e preservar a fé a qualquer custo.

Só isso, porém, não era suficiente para prevenir os desvios da fé. Estudiosos começaram a adaptar o pensamento grego ao novo modelo de humanidade adequado à concepção de vida cristã. O ponto de partida era sempre a verdade revelada por Deus, a autoridade indiscutível do texto sagrado a que se adere pela graça da fé. Na luta contra os pagãos e no trabalho de conversão, fazia-se necessário demonstrar que a fé não contrariava a razão. Embora a fé fosse considerada mais importante, e a razão apenas seu instrumento, impôs-se uma sistematização, conhecida como *filosofia cristã*, que se estendeu por dois grandes períodos:

- *Patrística*: filosofia dos Padres da Igreja, do século II ao V (portanto, ainda no período da Antiguidade);

[5] Ordem mendicante: ordem religiosa, como a dos dominicanos e a dos franciscanos, devotada à pobreza.

• *Escolástica*: filosofia das escolas cristãs ou dos doutores da Igreja, do século IX ao XIV.

2. A Patrística

A filosofia dos Padres da Igreja teve início no período decadente do Império Romano, no século II. Por questões didáticas, optamos por estudá-la neste capítulo devido à sua importância para a compreensão do pensamento medieval.

A Patrística caracteriza-se pela intenção apologética, isto é, de defesa da fé e conversão dos não-cristãos. A exposição da doutrina religiosa tentava harmonizar a fé e a razão, a fim de compreender a natureza de Deus e da alma e os valores da vida moral.

Os primeiros teólogos, ao retomar a filosofia platônica, deram destaque a alguns temas, adaptando-os à ótica cristã de valorização do supra-sensível, a fim de fundamentar uma moral rigorosa, que defendia a abdicação do mundo e o controle racional das paixões.

Entre os representantes da Patrística estão Clemente de Alexandria, Orígenes e Tertuliano, mas a principal figura foi Santo Agostinho (354-430), bispo de Hipona (norte da África). Durante muito tempo, Agostinho deu aulas de retórica em Tagaste, sua cidade natal, e depois em Roma e Milão, onde entrou em contato com a filosofia neoplatônica. As questões religiosas levaram-no a aderir à seita dos maniqueus, segundo os quais há dois princípios divinos, o do bem e o do mal. Por fim, converteu-se ao cristianismo e dedicou sua vida à elaboração da filosofia cristã. Escreveu inúmeras obras, entre as quais *A cidade de Deus* e *Confissões*. Seu trabalho específico sobre educação é o pequeno livro *De Magistro* (*Do Mestre*), no qual dialoga com Adeodato, seu filho de 16 anos.

Por influência platônica, Agostinho distingue dois tipos de conhecimento: o que advém dos sentidos é imperfeito, mutável; e o outro, que é o perfeito conhecimento das essências imutáveis, de onde provém? Sabemos que Platão começa explicando o conhecimento pela alegoria da caverna (ver capítulo 3) e em seguida propõe a teoria da reminiscência, segundo a qual a alma teria contemplado as essências no mundo das idéias antes da vida presente, enquanto os sentidos seriam apenas ocasião das lembranças e não a fonte própria do conhecimento.

O cristão Agostinho adaptou essa explicação à teoria da iluminação. O ser humano receberia de Deus o conhecimento das verdades eternas, o que não significa desprezar o próprio intelecto, pois, como o Sol, Deus ilumina a razão e torna possível o pensar correto. O saber, portanto, não é transmitido pelo mestre ao aluno, já que a posse da verdade é uma experiência que não vem do exterior, mas de dentro de cada um. Isso é possível porque "Cristo habita no homem interior". Toda educação é, dessa forma, uma auto-educação, possibilitada pela iluminação divina.

No final da sua vida, Agostinho presenciou a invasão dos vândalos, depois de terem devastado a Espanha, passado pela África e sitiado Hipona. O Império Romano chegava a seus estertores. Iniciou-se a Idade Média, e durante vários séculos o pensamento agostiniano fornecerá elementos importantes para o trabalho de conciliação entre fé e razão.

3. Os enciclopedistas

Na primeira metade da Idade Média foi grande a influência das obras dos Padres da Igreja. Vários pensadores de saber enciclopédico retomam a cultura antiga, continuando o trabalho de sua adequação às verdades teológicas. Lêem as obras clássicas, conhecem o programa geral das sete artes liberais, consultam manuais de estudo.

Copiam, traduzem e selecionam textos para adaptá-los à fé cristã e desse modo difundem a crença e estabelecem parâmetros de interpretação.

Marciano Capella, africano de nascimento, por volta de 430 escreveu sobre as artes liberais. Boécio (480?-524) destacou-se pela tradução e pelos comentários de obras da filosofia grega, introduzindo os tratados lógicos de Aristóteles que servirão de base para todo o ensino da argumentação na Idade Média.

Mais tarde, Cassiodoro (490-583), nascido no sul da Itália, preparou manuais práticos para a iniciação dos monges à literatura antiga e recolheu inúmeros documentos religiosos e pagãos para formar uma vasta biblioteca. Seu trabalho teve continuidade com os monges beneditinos.

Isidoro de Sevilha (560?-636) condensou, em vinte livros, os mais diversos aspectos das artes liberais e de manuais da Antiguidade, segundo a perspectiva cristã.

Na Inglaterra, destacou-se a sabedoria de Beda, o Venerável (673-735), grande teólogo e pedagogo, que atuou no mosteiro de Yarrow, onde fez escola. Após sua morte, foi substituído pelo discípulo Egberto, que, por sua vez, foi o mestre de Alcuíno (735-804), convidado por Carlos Magno para organizar as escolas do Império Carolíngio, como vimos.

4. A Escolástica

A Escolástica é a mais alta expressão da filosofia cristã medieval. Desenvolveu-se desde o século IX, alcançou o apogeu no século XIII e começo do XIV, quando seguiu em decadência até o Renascimento. Chama-se Escolástica por ser a filosofia ensinada nas escolas. *Scholasticus* era o professor das artes liberais e mais tarde também o professor de filosofia e teologia, oficialmente chamado *magister*.

Os parâmetros da educação na Idade Média fundam-se na concepção do ser humano como criatura divina, de passagem pela Terra e que deve cuidar, em primeiro lugar, da salvação da alma e da vida eterna. Tendo em vista as possíveis contradições entre fé e razão, recomenda-se respeitar sempre o *princípio da autoridade*, que exige humildade para consultar os grandes sábios e intérpretes, autorizados pela Igreja, a respeito da leitura dos clássicos e dos textos sagrados. Evitava-se, assim, a pluralidade de interpretações e mantinha-se a coesão da Igreja.

Após o trabalho enciclopédico dos sábios da primeira parte da Idade Média, a Escolástica iniciou a sistematização da doutrina, recorrendo cada vez mais ao concurso da razão. As universidades serão o foco, por excelência, dessa fermentação intelectual. Até entre os fiéis, mesmo quando não se desprezava a religiosidade, o gosto pelo racional se tornava evidente. Enquanto na Alta Idade Média predominava um misticismo de certa forma sereno, na Baixa Idade Média, com a urbanização, a sociedade tornou-se mais complexa e as heresias aumentaram, prenunciando as rupturas na unidade secular da Igreja.

O método da Escolástica

Vimos que Boécio, no século VI, traduziu e comentou o *Organon*, a lógica de Aristóteles, para dar subsídios ao desenvolvimento do gosto pela disputa intelectual.

No período áureo da Escolástica (séculos XII e XIII), os teólogos procuraram apoiar a fé na razão, a fim de melhor justificar as crenças, converter os não-crentes e ainda combater os infiéis. Em face das heresias, não convinha apenas impor a crença, sendo necessário o trabalho de argumentação, sustentável por um sistema lógico de exposição e defesa dos pontos de vista.

A filosofia tornou-se estudo obrigatório do teólogo, desde que soubesse compreender o limite da atuação dela. Na Idade Média a filosofia era considerada "serva da teologia" (*ancilla theologiae*), porque a razão encontrava-se a serviço da fé. O embasamento para as argumentações é fornecido pela lógica aristotélica, sobretudo pelo silogismo, forma acabada do pensamento dedutivo. A dedução é um tipo de raciocínio que parte de proposições gerais para chegar a conclusões gerais ou particulares. Nesse processo, do conhecido são tiradas as conclusões nele implícitas.

Munidos do instrumental para a discussão, inúmeros comentadores dos textos sagrados da *Bíblia* e dos escritos dos Padres da Igreja alargaram a reflexão pessoal, criando o método escolástico, constituído por várias etapas: a leitura (*lectio*), o comentário (*glossa*), as questões (*quaestio*) e a discussão (*disputatio*)[6].

Nem sempre essas discussões permitiam vôos muito altos, na medida em que se vinculavam às verdades reveladas e ao estrito controle da ortodoxia religiosa, temerosa dos desvios heréticos. Segundo o historiador da educação Paul Monroe, cada tópico era analisado com o mais extremo rigor conforme a lógica aristotélica e com tal sobrecarga de análise e comentários de cada título que "o estudante ficava emaranhado numa multidão de sutis distinções metafísicas".

Retomaremos no final do capítulo as críticas ao excessivo formalismo desse método.

A questão dos universais

Além da tradução da lógica aristotélica, Boécio fez comentários sobre os universais, o que mais tarde gerou a famosa *questão dos universais*.

Essa temática, recorrente nos séculos XI e XII, baseia-se na discussão sobre a existência real dos gêneros e espécies, separadamente dos objetos sensíveis que os compõem. O universal é o conceito, a idéia, a essência comum a todas as coisas. Por exemplo, o conceito ser humano é um universal.

O problema que se coloca então é o seguinte:

- O universal é algo real, tem uma realidade objetiva? Ou seja: os universais são realidades (em latim, *res*)?
- O universal é apenas um conteúdo da nossa mente, expresso em um nome? Ou seja: os universais são palavras (*voces*)?

Os que respondem afirmativamente à primeira questão são os realistas, entre os quais Santo Anselmo (1033-1109) e Guilherme de Champeaux (c.1168-c.1121). Adeptos da segunda opção são os nominalistas, cujo principal representante é Roscelino (século XI), e, com algumas restrições, Pedro Abelardo (século XII), que, numa posição intermediária, defendia o conceptualismo.

Muitas vezes a disputa entre realistas e nominalistas inflamava-se, devido à eloqüência dos opositores. O que nos interessa analisar, porém, é o significado dessa oposição, descobrindo-lhe as duas forças que começavam a minar a compreensão mística do mundo medieval.

Os realistas representam os ortodoxos, partidários da tradição, que acentuam o universal, a autoridade, a verdade absoluta, a fé. Já que as diferenças individuais não têm tanta importância, justifica-se uma pedagogia perene, assentada em valores eternos e imutáveis.

Por outro lado, para os nominalistas o individual é mais real, e então o critério da

[6] Consultar José Silveira da Costa, *Tomás de Aquino*: a razão a serviço da fé. São Paulo, Moderna, 1993 (Col. Logos), p. 25 e 36.

verdade não seria a fé e a autoridade, mas a razão humana, o que, de certa forma, faz vislumbrar o racionalismo burguês, marca fundamental da Idade Moderna. Portanto, o que se contrapõe na questão dos universais é fé e razão, ortodoxia e heresia, feudalismo e novas forças da burguesia nascente.

A tendência nominalista reapareceu no século XIV com Guilherme de Ockham, inglês da escola de Oxford, a mesma a que pertencera o frade Roger Bacon no século anterior. Os franciscanos dessa escola representam uma reação ao tomismo e, de certa forma, antecipam o espírito renascentista ao valorizar a observação e a experimentação no estudo das ciências da natureza.

A síntese tomista

No século XIII, a Escolástica atingiu o apogeu, e seu principal expoente foi o dominicano Tomás de Aquino (1225-1274), consagrado santo pela Igreja. Discípulo de Alberto Magno, continuou o esforço do mestre na divulgação e comentário da obra de Aristóteles, adaptando-a à verdade revelada. Escreveu diversas obras, destacando-se a *Suma Teológica*, um monumental trabalho de síntese.

Até essa época, o pensamento de Aristóteles fora difundido pelos filósofos árabes Avicena (século XI) e Averróis (século XII). Por isso mesmo era visto com muita desconfiança pela Igreja, sobretudo porque as traduções da obra aristotélica estavam comprometidas por não terem sido feitas diretamente do grego para o latim, mas do hebreu ou do árabe.

A respeito de pedagogia, Santo Tomás escreveu *De Magistro*, obra homônima à de Santo Agostinho, da qual retoma muitos conceitos. Por exemplo, diz Santo Tomás: "Parece que só Deus ensina e deve ser chamado Mestre".

Para Santo Tomás, a educação é uma atividade que torna realidade aquilo que é potencial. Assim, nada mais é do que a atualização das potencialidades da criança, processo que o próprio educando desenvolve com o auxílio do mestre. A idéia da atualização das potencialidades sustenta-se também na teoria aristotélica da matéria e da forma, dois princípios indissociáveis, como vimos no capítulo 3.

Apesar da importância da vontade humana nesse processo, o ensino depende das Santas Escrituras e da graça da Providência divina, já que temos uma natureza corrompida. A educação não é mais do que um meio para atingir o ideal da verdade e do bem, pela superação das dificuldades interpostas pelas tentações do pecado.

A idéia de um princípio divino ordenador do mundo é o cerne do pensamento tomista. Ao apresentar a quinta (e última) das famosas provas da existência de Deus, Santo Tomás argumenta que a ordem e a finalidade no Universo se devem a uma inteligência ordenadora. Se no mundo tudo tende para um fim, de maneira que se realize o que é melhor, "os seres são dirigidos por algo cognoscente e inteligente, como a flecha é dirigida pelo arqueiro. Por conseguinte, existe um ser inteligente pelo qual as coisas naturais são ordenadas, visando a um fim; e a esse ser denominamos Deus".

Desse modo, todas as criaturas de Deus só podem aspirar a Ele. A semente do carvalho aspira à perfeição de sua forma, o animal busca realizar seu instinto. O ser humano, no entanto, por possuir a inteligência, deve aprender a discernir, entre os diversos bens, aquele que é o Bem supremo. Nesse momento está sujeito ao erro (e ao pecado), quando escolhe um bem menor, como o prazer sensual, por exemplo.

Como se vê, a metafísica de Santo Tomás desemboca na ética, que por sua vez fornece os elementos para uma pedagogia, como instrumento para realizar o que pede a natureza humana. "O bem objetivo, único capaz de proporcionar à natureza humana a felicidade perfeita, é Deus. A razão, secundada pela revelação, mostra o caminho que se deve seguir para alcançá-lo"[7].

5. Fase de transição

O distanciamento do vivido e o abuso da lógica nas disputas metafísicas provocaram o excessivo formalismo do pensamento medieval e a tendência ao verbalismo oco, típicos do período de decadência da Escolástica. Além disso, o raciocínio dedutivo foi valorizado pelo seu rigor, desprezando-se a indução, que, no entanto, favorece a descoberta e a invenção.

O exagero na aceitação do *princípio da autoridade* como critério para avaliar a verdade (da revelação divina das Santas Escrituras, de Platão e Aristóteles, dos Padres da Igreja) enfraqueceu o espírito crítico e a autonomia de pensamento no final da Idade Média. Essa atitude será um empecilho para o desenvolvimento das ciências — basta lembrar o confronto entre Galileu e a Inquisição no século XVII — e repercutirá ainda nas atividades educativas, como veremos no próximo capítulo.

Paralelamente, no entanto, o século XIV gestava os novos tempos de crítica à visão de mundo cristão-medieval, na direção de um humanismo com valores laicos, mundanos, mais voltados para o indivíduo e para a política. Diz o historiador Franco Cambi: "Também do ponto de vista educativo, as propostas mais significativas do século já estão *além* da Idade Média: com Dante Alighieri (1265-1321), com quem o vulgar se afirma como língua artística[8] (...); a idéia de Estado se laiciza em *Monarquia* (1312); a pedagogia vem dramatizada na *Divina Comédia*, que fixa um itinerário de purificação espiritual através de uma viagem ideal alimentada por uma profunda paixão pelo homem; com o já lembrado Petrarca e a sua redescoberta dos antigos, postos como modelos (literários, mas também éticos), a sua exaltação da disciplina moral e a sua oposição à Escolástica[9]".

Conclusão

Como foi possível observar neste retrospecto do pensamento medieval, não encontramos propriamente pedagogos, no sentido estrito da palavra. Aqueles que refletiam sobre as questões pedagógicas o faziam movidos por outros interesses, considerados mais importantes, como a interpretação dos textos sagrados, a preservação dos princípios religiosos, o combate à heresia e a conversão dos infiéis. A educação surgia como instrumento para um fim maior, a salvação da alma e a vida eterna. Predominava, portanto, a visão teocêntrica, a de Deus como fundamento de toda a ação pedagógica e finalidade da formação do cristão.

O modelo de humanidade que se delineou correspondia a uma essência a ser atingida para a maior glória de Deus. Baseado nos ideais ascéticos, o ser humano deveria manter-se distante dos prazeres e das preocupações terrenas, com o objetivo de atingir a mais alta espiritualidade.

Quanto às técnicas de ensinar, a maneira de pensar rigorosa e formal determinou cada vez mais os passos do trabalho escolar. Paul Monroe critica esse costume que

[7] José Silveira da Costa, *Tomás de Aquino*: a razão a serviço da fé, p. 70.

[8] Ao escrever na língua vulgar falada em Florença, e não em latim, considerado a língua culta, Dante Alighieri projetou o italiano como instrumento próprio da literatura.

[9] *História da pedagogia*. São Paulo, Ed. Unesp, 1999, p. 192.

prevaleceu durante séculos, já que a idéia de organizar o estudo conforme o desenvolvimento mental do estudante surgiu muito tempo depois: "A matéria era apresentada à criança para que a assimilasse na ordem em que só poderia ser compreendida pelas inteligências amadurecidas"[10].

No final da Idade Média, com a expansão do comércio e por influência da burguesia, sopraram novos ventos, orientando os rumos da ciência, da literatura, da educação. Realismo, secularização do pensamento e retomada da cultura greco-latina anunciavam o período humanista renascentista que se aproximava.

No entanto, analisadas as contradições do período medieval, resta lembrar que a herança cultural medieval chegou a nós, na medida em que o humanismo clássico (a *paidéia* grega), transformado pelo cristianismo, foi apropriado pelos jesuítas, primeiros formadores da educação no Brasil.

● Leitura complementar

[Educação e imaginário popular]

O povo, durante a Idade Média – e durante muito tempo também na Idade Moderna —, é analfabeto. Seus conhecimentos estão ligados a crenças e tradições ou observações de senso comum: o seu horizonte cultural é muito limitado, mas bem firme na centralidade atribuída à fé cristã e à sua visão do mundo, que chega a ele por muitas vias alternativas à escrita: sobretudo através da palavra oral e da imagem, que são as duas vias de acesso à cultura por parte do povo. Mesmo que seja a uma cultura que — justamente pelos meios que usa — resulta escassamente racionalizada e, pelo contrário, marcada por características emotivas. E não é por acaso que as grandes ordens mendicantes criadas depois do Ano Mil (franciscanos e dominicanos) sejam também ordens de pregadores, que falam ao povo com uma linguagem explícita e consistente, invocando os princípios cristãos, ativando uma obra de reeducação interior. São Francisco prega também aos infiéis, São Domingos desenvolverá uma oratória mais culta e racional, mas figuras como Santo Antonino em Florença ou São Bernardino de Siena tornarão "popular" a sua oratória eclesiástica, fustigando os costumes, repelindo as heresias, alimentando de espírito profético a mensagem cristã (...). O povo que assiste a essas verdadeiras *performances* teatrais, um tanto histriônicas, fica profundamente impressionado, perturbado e transtornado (...); tudo isso produz nos indivíduos uma ânsia de renovação, de transformação interior que será socialmente produtiva.

Mas a palavra age também através do teatro, que potencializa ainda mais as palavras com a imagem. Já o teatro que nasce dos adros das igrejas com representações sacras é um teatro explicitamente educativo: confirma a fé, que ele dramatiza, elementariza e reduz aos princípios essenciais, tornando-os facilmente perceptíveis e comunicativos. O *Combate entre a alma e o corpo*, uma das peças mais difundidas na Idade Média, exacerba e confirma o dualismo dramático da antropologia cristã e a sua visão da vida como sublimação heróica. Ao lado do sacro, existe também o teatro popular: a comédia, a farsa, a *sotie* (ou farsa dos loucos), que encontram espaço sobretudo no Carnaval, que exaltam os temas censurados pela cultura oficial (o ventre, o sexo, a fome, o engano etc.) e os potencializam de forma paródica.

Franco Cambi, *História da pedagogia*. São Paulo, Ed. Unesp, 1999, p. 178 e 179.

[10] *História da educação*. 16. ed. São Paulo, Nacional, 1984, p. 123.

Dropes

1 - Alcuíno para seus alunos: "Os poetas sacros devem bastar-vos; não há nenhuma razão para que devais macular vossos espíritos com o sensualismo exuberante do verso de Virgílio".

2 - Na obra *As núpcias de Mercúrio e da Filologia*, Marciano Capella elabora uma alegoria segundo a qual Mercúrio (representando a eloqüência) e a Filologia (representando o amor à razão e aos conhecimentos) se unem em matrimônio. O autor defende a aliança entre o saber e a eloqüência, pois cada um é estéril sem o outro. Assistem ao matrimônio as sete ninfas: a gramática, a retórica, a dialética, a geometria, a aritmética, a astronomia e a música. Elas representam as sete artes liberais, que na Idade Média constituíam o *trivium* e o *quadrivium*.

3 - A conclusão de tudo que temos já exposto é de que nosso pedagogo, Jesus, deu-nos o esquema da vida verdadeira e calcou a educação do homem em Cristo. Sua característica própria não é de uma excessiva severidade tampouco um relaxamento excessivo sob o efeito da bondade: deu seus mandamentos imprimindo-lhes uma tal característica que nos permite executá-los.

É bem isto, parece-me, que primeiramente modelou o homem com a terra, que o regenerou pela água, que o fez crescer pelo espírito, que o educou pela palavra, que o dirige por seus santos preceitos para adoção filial e salvação, e isto para transformar e modelar o homem da terra num homem santo e celeste, e para que seja assim plenamente realizada a palavra de Deus: "Façamos o homem à nossa imagem e semelhança". (Clemente de Alexandria)

Atividades

Questões gerais

1. Leia a citação de Marrou e comente os fatos a que se refere: "Por mais espantoso que possa parecer, existe (...) todo um setor em que, para falar com propriedade, a escola antiga jamais teve fim: no Oriente grego, a educação bizantina prolonga, sem solução de continuidade, a educação clássica".

2. Durante a Idade Média, *clérigo* e *letrado* poderiam até ser considerados sinônimos. Justifique a afirmação e analise as implicações para o fortalecimento da Igreja, bem como explique as repercussões na educação.

3. Releia o dropes 2 e explique o que eram as sete artes liberais e a que tipo de aluno eram destinadas e para que nível de educação.

4. "Claustro, castelo, cidade: essa trilogia dominará doravante a paisagem cultural e se traduzirá em três tipos de humanidade: o clérigo, o cavaleiro, o burguês." Com base na citação de Arnould Clausse, responda às questões propostas:

a) Identifique a que nova fase na história da Idade Média se refere o autor.

b) Analise que repercussão essas mudanças tiveram na educação.

5. Em que sentido podemos dizer que a universidade é filha da cidade?

6. Releia o dropes 3 e destaque as características da pedagogia cristã medieval. Compare-a com a orientação religiosa da Igreja Bizantina.

7. A propósito do Islã, responda às questões:

a) Contraponha a importância da cultura islâmica ao período da Alta Idade Média cristã.

b) Localize no mapa o país que corresponde atualmente à capital Bagdá e discuta com seus colegas como o atual desprezo que muitos manifestam pela cultura árabe resulta de preconceitos que ignoram a contribuição histórica civilizatória daquele povo.

8. Com base nesta citação de Santo Agostinho, explique por que as suas palavras são orientadoras para a educação medieval: "Dois amores construíram duas cidades: o amor de si levado até o desprezo de Deus edificou a cidade terrestre, *civitas* terrena; o amor de Deus levado até o desprezo de si próprio ergueu a cidade celeste; uma rende glória a si, a outra ao Senhor; uma busca uma glória vinda dos homens; para a outra, Deus, testemunha da consciência, é a maior glória".

9. "Nossa Atenas, enobrecida pelo ensinamento de Cristo, ultrapassa todas as atividades eruditas da Academia pagã. Esta se apoiava unicamente nos ensinamentos de Platão e tirava a glória da prática das sete artes liberais; a nossa, enriquecida, ademais, pelas sete plenitudes do Espírito Santo, deve ultrapassar em glória toda a sabedoria humana" (Alcuíno). Ao mencionar a "nossa Atenas", Alcuíno está se referindo à Academia fundada na corte de Aix-la-Chapelle. Explique as características desse empreendimento. Analise também como esse trecho ilustra a maneira de os pensadores medievais assimilarem a cultura grega.

10. Releia o dropes 1 e complete a resposta anterior.

11. Quais são as forças antagônicas subjacentes à oposição entre realistas e nominalistas na questão dos universais?

12. Justifique por que tanto a pedagogia greco-latina como a medieval são essencialistas.

13. Na citação a seguir, do papa Pio XI (século XX), identifique as semelhanças com a concepção cristã de educação medieval: "De fato, já que a educação consiste, essencialmente, na formação do homem, ensinando-lhe o que deve ser e como deve comportar-se nesta vida terrena para atingir o fim sublime para o qual foi criado, é claro que não pode haver verdadeira educação que não seja inteiramente voltada para esse fim derradeiro" (*Encíclica sobre a educação*).

14. Faça uma pesquisa sobre o Santo Ofício (Inquisição) e seu papel na Idade Média. Analise também o resíduo desse aspecto inquisitorial na produção cultural e na educação atual, tanto do ponto de vista de fundamentalismos religiosos como de políticas autocráticas.

Questões sobre a leitura complementar

1. Explique o significado geral do texto, a partir da frase do mesmo autor: "A sociedade medieval educa – como sempre ocorre nas sociedades tradicionais – através de severos controles, mas também através de dispositivos de escape".

2. Tendo em vista a hierarquização da sociedade medieval, analise por que o povo era excluído da educação formal.

3. Compare a situação descrita com os tempos atuais, indicando semelhanças e diferenças. Por exemplo, em que medida continua uma educação informal pela palavra oral e pela imagem; e quais as diferenças quanto à transmissão de palavras e imagens.

4. Discuta com seu grupo em que medida a crítica feita por Cambi às *performances* teatrais dos pregadores religiosos encontra eco hoje em dia em alguns tipos de cultos religiosos.

Capítulo 6

Renascimento: humanismo, Reforma e Contra-Reforma

A Renascença é o período compreendido entre os séculos XV e XVI e leva esse nome por significar a retomada dos valores greco-romanos. Também chamada de Renascimento, desencadeou o movimento conhecido como *humanismo*, indicando a procura de uma imagem do ser humano e da cultura, em contraposição às concepções predominantemente teológicas da Idade Média e ao espírito autoritário delas decorrente. Embora a Renascença não fosse irreligiosa, como veremos a seguir, há um esforço para superar o teocentrismo, ao se enfatizarem os valores antropocêntricos, propriamente humanos, mais terrenos.

Na primeira parte deste capítulo examinaremos o que foi a Renascença européia e qual a sua influência nas mudanças no campo da educação e da reflexão pedagógica. Na segunda parte, encontramos o Brasil recém-descoberto pelos portugueses. Veremos então os procedimentos para a catequese dos indígenas e a educação dos filhos de colonos, sem nos descuidarmos, porém, de examinar a ligação entre essas atividades e os interesses políticos, econômicos e religiosos da metrópole.

‹ O Renascimento foi a época das viagens ultramarinas que ampliaram os negócios da burguesia européia emergente. Em 1500, os portugueses tomaram posse das "terras do pau-brasil", dando início à colonização e à catequese dos índios. Detalhe de *A primeira missa no Brasil*. Cândido Portinari, 1948.

PARTE I

Renascença européia

Contexto histórico

1. O humanismo

Durante o Renascimento prevaleceu a tendência um tanto exagerada, e até injusta, de considerar a Idade Média, na totalidade, como a "idade das trevas" ou "a grande noite de mil anos". Como vimos no capítulo anterior, esse longo período não foi de total obscuridade. A oposição dos renascentistas devia-se antes à recusa dos valores medievais, respondendo às aspirações dos novos tempos.

O retorno às fontes da cultura greco-latina, sem a intermediação dos comentadores medievais, foi um procedimento que visava também à secularização do saber, isto é, a desvesti-lo da parcialidade religiosa, para torná-lo mais humano. Procurava-se com isso formar o espírito do indivíduo culto mundano, "cortês" (o que freqüenta a corte), o *gentil-homem*.

A negação do ascetismo medieval revela-se na busca de prazeres e alegrias do mundo, desde o luxo na corte, o gosto pela indumentária cuidadosa, até os amenos deleites da vida familiar.

O olhar humano desviava-se do céu para a terra, ocupando-se mais com as questões do cotidiano. A curiosidade, aguçada para a observação direta dos fatos, redobrou o interesse pelo corpo e pela natureza circundante. Nos estudos de medicina ampliaram-se os conhecimentos de anatomia com a prática de dissecação de cadáveres humanos, até então proibida pela Igreja. O sistema heliocêntrico de Copérnico construiu uma nova imagem do mundo.

Nas artes em geral (pintura, arquitetura, escultura e literatura) houve criação intensa, e a Itália se destacou como centro irradiador da nova produção cultural. Ainda quando persistiam assuntos religiosos, a visão adquiria um viés humanista, prevalecendo temas tipicamente burgueses.

Por fim, acentuou-se na Renascença a busca da individualidade, caracterizada pela confiança no poder da razão para estabelecer os próprios caminhos. O espírito de liberdade e crítica opunha-se ao princípio da autoridade.

2. Ascensão da burguesia

A maneira de pensar do humanismo associa-se às transformações econômicas que vinham ocorrendo desde o final da Idade Média, com o desenvolvimento das atividades artesanais e comerciais dos burgueses, os antigos servos libertos. A Revolução Comercial do século XVI caracterizou-se pelo novo modo de produção capitalista, acentuando a decadência do feudalismo, cuja riqueza era baseada na posse de terras.

Contrapondo-se aos senhores da nobreza feudal, os burgueses fizeram aliança com os reis, que desejavam fortalecer o poder central contra duques e barões. Essa união levou à consolidação dos Estados nacionais e conseqüentemente ao fortalecimento das monarquias absolutistas.

Não por acaso, o Renascimento é o período das grandes invenções e viagens ultramarinas, decorrentes da necessidade de ampliação dos negócios da burguesia. Por exemplo, ao destruir as fortalezas do castelo, a pólvora fragilizou ainda mais a nobreza feudal; a imprensa e o papel ampliaram a difusão da cultura; a bússola permitiu aumentar as distâncias com maior segurança: o caminho para as Índias e a conquista da América no século XV alargaram o horizonte geográfico e comercial e possibilitaram o enriquecimento da burguesia.

3. Reforma e Contra-Reforma

O espírito inovador do Renascimento manifestou-se inclusive na religião, com a crítica à estrutura autoritária da Igreja, centrada no poder papal. Interesses políticos nacionalistas e de natureza econômica sustentavam os movimentos de ruptura representados pelo luteranismo, pelo calvinismo e pelo anglicanismo.

Embora a Idade Média se caracterizasse pela unidade da fé, esse consenso esteve ameaçado inúmeras vezes: no século XI houve o Cisma Grego, que resultou na separação entre as igrejas Romana e Ortodoxa; no século XIV, por ocasião do Grande Cisma, foram eleitos dois papas, um em Avinhão, na França, e outro em Roma. Desde o século XII, as heresias se disseminaram por toda a Europa, quando então foi criada a Inquisição (ou Santo Ofício), como instrumento de combate aos desvios da fé.

As causas desses movimentos não eram apenas de natureza religiosa. Ventos novos de rebeldia surgiam nas cidades, que começavam a se libertar dos senhores feudais e das restrições econômicas, como a condenação ao empréstimo a juros feita pela Igreja, por exemplo. Além disso, a teoria da supremacia da autoridade papal era rejeitada porque o universalismo da Igreja contrariava o nascente ideal do nacionalismo, expresso na formação das monarquias e no fortalecimento do poder dos reis.

A crise maior da Igreja, no entanto, deu-se no século XVI, com a Reforma Protestante. Contrariando as restrições feitas pelos católicos aos negócios e a condenação ao empréstimo a juros, os protestantes viam no enriquecimento um sinal do favorecimento divino. Lutero recebeu a adesão dos nobres, interessados no confisco dos bens do clero, e Calvino teve o apoio da rica burguesia. Portanto, as divergências não eram apenas religiosas, mas sinalizavam as alterações sociais e econômicas, que mergulharam a Europa em sanguinolentas lutas.

À expansão da crença protestante, a Igreja Católica desencadeou forte reação, conhecida como *Contra-Reforma*, a fim de recuperar o poder perdido. As novas diretrizes tomadas no Concílio de Trento (1545-1563) reafirmaram a supremacia papal e os princípios da fé, além de estimular a criação de seminários, para formar padres. A Inquisição tornou-se mais atuante, sobretudo em Portugal e Espanha.

Educação

1. Nascimento do colégio

É impressionante o interesse pela educação no Renascimento — sobretudo se comparado com o manifestado na Idade Média —, principalmente pela proliferação de colégios e manuais para alunos e professores. Educar tornava-se questão de moda e uma exigência, conforme a nova concepção de ser humano.

Em *O cortesão*, livro publicado em 1528 e muito conhecido na época, o italiano Castiglione fez a síntese do modelo de cortesia do cavaleiro medieval e do ideal da cultura literária tipicamente humanista.

Enquanto os mais ricos ou da alta nobreza continuavam a ser educados por preceptores em seus próprios castelos, a pequena nobreza e a burguesia também queriam educar seus filhos e os encaminhavam para a escola, na esperança de melhor prepará-los para a liderança e a administração da política e dos negócios. Já os interesses pela educação de segmentos populares, em geral, não eram levados em conta, restringindo-se à aprendizagem de ofícios.

O aparecimento dos colégios, do século XVI até o XVIII, foi um fenômeno correlato ao surgimento da nova imagem da infância e da família. Na Idade Média misturavam-se adultos e crianças de diversas idades na mesma classe, sem uma organização maior que os separasse em graus de aprendizagem. Foi a partir do Renascimento que esses cuidados começaram a ser tomados, assumindo contornos mais nítidos apenas no século XVII.

A fim de proteger as crianças de "más influências", propôs-se uma hierarquia diferente, submetendo-as a severa disciplina, inclusive a castigos corporais. A meta da escola não se restringia à transmissão de conhecimentos, mas à formação moral. O regime de estudo era de certo modo rigoroso e extenso. Os programas continuavam a se basear nos clássicos *trivium* e *quadrivium*, persistindo, portanto, a educação formal de gramática e retórica, como na Idade Média. Não foi abandonada a ênfase no estudo do latim, com freqüente descaso pela língua materna. Tal sistema de ensino era duramente criticado pelos humanistas, sobretudo por Erasmo e Montaigne.

As universidades continuavam decadentes, impermeáveis às novidades. Em 1452, ao se reestruturar a Universidade de Paris, a Faculdade de Artes tornou-se propedêutica às outras três (filosofia, medicina e leis), lançando-se desse modo a semente do curso colegial, o que favoreceu a separação mais nítida dos graus secundário e superior.

2. Educação leiga

Embora presente em teoria, o ideal de secularização do humanismo renascentista nem sempre se cumpria porque a implantação da maioria dos colégios continuava por conta das ordens religiosas. Apesar disso, por iniciativa de particulares leigos foram criadas escolas mais bem adaptadas ao espírito do humanismo. Na Alemanha surgiram as *Fürstenschulen*, escolas para príncipes; o mesmo esforço de renovação notava-se na França, nos Países Baixos e na Inglaterra.

Muitas delas proliferaram na Itália, com destaque para o trabalho de Vittorino da Feltre (1373?-1446), considerado o primeiro grande mestre de feitio humanista. Convidado para ser o preceptor dos filhos de um marquês, em Mântua, Itália, aí fundou uma escola, a Casa Giocosa, cuja divisa era "Vinde, meninos, aqui se ensina, não se atormenta". O nome da escola reflete o novo espírito: *giocosa* é palavra italiana que significa "alegre" e vem do latim *jocus*, ou seja, "divertimento, gracejo", e, daí, "jogo".

Feltre cuidava não só de recreação e exercício físico, mas do desenvolvimento da sociabilidade e do autodomínio. A sua escola oferecia cursos de equitação, natação, esgrima, música, canto, pintura e jogos em geral. A formação intelectual voltava-se para o ideal renascentista da mais ampla cultura humanística, com atenção especial ao ensino de grego e latim. Embora objeto de cuidado, a disciplina pretendia ser menos rude e intolerante.

Na mesma linha de propostas culturais alternativas surgiram as academias, instituições privadas com a intenção de suprir as falhas das universidades. Ofereciam a oportunidade de acesso à cultura desinteressada, algumas de caráter exclusivamente literário, outras filosóficas, e só no século XVII apareceram as primeiras academias científicas (época em que ocorreu o chamado renascimento científico).

3. Educação religiosa reformada

A Reforma Protestante criticava a Igreja medieval e propunha o retorno às origens, pela consulta direta ao texto bíblico, sem a intermediação dos padres, estabelecida pela tradição cristã católica. No plano religioso surgia a característica humanista de defesa da personalidade autônoma, que repudiava a hierarquia, para restabelecer o vínculo direto entre Deus e o fiel. Ao dar iguais condições de leitura e interpretação da *Bíblia* a todos, a educação tornou-se importante instrumento para a divulgação da Reforma.

Ao contrário da tendência elitista predominante, Lutero (1483-1546) e Melanchthon (1497-1560) trabalharam para a implantação da escola primária para todos. É bem verdade que nessa proposta havia uma nítida distinção: para as camadas trabalhadoras, uma educação primária elementar, enquanto para as privilegiadas era reservado o ensino médio e superior. Apesar disso, Lutero defendia a educação universal e pública, solicitando às autoridades oficiais que assumissem essa tarefa, por considerá-la competência do Estado.

De acordo com o espírito humanista, Lutero criticava o recurso a castigos, bem como o verbalismo da Escolástica. Propôs jogos, exercícios físicos, música — seus corais eram famosos —, valorizou os conteúdos literários e recomendava o estudo de história e das matemáticas.

A educação proposta pelos protestantes sofreu ainda a influência de Calvino (1509-1564), teólogo francês que atuou no seu país e em Genebra, Suíça.

4. Reação católica: o colégio dos jesuítas

Para combater a expansão do protestantismo, a Igreja Católica incentivou a criação de ordens religiosas. Aqui daremos maior atenção ao colégio dos jesuítas devido à influência que exerceu não só na concepção da escola tradicional européia como também na formação do brasileiro, embora, como veremos, outras ordens tenham dado sua contribuição.

Inácio de Loyola (1491-1556), militar espanhol basco, ao se recuperar de um ferimento em batalha, viu-se envolvido por súbito ardor religioso e resolveu colocar-se a serviço da defesa da fé, tornando-se verdadeiro "soldado de Cristo". Fundou então a Companhia de Jesus, daí o nome *jesuítas* dado aos seus seguidores.

Criada em 1534 e oficialmente aprovada pelo papa Paulo III em 1540, a Ordem estava vinculada diretamente à autoridade papal e, portanto, distanciava-se da hierarquia comum da Igreja. Por não se retirar em conventos, seus adeptos eram chamados *padres seculares*, isto é, que se misturam aos fiéis no mundo, no século, como se costuma dizer.

A Ordem estabelecia rígida disciplina militar e tinha como objetivo inicial a propagação missionária da fé, a luta contra os infiéis e os heréticos. Para tanto os jesuítas se espalharam pelo mundo, desde a Europa, assolada pelas heresias, até a Ásia, a África e a América.

Logo descobriram que, diante da intolerância dos adultos, era mais segura a conquista das almas jovens, e o instrumento adequado para a tarefa seria a criação e multiplicação das escolas. Daí o traço marcante da influência dos jesuítas, a ação pedagógica que formou inúmeras gerações de estudantes, durante mais de duzentos anos (de 1540 a 1773).

Para se ter uma idéia da extensão desse trabalho, em 1579 a Ordem possuía 144 colégios espalhados pelo mundo, número que chegou a 669 em 1749.

Formação dos mestres jesuítas

A eficiência da pedagogia dos jesuítas deveu-se ao cuidado com o preparo rigoroso do mestre e à uniformidade de ação.

Em 1550 foi fundado o Colégio Romano, para formar professores. Como unidade centralizadora, recebia os relatórios das experiências realizadas em todas as partes do mundo[1]. O Colégio Germânico, também em Roma, especializou-se no preparo de padres para as missões na Alemanha.

O resultado das experiências regularmente avaliadas, codificadas e reformuladas adquiriu forma definitiva no documento *Ratio Studiorum* (a expressão latina *Ratio atque Institutio Studiorum* significa "Organização e plano de estudos"), publicado em 1599 pelo padre Aquaviva. Obra cuidadosa, com regras práticas sobre a ação pedagógica, a organização administrativa e outros assuntos, destinava-se a toda a hierarquia, desde o provincial, o reitor e o prefeito dos estudos até o mais simples professor, sem se esquecer do aluno, do bedel e do corretor.

No final do século XVII, o padre Jouvency preparou o então mais completo manual de normas gerais e informações bibliográficas necessárias ao magistério, reduzindo os riscos decorrentes do arbítrio e da iniciativa dos mestres mais jovens. Como garantia da unidade de pensamento e ação, farta correspondência entre os membros da Companhia mantinha a comunicação contínua.

O ideal de universalidade na atuação, no entanto, não se confundia com rigidez. Sob vigilância constante, certa flexibilidade aos costumes do lugar onde a Ordem se implantava facilitou a obra missionária, permitindo maior eficiência.

O ensino nos colégios

As práticas e conteúdos que os jesuítas desenvolveram de acordo com as regras codificadas no *Ratio Studiorum* aplicavam-se nos seguintes cursos:

• *Studia inferiora*:

— letras humanas, de grau médio, com duração de três anos e constituído por gramática, humanidades e retórica, formava o alicerce de toda a estrutura do ensino, baseada na literatura clássica greco-latina.

— filosofia e ciências (ou curso de artes), também com duração de três anos, tinha por finalidade formar o filósofo e oferecia as disciplinas de lógica, introdução às ciências, cosmologia, psicologia, física (aristotélica), metafísica e filosofia moral.

• *Studia superiora*:

— teologia e ciências sagradas, com duração de quatro anos, coroava os estudos e visava à formação do padre.

Nas classes de gramática, o latim era ensinado até o perfeito domínio da língua. Isso porque, mesmo que no dia-a-dia as pessoas fizessem uso da língua materna, ainda no Renascimento e início da Idade Moderna persistia o costume de filósofos e cientistas escreverem em latim, ultrapassando as fronteiras das diversas nacionalidades e promovendo a universalização da cultura. Os jesuítas tornaram obrigatório seu uso até na mais trivial conversação, de modo que os alunos pudessem assimilá-lo com a familiaridade da língua vernácula. Num colégio em Paris no século XVII, pensaríamos estar em Roma de antes de Cristo: conversação exclusiva em latim e análise de autores latinos.

Os alunos estudavam as principais obras greco-latinas e aperfeiçoavam a capacidade de expressão e estilo, permanecendo muito presos aos padrões clássicos. Voltados para o melhor da formação humanística, os jesuítas usavam textos de Cícero, Sêneca,

[1] Note-se, como veremos na parte II, que os relatórios freqüentes e minuciosos dos jesuítas aos seus superiores facilitaram a posterior consulta de rico material para a historiografia, ao contrário de outras ordens que não deixaram igual registro.

Ovídio, Virgílio, Esopo, Plauto, Píndaro e outros. Como esses autores eram pagãos, procuravam adequá-los aos ideais cristãos, fazendo resumos, adaptações e até suprimindo trechos considerados "perigosos para a fé". Proibiam as obras contemporâneas, sobretudo contos e romances, por serem "instrumentos de perversão moral e dissipação intelectual".

Esse programa atendia ao ideal de eloqüência latina do século XVI, e segundo o jesuíta e filósofo brasileiro, padre Leonel Franca, "a gramática visa a expressão clara e correta; as humanidades, a expressão bela e elegante; a retórica, a expressão enérgica e convincente"[2].

Com a didática, os jesuítas mostravam-se bastante exigentes, recomendando a repetição dos exercícios para facilitar a memorização. Nessa atividade eram auxiliados pelos melhores alunos, chamados *decuriões*[3], responsáveis por nove colegas, de quem tomavam as lições de cor, recolhiam os exercícios e marcavam em um caderno os erros e as faltas diversas. Aos sábados as classes inferiores repetiam as lições da semana toda: vem daí a expressão *sabatina*, usada durante muito tempo para indicar a avaliação. Para as classes mais adiantadas, organizavam torneios de erudição.

Outra característica do ensino jesuítico era a emulação, ou seja, o estímulo à competição entre os indivíduos e as classes. Por exemplo, os alunos recebiam títulos de imperador, ditador, cônsul, tribuno, senador, cavaleiro, decurião e edil. Para incentivá-los, as classes se dividiam em duas facções: os romanos e os cartagineses[4].

Os alunos que mais se destacavam eram incentivados à emulação com prêmios concedidos em solenidades pomposas, nas quais participavam as famílias, as autoridades eclesiásticas e civis, a fim de dar-lhes brilho especial. Montavam peças de teatro, com os devidos cuidados na seleção dos textos, desde simples diálogos até comédias e tragédias clássicas, sem deixar de privilegiar os dramas litúrgicos. Os melhores estudantes expunham sua produção intelectual nas academias.

Os jesuítas tornaram-se famosos pelo empenho em institucionalizar o colégio como local por excelência de formação religiosa, intelectual e moral das crianças e dos jovens. Para atingir esses objetivos, instauraram rígida disciplina, aplicada nos internatos criados para garantir proteção e vigilância. Além de controlar a admissão dos alunos, concediam férias bem curtas para evitar que o contato com a família afrouxasse os hábitos morais adquiridos.

Mesmo quando se tratava de externato, o olhar dos mestres seguia os alunos, exigindo o afastamento da vida mundana e recriminando as famílias que não assumissem o encargo dessa vigilância. A obediência, considerada virtude não só de alunos, como também de padres, submetia a todos a rígida disciplina de trabalho, sem inovações personalistas.

Talvez devido a tão rigorosa organização, as sanções não se tornassem muito constantes, mas aplicadas sempre que necessário, cabendo ao mestre castigar apenas com palavras e admoestações. Quando não bastassem, ou a falta fosse muito grave, as punições físicas ficavam a cargo de

---

[2] *O método pedagógico dos jesuítas*: o *Ratio Studiorum*. Rio de Janeiro, Agir, 1952, p. 80.

[3] Decurião: no exército romano, uma decúria era um corpo de cavalaria e infantaria composto de dez soldados e que tinha por chefe o decurião.

[4] Durante o século III a.C., romanos e cartagineses defrontaram-se nas três Guerras Púnicas, que terminaram com a destruição de Cartago (cidade do norte da África).

um "corretor", pessoa alheia aos quadros da Companhia e contratada só para esse serviço. Para contrabalançar a disciplina, os jesuítas estimulavam as atividades recreativas, por proporcionarem ambiente mais alegre e vida mais saudável.

A polêmica sobre o ensino jesuítico

É muito difícil encontrar análises desapaixonadas da obra dos jesuítas, que despertaram tanto ardorosos defensores como críticos severos. Não se pode negar sua influência na formação do *honnête homme* da época barroca. Essa expressão francesa de difícil tradução significa de modo amplo o gentil-homem, culto e polido, conforme as exigências daquela sociedade aristocrática.

No século XVIII, após mais de duzentos anos de ação pedagógica jesuítica, recrudesceram as críticas ao monopólio do ensino religioso. "Os jesuítas não me ensinaram senão latim e tolices", diz um dos enciclopedistas, o filósofo Voltaire. O escritor e historiador Michelet completa com certo exagero apaixonado: "Nem um homem em trezentos anos!".

Em 1759, o marquês de Pombal, primeiro-ministro de Portugal, expulsou os jesuítas do reino e de seus domínios (inclusive do Brasil). O mesmo aconteceu mais tarde em outros países, até que finalmente em 1773 o papa Clemente XIV extinguiu a Companhia de Jesus. Restabelecida em 1814, continuou a sofrer inúmeras perseguições durante o século XIX.

Segundo seus detratores, o ensino jesuítico promoveu a separação entre escola e vida, porque, no afã de retomada dos clássicos, não transmitia aos alunos as inovações do seu tempo; não dava muita importância à história e à geografia, e a matemática — essa "ciência vã" — também sofreu restrições, excluída do primeiro ciclo e pouquíssimo estudada nas classes mais adiantadas. Ocupava-se mais com exercícios de erudição e retórica, e a maneira de analisar os textos não propiciava o desenvolvimento do espírito crítico.

Nos cursos de filosofia e ciências, os jesuítas mostraram-se conservadores por retornarem à filosofia escolástica, baseando-se nos textos de Santo Tomás de Aquino e de Aristóteles, deixando à parte toda a controvérsia do pensamento filosófico moderno: ignoraram Descartes — um de seus ilustres ex-alunos — e recusavam-se a incorporar as descobertas científicas de Galileu, Kepler e Newton, ocorridas no século XVII.

A Companhia de Jesus foi acusada de decadente e ultrapassada. Afinal, o ensino universalista e muito formal distanciava os alunos do mundo, tornando-o ineficaz para a vida prática. O ideal do *honnête homme* vinculava-se a um humanismo desencarnado, voltado para as belas-letras e o "saber por saber" de letrados e eruditos. Esses aspectos deixavam de ter sentido em um mundo no qual a revolução nas ciências e nas técnicas requeria um indivíduo prático, cujo saber visava a transformar. Não mais se justificava o desprezo ao espírito crítico, à pesquisa e à experimentação. Ao contrário, os jesuítas eram considerados excessivamente dogmáticos, autoritários e por demais comprometidos com a Inquisição. Na paixão do debate, a Companhia foi acusada de ter enriquecido e de exercer poder político sobre os governos, visando a suas próprias conveniências.

Nos estudos mais recentes, no entanto, procura-se examinar a atuação dos jesuítas dentro do contexto histórico da época em que viveram, respeitando o entendimento que então prevalecia sobre as relações entre Igreja e Estado. Caso contrário, corremos o risco de preconceito anacrônico, ao julgá-los segundo nossos valores laicos contemporâneos.

Examinemos esse outro olhar. O que encontramos na Europa daquele tempo foi o movimento da Reforma, que introduziu o protestantismo em diversos países. Não por acaso, essas nações encaminharam-se para a economia mercantil e capitalista, dando os primeiros passos para a atividade manufatureira que iria fortalecer o capitalismo industrial nascente. Enquanto isso, Portugal e Espanha mantiveram-se católicos e no campo econômico não se prepararam para a industrialização. Não só: seus reis eram cristãos e, mais que isso, tinham a responsabilidade de facilitar a salvação do seu povo.

Assim diz o professor José Maria de Paiva, a respeito dessa prerrogativa do rei: "Não só a prática do culto e a conversão do gentio estavam sob seus cuidados, mas a própria administração do religioso era da sua esfera. Por isso, a ele cabia cobrar e administrar os dízimos, apresentar e sustentar diretamente os bispos, os cabidos, os vigários, como também organizar a política de distribuição dos benefícios eclesiásticos, das ordens religiosas, das confrarias, das irmandades, e garantir seu ordenamento jurídico. (...) A Igreja estava, pois, *funcionalmente* incorporada ao Reino. (...) Chamo novamente a atenção do leitor para que não atribua a religiosidade da educação ao fato de serem padres seus promotores. Insisto: era toda a sociedade portuguesa que assim percebia"[5].

Além disso, só na contemporaneidade os estudos de etnologia nos alertaram para o respeito às diferenças que existem entre povos e culturas. A partir desse conhecimento, mudou a disposição para aceitá-los, sem considerá-los inferiores: hoje em dia a educação deve atender às demandas pluriétnicas e manter-se multicultural.

Na mentalidade quinhentista, porém, tanto reino como Igreja atuavam no sentido de homogeneizar as diferenças, nivelando a todos pelo que se considerava verdadeiro e superior (a cultura cristã européia). O antropólogo brasileiro Luiz Felipe Baêta Neves, a propósito da catequese dos indígenas, comenta: "A Companhia de Jesus foi fundada para difundir a Palavra especialmente a povos que não A conheciam — e por meio de uma socialização prolongada. Dirigem-se a homens que não são, portanto, iguais a si — e quer transformá-los para incorporá-los à cristandade. Duas diferenças primeiras: não são padres e não são cristãos. Uma semelhança: são *homens*. É esta semelhança somada àquelas diferenças que dão a possibilidade e o sentido do plano catequético. A catequese é, então, um esforço para acentuar a semelhança e apagar as diferenças"[6]. Desse modo, os jesuítas querem tornar o outro, o não-cristão —, seja indígena, seja infiel ou herege —, em cristão, para tornar os homens o mais iguais possível.

Pedagogia

1. A secularização do pensamento

A produção intelectual do Renascimento, seja na literatura, seja na filosofia, demonstrava interesse em superar as contradições entre o pensamento religioso medieval e o anseio de secularização da burguesia.

Ainda no pré-Renascimento, o florentino Dante Alighieri (1265-1321), autor da *Divina comédia*, escreveu o seu poema na língua italiana e não em latim, o que representava uma novidade na época. Além disso, no texto político *A monarquia* elaborou

[5] "Igreja e educação no Brasil colonial", in Maria Stephanou e Maria Helena Camara Bastos, (orgs.), *Histórias e memórias da educação no Brasil*. Petrópolis, Vozes, 2004, v. I: *Séculos XVI-XVIII*, p. 79, 80 e 85.

[6] *O combate dos soldados de Cristo na Terra dos papagaios*: colonialismo e repressão cultural. Rio de Janeiro, Forense Universitária, 1978, p. 45.

teses naturalistas, reconhecendo a capacidade humana de se guiar pela razão. Defendeu a autoridade do rei independente do poder do papa e da Igreja. Pouco depois Petrarca (1304-1374), também poeta italiano, descreveu o drama humano entremeado de paixões e desejos. No século XVI, Maquiavel (1469-1527) investigou as bases de uma nova ciência política descomprometida com a moral cristã e, portanto, laica, secularizada.

Nesse contexto de crítica à tradição medieval, a educação procurava bases naturais, não-religiosas, a fim de se tornar instrumento adequado para a difusão dos valores burgueses. Embora defendido com vigor na obra de literatos, filósofos e pedagogos, nem sempre esse ideal foi alcançado nas escolas, como vimos no exemplo de inúmeras escolas religiosas conservadoras, como as dos jesuítas.

Ainda que fosse grande a produção intelectual na Renascença, não havia propriamente uma filosofia da educação como sistema de pensamento coerente e organizado — com exceção de Vives, como veremos —, mas sim inúmeros fragmentos de reflexão pedagógica como parte de uma produção filosófica mais ampla. Foi o caso de Erasmo, Rabelais e Montaigne, ou ainda o exemplo das utopias de Tomás Morus e Campanella.

2. Vives

Juan Luis Vives (1492-1540), humanista espanhol, participou do convívio de Erasmo e Tomás Morus, tendo sido preceptor de Catarina de Aragão. Quando ela se casou com o rei Henrique VIII, Vives a acompanhou à Inglaterra, onde lecionou na Universidade de Oxford.

Se no Renascimento não havia estudos sistemáticos sobre educação, Vives era uma exceção, por ter escrito copiosa obra pedagógica, cujo principal trabalho é o *Tratado do ensino*. Escreveu inclusive sobre a educação da mulher, mesmo considerando fundamental sua presença no lar.

Embora vinculado às idéias aristotélico-tomistas, Vives revelou-se homem do seu tempo ao recomendar o cuidado com o corpo e a atenção com o aspecto psicológico no ensino. Acompanhando as mudanças do pensamento científico, valorizava os métodos indutivos[7] e experimentais, reconhecia a importância da observação dos fatos e a ação como meio de aprendizagem. Além disso, ao lado do latim, insistia na necessidade do adequado estudo da língua materna.

3. Erasmo

O holandês Erasmo de Rotterdam (1467-1536) foi um dos principais expoentes do novo pensamento renascentista, considerado por muitos um representante do pré-Iluminismo. Cristão pertencente à Ordem dos Agostinianos, criticou severamente a Igreja corrupta e autoritária, e apoiou alguns pronunciamentos de Lutero sem, no entanto, aderir à Reforma.

[7] A *indução* é um tipo de argumentação pela qual, a partir de diversos dados singulares coletados, chegamos a proposições universais, ou seja, procedemos a uma *generalização indutiva*. Ao contrário, os pensadores medievais valorizavam a *dedução*, um tipo de argumentação em que a conclusão é inferida necessariamente das proposições que a antecedem, podendo ir de uma proposição geral para o particular, ou ao geral menos conhecido; isso significa que na conclusão não se diz mais do que já está nas premissas, apenas se extrai o que já está dito nelas. Embora a dedução seja um raciocínio a que recorremos com freqüência, a indução, apesar de incerta, é uma forma muito fecunda de pensar, responsável pela descoberta de nossos conhecimentos da vida diária e de grande valia nas ciências experimentais.

Tratava com ironia a produção intelectual medieval e zombava do formalismo das universidades, reduto de escolásticos. Erasmo representou a corrente erudita da Renascença, que buscava nos clássicos as fontes da sabedoria grega. Embora não desprezasse a ciência, sua atenção estava voltada sobretudo para questões literárias e estéticas. No seu famoso *Elogio da loucura*, critica a hipocrisia e a tolice humanas e todas as formas de tirania e superstições, ao mesmo tempo que reflete sobre a necessidade das paixões, de uma "loucura sábia" responsável pelo amor e pelo prazer.

Entremeando reflexões a respeito da sociedade do seu tempo, Erasmo defendia o respeito ao amadurecimento da criança e por isso criticava a educação vigente, excessivamente severa. Recomendava o cuidado com a graduação do ensino e o abandono das práticas de castigos corporais. Ao contrário, seria bom mesmo que as crianças aprendessem se divertindo, sem a preocupação com resultados imediatos.

4. Rabelais

François Rabelais (c. 1494-1553), frade e médico francês, levou uma vida cheia de percalços e perseguições, devido à sua pena afiada e crítica mordaz. Muitos o identificaram a um epicurista devasso, embora outros o descrevessem como uma cristão que também não desprezava os prazeres da vida. Inicialmente esteve no convento dos franciscanos, mas depois foi acolhido pelos beneditinos, de sistema mais aberto e cujas regras eram menos severas, e no final da vida tornou-se padre secular. Freqüentou diversos cursos nas universidades, aprendeu várias línguas, formou-se em medicina. Representa a corrente enciclopédica da Renascença que buscava resgatar o saber greco-latino, com igual cuidado pelos recentes estudos da ciência que então nascia. Como os demais humanistas de seu tempo, criticou a tradição escolástica, mas o fez de maneira irônica e saborosa. Suas obras foram várias vezes condenadas e proibidas na Universidade de Sorbonne, o que o obrigou a fugir às ameaças da Inquisição.

Rabelais não escreveu uma obra propriamente pedagógica, mas nos dois romances satíricos *Pantagruel* e *Gargantua* transparecem suas idéias a respeito da educação. Tratase de escritos divertidos, em que tudo é exagerado, a começar pelos próprios personagens, gigantes que tinham um apetite descomunal[8].

Ao iniciar sua educação, o preceptor de Gargantua deu-lhe de beber o líquido de uma planta chamada heléboro "para que esquecesse de tudo o quanto havia aprendido com os seus antigos preceptores". Nessa passagem, Rabelais quer simbolizar a necessidade de expurgar toda a lembrança da tradição para o novo ensino ser mais bem aproveitado. No final da primeira parte deste capítulo, veja o dropes 1, em que Gargantua escreve ao filho Pantagruel sobre as expectativas quanto à sua formação.

Embora tivesse uma sede insaciável de conhecimentos e recomendasse uma aprendizagem enciclopédica, criticava o ensino livresco e estimulava a educação do corpo e do espírito. Ao contrário dos que o acusavam de imoralidade, defendia uma ética de acordo com as exigências da natureza e da vida, por isso mesmo devia-se aprender com alegria, porque "o riso é próprio do homem".

[8] Ainda hoje, usa-se a expressão "apetite pantagruélico", para designar os que comem e bebem em demasia, ou os que defendem idéias epicuristas. As obras de Rabelais tinham extensos títulos: "O horríveis e espantosos feitos e proezas do mui afamado Pantagruel" e "A vida inestimável do grande Gargantua, pai de Pantagruel".

5. Montaigne

Michel de Montaigne (1533-1592) pertencia a uma família francesa da burguesia que, enriquecida com a posse de terras e propriedades, conseguira um título de nobreza. A educação do menino foi cuidadosa: acompanhado por preceptores desde o berço, aprendeu latim antes da língua vernácula.

Montaigne lia com facilidade as obras latinas e escreveu uma série imensa de fragmentos, reunidos em um gênero novo, o ensaio, que bem representa a tendência subjetivista renascentista. Ao descrever a si próprio e refletir sobre suas experiências, traça o perfil da natureza humana, apresentando um indivíduo que tem interrogações, dúvidas e contradições, o que encaminha seu pensamento para um certo ceticismo[9].

Mesmo sem produzir obra propriamente pedagógica, no seu alentado *Ensaio* Montaigne dedicou alguns capítulos especificamente à educação. Critica o ensino livresco e o pedantismo dos falsos sábios, valoriza a educação integral e elogia seu pai por ter sabido escolher os preceptores para educá-lo com docilidade e sem castigos.

Para Montaigne, a educação tem por finalidade preparar um espírito ágil e crítico, valores importantes para a formação do gentil-homem.

6. A pedagogia da Contra-Reforma

Na resistência às novas idéias que começavam a se delinear no Renascimento, colocaram-se os cristãos católicos adeptos da Contra-Reforma. Para eles, a intenção era estudar, sim, os antigos autores greco-romanos, mas de acordo com um olhar religioso que pudesse adaptá-los às verdades eternas da fé. Por isso estudavam Platão e Aristóteles sob o viés cristianizado de Santo Agostinho e Santo Tomás.

Como vimos em capítulos anteriores, a pedagogia que transparecia naqueles filósofos, tanto da Antiguidade como da Idade Média, baseava-se em uma visão essencialista, segundo a qual a educação teria por objetivo desenvolver as potencialidades do ser humano.

Essa perspectiva foi retomada pelos jesuítas, cuja pedagogia era aristotélico-tomista. Não que muitos deles ignorassem as novidades da ciência e da filosofia do seu tempo, uma vez que a Companhia preparava com cuidado os futuros mestres. Achavam importante, porém, evitar os conhecimentos que pudessem levar a desvios pelo livre-pensar dos humanistas.

Lembrando que essa postura interessava sobretudo aos reinos de Portugal e Espanha, diz o professor português António Gomes Ferreira: "Afinal, os poderes estavam interessados nessa interpretação autoritária do saber e a escola jesuítica não tinha pátria porque o latim era a sua língua, o catolicismo a sua ideologia e a Escolástica a sua compreensão do mundo"[10].

Nem todas as orientações religiosas, no entanto, distanciaram-se tanto do humanismo renascentista. Uma exceção foi a Congregação do Oratório, que, no século XVII, sem renegar o aristotelismo, buscava conciliá-lo com as idéias da pedagogia humanista. Outra tendência é representada pelos franciscanos, que, na Escola de

[9] Ceticismo: doutrina segundo a qual não se pode conhecer com certeza; os céticos concluem pela suspensão do juízo e pela dúvida permanente.

[10] "A educação no Portugal Barroco: séculos XVI a XVIII", in Maria Stephanou e Maria Helena Camara Bastos (orgs.), *Histórias e memórias da educação no Brasil*. v. I: *Séculos XVI-XVIII*, p. 62.

Oxford, Inglaterra, desde a Idade Média demostraram interesse pelas ciências experimentais e pela atuação social. Voltaremos a eles na segunda parte deste capítulo.

Conclusão

Como pudemos observar, o Renascimento foi um período de contradições típico das épocas de transição. A classe burguesa, enriquecida, assumia padrões aristocráticos e aspirava a uma educação que permitisse formar o homem de negócios, ao mesmo tempo capaz de conhecer as letras grecolatinas e de dedicar-se aos luxos e prazeres da vida. Por outro lado, as escolas religiosas multiplicavam-se na Europa e no resto do mundo colonizado.

Essa sociedade, embora rejeitasse a autoridade dogmática da cultura eclesiástica medieval, manteve-se ainda fortemente hierarquizada: excluía dos propósitos educacionais a grande massa popular, com exceção dos reformadores protestantes, que agiam motivados também pela divulgação religiosa.

Profundas alterações estavam ocorrendo, apesar de tudo. Suchodolski refere-se a toda pedagogia antiga como essencialista, porque tinha por função realizar o que o ser humano deve vir a ser, a partir de um modelo, segundo a concepção de uma essência humana universal. No Renascimento, embora continuasse a perspectiva essencialista, que só mudaria com Rousseau (século XVIII), já se tinha a percepção mais aguda de problemas que, hoje, chamaríamos de existenciais, numa recusa à submissão aos valores eternos e aos dogmas tradicionais.

Dropes

1 - Quanto ao conhecimento dos fatos da natureza, quero que se adorne cuidadosamente deles; que não haja mar, ribeiro ou fonte dos quais não conheça os peixes; todos os pássaros do ar, todas as árvores, arbustos e frutos das florestas, todas as ervas da terra, todos os metais escondidos no ventre dos abismos, as pedrarias do Oriente e do Sul, nada lhe seja desconhecido.

Depois, cuidadosamente, estude sem cessar os livros dos médicos gregos, árabes e latinos, sem condenar talmudistas e cabalistas; e, por freqüentes estudos de Anatomia, adquira perfeito conhecimento do outro mundo que é o homem. E, durante algumas horas do dia, entre em contato com as santas epístolas, primeiramente em grego o Novo Testamento e a Epístola dos Apóstolos, depois em hebreu o Velho Testamento.

(...) Mas, porque segundo o sábio Salomão, sabedoria não entra absolutamente em alma malévola, e ciência sem consciência não é senão a ruína da alma, convém servir, amar e crer em Deus e n'Ele colocar seus pensamentos e suas esperanças, e pela fé, formada de caridade, estar a Ele associado, de sorte que jamais seja desamparado pelo pecado. (Rabelais)

2 - Pelo modo como a aprendemos [a ciência] não é de estranhar que nem alunos nem mestres se tornem mais capazes embora se façam mais doutos. Em verdade, os cuidados e despesas de nossos pais visam apenas encher-nos a cabeça de ciência, de bom senso e virtude não se fala. Mostrai ao povo alguém que passa e dizei "um sábio" e a outro qualificai de bom; ninguém deixará de atentar com respeito para o primeiro. Não mereceria essa gente que também a apontassem gritando: "cabeças de pote!". Indagamos sempre se o indivíduo sabe grego e latim, se escreve em verso ou prosa, mas perguntar se se tornou melhor e se seu espírito se desenvolveu — o que de fato importa — não nos passa pela mente. Cumpre entretanto indagar quem sabe melhor e não quem sabe mais.

(...) Tudo se submeterá ao exame da criança e nada se lhe enfiará na cabeça por simples autoridade e crédito. Que nenhum princípio, de Aristóteles, dos estóicos ou dos epicuristas, seja seu princípio. Apresentem-se-lhe todos em sua diversidade e que ela escolha se puder. E se não o puder fique na dúvida, pois só os loucos têm certeza absoluta em sua opinião. (Montaigne)

Leitura complementar

Regras do *Ratio Studiorum*

Aliança das virtudes sólidas com o estudo. Apliquem-se aos estudos com seriedade e constância: e como se devem acautelar para que o fervor dos estudos não arrefeça o amor das virtudes sólidas e da vida religiosa, assim também se devem persuadir que, nos colégios, não poderão fazer coisa mais agradável a Deus do que, com a intenção que se disse acima, aplicar-se diligentemente aos estudos; e ainda que não cheguem nunca a exercitar o que aprenderam, tenham por certo que o trabalho de estudar, empreendido, como é de razão, por obediência e caridade, é de grande merecimento na presença da divina e soberana majestade.

Evite-se a novidade de opiniões. Ainda em assuntos que não apresentem perigo algum para a fé e a piedade, ninguém introduza questões novas em matéria de certa importância, nem opiniões não abonadas por nenhum autor idôneo, sem consultar os superiores, nem ensine coisa alguma contra os princípios fundamentais dos doutores e o sentir comum das escolas. Sigam todos de preferência os mestres aprovados e as doutrinas que, pela experiência dos anos, são mais adotadas nas escolas católicas.

Repetições em casa. Todos os dias, exceto os sábados, os dias feriados e os festivos, designe uma hora de repetição aos nossos escolásticos para que assim se exercitem as inteligências e melhor se esclareçam as dificuldades ocorrentes. Assim um ou dois sejam avisados com antecedência para repetir a lição de memória, mas só por um quarto de hora; em seguida um ou dois formulem objeções e outros tantos respondam; se ainda sobrar tempo, proponham-se dúvidas. E para que sobre, procure o professor conservar rigorosamente a argumentação em forma [silogística]; e quando nada mais de novo se aduz, corte a argumentação.

Ordem nos pátios. Nos pátios e nas aulas, ainda superiores, não se tolerem armas, ociosidade, correrias e gritos, nem tampouco se permitam juramentos, agressões por palavras ou fatos; ou o que quer que seja de desonesto ou leviano. Se algo acontecer, restabeleça logo a ordem e trate com o Reitor do que possa perturbar a tranqüilidade do pátio.

Preleção. Na preleção só se expliquem os autores antigos, de modo algum os modernos. De grande proveito será que o professor não fale sem ordem nem preparação, mas exponha o que escreveu refletidamente em casa e leia antes todo o livro ou discurso que tem entre mãos. A forma geral da preleção é a seguinte:

Em primeiro lugar leia seguidamente todo o trecho, a menos que, na Retórica ou na Humanidade, fosse demasiadamente longo.

Em segundo lugar exponha em poucas palavras o argumento e, onde for mister, a conexão com o que precede.

Em terceiro lugar leia cada período e, no caso de explicar em latim, esclareça os mais obscuros, ligue um ao outro e explane o pensamento, não com metafrase pueril inepta, substituindo uma palavra latina por outra palavra latina, mas declarando o mesmo pensamento com frases mais inteligíveis. Caso explique em vernáculo, conserve quanto possível a ordem de colocação das palavras para que se habituem os ouvidos ao ritmo. Se o idioma vulgar não o permitir, primeiro traduza quase tudo palavra por palavra, depois, segundo a índole do vernáculo.

Em quarto lugar, retomando o trecho de princípio faça as observações adaptadas a cada classe, a menos que prefira inseri-las na própria explicação. Se julgar que algumas devem ser apontadas — e não convém sejam muitas — poderá ditá-las ou a intervalos durante a explicação, ou, terminada a lição, em separado. É bom que os gramáticos não tomem notas senão mandados.

Leonel Franca, *O método pedagógico dos jesuítas*: o *Ratio Studiorum*. Rio de Janeiro, Agir, 1952, p. 145, 146, 175 e 186.

Atividades

Questões gerais

1. Dê exemplos de aspectos do humanismo renascentista que representam o esforço de secularização do pensamento.

2. Por que protestantes e católicos, no século XVI, passaram a se interessar pela ação pedagógica? Compare as duas orientações em suas linhas principais, indicando as coincidências e as diferenças.

3. Analise de que perspectiva a pedagogia dos jesuítas atende às expectativas do novo homem renascentista e como também a elas se opõe.

4. Quais são os focos comuns sobre a educação de Vives, Erasmo, Rabelais e Montaigne?

5. "Em verdade o homem é de natureza muito pouco definida, estranhamente desigual e diverso. Dificilmente o julgaríamos de maneira decidida e uniforme."

a) Compare essa afirmação de Montaigne com o intuito dos missionários de catequizar os índios.

b) Explique como esse aspecto representa uma das muitas contradições vividas no Renascimento.

6. O dropes 1 contém trechos de um livro de Rabelais, em que o pai (o gigante Gargantua) faz recomendações ao filho (Pantagruel). Responda às questões:

a) Identifique os elementos que indicam oposição à tradição medieval.

b) Embora a frase muito citada de Rabelais "Ciência sem consciência não é senão ruína da alma" no contexto se refira ao amor a Deus, de que forma poderíamos aplicá-la para compreender os problemas atuais decorrentes do desenvolvimento científico e tecnológico?

7. "Não menos que saber, duvidar me apraz" (Dante Alighieri). Ainda que o poeta italiano tenha vivido no século XIII, de certa forma antecipa algumas idéias do Renascimento: relacione a citação dele com o pensamento de Montaigne e distinga-a da proposta religiosa dos jesuítas.

Questões sobre a leitura complementar

1. Compare o comentário de Montaigne (dropes 2) sobre a memória com a valorização que dela fazem os jesuítas.

2. Discuta a importância da individualidade no Renascimento, baseada em Montaigne. Como a ela se opõem as Regras?

3. Como poderíamos defender a proposta do *Ratio Studiorum* como documento inserido em seu contexto histórico?

PARTE II

Brasil: catequese e início da colonização

A partir desse capítulo, intercalamos na segunda parte a história da educação no Brasil. No entanto, desde o presente capítulo até o oitavo, só veremos os tópicos *Contexto histórico* e *Educação*, por não podermos tratar de uma pedagogia brasileira propriamente dita, já que estivemos todo esse tempo atrelados ao pensamento estrangeiro. Essa situação se atenua no final do século XIX, quando já é possível examinar expressões mais atentas sobre os temas pedagógicos. Por fim, no século XX, dado o grande volume de informações, preferimos estudar o Brasil em capítulo separado da história européia.

Cronologia da educação no Brasil Colônia

• Fase heróica: de 1549 a 1570 — catequese.

• Fase de consolidação: de 1570 a 1759 — expansão do ensino secundário nos colégios.

• Reformas pombalinas: de 1749 a 1808 — instrução pública.

• Período joanino: de 1808 a 1822.

Contexto histórico

A história do Brasil no século XVI não pode ser desvinculada dos acontecimentos da Europa, já que a colonização resultou da necessidade de expansão comercial da burguesia enriquecida com a Revolução Comercial. As colônias valiam não só para ampliação do comércio, como também por fornecer produtos tropicais e metais preciosos para as metrópoles.

No caso do Brasil, a colonização assumiu aspectos que dependeram da forma pela qual Portugal e Espanha se situaram no quadro do desenvolvimento econômico e cultural europeu. Como vimos na primeira parte, enquanto França e Inglaterra incentivaram as manufaturas, a burguesia portuguesa permaneceu atrelada aos interesses do absolutismo real, que ainda refletiam a consciência medieval. Por ser um país católico, que resistiu ao movimento protestante com a Contra-Reforma e a Inquisição, Portugal condenava os juros, o que restringiu a acumulação de capital e retardou a implantação do capitalismo. Por outro lado, por manter seus privilégios, a nobreza onerava os cofres públicos e dificultava a aliança do rei com a burguesia. Além disso, enquanto a Europa renascentista se preparava para o livre-pensar que se consolidaria no Iluminismo do século XVIII, Portugal permanecia cioso da herança cultural clássico-medieval, preservando o latim, a filosofia e a literatura cristãs.

Por levar mais tempo para encontrar metais no Brasil, de início a ação dos portugueses restringiu-se à extração do pau-brasil e a algumas expedições exploratórias. A partir de 1530 teve início a colonização, com o sistema de capitanias hereditárias e a monocultura da cana-de-açúcar.

Enquanto na Europa os ventos da modernidade exorcizavam a tradição medieval, no Brasil implantavam-se formas de economia pré-capitalistas, com grandes proprietários de terra. A economia colonial expandiu-se em torno do engenho de açúcar, recorrendo ao trabalho escravo, inicialmente dos índios e, depois, dos negros africanos. *Latifúndio*, *escravatura*, *monocultura*, eis as características da estrutura econômica colonial que explicam o caráter patriarcal da sociedade, centrada no poder do senhor de engenho.

Convém não esquecer que o Brasil era uma colônia de economia agrícola, cujo lucro ficava com os comerciantes na metrópole, o que caracteriza uma economia de *modelo agrário-exportador dependente*. No entanto, ainda que Portugal tivesse o monopólio da produção de açúcar brasileiro, as refinarias não eram construídas naquele país, mas na Holanda, Inglaterra e França.

Nesse contexto, a educação não constituía meta prioritária, já que o desempenho de funções na agricultura não exigia formação especial. Apesar disso, as metrópoles européias enviaram religiosos para o trabalho missionário e pedagógico, com a finalidade principal de converter o gentio e impedir que os colonos se desviassem da fé católica, conforme as orientações da Contra-Reforma.

A intenção dos missionários, porém, não se reduzia simplesmente a difundir a religião. Numa época de absolutismo, a Igreja, submetida ao poder real, era instrumento importante para a garantia da unidade política, já que uniformizava a fé e a consciência. A atividade missionária facilitava sobremaneira a dominação metropolitana e, nessas circunstâncias, a educação assumia papel de agente colonizador.

No Brasil, segundo a historiografia tradicional, foram os jesuítas que, em maior número e atuação efetiva, obtiveram resultado mais significativo, porque se empenharam na atividade pedagógica, para eles considerada primordial. No entanto, estudos recentes têm mostrado que outras ordens religiosas foram importantes — mas que não deixaram o mesmo volume de documentação da Companhia de Jesus —, tais como os franciscanos, os carmelitas e os beneditinos.

Educação

1. A chegada dos jesuítas

Para melhor compreender a ação dos jesuítas no Brasil é conveniente rever a primeira parte deste capítulo, em que analisamos a Companhia de Jesus no seu contexto histórico. Vimos que, após a Reforma, o Concílio de Trento empreendeu a Contra-Reforma, destinada a impedir a propagação da dissidência religiosa representada pela religião protestante. Além dos jesuítas, com ação mais intensa, eficaz e duradoura, outras ordens empenharam-se nesse trabalho.

Quando o primeiro governador-geral, Tomé de Sousa, chegou ao Brasil em 1549, veio acompanhado por diversos jesuítas encabeçados por Manuel da Nóbrega. Apenas quinze dias depois, os missionários já faziam funcionar, na recém-fundada cidade de Salvador, uma escola "de ler e escrever". Era o início do processo de criação de escolas elementares, secundárias, seminários e missões, espalhados pelo Brasil até o ano de 1759, ocasião em que os jesuítas foram expulsos pelo marquês de Pombal.

Nesse período de 210 anos, os jesuítas promoveram maciçamente a catequese dos índios, a educação dos filhos dos colonos, a formação de novos sacerdotes e da elite intelectual, além do controle da fé e da moral dos habitantes da nova terra.

Era difícil a empreitada de instalar um sistema de educação em terra estranha e de povo tribal. De um lado, os indígenas de língua e costumes desconhecidos e, de outro, os colonizadores portugueses, que para cá vieram sem suas mulheres e famílias, muito rudes e aventureiros, com hábitos criticados pelos religiosos.

Embora os jesuítas recebessem formação rigorosa e orientação segura do *Ratio Studiorum* (rever primeira parte deste capítulo), enfrentaram sérios desafios para se adaptar às exigências locais. É bom lembrar quanto lhes valia, nesses casos, a sua tão conhecida flexibilidade.

Ao se deslocar da Bahia para o Sul, fundaram o Colégio de São Vicente, no litoral, depois transferido para Piratininga, no planalto, onde, a partir do Colégio[11], em 1554, surgiu a cidade de São Paulo.

Com espírito empreendedor, o padre Manuel da Nóbrega organizou as estruturas do ensino, atento às condições novíssimas aqui encontradas. O primeiro jesuíta a aprender a língua dos índios foi Aspilcueta Navarro, também pioneiro na penetração nos sertões em missão evangelizadora. A essas duas figuras veio se juntar, em 1553, o noviço José de Anchieta, de apenas 19 anos, que mais tarde se destacaria no trabalho apostólico.

Fernando de Azevedo, historiador brasileiro da educação, refere-se a essa "trindade esplêndida — Nóbrega, o político, Navarro, o pioneiro, e Anchieta, o santo" — como símbolo da "atividade extraordinária dos jesuítas no século XVI, a fase mais bela e heróica da história da Companhia de Jesus"[12].

[11] O colégio instalado no planalto não se chamava São Paulo, como se costuma dizer, mas sim Colégio Santo Inácio; vale lembrar que funcionava mais como uma "casa de meninos" e não como colégio propriamente dito.

[12] *A cultura brasileira*: introdução ao estudo da cultura no Brasil. 4. ed. rev. e ampl. Brasília, Ed. UnB, 1963, p. 505.

2. Fase heróica: a catequese

Diante das críticas e defesas da ação catequética dos jesuítas no Novo Mundo, nunca é demais relembrar que, embora a etnologia contemporânea tenha uma compreensão diferente sobre o contato de culturas tão diversas, aqui vamos enfocar essa ação a partir do conceito que dela tinham os próprios missionários.

Desse modo, retomemos o impacto provocado nos europeus por povos tão "rudes", "sem lei" e "sem fé". Muitos chegavam a pensar na impossibilidade de conseguir algum sucesso no processo "civilizatório" dos nativos, enquanto para outros, incluindo aí os missionários, os indígenas eram como filhos menores, uma "folha em branco" em que se poderia inculcar os valores da civilização cristã européia. Nesse sentido, convictos de que o cristianismo representava uma vocação humana universal que implica integração e unidade, lançaram-se com empenho na incorporação territorial e espiritual dessas etnias, na esperança de acentuar as semelhanças — todos eram seres humanos — e apagar as diferenças.

Começam então a tentar conquistar o chefe da tribo e a desmascarar o pajé. Logo percebem que a ação é mais eficaz sobre os filhos dos indígenas, os curumins (também columins ou culumins), alunos prediletos, porque sobre eles ainda não se sentia de maneira arraigada a influência do pajé.

A fase heróica da missão jesuítica vai dos anos de 1549 a 1570, data da morte do padre Nóbrega. Nesse período, os padres aprenderam a língua tupi-guarani e elaboraram textos para a catequese, ficando a cargo de Anchieta a organização de uma gramática tupi.

Inicialmente os curumins aprendiam a ler e a escrever ao lado dos filhos dos colonos. Anchieta usava diversos recursos para atrair a atenção das crianças: teatro, música, poesia, diálogos em verso. Pelo teatro e dança, os meninos, aos poucos, aprendiam a moral e a religião cristã.

Logo teve início o choque entre os valores da cultura nativa e os do colonizador. O sociólogo brasileiro contemporâneo Gilberto Freyre, na obra *Casa-grande e senzala*, diz que os primeiros missionários substituíam as "cantigas lascivas", entoadas pelos índios, por hinos à Virgem e cantos devotos, condenavam a poligamia, pregando a forma cristã de casamento. Dessa maneira começaram a abalar o sistema comunal primitivo.

Tornara-se tão comum falar na "língua geral" — mistura de tupi, português e latim — que os padres a usavam até no púlpito. O procedimento perdurou por algum tempo, até que as autoridades passassem a exigir exclusividade para a língua portuguesa, temerosas de que a língua nativa predominasse.

O fato é que o índio se encontrava à mercê de três interesses, que ora se complementavam, ora se chocavam: a metrópole desejava integrá-lo ao processo colonizador; o jesuíta queria convertê-lo ao cristianismo e aos valores europeus; e o colono queria usá-lo como escravo para o trabalho.

3. As missões

Após um período de *pregação* em que permaneciam um tempo nas tribos e realizavam batismos, os religiosos seguiam para outro local. Mas logo descobriram que as conversões não se consolidavam, além de se tratar de empreitada perigosa.

Para realizar a ação missionária com menos riscos e consolidar as conversões, foram então criadas as *missões*, localizadas no sertão, longe dos colonos ávidos de escravos. As principais ficavam ao norte do México, na orla da floresta Amazônica e no interior da América do Sul, em que se firmaram jesuítas portugueses e espanhóis. Mas, além destas, os religiosos constituíram outras no território brasileiro de norte a sul. Aqui, as primeiras e várias delas apareceram na Bahia.

Vejamos o que os missionários se propunham mudar, para europeizar e cristianizar os nativos. Surpreenderam-se de início com o fato de cem a duzentas pessoas viverem na mesma oca, sem divisões que preservassem a intimidade das famílias nem repartição de funções e tarefas, porque ali dentro tudo se fazia.

Por isso, os jesuítas deslocaram os nativos para outras áreas, onde criaram as aldeias reunindo várias etnias, designadas por eles, de modo homogêneo, como o "gentio". Ali se construíram as casas, onde se alocava cada família, a unidade social. Assim diz Baêta Neves: "Na aldeia cada coisa deve ter seu *lugar* e sua *hora*. Há um local para o trabalho, outro para o descanso, outro para o culto, outro para a família"[13]. Mudaram as práticas nômades, consideradas bárbaras, e estabeleceram um sistema agrícola restrito a áreas determinadas, onde se fazia a divisão de tarefas e observavam-se os "momentos de semear, podar, colher, queimar".

Desse modo os missionários pensavam estar prestando um serviço civilizatório, ao retirar os nativos da "ociosidade", da "preguiça", da "indisciplina" e da "desorganização". Introduziram regras de higiene, maneiras de comer, condenaram a antropofagia, a embriaguês, o adultério. Lutaram também contra a nudez, suprimindo aos poucos os adornos considerados "deformadores" e definindo uma "geografia do corpo" segundo a qual havia partes que poderiam ser mostradas e outras a serem cobertas.

Por considerarem que os nativos viviam a "infância da humanidade", os jesuítas se achavam no direito de agirem como "pais", devendo, portanto, corrigir e proteger. Como o uso de sanções violentas era hábito europeu naqueles tempos, esse costume foi trazido para cá. As penalidade variavam conforme a gravidade da culpa, usando-se o açoite, o tronco e até mutilações, cuja execução devia ser pública e exemplar.

As missões prosperaram de modo significativo. Além da atividade agrícola, conforme o lugar havia criação de gado, artesanato, fabricação de instrumentos musicais, construção de templos. Tudo administrado pelos jesuítas, sem intervenção externa. Porém, a segregação de tribos inteiras nas missões, esse "ambiente de estufa", fragilizava ainda mais os índios. O confinamento facilitava aos colonos capturar tribos inteiras. Durante o século XVII, os bandeirantes realizaram diversas expedições de apresamento e destruíram muitas povoações, inclusive as dirigidas por jesuítas espanhóis.

Depois da expulsão dos jesuítas (século XVIII), desmoronou-se a estrutura criada pelos padres, e os índios aculturados não conseguiram mais subsistir moral e economicamente.

4. Período de consolidação: a instrução da elite

Vimos que as primeiras escolas reuniam os filhos dos índios e dos colonos, mas a tendência da educação jesuítica que se confirmou foi separar os "catequizados" e os "instruídos". A ação sobre os indígenas resumiu-se então em cristianizar e pacificar, tornando-os dóceis para o trabalho nas aldeias. Com os filhos dos colonos, porém, a educação podia se estender além da escola elementar de ler e escrever, o que ocorreu a partir de 1573.

[13] *O combate dos soldados de Cristo na Terra dos papagaios*: colonialismo e repressão cultural, p. 130.

Para enfrentar o senhor da casa-grande, os jesuítas conquistavam seus elementos passivos: a mulher e a criança. Educando o menino, conseguiam manter viva a religiosidade da família.

Era tradição das famílias portuguesas orientar os filhos para diferentes carreiras. O primogênito herdava o patrimônio do pai e continuava seu trabalho no engenho; o segundo, destinado para as letras, freqüentava o colégio, muitas vezes concluindo os estudos na Europa; o terceiro encaminhava-se para a vida religiosa. Como se vê, os jesuítas agiam sobre os dois últimos. Mesmo quando os filhos não eram enviados aos colégios e recebiam educação na própria casa-grande, ficavam aos cuidados dos capelães e tios-padres.

Outro modo de ação cumpria-se no confessionário. O padre ouvia os pecados e assim modelava o pensar dos colonos. Em casos extremos, negar a absolvição dos pecados revelados no confessionário era uma maneira de pressionar a mudança de algum comportamento considerado imoral ou ímpio.

No campo da educação propriamente dita, desde o século XVI os jesuítas montaram a estrutura dos três cursos a serem seguidos após a aprendizagem de "ler, escrever e contar" nos colégios: a) letras humanas; b) filosofia e ciência (ou artes); c) teologia e ciências sagradas. Esses três cursos eram destinados respectivamente à formação do humanista, do filósofo e do teólogo.

No curso de humanidades, de grau médio, ensinavam latim e gramática para os meninos brancos e mamelucos (mestiços de branco e índio). Em alguns colégios, como o de Todos os Santos, na Bahia, e o de São Sebastião, no Rio de Janeiro, eram oferecidos também os outros dois cursos, de artes e de teologia, já de grau superior.

Terminado o curso de artes, apresentavam-se ao jovem duas alternativas:

• estudar teologia, opção que ajudava a manter viva a obra dos jesuítas no tempo, formando-se padre ou mestre;

• preparar-se para as carreiras profanas das profissões liberais, como direito, filosofia e medicina; neste caso, encaminhava-se para uma das diversas faculdades européias — os brasileiros procuravam sobretudo a Universidade de Coimbra, em Portugal.

Para esse programa, os jesuítas foram apoiados oficialmente pela Coroa, que também os auxiliou com generosas doações de terras. O governo de Portugal sabia o quanto a educação era importante como meio de domínio político e, portanto, não intervinha nos planos dos jesuítas.

5. Outras ordens religiosas

Embora tenha sido costume enfatizar-se a ação dos jesuítas na educação da colônia, outras ordens aqui estiveram com o mesmo propósito, tais como franciscanos, carmelitas, beneditinos. Para alguns estudiosos que se debruçam sobre o assunto não deixa de ser estranho o relativo silêncio sobre essas contribuições.

O professor Luiz Fernando Conde Sangenis[14] nos esclarece que em 1585 foi criada a Custódia de Santo Antônio do Brasil, em Olinda, Pernambuco, onde, no ano seguinte, franciscanos recém-chegados fundaram um internato para os curumins. Ali era ensinado o catecismo, bem como a ler, escrever e contar. Depois se estenderam pelo Rio Grande do Norte, Alagoas, Paraíba, Grão-Pará e Maranhão. Na região Sul, faziam missões-volantes, não estabelecendo residência permanente nas aldeias.

[14] "Franciscanos na educação brasileira", in Maria Stephanou e Maria Helena Camara Bastos (orgs.), *Histórias e memórias da educação no Brasil.* v. I: *Séculos XVI-XVIII*, p. 93-107.

A pouca informação que temos sobre as outras ordens deve-se a diversos motivos. Lembramos que a Companhia de Jesus deixou abundante documentação, porque os padres deviam prestar contas freqüentes aos seus superiores e suas cartas permaneceram como registros importantes, inclusive pela imprensa. Acresce o fato de que os jesuítas não só atuavam nas missões, convertendo os indígenas, mas também nas cidades e junto aos engenhos de açúcar, ocupando-se, portanto, com a educação da elite.

Enquanto isso, as demais ordens religiosas não preservaram da mesma forma a sua memória. Entre elas, os franciscanos procuravam "os povoados dependentes da caridade dos filhos de São Francisco", com menor visibilidade de sua atuação. Além disso, privilegiavam os cursos das primeiras letras e só voltaram a atenção ao ensino secundário no século XVIII, após a expulsão dos jesuítas.

Adiantando um pouco o que veremos em outros capítulos, os franciscanos também se dedicaram ao ensino superior, fundando no século XVII um convento de altos estudos de teologia e filosofia, que antecipou a instituição dos cursos superiores ocorrida no século seguinte.

Conclusão

Por mais que tenham sido admiráveis a coragem, o empenho e a boa-fé desses missionários, hoje, à luz dos estudos de antropologia, é inevitável admitir que a desintegração da cultura indígena iniciou com eles.

Lembrando os versos irreverentes de Oswald de Andrade — em que o poeta lamenta o fato de o descobrimento do Brasil não ter sido em um dia de sol, para que os índios despissem os portugueses — os padres vestiram literalmente os índios, para que se envergonhassem da nudez. Também os "vestiram" simbolicamente de outros valores, de cultura diferente: impuseram-lhes outra língua, outro Deus, outra moral e até outra estética.

Convém, no entanto, considerar a advertência feita na primeira parte deste capítulo, sobre a percepção que os europeus tinham naquela época sobre os povos "selvagens" e o intuito de homogeneização que comandava todo processo educacional. Para eles, civilizar os povos era fazer o possível para igualá-los aos "melhores", por isso desenvolveram um processo de silenciamento das culturas "estranhas".

Pela atuação constante até o século XVIII, não só entre os nativos, mas sobretudo na sociedade colonial, podemos dizer que os jesuítas imprimiram de modo marcante o ideário católico na concepção de mundo dos brasileiros e conseqüentemente introduziram a tradição religiosa do ensino que perdurou até a República.

Voltaremos a analisar a influência da Companhia de Jesus no capítulo 8, por ocasião de sua expulsão das terras brasileiras.

Dropes

1 - A lei, que lhes hão-de dar, é defender-lhes comer carne humana e guerrear sem licença do Governador; fazer-lhes ter uma só mulher, vestirem-se pois têm muito algodão, ao menos depois de cristãos, tirar-lhes os feiticeiros, mantê-los em justiça entre si e para com os cristãos; fazê-los viver quietos sem se mudarem para outra parte, (...) tendo terras repartidas que lhes bastem, e com estes Padres da Companhia para os doutrinarem. (Trecho de uma carta do padre Nóbrega, enviada a Lisboa em 1558.)

2 - Padre Cardim, que foi reitor do Colégio da Bahia, visitou várias missões entre os anos de 1583 e 1590. Relata que, no comum das aldeias, "há escolas de ler e escrever, aonde os padres ensinam os meninos índios: e alguns, mais hábeis também ensinam a contar, cantar e tanger; tudo tomam bem, e há já muitos que tangem flautas, violas, cravos e oficiam missas em canto d'órgão, coisas que os pais estimam muito. Estes meninos falam português, cantam à noite a doutrina pelas ruas, e encomendam as almas do purgatório". (Adaptado de Darcy Ribeiro.)

3 - O colégio [dos jesuítas] estava, com efeito, situado numa sociedade *religiosa*, que se concretizava em hábitos e valores, práticas e devoções, instituições e organização. (...) Assim, toda a vida social era permeada de simbolismos cristãos, desde o nascimento de uma criança, com o batizado, até a morte, com o viático, com confissão, unção dos enfermos, bênção do corpo na Igreja, enterro acompanhado do clero, com cânticos e orações, cemitério religioso etc. As repartições públicas traziam o crucifixo ou imagens de santos. Às ruas se encontravam oratórios. O calendário era balizado pela liturgia. O clero tinha destaque em qualquer cerimônia. As festas do lugar tinham a marca religiosa, a procissão se fazendo o ato de exibição social por excelência. O *público* estava impregnado de *sagrado* e a "Igreja" estava por toda parte presente. (José Maria de Paiva)

• Leitura complementar

[A maloca indígena]

No início do século XX, o monsenhor Pedro Massa, missionário salesiano que participou da catequização dos Tukano, descreve:

"Refiro-me à destruição que, auxiliados por um grupo de índios e de rapazes, pudemos fazer da grande (20 x 40 metros) e velha maloca taracuá (...) Sabe V. Rvma. que para o índio a maloca é cozinha, dormitório, refeitório, tenda de trabalho, lugar de reunião na estação de chuvas e sala de dança nas grandes solenidades. É onde nasce, vive e morre o índio; é o seu mundo... A maloca é também, como costumava dizer o zeloso dom Bazola, a 'casa do diabo', pois que ali se fazem as orgias infernais, maquinam-se as mais atrozes vinganças contra os brancos e contra outros índios: na maloca transmitem-se os vícios de pais a filhos... Ora bem: esse mundo do índio, essa casa do diabo não existe mais em Taraucá: nós a desencantamos e substituímos por um discreto número de casinhas, cobertas de folhas de palmeira e com paredes de barro. Não se mostraram descontentes os índios por causa do arrasamento da maloca: antes ficaram satisfeitos, reconhecendo a grande utilidade de cada família ter sua casinha, seu lar, especialmente para evitar o contágio. Foi-se, pois, a maloca dos tucanos!".

Curt Nimuendaju[15], etnólogo que conviveu com diversas tribos na mesma época, também descreve no relatório para o SPI[16] (...):

"As malocas são em geral muito bem construídas, suas cobertas oferecem inteira garantia contra o mais violento aguaceiro; o chão é enxuto e limpo e de tarde reina em sua penumbra uma frescura agradável. As casinhas modernas, pelo contrário, são o mais das vezes quentes e mal acabadas. Quanto ao prejuízo que a convivência de diversas famílias na maloca dizem acarretar é simplesmente falso. Devido à rigorosa exogamia[17] não existem relações amorosas entre os filhos de uma mesma maloca... O principal motivo, porém, da aversão do missionário contra a habitação coletiva é outro; vê nela, e com toda razão, o símbolo, o verdadeiro baluarte de organização e tradição primitiva, da cultura pagã que tanto contraria seus planos de conversão, de domínio espiritual e social. A comunidade maloca é a unidade da primitiva organização semicomunista dessas tribos. Levantada pelos esforços conjugados de seus habitantes, todos têm parte em sua posse, sujeitos, porém, à direção patriarcal do tuxaua[18]. Devido ao parentesco de sangue e à estreita convivência, o laço que une esta comunidade é muito forte. A arquitetura da maloca está inteiramente de acordo com o primitivo sistema familial e social. Ela se divide em cinco zonas (uma de cada lado) pertencentes às diversas famílias que nelas fazem seus compartimentos, duas aos trabalhos comuns e o espaço grande do meio às cerimônias públicas religiosas e profanas. Na maloca condensa-se a cultura própria do índio; tudo ali respira tradição e independência e é por isso que elas têm de cair".

Essas duas descrições da maloca dos Tukano, nação que hoje habita o alto do rio Uapés no Amazonas, representam duas visões contrárias. No entanto, essa tribo praticamente já abandonou esse tipo de construção, devido à redução de sua população e à desorganização provocada pela invasão de garimpeiros e mineradores, principalmente a partir da década de 70.

Katsue Hamada e Zenun e Valeria Maria Alves Adissi, *Ser índio hoje*: a tensão territorial. 2. ed. São Paulo, Loyola, 1999, p. 70 e 71.

[15] Curt Nimuendaju (1883-1945), etnólogo autodidata, nasceu na Alemanha e seu verdadeiro nome era Kurt Unkel. Morou muito tempo entre os nativos e adotou o nome que em tupi-guarani significa "aquele que fez seu próprio lar".

[16] SPI: Serviço de Proteção do Índio, órgão de defesa dos interesses indígenas, substituído em 1967 pela Fundação Nacional do Índio (Funai).

[17] Exogamia — *ex* (fora) *gamia* (união): casamento com pessoas de fora da tribo ou entre famílias diferentes.

[18] Tuxaua: chefe de família.

Atividades

Questões gerais

1. Que interesses econômicos e religiosos da metrópole justificam a colonização? Como a ação catequética dos jesuítas contribuiu para o alcance dessas metas?

2. Por que a educação não é assunto prioritário no Brasil colonial?

3. Por que os religiosos resolveram desenvolver o trabalho de catequese em missões? Quais suas características principais e os riscos da empreitada?

4. Que influências os jesuítas exerceram sobre os colonos? E em que medida foram importantes para a constituição da cultura brasileira?

5. Com base no dropes 3, responda às questões a seguir:

a) Explique qual era a relação entre a Igreja e a sociedade em Portugal, no século XVI, e como essa ligação se prolongou até recentemente no Brasil.

b) Discuta com seu grupo como ainda hoje se colocam questões desse tipo mesmo nos Estados laicos: por exemplo, crucifixo em sala de aula de escola pública, a polêmica sobre a proibição, na França, de mulheres árabes freqüentarem aulas com o véu que cobre os cabelos etc.

6. Retome a segunda leitura complementar "Américo Vespúcio tinha razão?" do capítulo 1 e responda às questões a seguir:

a) Explique como a avaliação de Américo Vespúcio era opinião corrente na Europa do século XVI.

b) Como poderíamos hoje, com os conhecimentos da etnologia contemporânea, contradizer o navegador?

7. Faça uma pesquisa para desenvolver a avaliação crítica sobre o processo de genocídio e extermínio da cultura indígena. São possíveis linhas de trabalho:

- pesquisa em livros de história;
- consulta de notícias recentes em jornais e revistas sobre a política indigenista do governo;
- levantamento de estudos feitos por antropólogos sobre o processo de aculturação;
- análise de artigos de leis de proteção de povos indígenas.

Questões sobre a leitura complementar

1. Compare os dois relatos, produzidos na mesma época, e indique suas discrepâncias.

2. Posicione-se pessoalmente sobre o assunto.

A New
SYSTEM of MATHEMATICKS
Composed by the Eminently Worthy
Sr JONAS MOORE Knight
Late Surveyor Genl of his Mats
Ordnance and Fellow of the
Royall Society &c.

Capítulo 7

Século XVII: a pedagogia realista

Os historiadores costumam determinar o século XV como o início da Idade Moderna, que se estende até 1789, data da Revolução Francesa, quando então começa a Idade Contemporânea.

Na primeira parte deste capítulo veremos as grandes alterações que ocorreram na Europa, devido à Revolução Comercial, sinalizando a ascensão da burguesia, cujos anseios já se esboçavam nas teorias política e econômica do liberalismo. Inaugurava-se então um novo paradigma para o pensamento e ação da modernidade: não por acaso, o século XVII é o "século do método", que, ao fecundar a ciência e a filosofia, repercutiu nas teorias pedagógicas.

Na segunda parte, veremos a defasagem entre os acontecimentos da Europa e os do Brasil colônia, que permanecia numa fase pré-capitalista. Na educação, predominou a educação jesuítica, com ênfase no ensino secundário para a formação da elite, além do florescimento das missões, no interior.

‹ O "século do método" é também o século do "saber ativo", que fez a aliança entre a ciência e sua aplicação prática. *A New System of Mathematics* (1681), livro pioneiro do inglês Jonas Moore, estudioso de trigonometria e um dos fundadores da Royal Mathematical School, destinava-se aos alunos daquela escola de navegação.

P A R T E I

O século do método

Contexto histórico

1. A burguesia se fortalece

No século XVII, ainda persistiam as contradições decorrentes do processo de desmantelamento da ordem feudal e da ascensão da burguesia, com o conseqüente desenvolvimento do capitalismo. Intensificando-se o comércio, a colonização assumia características empresariais, enquanto a Europa era inundada pelas riquezas extraídas da América.

O crescimento das manufaturas alterou as formas de trabalho. Os artesãos de produção doméstica perderam seus instrumentos de trabalho para os capitalistas e, reunidos nos galpões onde nasceram as futuras fábricas, passaram a receber salário.

A nova ordem consolidou-se com o mercantilismo, sistema que supõe o controle da economia pelo Estado e que resultou da aliança entre reis e burgueses. Estes financiavam a monarquia absoluta que necessitava de exército e marinha, enquanto em troca os reis ofereciam vantagens como incentivos e concessão de monopólios, favorecendo a acumulação de capital.

Politicamente, o século XVII caracteriza-se pelo absolutismo real, e entre os teóricos que defendiam esse tipo de poder irrestrito, o mais conhecido é o filósofo inglês Thomas Hobbes (1588-1679). Não se tratava, no entanto, de buscar os fundamentos do absolutismo a partir do "direito divino dos reis", mas sim de acordo com o contrato, o pacto social. Este é um sinal dos tempos em que as explicações religiosas começam a ser substituídas pela valorização da autonomia da razão.

2. Liberalismo econômico e político

À medida que a burguesia se fortalecia, tomava forma a teoria do liberalismo, tanto do ponto de vista político, pelo questionamento da legitimidade do poder real, como no seu aspecto econômico, perceptível nas críticas ao excessivo controle estatal da economia. Tanto é que, no final do século XVII, a Revolução Gloriosa (1688) liquidou o absolutismo e instaurou a monarquia constitucional na Inglaterra.

O principal intérprete das idéias políticas liberais foi o filósofo inglês John Locke (1632-1704). Por ser uma teoria que exprime os anseios da burguesia, o liberalismo opunha-se ao absolutismo dos reis, fazendo restrições à interferência do Estado na vida dos cidadãos, em defesa da iniciativa privada. As críticas ao mercantilismo seriam intensificadas no século seguinte com as teorias econômicas de Adam Smith e David Ricardo.

O pensamento de Locke parte da questão da legitimidade do poder: o que torna legítimo o poder do Estado? Desenvolve então a hipótese do ser humano em "estado de natureza", em que todos seriam livres, iguais e independentes. Os riscos das paixões e da parcialidade seriam muito grandes porque, se "cada um é juiz em causa própria", torna-se impossível a vida comum. Para superar essas dificuldades, as pessoas consentem em instituir o corpo político por meio de um contrato, um pacto originário que funda o Estado.

Para Locke, os direitos naturais não desaparecem em conseqüência desse consentimento, mas subsistem para limitar o poder do soberano. Em última instância, justifica-se até o direito à insurreição, caso o soberano não atenda ao interesse público. Daí a importância do legislativo, poder que controla os abusos do executivo.

Um dos aspectos progressistas do pensamento liberal reside na origem democrática e parlamentar do poder político, determinado pelo voto e não mais pelas condições de nascimento, como na nobreza feudal.

Embora a teoria liberal se apresentasse como democrática, é inevitável encontrar na sua raiz o elitismo que a distingue como expressão dos interesses da burguesia. Na vida em sociedade, somente aqueles que têm propriedades, no sentido restrito de fortuna, podem participar de fato da política, por serem os que teriam reais condições de exercer a cidadania. Essa mesma perspectiva elitista define a reflexão sobre a educação.

O pensamento liberal de Locke, divulgado no final do século XVII, exerceu grande influência no século seguinte, por ocasião da Revolução Francesa e das lutas de emancipação colonial nas Américas.

3. O século do método

Desde o Renascimento, muitos opunham ao critério da fé e da revelação a capacidade da razão humana de discernir, distinguir e comparar. A tendência antropocêntrica, ou seja, de resgatar a dimensão humana sob todos os aspectos, favorecia a mentalidade crítica, que contrapunha ao dogmatismo a possibilidade da dúvida e rejeitava o princípio da autoridade ao questionar tanto interpretações religiosas como a filosofia aristotélica. Essa atitude polêmica com a tradição provocou a laicização do saber e estimulou a luta contra os preconceitos e a intolerância.

Durante o século XVII, um dos campos que esses novos ventos fecundaram foi o da filosofia. Podemos dizer que na Idade Moderna começou uma nova forma de pensar que partiu do *problema do conhecimento.* Filósofos como Descartes, Bacon, Locke, Hume, Espinosa discutiram a teoria do conhecimento segundo questões de *método*[1], isto é, colocando em discussão os procedimentos da razão na investigação da verdade, antes de se permitir teorizar sobre qualquer tema.

Outro campo do saber em que houve uma revolução metodológica foi o da ciência. Como vimos nos capítulos anteriores, tanto na Antiguidade como na Idade Média predominava a concepção de ciência puramente contemplativa, vinculada à filosofia e desligada das aplicações do saber, por isso ciência e técnica achavam-se separadas. A grande novidade da nova ciência foi a valorização da técnica, ao privilegiar o método experimental, mérito que coube a Galileu Galilei (1564-1642). Em oposição ao discurso formal da física aristotélico-tomista, Galileu valorizou a experiência e o testemunho dos sentidos. Seu método resultou do feliz encontro da experimentação com a matemática, da ciência com a técnica. Tais procedimentos não provocaram simples evolução na ciência, mas uma verdadeira ruptura com a tradição, decorrente da nova linguagem científica, de um novo paradigma.

O renascimento científico pode ser compreendido como expressão da ordem burguesa. Os inventos e as descobertas são inseparáveis da nova ciência, já que, para o crescimento da indústria, a burguesia necessitava de uma ciência que investigasse as forças da natureza: queria dominá-las, usando-as em seu benefício. A ciência dei-

[1] *Método* significa direção, caminho para um fim, instrumento que permite a construção do conhecimento.

xa de ser um saber contemplativo para que, afinal, indissoluvelmente ligada à técnica, servisse à nova classe. Como resultado dessa interdependência entre ciência e técnica, a ação humana sobre a natureza foi ampliada: chama-se *ideal baconiano* a concepção do filósofo Francis Bacon (1561-1626), para quem o "conhecimento é poder", poder de controle científico sobre a natureza.

4. A "crise da consciência européia"

No século XVII ocorreu uma revolução espiritual que foi chamada de *crise da consciência européia*. Ao opor à ciência contemplativa um saber ativo, o indivíduo não mais se contentava em apenas "saber por saber", como um simples espectador da harmonia do mundo, mas desejava "saber para transformar".

À teoria geocêntrica do mundo finito contrapôs-se a teoria heliocêntrica de espaço infinito, alterando a concepção humana do Universo. Habituados que estamos com a visão do mundo dada pela astronomia copernicana[2], talvez não possamos avaliar com toda a grandeza o impacto dessas transformações sobre os indivíduos, que por séculos se acostumaram ao sistema ptolomaico.

As transformações na ciência geraram descompassos em outros setores, e a ordem econômica também se ressentiu. Embora prevalecessem o mercantilismo e o absolutismo, delineavam-se os anseios liberais na política, na economia e na ética. Também em muitos segmentos sociais acentuou-se o estreitamento dos laços familiares, configurando-se o processo de formação da família nuclear, típica da sociedade burguesa.

Nas questões de fé, o ideal de tolerância se contrapunha às lutas religiosas, continuando ativas as forças que polarizavam, de um lado, a religião e a moral cristãs e, de outro, as tendências à laicização.

Eram sinais da gestação de outros tempos, em que o novo lutava para se impor ao velho.

Educação

1. Educação religiosa

No século XVII, os esforços para institucionalizar a escola, iniciados no século anterior, aperfeiçoaram-se com a legislação que contemplou tópicos referentes à obrigatoriedade, aos programas, níveis e métodos.

A Companhia de Jesus continuava atuante e entraria no século seguinte com mais de seiscentos colégios espalhados pelo mundo. Apesar de organizados e competentes, os jesuítas representavam o ensino tradicional mais conservador. Como vimos no capítulo anterior, eles tomavam por base a Escolástica medieval e a ciência aristotélica, desprezando o ensino de ciências e filosofia modernas, além de enfatizarem o ensino do latim e da retórica.

Outras congregações religiosas desenvolveram um trabalho mais adequado ao espírito moderno, como os oratorianos, da Congregação do Oratório, fundada em 1614. Opositores constantes do sistema jesuítico, seriam seus substitutos quando a Companhia de Jesus foi dissolvida, no século XVIII. Acolheram as novas ciências e

[2] A teoria geocêntrica surgiu na Antiguidade (século IV a.C.), com Eudoxo e Aristóteles. No século II da era cristã, foi retomada pelo matemático e geômetra Cláudio Ptolomeu, e sua obra, *Almagesto*, influenciou o pensamento científico, até que, no século XVI, o monge Nicolau Copérnico defendeu a hipótese do heliocentrismo. Mesmo assim, a antiga explicação ptolomaica continuava aceita, tanto que no século XVII, quando retomou o heliocentrismo, Galileu foi julgado pela Inquisição e, após ter abjurado, permaneceu em prisão domiciliar.

a filosofia cartesiana (do filósofo Descartes); ensinavam o francês e outras línguas modernas, além do latim; estudavam história e geografia com o uso de mapas; encorajavam a curiosidade científica e utilizavam um sistema disciplinar brando.

Os jansenistas constituíram outro grupo religioso que também se opôs ferrenhamente aos jesuítas. Reuniam-se na abadia de Port-Royal, perto de Paris, e a partir de 1646, sob a direção de Saint-Cyran, os chamados "solitários de Port-Royal" organizaram as famosas "pequenas escolas", que em breve tempo desempenharam importante papel na formação de líderes para a Igreja e o Estado.

Inspirados por Jansênio, consideravam a natureza humana intrinsecamente má e retomaram os temas agostinianos da graça e do pecado. Desejosos de promover a reforma moral e espiritual na Igreja Católica, julgavam que a finalidade da educação era impedir o desenvolvimento da natureza corruptível. Por isso, o número de alunos em cada classe deveria ser pequeno, para que a vigilância fosse constante e segura.

Apreciavam a filosofia de Descartes e escreveram manuais de lógica (conhecida por lógica de Port-Royal). A racionalidade, valorizada como exigência de rigor e de clareza de idéias, seria capaz de auxiliar no combate às paixões. É bem verdade que, para eles, também a razão nada era sem a fé, sem a graça divina. Dentre seus seguidores, destacou-se o filósofo Blaise Pascal.

Inspirados pelo método cartesiano, os jansenistas só passavam para o desconhecido por meio do já conhecido e nada ensinavam que não pudesse ser compreendido pela mente em formação da criança. Usavam com freqüência ilustrações e mapas. Aplicavam o método fonético na aprendizagem da leitura, ensinando as crianças a conhecer as letras somente pela sua pronúncia real e não com os nomes pelos quais são designadas.

No currículo, o ensino do francês precedia o do latim. Criticavam o verbalismo, a memorização e a erudição estéril, em franca oposição aos métodos dos jesuítas.

2. Educação pública

Vimos que, no Renascimento, por inspiração da Reforma, as escolas da Alemanha buscavam a universalização do ensino elementar como forma de propagar a fé religiosa. No século XVII, ainda persistia aquela tendência, em oposição ao ensino dos jesuítas, tradicionalmente centrado no nível secundário e, portanto, mais elitista.

Embora a Guerra dos Trinta Anos (1618-1648) dificultasse a realização dos projetos de educação pública, na Europa os alemães foram os que conseguiram melhores resultados. Em 1619, o Ducado de Weimar regulamentou a obrigatoriedade escolar para todas as crianças de 6 a 12 anos. Em 1642, o duque de Gotha estabeleceu leis para a educação primária obrigatória, definindo os graus, as horas de trabalho, os exames regulares e a inspeção. A seguir, em outras localidades houve manifestações semelhantes, inclusive quanto à formação de mestres.

Na França, destacou-se o trabalho do abade Charles Démia (1636-1689), que publicou um livro defendendo a educação popular. Sob sua influência e direção foram fundadas diversas escolas gratuitas para crianças pobres e um seminário para a formação de mestres.

Na opinião do pedagogo francês Compayré (1843-1913), essas escolas visavam à instrução religiosa, disciplinar e de trabalhos manuais, de tal modo que "vinham a ser agências de informação ou lugares de mercado em que as pessoas abonadas pudessem ir buscar servidores domésticos ou empregados comerciais ou industriais"[3]. De fato, a implantação das escolas ocorreu justamente na cidade francesa de Lyon, importante centro fabril e mercantil — necessitada, pois, de mão-de-obra com certa instrução — e palco de freqüentes revoltas operárias, o que exigia maior ação disciplinar, segundo muitos.

Ainda na França, outra tentativa importante de instrução elementar gratuita para os pobres foi levada a efeito por São João Batista de La Salle, que em 1684 fundou o Instituto dos Irmãos das Escolas Cristãs. Sua obra espalhou-se nos séculos seguintes pelo mundo, ampliando a área de ação pedagógica para o ensino secundário e superior e também para a formação de professores. La Salle privilegiava o francês em detrimento do latim e preferia lições práticas para os alunos, agrupados em classes e por níveis de dificuldade.

3. Academias

As academias do século XVI, como vimos, não eram escolas institucionalizadas, mas visavam a atender aos interesses da nobreza na formação cavalheiresca de seus filhos. No século XVII, a procura delas foi intensificada justamente porque representavam a transição dos padrões conservadores no ensino — que não mais atendiam aos seus interesses — para uma formação mais realista.

Devido ao progresso da ciência e ante a decadência das universidades (exceto as da Alemanha), surgiram as academias científicas, às quais os cientistas se associavam para a troca de experiências e publicações. Tornaram-se importantes a Academia de Ciências (da qual participaram Descartes, Pascal e Newton), a Real Sociedade de Londres e a Academia de Berlim.

Pedagogia

1. Filosofia moderna: racionalismo e empirismo

Vimos no *Contexto histórico* que o século XVII caracterizou-se pelo cuidado com o método na filosofia, na ciência e na educação.

Ao retomarmos a discussão filosófica daqueles que se ocuparam com o problema do conhecimento, encontramos duas tendências opostas: a do *racionalismo*, cujo principal representante foi o filósofo Descartes, e a dos *empiristas*, de filósofos como Bacon e Locke, entre outros. Essas orientações irão marcar as maneiras de pensar na pedagogia, inclusive até os dias de hoje.

Descartes (1596-1650), considerado o Pai da Filosofia Moderna, iniciou um tipo de reflexão contraposto à tradição escolástica. Ao analisar o processo pelo qual a razão atinge a verdade, usou o recurso da *dúvida metódica*. Começou duvidando de tudo: do senso comum, dos argumentos de autoridade, do testemunho dos sentidos, das informações da consciência, das verdades deduzidas pelo raciocínio, da realidade do mundo exterior e do próprio corpo. Só interrompe a cadeia de dúvidas diante do seu próprio ser que duvida. Se duvido, penso: "Penso, logo existo" (*Cogito, ergo sum*).

A partir da capacidade ordenadora do conhecimento pelo sujeito que conhece, Descartes introduz uma grande modificação no pensamento moderno: "O pensamento, metodicamente conduzido, encontra primeiramente em si os critérios que permitirão estabelecer algo como verdadeiro". Ou seja, trata-se da "crença na autonomia do pensamento, a idéia de que a razão, bem dirigida, basta para encontrar a

---

[3] Apud Aníbal Ponce, *Educação e luta de classes*. 7. ed. São Paulo, Cortez/Autores Associados, 1986, p. 124 e 125.

verdade, sem que precisemos confiar na tradição livresca e na autoridade dos dogmas. O espírito humano tem em si os meios de alcançar a verdade, se souber cultivar sua independência e conduzir-se com método"[4].

A certeza é possível porque o espírito humano já possui idéias gerais claras e distintas, que não derivam do particular, mas são *inatas* (porque inerentes à capacidade de pensar) e, portanto, não estão sujeitas ao erro. A primeira idéia inata é o *cogito*, pelo qual nos descobrimos como seres pensantes; depois, são inatas também as idéias de infinitude e da perfeição (por isso podemos ter a idéia de Deus), e as idéias de extensão e de movimento, constitutivas do mundo físico.

Enquanto o racionalismo de Descartes prioriza a razão, na consciência, como ponto de partida de todo conhecimento, Bacon e Locke desenvolvem a concepção empirista.

O filósofo inglês Francis Bacon valoriza a indução e insiste na necessidade da experiência, criticando o caráter estéril da lógica aristotélica, predominantemente dedutivista[5].

Na mesma linha, Locke – a quem já nos referimos ao tratar do liberalismo – afirma que nada está no espírito que não tenha passado primeiro pelos sentidos. Aliás, a palavra *empirismo* vem do grego *empeiria*, que significa "experiência". Portanto, ao contrário do racionalismo, o empirismo enfatiza o papel da experiência sensível no processo do conhecimento. O que não significa depreciar o trabalho da razão, mas privilegiar a experiência, subordinando a ela o trabalho posterior da razão.

Locke critica a teoria das idéias inatas de Descartes, afirmando que a alma é como uma *tábula rasa* (tábua sem inscrições), por isso o conhecimento só começa após a experiência sensível.

2. O realismo na pedagogia

Qual a influência das idéias racionalistas e empiristas na pedagogia? Ora, ainda hoje, mesmo quando o professor não teoriza a respeito do processo do conhecimento, trabalha com pressupostos filosóficos em que pode predominar uma ou outra tendência.

No século XVII, essas idéias, associadas ao renascimento científico, influenciaram os pedagogos, cada vez mais interessados pelo método e pelo realismo em educação. A ênfase maior estava na busca de métodos diferentes, a fim de tornar a educação mais agradável e ao mesmo tempo eficaz na vida prática.

Ser realista (do latim *res*, "coisa") significa privilegiar a experiência, as coisas do mundo e dar atenção aos problemas da época. Por isso, cada vez mais os autores usavam o vernáculo: nas escolas, apesar de persistir o ideal enciclopédico do período anterior, a língua materna se sobrepunha ao latim e a educação física era também valorizada.

A pedagogia realista contrariava a educação antiga, excessivamente formal e retórica. Ao contrário, preferia o rigor das ciências da natureza, buscando superar a tendência literária e estética própria do humanismo renascentista.

Por considerar que a educação devia estar voltada para a compreensão das coisas e não das palavras, a pedagogia moderna exigia outro tipo de didática. No trabalho de instauração dessa escola se empenharam educadores leigos e religiosos.

---

[4] Franklin Leopoldo e Silva, *Descartes*: a metafísica da modernidade. São Paulo, Moderna, 1993, Coleção Logos, p. 8 e 19.

[5] Sobre *indução* e *dedução*, consultar nota 7 do capítulo anterior.

3. Locke: a formação do gentil-homem

Embora vivendo no século XVII, o inglês John Locke exerceu influência muito grande nos séculos seguintes por causa das concepções sobre o liberalismo e a teoria empirista do conhecimento. Merece destaque também a sua teoria pedagógica, expressa em *Pensamentos sobre educação*. Na prática, Locke exerceu a função de preceptor do filho do conde de Shaftesbury.

Ao criticar o racionalismo de Descartes, Locke desenvolve uma concepção da mente infantil e da educação, enfatizando o papel do mestre ao proporcionar experiências fecundas para auxiliar no uso correto da razão.

Na linha dos principais críticos da velha tradição medieval, Locke lamenta a ênfase no latim e o descaso com a língua vernácula e o cálculo. Sua pedagogia realista recusa a retórica e os excessos da lógica, ressaltando o estudo de história, geografia, geometria e ciências naturais. Valoriza a educação física e, como médico e de saúde frágil, dá inúmeros conselhos para o fortalecimento do corpo, o aumento da resistência e do autodomínio. Para ele, o jogo constitui excelente auxiliar da educação, como exercício físico, desafio e possibilidade de superação dos próprios limites.

Bom representante dos interesses burgueses, valoriza o estudo de contabilidade e escrituração comercial, numa preparação mais ampla para a vida prática. Recomenda a aprendizagem de algum ofício, como jardinagem ou carpintaria, sem que isso significasse valorizar o trabalho manual como tal, mas como necessidade de desenvolver uma atividade qualquer, segundo a perspectiva da escola ativa. Como veremos, apenas no século XIX, por influência socialista, o trabalho assumirá uma função de maior destaque na educação.

Locke mostra-se severo quando se trata de criança em idade mais tenra, com o propósito de submetê-la à vontade dos adultos e de tornar-lhe o "espírito dócil e obediente". Essa austeridade contrasta com a recomendação de uma educação alegre, em que o educador nada deve impor. Ao mesmo tempo que adverte serem os castigos ineficazes, tece considerações a respeito de como punir as crianças. Sobre o tema, afirma o pedagogo francês contemporâneo Georges Snyders: "Não se trata, naturalmente, de tachar Locke de contradição e, menos ainda, de incoerência. Tentamos mostrar: Locke encarna um momento de transição que conserva, em grande parte, os valores antigos, ao mesmo tempo que descobre novos pontos de vista; e o que há de característico é que uns se justapõem aos outros, sem que já se sintam as oposições que, no correr da história da pedagogia, não tardarão em estalar"[6].

Para Locke, os fins da educação concentram-se no caráter, muito mais importante que a formação apenas intelectual, embora esta não devesse absolutamente ser descuidada. Propõe o tríplice desenvolvimento físico, moral e intelectual, característico do *gentleman* (o gentil-homem). Por isso aconselha escolher com cuidado os preceptores, que dentro de casa cuidarão da educação da criança, evitando-se a escola, onde ela poderia não ser bem acompanhada ou vigiada nos menores passos.

Percebe-se aí, nitidamente, o dualismo que persistirá nos séculos subseqüentes, ao se destinar à classe dominante uma formação diferente da que é ministrada ao povo em geral e superior a ela. Ao contrário de Comênio (como veremos), Locke não defende a universalização da educação. Para ele, a formação dos que irão governar e a daqueles que serão governados deviam ser

[6] "A pedagogia em França nos séculos XVII e XVIII", in M. Debesse e G. Mialaret (orgs.), *Tratado das ciências pedagógicas*. São Paulo, Nacional, 1974, v. 2: *História da pedagogia*, p. 331.

diferentes, configurando-se assim o caráter elitista da sua pedagogia.

4. Comênio: "ensinar tudo a todos"

A escola da Idade Moderna, em consonância com seu tempo, propunha-se uma tarefa: se há método para conhecer corretamente, deverá haver para ensinar de forma mais rápida e mais segura.

Esse foi o empenho de toda a vida de João Amós Comênio (1592-1670), nascido na Morávia[7]. O maior educador e pedagogo do século XVII, conhecido com justiça como o Pai da Didática Moderna, produziu uma obra fecunda e sistemática, cujo principal livro é *Didática magna*. Sugestivamente, um dos capítulos chama-se "Como se deve ensinar e aprender com segurança, para que seja impossível não obter bons resultados", enquanto outro trata das "Bases para rapidez do ensino, com economia de tempo e de fadiga".

Comênio pretendia tornar a aprendizagem eficaz e atraente mediante cuidadosa organização de tarefas. Ele próprio se empenhava na elaboração de manuais — uma novidade para a época — e minuciosamente detalhava o procedimento do mestre, segundo gradações das dificuldades e com ritmo adequado à capacidade de assimilação dos alunos.

O ponto de partida da aprendizagem é sempre o conhecido, indo do simples para o complexo, do concreto para o abstrato. O verdadeiro estudo inicia nas próprias coisas, no "livro da natureza", o que representa viva oposição ao ensino retórico dos escolásticos. A experiência sensível, como fonte de todo conhecimento, exige a educação dos sentidos. No livro *O mundo ilustrado* (*Orbis pictus*), Comênio elaborou um texto em que cada passo se relaciona com figuras.

Para Comênio, o ensino devia ser feito pela ação e estar voltado para a ação: "Só fazendo, aprendemos a fazer". Além disso, é importante não ensinar o que tem valor apenas para a escola, e sim o que serve para a vida. A utilidade de que trata Comênio faz da pessoa um ser moral, por isso as escolas são "oficinas da humanidade", verdadeira iniciação à vida. Não por acaso, a religiosidade desempenhava papel marcante na visão de mundo desse educador e pastor protestante.

Em consonância com o espírito do seu tempo, Comênio queria "ensinar tudo a todos". Atingir o ideal da *pansofia* (do grego *pan*, "tudo", e *sophia*, "sabedoria": sabedoria universal), no entanto, não significava para ele erudição vazia (ver leitura complementar). Pensava ser possível um inventário metódico dos conhecimentos universais, de modo que o aluno alcançasse um saber geral e integrado, ainda que simplificado, desde o ensino elementar. Nos outros graus, o aprofundamento possibilitaria a análise crítica e a invenção, pois a educação permitiria ao aluno pensar por si mesmo, não como "simples espectador, mas ator". Só assim haveria progresso intelectual, moral e espiritual capaz de aproximar o indivíduo de Deus.

Para Comênio, o complemento de sua pansofia é a aspiração democrática do ensino, ao qual todos teriam acesso, homens ou mulheres, ricos ou pobres, inteligentes ou ineptos. Com estas poucas referências, percebemos o caráter inovador do pensamento de Comênio, de sabor muito atual.

5. Fénelon: a educação feminina

Aberta a discussão sobre liberdade individual e o papel da educação para alcan-

[7] A Morávia é uma região que pertencia ao antigo reino da Boêmia, atual República Tcheca.

ça-la, tornou-se quase inevitável tratar da formação feminina. Não exageremos, no entanto. A perspectiva dessa educação não via a mulher como pessoa autônoma, mas como apêndice em um mundo essencialmente masculino.

No Renascimento, Erasmo já tinha aconselhado maior cuidado com a educação feminina, que mereceu de Vives uma obra especial. No século XVII, Comênio também trata do assunto, mas foi o bispo Fénelon (1651-1715) que o retomou em *A educação das jovens*.

Fénelon viveu na França e foi preceptor de um dos netos do absolutista Luís XIV, conhecido como Rei Sol. Vivendo na corte, observava com atenção a superficialidade e frivolidade das mulheres, geralmente muito dadas a mexericos e ações tolas. A maioria era semi-analfabeta, e algumas, precariamente instruídas, tinham a intolerável afetação que resulta da cultura mal digerida. Para Fénelon, esses defeitos advinham da falsa educação, daí seu empenho em estabelecer novas diretrizes da educação feminina.

Recomendava uma educação alegre, com base mais no prazer que no esforço, para que as moças adquirissem instrução geral: gramática, poesia, história e leitura selecionada de obras clássicas e religiosas.

A formação intelectual da mulher, no entanto, não era absolutamente prioritária, por isso alguns cuidados precisariam ser tomados. Só as moças de tendências excepcionais seriam encorajadas a continuar os estudos, enquanto às demais reservava-se a educação religiosa e moral, que enriquecia a vida doméstica de mães e esposas. De fato, o papel da mulher no lar só poderia ser bem desempenhado se ela fosse preparada para exercê-lo.

Na mesma época, em 1686 Madame de Maintenon, mulher de Luís XIV, fundou o Colégio de Saint-Cyr, para meninas entre 7 e 12 anos, que aí permaneceriam até os 20. Esse internato pretendia ser a alternativa secularizada aos conventos femininos, excessivamente rigorosos na disciplina moral e negligentes na formação intelectual. Após seis anos, mesmo perdendo as características liberais, ainda continuava sendo uma das mais importantes escolas francesas para moças até a Revolução Francesa, em 1798.

Conclusão

No século XVII a Europa ainda se debatia na contradição de uma visão aristocrática da nobreza feudal diante de um mundo que se construía segundo valores burgueses. Essa contradição se refletiu, portanto, na educação. Por um lado, existia a aspiração a uma pedagogia realista e, em alguns casos, até universal, estendida a todos. Por outro, para além das discussões dos filósofos e teóricos da educação, de maneira geral as escolas continuavam ministrando um ensino conservador, predominantemente nas mãos dos jesuítas e de outras ordens religiosas.

Por isso, ainda era cedo para se falar em educação universal, como pensava Comênio. O que prevaleceu no século XVII foi a formação do *gentleman*, do *honnête homme*, do cortesão, do modelo de uma nobreza aburguesada (e também de um burguês que desejava ser fidalgo). Na realidade, esboçava-se na educação o dualismo escolar, que iria se manifestar claramente no século seguinte, ao se destinar um tipo de escola para a elite e outro para o povo.

Apesar disso, é preciso reconhecer, estava nascendo a *escola tradicional*, que vai consolidar-se no século XIX, sobretudo com Herbart. Essa base aparece, por exemplo, nas atenções de Comênio com o método, a organização do conhecimento, o emprego racional do tempo de estudo, a noção de programa, o cuidado com o material didático, a valorização do mestre como guia do processo de aprendizagem.

Dropes

1 - Aprenda-se a fazer fazendo.

Os mecânicos não detêm os aprendizes das suas artes com especulações teóricas, mas põem-nos imediatamente a trabalhar, para que aprendam a fabricar fabricando, a esculpir esculpindo, a pintar pintando, a dançar dançando etc. Portanto, também nas escolas, deve aprender-se a escrever escrevendo, a falar falando, a cantar cantando, a raciocinar raciocinando etc., para que as escolas não sejam senão oficinas onde se trabalha fervidamente. Assim, finalmente, pelos bons resultados da prática, todos experimentarão a verdade do provérbio: fazendo aprendemos a fazer (*fabricando fabricamur*).

Mostre-se o uso dos instrumentos, mais com a prática que com palavras, isto é, mais com exemplos que com regras. (Comênio)

2 - Embora o conhecimento das letras seja eminentemente necessário para um país, é certo que não devem ser ensinadas a todos. Assim como um corpo que tivesse olhos por todos os lados seria monstruoso, da mesma forma o seria o Estado se todos os seus cidadãos fossem eruditos; menos obediência seria encontrada, e orgulho e presunção seriam mais comuns. O intercâmbio de letras humanas baniria completamente o do comércio, arruinaria a agricultura, a verdadeira mãe adotiva dos povos, e destruiria em pouco tempo a criação de soldados que surgem mais freqüentemente em meio à ignorância e rudeza que numa atmosfera de cultura polida; finalmente encheria a França de charlatães mais capazes de arruinar as famílias particulares e perturbar a paz pública do que aptos a assegurar qualquer vantagem para o país... Se as letras fossem profanadas para todos os tipos de espírito ver-se-iam mais pessoas prontas a levantar dúvidas do que a resolvê-las, e muitas estariam mais prontas a opor-se à verdade do que a defendê-la. É por esta razão que a política exige em um Estado bem regulamentado mais mestres de artes mecânicas que de artes liberais para ensinar letras. (Cardeal Richelieu)

Leitura complementar

Didática magna

Que devem ser enviados às escolas não apenas os filhos dos ricos ou dos cidadãos principais, mas todos por igual, nobres e plebeus, ricos e pobres, rapazes e raparigas, em todas as cidades, aldeias e casais isolados, demonstram-no as razões seguintes:

Em primeiro lugar, todos aqueles que nasceram homens, nasceram para o mesmo fim principal, para serem homens, ou seja, criatura racional, senhora das outras criaturas, imagem verdadeira do seu Criador. Todos, por isso, devem ser encaminhados de modo que, embebidos seriamente do saber, da virtude e da religião, passem utilmente a vida presente e se preparem dignamente para a futura. Que, perante Deus, não há pessoas privilegiadas, Ele próprio o afirma constantemente. Portanto, se nós admitimos à cultura do espírito apenas alguns, excluindo os outros, fazemos injúria, não só aos que participam conosco da mesma natureza, mas também ao próprio Deus, que quer ser conhecido, amado e louvado por todos aqueles em quem imprimiu a sua imagem. E isso será feito com tanto mais fervor, quanto mais acesa estiver a luz do conhecimento: ou seja, amamos tanto mais, quanto mais conhecemos.

Em segundo lugar, porque não nos é evidente para que coisa nos destinou a divina providência. É certo, porém, que, por vezes, de pessoas paupérrimas, de condição baixíssima e obscurantíssima, Deus constitui órgãos excelentes da sua glória. Imitemos, por isso, o sol celeste, que ilumina, aquece e vivifica toda a terra, para que tudo o que pode viver, verdejar, florir e frutificar, viva, verdeje, floresça e frutifique.

(...)

Importa agora demonstrar que, nas escolas, se deve ensinar tudo a todos. Isto não quer dizer, todavia, que exijamos de todos o conhecimento de todas as ciências e de todas as artes (sobretudo se se trata de um conhecimento exato e profundo). Com efeito, isso, nem, de sua natureza, é útil, nem, pela brevidade da nossa vida, é possível a qualquer dos homens. Vemos, com efeito, que cada ciência se alarga tão amplamente e tão sutilmente (pense-se, por exemplo, nas ciências físicas e naturais, na matemática, na geometria, na astronomia etc. e ainda na agricultura ou na silvicultura etc.) que pode preencher toda a vida mesmo de inteligências grandemente dotadas que acaso queiram dedicar-se à teoria e à prática, como aconteceu com Pitágoras na matemática, com Arquimedes na mecânica, com Agrícola na mineralogia, com Longólio na retórica (o qual se ocupou de uma só coisa, para que viesse a ser um perfeito ciceroniano). Pretendemos apenas que se ensine a todos a conhecer os fundamentos, as razões e os objetivos de todas as coisas principais, das que existem na natureza como das que se fabricam, pois somos colocados no mundo, não somente para que nos façamos de espectadores, mas também de atores. Deve, portanto, providenciar-se e fazer-se um esforço para que a ninguém, enquanto está neste mundo, surja qualquer coisa que lhe seja de tal modo desconhecida que sobre ela não possa dar modestamente o seu juízo e dela se não possa servir prudentemente para um determinado uso, sem cair em erros nocivos.

(...) Por isso, seja para os professores regra de ouro: que cada coisa seja apresentada àquele dos sentidos a que convém, ou seja, as coisas visíveis à vista, as audíveis ao ouvido, as odorosas ao olfato, as saborosas ao gosto, as tangíveis ao tato; e se algumas podem, ao mesmo tempo, ser percepcionadas por vários sentidos, sejam colocadas, ao mesmo tempo, diante de vários sentidos.

(...) Desejamos que o método de ensinar atinja tal perfeição que, entre a forma de instruir habitualmente usada até hoje e a nossa nova forma, apareça claramente que vai a diferença que vemos entre a arte de multiplicar os livros, copiando-os à pena, como era uso antigamente, e a arte da imprensa, que depois foi descoberta e agora é usada. Efetivamente, assim como a arte tipográfica, embora mais difícil, mais custosa e mais trabalhosa, todavia é mais acomodada para escrever livros com maior rapidez, precisão e elegância, assim também este novo método, embora a princípio meta medo com as suas dificuldades, todavia, se for aceite nas escolas, servirá para instruir um número muito maior de alunos, com um aproveitamento muito mais certo e com maior prazer, que com a vulgar ausência de método [*ametodéia*].

João Amós Comênio, *Didática magna*: tratado da arte universal de ensinar tudo a todos. Lisboa, Calouste Gulbenkian, 1966, p. 139 e 140; 145 e 146; 307; 455.

Atividades

Questões gerais

1. Relacione surgimento da burguesia, economia capitalista, renascimento científico e mudanças na educação.

2. Comente: o interesse pelas questões do método, no século XVII, relaciona-se com a busca do realismo na pedagogia.

3. Como a educação física era vista na educação medieval e como passou a ser considerada na Idade Moderna?

4. Quais as semelhanças que existiam entre as escolas dos jesuítas e as demais, mesmo aquelas que os hostilizavam. E quais são as principais diferenças?

5. Leia os dois trechos a seguir e responda às questões propostas.

"As novas estruturas educativas, em particular as dos colégios, logo recebem a adesão dos pais, convencidos de que seu filho está sempre à mercê de instintos primários que devem ser reprimidos e de que é preciso *sujeitar seus desejos ao comando da razão*." (Jacques Gélis)

Observe a interessante coincidência (coincidência mesmo?) no século em que é intensificada a vigilância da criança na escola. Na França, a partir de 1656, cada cidade importante passou a ter um Hospital Geral, instituição que englobava diversos estabelecimentos sob uma administração única e destinada a internar todos os mendigos, desocupados, libertinos e loucos. Ou seja, na Idade Moderna teve início um processo que, segundo Michel Foucault, vai caracterizar a sociedade "disciplinar" no século seguinte: "Nas grandes oficinas que começam a se formar, no exército, na escola, quando se observa na Europa um grande progresso da alfabetização, aparecem essas novas técnicas de poder que são uma das grandes invenções do século XVIII". (*Microfísica do poder*, p. 105)

a) A que função da escola se refere o texto de Jacques Gélis?

b) Com base no segundo texto, relacione o conteúdo dos dois trechos.

c) Ainda hoje podemos sentir os efeitos desse micropoder de que fala Foucault?

6. Compare as semelhanças e diferenças que existem entre a pedagogia do Renascimento e a do século XVII.

7. Trace as principais características da pedagogia de Comênio e identifique os aspectos que ainda a tornam bastante atual.

8. Relacione a filosofia política de Locke com a sua pedagogia liberal. Discuta por que a pedagogia de Locke pode ser considerada elitista.

9. Qual é a importância e a novidade da pedagogia de Fénelon?

10. Considerando a questão anterior, discuta com seu grupo a respeito da situação da mulher na sociedade:

a) Em que Fénelon inova no seu tempo, a respeito da educação feminina?

b) Sob que aspectos, atualmente, a justificativa sobre a necessidade da educação da mulher já se baseia em razões diferentes daquelas defendidas por Fénelon?

c) Posicione-se pessoalmente sobre o assunto, buscando contra-argumentar com Fénelon.

11. Com base no dropes 2, explique por que esse texto é representativo do período estudado no capítulo. Em seguida, desenvolva uma argumentação tentando "convencer" Richelieu de que muitos dos seus temores são infundados.

Questões sobre a leitura complementar

1. Selecione no texto e comente as passagens que indicam as novidades da pedagogia de Comênio.

2. Por que a pansofia não se confunde com o simples enciclopedismo?

3. Em que o pensamento de Comênio contrasta com o de Richelieu?

4. Quais os elementos ainda atuais do pensamento de Comênio?

PARTE II

O Brasil do século XVII

Contexto histórico

No século XVII, continuavam nos países europeus a política absolutista e o mercantilismo. De 1580 a 1640 Portugal esteve sob o domínio espanhol, período em que começou a sua decadência política e econômica, tendo perdido muitas colônias na África e na Ásia, como represália dos países contra os quais a Espanha estava em guerra. Por ser a colônia mais importante, o Brasil sofreu com o enrijecimento da política mercantilista, e a exclusividade do monopólio do comércio passou a ser vigiada com maior atenção. Além disso, Portugal dependia cada vez mais da Inglaterra, potência em ascensão.

Ao contrário da Europa, em que o capitalismo florescia pela expansão do comércio e instalação das manufaturas, o Brasil ainda permanecia na fase pré-capitalista. O modelo econômico da colônia era o *agrário-exportador dependente*, baseado na produção da cana-de-açúcar com o emprego de mão-de-obra escrava, em que a matéria-prima era enviada a Portugal e revendida a outros países.

Ainda no período de dominação espanhola, a colônia sofreu, com freqüência,

Breve cronologia do período

• Entradas e bandeiras.

• 1580-1640 — Portugal sob o domínio espanhol.

• 1630-1654 — Holandeses em Pernambuco.

• 1684 — Revolta de Beckman.

• 1694 — morte de Zumbi (Quilombo dos Palmares).

ataques de inimigos da Espanha, como franceses, ingleses e holandeses. A mais importante e duradoura dessas invasões foi a dos holandeses, em Pernambuco (1630-1654).

No interior do Brasil, prosseguia a expansão territorial levada a efeito pelos bandeirantes, para além do Tratado de Tordesilhas. Estes aventureiros saíam em busca de metais preciosos e apresamento de índios para mão-de-obra escrava. Às vezes capturavam tribos inteiras, sobretudo nas missões, onde os jesuítas promoviam a aculturação e os protegiam da cobiça dos colonos.

O maior controle de Portugal sobre o Brasil provocou os primeiros conflitos nativistas — como a Revolta de Beckman no Maranhão em 1684 — devido ao acirramento da contradição entre os interesses da metrópole e os da colônia, uma vez que as restrições ao comércio prejudicavam os colonos brasileiros. Foram muitos os embates contra os jesuítas, por conta da proteção que davam aos indígenas, até que os colonos enriquecidos começaram a trocar os índios pelos escravos africanos.

Quanto às contradições internas, houve diversos conflitos entre o senhor de engenho de açúcar e o escravo negro. Um dos mais importantes núcleos de resistência foi o Quilombo dos Palmares (1630-1694), liderado na fase final por Zumbi e que chegou a abrigar de 20 mil a 30 mil escravos fugidos, na região do atual estado de Alagoas. Outros se formaram em Minas Gerais, onde se deu a descoberta de ouro e pedras preciosas, no final do século XVII. Começava então a deslocar-se o eixo econômico do Nordeste para o Sudeste.

Educação

1. O fortalecimento das missões

Desde o século XVI e durante o XVII, o modelo de catequese dos índios alterava-se, com o confinamento dos indígenas nas *reduções* ou *missões*, povoamentos com organização bem complexa, que incluía conversão religiosa, educação e trabalho. As que mais se destacaram foram as missões da Amazônia e, ao sul, as da região do rio da Prata.

Na Amazônia, as missões dos carmelitas e dos franciscanos instalaram-se na margem esquerda do rio Amazonas, e na margem direita, para o sul, acomodaram-se os jesuítas. Dentre estes, destacou-se a atuação do Padre Antônio Vieira, que ficou na história devido à sua eloqüência e aos *Sermões*, considerados verdadeiras peças literárias. Mas a luta de Vieira contra os colonos que escravizavam indígenas foi cheia de percalços, desde a primeira vez em que esse missionário, conselheiro do rei português D. João IV, chegou ao Brasil, em 1653. Sua tarefa era evangelizar, erguer igrejas e realizar missões entre os índios do Maranhão. Vencido pelos colonos, por duas vezes precisou se retirar, retornando em 1680, ao recuperar seu prestígio. A essa altura, as missões jesuíticas já eram bastante ativas, com criação de gado e plantações de cana, algodão e cacau.

No Sul, os povoamentos conhecidos como os Sete Povos das Missões[8] inicialmente formavam *reduções* esparsas nas regiões do Paraná, Rio Grande do Sul, Paraguai, Argentina e Uruguai. Em alguns locais predominavam os jesuítas espanhóis e em outros os portugueses, uma vez que,

[8] Os "sete povos" (tradução do termo espanhol *pueblo*, que significa "aldeia") eram as seguintes missões: São Francisco Borja, São Nicolau, São Luiz Gonzaga, São Miguel, São Lourenço, São João Batista e Santo Ângelo. As ruínas que restaram dessas missões são locais de turismo; a igreja matriz de São Miguel foi declarada pela Unesco patrimônio histórico cultural da humanidade.

pelo Tratado de Tordesilhas, essa região pertenceria aos espanhóis. Acossados pelos bandeirantes que aprisionavam os índios ou os massacravam, recuaram para a margem esquerda do rio Uruguai, instalando-se aí nas Sete Missões.

As reduções eram assim chamadas porque os indígenas eram "reduzidos" à Igreja e à sociedade civil (ver dropes 5). Sua história chegou a nós envolta em muitas lendas sobre a República Guarani, que, segundo alguns, se caracterizaria por um comunismo teocrático. De qualquer forma, sabe-se que os jesuítas conseguiram tornar essas missões auto-suficientes, ensinando os índios não só a ler e escrever, mas a se especializar em diversas artes e ofícios mecânicos, além, é claro, de submetê-los à conversão religiosa. A aldeia organizava-se em torno de rigorosa administração, fortalecida durante os séculos XVII e XVIII e sustentada por invejável infra-estrutura. Além da igreja, havia hospital, asilo, escola, casa; os índios aprendiam as práticas agrícolas e de criação de gado, bem como a fabricar instrumentos musicais, artigos em couro, embarcações, sinos, relógios, cerâmica, tecelagem etc.

O auge do desenvolvimento dessas missões ocorreu no século XVIII, quando as discussões diplomáticas entre Portugal e Espanha sobre as fronteiras daquelas regiões do rio da Prata se tornaram agudas, uma vez que os portugueses haviam desobedecido a divisão proposta pelo Tratado de Tordesilhas. A decisão final deu à Espanha a Colônia do Sacramento, ficando com Portugal as Sete Missões. Só que os indígenas deveriam mudar-se dessas aldeias para a parte ocidental do rio Uruguai, o que significava abandonar tudo o que haviam construído, além de se exporem à gana dos colonos. Lutaram bravamente nas chamadas "guerras guaraníticas", até sucumbirem à nova ordem.

Quanto à destruição das Sete Missões, diz o antropólogo Darcy Ribeiro que elas foram "assaltadas pela burocracia colonial, pelos assuncenos e pelos mamelucos paulistas, propositadamente desorganizadas para abolir características comunizantes. Já em fins do século XVIII, os índios missioneiros haviam sido dispersados, escravizados e conduzidos a regiões longínquas, dissolvidos no mundo dos gaúchos, ou, ainda, refugiados nas matas onde esforçavam por reconstituir a vida tribal, enquanto suas terras e seu gado passavam às mãos de novos donos".

2. Os jesuítas e a educação da elite

No século XVII, o ensino no Brasil não apresentou grandes diferenças com relação ao do século anterior. O ensino jesuítico manteve a escola conservadora, alheia à revolução intelectual representada pelo racionalismo cartesiano e pelo renascimento científico. Centrada no nível secundário, a educação visava à formação humanística, privilegiando o estudo do latim, dos clássicos e da religião. Não faziam parte do currículo escolar as ciências físicas ou naturais, bem como a técnica ou as artes.

A educação interessava apenas a poucos elementos da classe dirigente e, ainda assim, como ornamento e erudição. Era literária, abstrata — além de dogmática —, afastada dos interesses materiais, utilitários, e até estranha, por tentar trazer o espírito europeu urbano para um ambiente agreste e rural.

Com o tempo, a educação atendia a um segmento novo, o da pequena burguesia urbana que aspirava à ascensão social. Diz Fernando de Azevedo: "Entre as três instituições sociais que mais serviram de canais de ascensão, a família patriarcal, a Igreja e a escola, estas duas últimas, que constituíram um contrapeso à influência da casa-grande, estavam praticamente nas mãos da Companhia; quase toda a mocidade, de brancos e mestiços, tinha de passar pelo molde do ensino jesuítico, manipulado pelos padres, em seus colégios e seminários, segundo os princípios da famosa ordenação escolar, e distribuída para as funções eclesiásticas, a magistratura e as letras"[9].

A única saída dos brasileiros desejosos de seguir as carreiras profanas, as profissões liberais, era o estudo na metrópole, mesmo porque o Colégio da Bahia teve negado o pedido de equiparação à Universidade de Évora (Portugal), em 1675.

A maioria dos estudantes dirigia-se para a Universidade de Coimbra, também confiada aos jesuítas, a fim de estudar ciências teológicas ou jurídicas. Outros escolhiam Montpellier, na França, para a especialização em medicina.

Embora recebessem educação padronizada, os brasileiros entravam em contato com outros estilos de vida e traziam as aspirações da civilização urbana mais avançada vislumbrada no Velho Mundo para contrapor ao modo de vida rural e patriarcal da colônia. Esses elementos de diferenciação fizeram germinar ideais políticos e sociais reveladores da insatisfação com o *status quo*. As universidades européias, sobretudo as portuguesas, ao reunir os estudantes, desempenharam papel importante no alargamento de horizontes, inclusive favorecendo o nascente sentimento nativista, cujas primeiras manifestações surgiram no século XVII (como já citamos no tópico *Contexto histórico*) e intensificaram-se no século seguinte.

Outro foco de alteração no panorama da tradição colonial ocorreu com a invasão de Pernambuco pelos holandeses, quando a cidade de Recife entrou em período de breve florescência. O príncipe Maurício de Nassau cercou-se de intelectuais, arquitetos e artistas, remodelou a cidade, construiu palácios, pontes, canais, lojas, oficinas e instaurou um clima de tolerância religiosa. Naquele momento e local talvez tivesse se desenvolvido uma cultura diferente da jesuítica.

3. A cultura silenciada

No século XVII, os núcleos urbanos ainda eram pobres e dependentes das atividades do campo, onde se concentrava a maior parte da população. Por se tratar de uma sociedade agrária e escravista, não havia interesse pela educação elementar, daí a grande massa de iletrados. As mulheres encontravam-se excluídas do ensino, do mesmo modo que os negros, cujos filhos nunca despertaram o interesse dos padres, como acontecia com os curumins. Apenas os mulatos, um pouco mais tarde, começaram a reivindicar espaços na educação. Diante da importância dada aos graus acadêmicos para a classificação social, aumentou a procura da escola por parte dos mestiços, o que provocou, em 1689, um incidente conhecido como "questão dos moços pardos": os colégios dos jesuítas haviam proibido a matrícula de mestiços "por serem muitos e provocarem arruaças", mas tiveram de renunciar à decisão discriminatória, tendo em vista os subsídios que recebiam, por serem escolas públicas[10].

---

[9] *A cultura brasileira*: introdução ao estudo da cultura no Brasil. 4. ed. rev. e ampl. Brasília, Ed. UnB, 1963, p. 523.

[10] Apud Maria Luísa S. Ribeiro, *História da educação brasileira*: a organização escolar. 17. ed. Campinas, Autores Associados, 2001, p. 24.

A visão etnocêntrica que motivava a educação européia na colônia fez com que sempre se desprezasse a cultura popular, influenciada pelos indígenas e negros e que permaneceu marginal e condenada à expectativa de homogeneização, uma vez que a cultura erudita e europeizada era o modelo a ser seguido. Mais ainda, os colonizadores de início concebiam os índios como seres inacabados, que mereciam o "aperfeiçoamento" pela educação. E depois, na medida em que os temiam, os segregavam como "ferozes" e "inferiores" e que, portanto, deveriam ser submetidos à força. O mesmo menosprezo ocorria com os saberes, a religião e a música da cultura negra.

Apesar da influência dessas culturas, que podemos sentir até hoje, o que se destaca é a exclusão explícita desses segmentos da educação formal.

4. A aprendizagem de ofícios

Os segmentos subalternos preparavam-se para a sociabilidade e para o trabalho por meio de uma educação informal. Diz Luiz Antônio Cunha: "A aprendizagem dos ofícios, tanto para os escravos quanto para os homens livres, era desenvolvida no próprio ambiente de trabalho sem padrões ou regulamentações, sem atribuições de tarefas para os aprendizes"[11].

No entanto, podiam-se se encontrar "escolas-oficinas" para a formação de artesãos e outros ofícios, por iniciativa dos jesuítas. Já vimos no item 1 como esse ensino existia nas missões guaranis. Nos centros urbanos, segundo Cunha, "a raridade de artesãos fez com que os padres trouxessem irmãos oficiais para praticarem aqui suas especialidades, como também, e principalmente, para ensinarem seus misteres a escravos, homens livres, fossem negros, mestiços e índios".

Apesar desse empenho, continuou no Brasil um certo desprezo pelo trabalho manual, que, por ser ofício de escravos, índios e pobres, sempre foi visto como "trabalho desqualificado".

Conclusão

Um olhar crítico sobre o Brasil do século XVII nos revela o profundo fosso entre a vida da colônia e a da metrópole, devido às intenções de exploração de Portugal. Por isso, manteve-se a economia agrária dependente, fundada na escravidão e à margem das mudanças implantadas na Europa.

No campo da educação, enquanto na Europa se estabelecia a contradição entre o ideal da pedagogia realista e a educação conservadora, no Brasil a atuação da Igreja permaneceu muito mais forte e duradoura.

Segundo Fernando de Azevedo, esse ensino promoveu a uniformização do pensamento brasileiro "do norte e do sul, do litoral e do planalto", impondo a religiosidade cristã sobre as influências do judeu, do índio e do negro. Se o catolicismo difundido pela Companhia de Jesus foi o "cimento da nossa unidade", perguntamos se educar seria realmente neutralizar as diferenças. No capítulo 11 veremos que, de acordo com a visão contemporânea, democratizar a educação não significa homogeneizar culturas.

---

[11] *O ensino de ofícios artesanais e manufatureiros no Brasil escravocrata*, apud Silvia Maria Manfredi, *Educação profissional no Brasil*. São Paulo, Cortez, 2002, p. 67 e s.

Dropes

1 - Senhora Dona Bahia, / nobre e opulenta cidade, / madrasta dos naturais, / e dos estrangeiros madre.

Dizei-me por vida vossa / em que fundais o ditame / de exaltar os que aqui vêm / e abater os que aqui nascem? (Gregório de Matos)

2 - A forma em que se exprimiam oradores, cronistas e poetas era, como continuaria a ser por muito tempo, a da língua culta falada na metrópole, na sua pureza vocabular e sintática, e com as qualidades ou vícios de estilo variáveis com os gostos individuais e as moedas literárias. Tanto os sermões do padre Antônio Vieira, com a sua magnífica eloqüência, como as sátiras de Gregório de Matos, apelidado o "boca de inferno", pelas suas invectivas e pelos seus remoques contra tudo e contra todos, dirigiam-se a um público de classe, mais preparado para compreendê-los, semelhante ao público escolhido de Lisboa, de Coimbra ou do Porto. (Fernando de Azevedo)

3 - A partir dos 7 anos, os filhos de plebeus, ou mecânicos, iam geralmente aprender um ofício com um artesão, ficando mesmo a morar em casa do mestre com seus aprendizes. Os filhos de lavradores com poucos escravos começavam a ajudar nas fainas agrícolas. Os tropeiros levavam os filhos com as tropas. Os mercadores punham-nos nas suas lojas ou armazéns e os grandes negociantes começavam a treiná-los para caixeiros depois de os fazerem passar pelo aprendizado das primeiras letras. Só aqueles que pretendiam dar aos filhos a possibilidade de uma carreira no serviço da Coroa é que se preocupavam com o ensino formal. (Maria Beatriz Nizza da Silva)

4 - A força militar, a sujeição ao trabalho servil e as doenças epidêmicas trazidas pelos europeus provocaram o maior genocídio da história da humanidade: no primeiro século da conquista, a população originária da América foi reduzida em cerca de 90% — dos cerca de 80 milhões de habitantes do momento da chegada de Colombo, no início do século XVII restavam não mais que 8 milhões! (Marcos Del Roio)

5 - Diariamente, neste povoado reducional, ouve-se o som metálico do sino, chamando os indígenas para o ensino, para a catequese, a missa ou para o trabalho comunitário. (...) É neste espaço urbano que poderiam ser abandonadas as atitudes e os padrões culturais julgados impróprios, e substituídos pelas normas comportamentais julgadas como ideais na organização política, econômica e cultural. Para atingir esses objetivos, era necessária a Redução, ou seja, que os indígenas fossem reduzidos à Igreja e à vida civil (*ad ecclesiam et vitam civilem esset reducti*). Para uma perfeita cristianização, era necessário, inicialmente, reduzir os indígenas ao novo espaço urbano, pois só ali seriam levados a viver "politicamente" como na antiga cidade-estado (pólis), remediando assim a "irracionalidade" de andarem dispersos pelos montes e matas, vivendo como "feras" e adorando "falsos ídolos". (Arno Alvarez Kern)

Leitura complementar

[A educação e a realidade social]

No isolamento dos colégios, cercados de conforto, começam a medrar a rotina, a despreocupação e o desinteresse pelos problemas temporais e materiais da sociedade colonial em formação. Como desfastio, os estudos proporcionam uma evasão. Nesse *otium cum dignitate*[12] repontam as especulações metafísicas, as disputações filosóficas e as sutilezas da casuística formal, girando em torno de postulados, axiomas e princípios abstratos da Escolástica tradicional.

O retorno às fontes autorizadas do saber clássico e medieval oferece a essa elite de estudiosos uma fuga e uma compensação reconfortante aos aspectos mais grosseiros e materiais da luta pela vida, em que lá fora se debatem os colonos. A especulação abstrativa os enobrece e dignifica, colocando-os à parte e acima do rudimentar escalonamento social que se esboça na colônia. Cria-se, assim, um mundo irreal, entretecido de abstrações e minúcias de erudição. As peças de retórica e de perenética[13] sacra, intercaladas com versificações latinas, apólogos e epigramas, completam o quadro cultural em que se alimenta essa elite de estudiosos. O retorno saudosista ao passado, à mentalidade da Idade Média, justifica e sanciona o alheamento e a fuga dessa elite intelectual às trepidantes e triturantes realidades imediatas da colônia.

Nisto está, talvez, a maior diferença entre o clima mental do período heróico (...) e o do novo período, que se lhe sucede. Naquele, os missionários e educadores compartilham das necessidades e anseios da coletividade e se identificam ponto por ponto com os seus problemas econômicos, políticos e sociais, para sobre eles atuarem num sentido benéfico, construtivo e mesmo salvador. Neste, os educadores, voltados para a cultura do passado clássico e medieval, abdicam dessa função de liderança social, divorciam-se das realidades imediatas e comprazem-se nas sutilezas formais da cultura, nos requintes de erudição e na imitação dos paradigmas ciceronianos[14]. O ensino torna-se, então, formal, desprovido de conteúdo ideológico e social; quando muito, forma literatos que irão ocupar mediocremente os cargos intermediários da ronceira[15] administração pública da colônia. A cultura deixa de ser posta a serviço da sociedade, como força norteadora e propulsora, para se colocar à margem da vida, dedicada inteiramente ao culto do passado e à conservação dos esquemas mentais clássicos e das convenções sociais estabelecidas.

Esse divórcio, no Brasil, entre a cultura e a realidade social incorporou-se na nossa tradição e chegou até nossos dias. Ainda hoje lutamos contra a inércia dessa tradição, procurando restabelecer, na educação nacional, o nexo vital entre a cultura e a vida social, perdido desde o período heróico.

Luiz Alves de Mattos, *Primórdios da educação no Brasil*: o período heróico (1549 a 1570). Rio de Janeiro, Gráfica Editora Aurora, 1958, p. 296 e 297.

---

[12] *Otium cum dignitate*, "ócio com dignidade": expressão indicativa do lazer ocupado com atividades intelectuais, próprio das sociedades em que o trabalho manual é exercido por escravos ou servos, como na Antiguidade greco-romana e na Idade Média.

[13] Perenética: conjunto de discursos sobre questões morais e religiosas.

[14] Paradigma ciceroniano: modelo de retórica e escrita do pensador romano Cícero.

[15] Ronceiro: vagaroso.

Atividades

Questões gerais

1. O colonialismo foi um modo encontrado pelo capitalismo europeu para crescer. Quais as vantagens que as metrópoles obtinham das colônias? Discuta sobre quais foram as repercussões desse processo no interesse pela educação.

2. Com base na questão anterior, discuta com seu grupo quais são as seqüelas da colonização que até hoje sentimos na educação brasileira.

3. Compare a continuidade e a mudança na atuação dos jesuítas no século XVI e no XVII quanto aos seguintes pontos: missões; educação secundária; aprendizagem de ofícios; na sociedade.

4. Comente o traço nativista que transparece no poema de Gregório de Matos (dropes 1).

5. Com base no dropes 2, responda às questões a seguir:

a) Em oposição à *língua culta*, tínhamos a *língua geral*. Discorra sobre o assunto, consultando o capítulo anterior para relembrar do que se trata.

b) Comente a semelhança entre a referida produção literária e a educação da elite no Brasil colonial. Posicione-se a respeito.

6. "O título de bacharel e de doutor mantinha-se como um sinal de classe, e as mãos dos filhos do senhor de engenho ou do burguês dos sobrados continuavam a repugnar as calosidades do trabalho." Com base nessa citação de Fernando de Azevedo e no dropes 3, responda às questões:

a) Como é compreendida na colônia a relação entre trabalho intelectual e manual?

b) Em que medida a tradição escravista pode ter influenciado essa forma de avaliação?

c) Por que se pode considerar "de ornamento" a formação intelectual da elite?

7. Relacione os dropes 4 e 5 e posicione-se a respeito.

8. O que vimos até agora foi a interferência do europeu na cultura nativa, seja do índio, seja do africano. Faça uma pesquisa com seu grupo a fim de levantar aspectos daquelas "culturas silenciadas", mas que perduram até hoje.

Questões sobre a leitura complementar

1. Como o autor caracteriza a educação ministrada pelos jesuítas no século XVI?

2. Quais as diferenças que aparecem na educação do século XVII?

3. A partir do que foi estudado no capítulo, explique os motivos que levaram ao prevalecimento da principal tendência a que o autor se refere.

4. O autor escreveu o texto em meados do século XX: discuta com seu grupo se a conclusão dele ainda vale hoje em dia, ou não.

PACIS M
IHS
ORA
PRO

Capítulo 8

Século das Luzes: o ideal liberal de educação

O século XVIII, ou Século das Luzes, caracterizou-se por grande fermentação intelectual, por conta da fértil produção dos pensadores iluministas. Nesse período ocorreram grandes abalos políticos devido ao confronto entre a aristocracia do Antigo Regime e a burguesia emergente, na Europa, enquanto nas colônias americanas se intensificavam os movimentos de independência das metrópoles. Na educação, fortalecia-se a tendência liberal e laica, em que se buscavam novos caminhos para a aprendizagem e a autonomia do educando. Em Portugal, permanecia o absolutismo "esclarecido", que orientou a atuação do marquês de Pombal na reforma do ensino e no estímulo à difusão das idéias iluministas, em meio de inúmeras contradições, como veremos. As ressonâncias desse movimento chegaram até o Brasil, apesar do estreito controle da metrópole, que proibia a instalação da imprensa e de universidade na colônia.

‹ As ruínas de São Miguel, um dos "Sete Povos das Missões" (RS), testemunham a grandiosidade desses aldeamentos indígenas administrados pelos jesuítas até serem expulsos pelo marquês de Pombal em meados do século XVIII.

P A R T E I

A pedagogia liberal e laica

Contexto histórico

1. As revoluções burguesas

Grandes transformações abalaram a Europa no século XVIII. A burguesia ocupara, até então, posição secundária na estrutura da sociedade aristocrática, cujos privilegiados eram a nobreza e o clero. Os nobres, sustentados por pensões governamentais, levavam vida parasitária na corte, tinham isenção de impostos e gozavam o benefício de serem julgados por leis próprias.

A burguesia, enriquecida pelos resultados da Revolução Comercial, encontrava-se, no entanto, onerada com a carga de impostos e, embora tendo ascendido economicamente pela aliança com a realeza absolutista, ressentia-se do mercantilismo, cada vez mais bloqueador da sua iniciativa.

Em 1750, a entrada da máquina a vapor nas fábricas marcou o início da Revolução Industrial, que alterou definitivamente o panorama socioeconômico com a mecanização da indústria. Tornou-se inevitável que a burguesia, já detentora do poder econômico e sentindo-se espoliada pela nobreza, reivindicasse para si o poder político.

No século XVIII explodiram as revoluções burguesas. Em 1688, na Inglaterra, a Revolução Gloriosa já destronara os Stuarts absolutistas. As idéias liberais de Locke espalharam-se pela Europa e também pelo Novo Mundo, onde ocorreram movimentos de emancipação, alguns bem-sucedidos, como a Independência dos Estados Unidos (1776), outros violentamente reprimidos, como as Conjurações Mineira (1789) e Baiana (1798) no Brasil.

O grande acontecimento europeu foi a Revolução Francesa (1789), que depôs os Bourbons. Contra os privilégios hereditários da nobreza, os burgueses defendiam os princípios de "igualdade, liberdade e fraternidade".

2. As idéias iluministas

O Iluminismo ou Ilustração (em alemão, *Aufklärung*) é uma das marcas importantes do século XVIII, também conhecido como o *Século das Luzes*. Luzes significam o poder da razão humana de interpretar e reorganizar o mundo.

O otimismo com respeito à razão já era anunciado desde o Renascimento, quando a nova concepção de ser humano valorizava os poderes do indivíduo contra o teocentrismo medieval e o princípio da autoridade. No século XVII o racionalismo e a revolução científica acentuaram essa tendência, de modo que no Século das Luzes o indivíduo se descobre confiante, como artífice do futuro, e não mais se contenta em contemplar a harmonia da natureza, mas quer conhecê-la para dominá-la.

Era, portanto, uma natureza dessacralizada, ou seja, desvinculada da religião, que reaparecia em todos os campos de discussão no século XVIII.

• Na economia, o liberalismo representava as aspirações da burguesia desejosa de gerenciar seus negócios, sem a intervenção do Estado mercantilista. Segundo os teóricos François Quesnay (1694-1774) e depois Adam Smith (1723-1790), a distribuição de riquezas segue leis "naturais". A expressão "*Laissez faire, laissez passer, le monde va de lui même*" (Deixe fazer, deixe passar, o mundo caminha por si mesmo) configura o pensamento liberal de um Estado não-intervencionista.

• Na política, as idéias liberais opunham-se ao absolutismo. As teorias contratualistas, segundo as quais a legitimidade do poder resulta do pacto entre indivíduos, desde o século anterior tinham sido elaboradas por Locke, como vimos no capítulo anterior. No século XVIII, Rousseau retomou a discussão do contrato social numa perspectiva menos elitista e mais democrática.

• Na moral também se buscavam formas laicas, que permitissem a naturalização do comportamento humano. No livro *Emílio*, Rousseau propõe uma pedagogia baseada no retorno à natureza, à espontaneidade do sentimento, a fim de evitar os preconceitos que corrompem a vida moral. Ao mesmo tempo, os enciclopedistas Diderot e Helvetius recuperam a importância das paixões como vivificadoras do mundo moral.

• Na religião, o deísmo é uma espécie de "religião natural" em que não haveria lugar para os dogmas e fanatismos. Os filósofos deístas não aceitavam a revelação divina nem rituais do culto, admitindo que Deus era apenas o Primeiro Motor, o Criador do Universo, o Supremo Relojoeiro.

Na França, o Iluminismo expandiu-se com a publicação do trabalho de seus filósofos, sobretudo a *Enciclopédia*, cujos verbetes foram confiados a diversos autores, como Voltaire, D'Alembert, Diderot, Helvetius e, apesar das divergências com quase todos estes, também Rousseau. Outro iluminista francês de destaque foi Montesquieu.

Na Inglaterra, os principais representantes do Iluminismo foram Newton e Reid, herdeiros de Locke e Hume.

Na Alemanha, o movimento ficou conhecido como *Aufklärung*, e dele participaram Wolff, Lessing, Baumgarten. Foi Kant, no entanto, o filósofo por excelência desse período, e sua obra sistemática marcará a filosofia posterior.

3. O despotismo ilustrado

A Ilustração marcou presença inclusive em países como Prússia, Áustria, Rússia e Portugal, nos quais persistia o absolutismo, então chamado de *despotismo esclarecido* (ou *ilustrado*), porque os reis se faziam cercar por pensadores e adotavam o discurso dos filósofos iluministas, procurando criar a imagem de racionalidade e tolerância, o que dissimulava o caráter absoluto do poder.

Enquanto para o absolutismo clássico do século XVII a legitimidade do poder real se fundava no direito divino dos reis — premissa que fora rechaçada pela política liberal dos pensadores contratualistas —, os déspotas esclarecidos mantiveram o absolutismo mas, pelo menos na aparência, desvestido de seu fundamento religioso: o que se defendia era o poder absoluto fundado no direito natural e, portanto, constituinte de um Estado leigo, secularizado, disposto a intervir em diversas áreas, inclusive na educação, até então privilégio das instituições religiosas ou de preceptores particulares. Nesse sentido, pregava-se a modernização do país, a ser alcançada pelo progresso científico e pela difusão do saber dos pensadores modernos.

Em Portugal, essas mudanças ocorreram no tempo do rei D. José I, por meio da atuação de seu primeiro-ministro, o marquês de Pombal, chamado Sebastião José de Carvalho e Melo (1699-1782). Durante o período em que exerceu influência sobre o rei, de 1750 a 1777, promoveu diversas reformas importantes no sentido de incrementar a produção nacional, incentivar as manufaturas e desenvolver o comércio colonial, além da interferência na escolarização, como já dissemos.

Como veremos, todas essas alterações tiveram repercussão no Brasil.

Educação

1. Tendência liberal e laica

No contexto histórico do Iluminismo, não fazia mais sentido atrelar a educação à religião, como nas escolas confessionais, nem aos interesses de uma classe, como queria a aristocracia. A escola deveria ser leiga (não-religiosa) e livre (independente de privilégios de classe).

Esses pressupostos sugerem a defesa de algumas idéias, nem sempre postas em prática, como:

- educação ao encargo do Estado;
- obrigatoriedade e gratuidade do ensino elementar;
- nacionalismo, isto é, recusa do universalismo jesuítico;
- ênfase nas línguas vernáculas, em detrimento do latim;
- orientação prática, voltada para as ciências, técnicas e ofícios, não mais privilegiando o estudo exclusivamente humanístico.

Em consonância com as aspirações iluministas, o marquês de Condorcet, eleito deputado da assembléia legislativa francesa após a Revolução, defendia os ideais da educação popular. Em 1792, redigiu o Plano de Instrução Pública (conhecido como *Rapport*), que estendia a todos os cidadãos a instrução pública e gratuita e o saber técnico necessário à profissionalização. O plano não foi aprovado, mas inspirou outros projetos. Em 1793, a pedido de Robespierre, Le Peletier apresentou um Plano Nacional de Educação, que dava realce ao sistema de educação nacional como mola mestra do novo regime político e social.

As idéias de educação universal reaparecerão com mais força no século XIX.

2. Dificuldades do ensino

Apesar das discussões avançadas sobre o ideal liberal da educação, era crítica a situação do ensino na Europa. Além das queixas quanto ao conteúdo, excessivamente literário e pouco científico, as escolas eram insuficientes e os mestres sem qualificação adequada. Mal pagos, geralmente não tinham experiência ou permaneciam nessa profissão enquanto não arrumavam outra melhor. Com formação deficiente, não conseguiam disciplinar as classes nem ensinar grande coisa e ainda abusavam da prática de castigos corporais.

As escolas elementares quase inexistiam, e as de nível secundário eram antiquadas e serviam às classes privilegiadas. Enredadas no sistema medieval de corporações, as universidades mantinham o ensino escolástico, alheias ao movimento iluminista. Restavam as academias, em que os futuros dirigentes estudavam matérias mais úteis, como arte militar, fortificações, balística, e praticavam esgrima e equitação, esportes considerados nobres.

Apesar dos projetos de estender a educação a todos os cidadãos, prevaleceu o dualismo escolar, ou seja, uma escola para o povo e outra para a burguesia. Essa dualidade era aceita com tranqüilidade, sem o temor de ferir o preceito de igualdade, tão caro aos ideais revolucionários. Afinal, para a doutrina liberal, se o talento e a capacidade não são igualmente repartidos entre os indivíduos, por conseqüência, é natural que estes últimos não sejam iguais em riqueza e oportunidades.

No período napoleônico (início do século XIX), muitas das tendências liberais da Revolução Francesa foram abandonadas. O Estado demonstrava mais interesse pelo ensino médio porque via com desconfiança a iniciativa do ensino particular, cujos programas reviviam o formalismo dos antigos colégios jesuítas. Por se descuidar da instrução primária gratuita e popular, aos poucos esse segmento foi retomado pelo clero.

3. Reformas na Alemanha

A situação da educação era um pouco diferente nos Estados da Alemanha[1], sobretudo na Prússia, onde o governo reconheceu a necessidade do investimento em educação. Inicialmente Frederico I e em seguida Frederico II, o Déspota Esclarecido, tinham a clara intenção de alcançar os fins políticos do engrandecimento do Estado pela educação.

Ao se tornar obrigatório o ensino primário, ampliou-se a rede de escolas elementares, com especial atenção para o método e o conteúdo do ensino. Em 1763 o Estado assumiu o controle da educação, ao nomear inspetores e instituir um exame no final do curso secundário para o acesso à universidade.

Além das escolas populares elementares e das tradicionais, foi criada a *Realschule* (Escola Real), com ensino técnico e científico, onde se ensinavam matemáticas, mecânica, ciências naturais e trabalhos manuais. Coube, portanto, à Alemanha o mérito de iniciar o processo de oposição ao ensino tradicional e exclusivo de humanidades.

Ainda na Alemanha, Basedow (1723-1790), admirador de Rousseau, deu início ao importante movimento pedagógico conhecido como *filantropismo*[2]. Em Dessau, fundou o instituto *Filantropinum*, no qual muitas idéias iluministas foram postas em prática. Para Basedow, a educação tem por fim dar condições para o indivíduo ser feliz, por isso a aprendizagem deve ser prática e agradável e estimular a atividade racional e a intuição, mais do que a memória. Dedicou igual interesse pela educação física.

Embora não tenha permanecido muito tempo na direção da escola, Basedow inspirou a fundação de colégios semelhantes em outros locais, o que ajudou a tornar o ensino alemão menos antiquado.

4. Portugal e a reforma pombalina

Na primeira metade do século XVIII ainda continuava a influência dos jesuítas, com seus colégios espalhados pelo mundo, embora as críticas a eles se tornassem mais fortes. Denunciava-se o dogmatismo da Escolástica decadente, mas, nos debates apaixonados, as questões econômicas e políticas se sobrepunham aos limites estritamente pedagógicos. Os jesuítas foram expulsos de diversos países — de Portugal e, portanto, do Brasil em 1759 — até que o papa Clemente XIV extinguiu a Companhia de Jesus em 1773.

Já dissemos que, em Portugal, o grande gestor da introdução das idéias iluministas foi o marquês de Pombal, que agiu com rigor na reforma do ensino. Ao expulsar os jesuítas, instituiu naquele mesmo ano a educação leiga, com responsabilidade total do Estado. Como se vê, Portugal foi pioneiro nessa intenção: a estatização do ensino ocorreu em 1763 na Prússia, em 1773 na Saxônia, enquanto na França, na década de 1790 (após a Revolução Francesa), essas idéias ainda eram debatidas na assembléia legislativa.

Pombal instituiu as aulas régias ("régias" porque pertenciam ao rei, ao Estado e não à Igreja). Começou estruturando os chamados *Estudos Menores*, que correspondiam ao ensino fundamental e médio (primeiras letras e ensino de humanidades). Em 1772 foi iniciada a segunda fase, com a Reforma dos Estudos Maiores, quando se reestruturou a Universidade de Coimbra. Afastada a

[1] A unificação alemã ocorreria apenas no século XIX.
[2] Filantropia significa amor à humanidade (do grego *philos*, "amigo"; *antropos*, "homem").

Companhia de Jesus, assumiu a Ordem do Oratório — a qual já tinha recebido proteção do rei em 1740 —, que era conhecida pela visão mais avançada, aberta às idéias iluministas. Na reformulação do ensino de filosofia e letras, optou-se pela língua moderna (e não o latim), pelas matemáticas e ciências da natureza, procedendo-se também à atualização dos estudos jurídicos.

Em 1772, Pombal instituiu o *subsídio literário*, imposto destinado a financiar as reformas projetadas, o que valia também para o Brasil. Dessa forma, os professores eram selecionados e pagos pelo Estado, tornando-se funcionários públicos.

Embora a escola fosse leiga na sua administração, continuava obrigatório o ensino da religião católica e havia severo controle da Inquisição sobre a bibliografia utilizada, rejeitando-se os "abomináveis princípios franceses", sobretudo as idéias republicanas que solapavam o Antigo Regime e, contra a fé tradicional, a religião natural ou deísmo. É preciso não esquecer que o despotismo esclarecido queria modernizar o país, mas preservar a monarquia absolutista e a religiosidade. A propósito dessa contradição, veja o comentário do historiador português Rómulo Carvalho no dropes 3.

Veremos no próximo tópico quais foram os mentores intelectuais que teorizaram sobre a educação em Portugal, tais como D. Luís da Cunha, Ribeiro Sanches e Luís Antonio Verney.

Pedagogia

1. O pensamento iluminista

Um dos aspectos marcantes do Iluminismo, período muito rico em reflexões pedagógicas, foi a política educacional focada no esforço para tornar a escola leiga e função do Estado. Essa posição foi defendida pelo francês La Chalotais no *Ensaio de educação nacional*. Como vimos, também era esse o empenho de Condorcet e Le Peletier, autores de projetos apresentados à assembléia legislativa francesa.

Agruparemos as contribuições predominantemente teóricas da pedagogia da Ilustração em três tendências fundamentais: os enciclopedistas, o naturalismo de Rousseau e a pedagogia idealista de Kant. Embora Pestalozzi (1746-1827) pertença em parte a esse período, preferimos mencioná-lo no capítulo seguinte, por representar melhor as características do século XIX. Veremos também os teóricos da educação em Portugal.

No espírito do Iluminismo, os filósofos franceses Diderot, D'Alembert, Voltaire, Rousseau e Helvetius não eram propriamente educadores, mas encaravam o ensino como veículo importante das luzes da razão e no combate às superstições e ao obscurantismo religioso.

Alguns deles mantiveram um viés aristocrático, isto é, acreditavam na capacidade de bem usar a razão como atributo de uma elite intelectual. Voltaire dizia em uma carta ao rei da Prússia: "Vossa majestade prestará um serviço imortal à humanidade se conseguir destruir essa infame superstição [a religião cristã], não digo na canalha, indigna de ser esclarecida e para a qual todos os jugos são bons, mas na gente de peso"[3]. Era esse também o espírito que animava a citação do jurisconsulto italiano Filangieri, transcrita no dropes 2.

Talvez tais posições possam ser compreendidas como expressão do ideal liberal, mas voltado para os interesses da alta burguesia, temerosa de que a educação das massas provocasse o desequilíbrio na ordem que então se estabelecia.

[3] Apud Aníbal Ponce, *Educação e luta de classes*. 7. ed. São Paulo, Cortez/Autores Associados, 1986, p. 133.

Ao contrário, Diderot, mesmo como um dos mais ativos organizadores da *Enciclopédia*, defendia posição mais democrática. Escrevendo à imperatriz Catarina da Rússia, aconselhava a universalização da instrução: "É bom que todos saibam ler, escrever e contar, desde o primeiro-ministro ao mais humilde dos camponeses (...) Porque é mais difícil explorar um camponês que sabe ler do que um analfabeto"[4].

2. A pedagogia de Rousseau

O filósofo Jean-Jacques Rousseau (1712-1778), natural de Genebra, na Suíça, abandonou sua terra natal aos 16 anos. Levou uma vida conturbada, andando por diversos lugares, ora por espírito de aventura, ora devido a perseguições religiosas. Em Paris, onde passou a residir, conviveu com os enciclopedistas, tornando-se muito amigo de Diderot. Divergia dos demais em muitos pontos e teve inúmeras desavenças com Voltaire, que não lhe poupou severas críticas.

Dentre suas obras destacam-se: *Discurso sobre a origem da desigualdade entre os homens*, *Do contrato social*, ambos sobre política, e *Emílio ou da educação* (1762).

Rousseau ocupa lugar de destaque na filosofia política — suas obras antecipam o ideário da Revolução Francesa —, além de produzir uma teoria da educação que não ficou restrita apenas ao século XVIII: seu pensamento constitui um marco na pedagogia contemporânea.

A concepção política de Rousseau

Tal como Locke, Rousseau criticou o absolutismo e elaborou os fundamentos da doutrina liberal. No entanto, o pensamento pedagógico de Rousseau não se separa de sua concepção política, que é mais democrática do que a teoria daquele filósofo inglês. Para Rousseau, o indivíduo em estado de natureza é bom, mas se corrompe na sociedade, que destrói sua liberdade: "O homem nasce livre e por toda parte encontra-se a ferros". Considera então a possibilidade de um contrato social verdadeiro e legítimo, que reúna o povo numa só vontade, resultante do consentimento de todas as pessoas.

A concepção política de Rousseau foi menos elistista que a de Locke, por conta da diferente noção de *soberania*. Para Rousseau, o cidadão não escolhe representantes a quem delegar o poder — como defendiam Locke e a tradição liberal —, porque para ele *só o povo é soberano*. Em outras palavras, o pacto que institui o governo não submete o povo a ele, isto é, os depositários do poder não são senhores do povo, mas seus oficiais, e apenas executam as leis que emanam do povo. Nesse sentido, Rousseau critica o regime representativo e defende a democracia direta, pois toda lei não ratificada pelo povo é nula.

Portanto, o soberano é o povo incorporado, o corpo coletivo que exprime, na lei, a vontade geral. Segundo a teoria de Rousseau, a vontade geral não se confunde com a vontade da maioria, como o senso comum poderia pensar, porque as decisões não resultam da somatória das vontades individuais, mas expressam o interesse comum, isto é, o interesse de todos, como participantes da comunidade.

O cidadão, ativo e soberano, capaz de autonomia e liberdade, é ao mesmo tempo um súdito, porque se submete à lei que ele próprio ajudou a erigir. Liberdade e obediência são pólos que devem se completar na vida da pessoa em sociedade. Por aí já podemos antever a importância que Rousseau deposita na educação.

[4] Apud Aníbal Ponce, *Educação e luta de classes*. 7. ed. p. 133.

Naturalismo e educação negativa

Costuma-se dizer que Rousseau provocou uma revolução copernicana na pedagogia: assim como Copérnico inverteu o modelo astronômico, retirando a Terra do centro, Rousseau centralizou os interesses pedagógicos no aluno e não mais no professor. Mais que isso, ressaltou a especificidade da criança, que não devia ser encarada como um "adulto em miniatura".

Até então, os fins da educação encontravam-se na formação do indivíduo para Deus ou para a vida em sociedade, mas Rousseau quer que o ser humano integral seja educado para si mesmo: "Viver é o que eu desejo ensinar-lhe. Quando sair das minhas mãos, ele não será magistrado, soldado ou sacerdote, ele será, antes de tudo, um homem".

Sua obra *Emílio* relata de forma romanceada a educação de um jovem, acompanhado por um preceptor ideal e afastado da sociedade corruptora. O projeto de uma "educação conforme a natureza", entretanto, não significa retornar à vida selvagem ou primitiva, e sim buscar a verdadeira natureza, que corresponde à vocação humana.

Vejamos então os possíveis sentidos do conceito de *natureza*, a fim de entender o que significa a *pedagogia naturalista* de Rousseau.

Ao fazer a crítica do regime feudal e dos costumes da aristocracia, Rousseau preconiza uma educação afastada do artificialismo das convenções sociais. Da mesma maneira que, na esfera política, o cidadão elabora as leis da sociedade democrática, também a educação deve buscar a espontaneidade original, livre da escravidão aos hábitos exteriores, a fim de que o indivíduo seja dono de si mesmo, agindo por interesses naturais e não por constrangimento exterior e artificial.

A educação natural consiste na recusa ao intelectualismo, que leva fatalmente ao ensino formal e livresco. Ou seja, a pessoa não se reduz à dimensão intelectual, como se a natureza pudesse ser apenas razão e reflexão, porque antes da "idade da razão" (15 anos) já existe uma "razão sensitiva". Portanto, os sentidos, as emoções, os instintos e os sentimentos são anteriores ao pensar elaborado, e essas disposições primitivas são mais dignas de confiança do que os hábitos de pensamento inculcados pela sociedade.

Como amante da natureza, Rousseau quer retomar o contato com animais, plantas e fenômenos físicos dos quais o indivíduo urbano freqüentemente se distancia: "As coisas! as coisas! Nunca repetirei bastante que damos muito poder às palavras". Desse modo, valoriza a experiência, a educação ativa voltada para a vida, para a ação, cujo principal motor é a curiosidade.

Além de naturalista, a educação preconizada por Rousseau é também de início *negativa*. Desconfiado da sociedade constituída, Rousseau teme a educação que põe a criança em contato com os vícios e a hipocrisia: "Se o homem é bom por natureza, segue-se que permanece assim enquanto nada de estranho o altere. (...) A educação primeira deve portanto ser puramente negativa. Ela consiste não em ensinar a virtude ou a verdade, mas em preservar o coração do vício e o espírito do erro. (...) Sem preconceitos, sem hábitos, nada teria ele em si que pudesse contrariar o resultado de vossos cuidados. Logo ele se tornaria, em vossas mãos, o mais sensato dos homens; e começando por nada fazer, teríeis feito um prodígio de educação"[5].

Rousseau não dava muito valor ao conhecimento transmitido e queria que a

[5] Jean-Jacques Rousseau, *Emílio ou da educação*. São Paulo, Difel, 1968, p. 80.

criança aprendesse a pensar, não como um processo que vem de fora para dentro, ao contrário, como desenvolvimento interno e natural.

O preceptor: a dialética "liberdade e obediência"

É delicada a função do professor na pedagogia rousseauniana. Se não deve impor o saber à criança, tampouco pode deixá-la no puro espontaneísmo. Afinal, ela deve aprender a lidar com os próprios desejos e a conhecer os limites para se tornar um indivíduo adulto dono de si mesmo. Semelhante ao processo de formação da cidadania, em que o cidadão se submete à vontade geral, também a criança descobrirá por si própria as leis das coisas e das relações interpessoais.

Por exemplo, se Emílio quebra a vidraça, deixam-no dormir sob o vento. Se a quebra de novo, é colocado em um quarto sem janelas: "Dizei-lhe secamente, mas sem raiva: as janelas são minhas; aí foram colocadas por meus cuidados; quero garanti-las"[6]. Enquanto sucumbe ao impulso, é escravo do seu desejo e, quando aprende que existem leis, sozinho as descobre: a liberdade é, pois, a obediência à lei por ele mesmo aceita. Assim, Emílio vê-se diante dos atos e de suas conseqüências.

Aprendendo a controlar-se no mundo físico e nas relações com as pessoas, aos 15 anos começa para o jovem a educação moral propriamente dita. De posse da verdadeira razão, só então ele poderá observar as pessoas e suas paixões e também iniciar a instrução religiosa, porque falar precocemente de Deus com a criança apenas se lhe ensina a idolatria. Rousseau defende a religião natural, como a do deísmo iluminista, e por isso foi ameaçado de prisão, precisando sair de Paris para se refugiar na Suíça.

Avaliando as críticas a Rousseau

Não resta dúvida quanto ao caráter inovador das idéias de Rousseau, porém muitos não lhe poupam críticas ou algumas reservas, pelo menos. Uma delas é a acusação de propor uma educação elitista, já que Emílio é acompanhado por um preceptor, procedimento próprio dos ricos. Outra refere-se à separação entre aluno e sociedade: neste caso, estaria defendendo uma educação individualista.

Mesmo admitindo a procedência dessas críticas, não convém esquecer que Rousseau recorre à abstração metodológica de uma relação ideal, hipotética — semelhante à do contrato social — a fim de formular a teoria pedagógica. Ou seja, perguntar como seria possível a educação natural de Emílio em uma sociedade corrompida significa tratar do mesmo problema da política, quando nos perguntamos: Como é possível estabelecer a vontade geral em uma sociedade que ainda não é democrática? Para os filósofos contratualistas, o *estado de natureza* não é uma situação histórica que existiu no tempo, mas uma hipótese para sustentar a argumentação sobre o pacto original. Do mesmo modo, também não estaria sendo proposto um ensino centrado apenas na relação professor–aluno.

Além disso, o fim do ensino não é educar o solitário Emílio, mas inseri-lo na sociedade. Compreende-se o artifício de Rousseau porque, por ser liberal, concebia a sociedade como uma justaposição de indivíduos, e a crítica ao individualismo só aparecerá mais tarde, com as teorias socialistas.

---

[6] Jean-Jacques Rousseau, *Emílio ou da educação*, p. 88.

Ainda que fundadas as críticas ao caráter a-histórico dessa hipótese, ao otimismo exagerado da ação da natureza e ao reduzido papel do preceptor, lembramos que Rousseau é um opositor da educação do seu tempo, extremamente autoritária, interessada em adaptar e adestrar a criança e que, ao contrário dele, se apoiava na concepção de uma natureza humana má.

Por fim, pode-se ainda criticar a posição de Rousseau com relação à mulher, que, segundo ele, deve ser educada para servir aos homens. Embora fosse essa a concepção corrente no seu tempo, alguns teóricos, como Comênio e Condorcet, já teciam considerações sobre a maior participação da mulher na sociedade.

3. Kant e a pedagogia idealista

O alemão Immanuel Kant (1724-1804) construiu um dos mais importantes sistemas filosóficos no século XVIII, de marcante influência na história do pensamento.

A obra *Sobre pedagogia* resultou de anotações das aulas ministradas em alguns períodos na Universidade de Königsberg. Mas a importância atribuída por Kant à educação encontra-se fundamentada nas obras mais clássicas, *Crítica da razão pura*, na qual desenvolve a crítica do conhecimento, e *Crítica da razão prática*, em que analisa a moralidade.

No livro em que trata do conhecimento, Kant retoma o debate — mencionado no capítulo anterior — entre os racionalistas (representados por Descartes) e os empiristas (Bacon e Locke). Ao examinar a insuficiência das duas posições, elabora uma teoria que investiga o valor dos nossos conhecimentos a partir da crítica das possibilidades e limites da razão.

Condena os empiristas, segundo os quais tudo o que conhecemos vem dos sentidos, e não concorda com os racionalistas, para os quais tudo o que pensamos vem de nós. Para Kant, "o nosso conhecimento experimental é um composto do que recebemos por impressões e do que a nossa própria faculdade de conhecer de si mesma tira por ocasião de tais impressões". Ou seja, o conhecimento humano é a síntese dos conteúdos particulares dados pela experiência e da estrutura universal da razão (a mesma para todos os indivíduos).

A consciência moral

Para Kant, no entanto, a razão não é capaz de conhecer as realidades que não se oferecem à nossa experiência sensível, tais como Deus, a imortalidade da alma, a liberdade e a infinitude do Universo. Ou seja, as questões metafísicas não são acessíveis ao conhecimento.

O filósofo supera o impasse mostrando que, além do ato de conhecimento, o indivíduo é capaz de outra atividade espiritual, o exercício da *consciência moral*, por meio da qual rege a vida prática conforme certos princípios. Estes princípios são racionais, mas estabelecidos não pela razão especulativa (voltada para o conhecimento científico), e sim pela razão prática, que orienta a ação humana, a vida prática e moral.

Analisando os princípios da consciência moral, Kant conclui que só o ser humano é moral, por ser capaz de atos de vontade. E a vontade é verdadeiramente moral se regida por *imperativos categóricos*, isto é, por imposição incondicionada, absoluta, como acontece quando a ação realizada visa ao dever pelo dever, e não ao dever em troca de um benefício. Assim, não tem o mesmo valor moral dizer: "se você quer ser feliz, ajude ao próximo", ou "não mate, senão você será preso", porque são exemplos de *imperativos hipotéticos*, nos quais o agir é condicionado a uma vantagem desejada ou a uma punição a ser evitada.

Agir moralmente é, portanto, agir pelo dever. Além disso, a ação tem uma validade objetiva e universal, que se estende para todo ser racional, daí a afirmação de Kant: "Age de modo que a máxima da tua ação possa sempre valer ao mesmo tempo como princípio universal de conduta".

Decorre desse raciocínio que a pessoa não realiza espontaneamente a lei moral, mas a moralidade resulta da luta interior entre a lei universal e as inclinações individuais. Assim, a verdadeira ação moral, como resultado de um ato de vontade, tem por fundamento a autonomia e a liberdade.

A ação moral é autônoma porque o ser humano é o único ser capaz de se determinar segundo leis que a própria razão estabelece (e não conforme leis dadas externamente, como na heteronomia). Para que seja possível a vida moral autônoma, porém, é preciso partir do pressuposto da liberdade da vontade.

Educação e liberdade

A moral formal, constituída a partir do postulado da liberdade e baseada na autonomia, exige a aprendizagem do controle do desejo pela disciplina, a fim de que a pessoa atinja seu próprio governo e seja capaz de autodeterminação.

Podemos então perceber o elo entre os pressupostos da filosofia kantiana e sua concepção pedagógica. Cabe à educação, ao desenvolver a faculdade da razão, formar o caráter moral: "O homem só pode tornar-se homem pela educação, e ele é tão-somente o que a educação fez dele". É ela que lhe permite atingir seu objetivo individual e social.

À semelhança de Rousseau e Basedow, dos quais sofreu influência, Kant destaca os aspectos morais sobre os intelectuais na formação dos jovens: "Mandamos, em primeiro lugar, as crianças à escola, não na intenção de que nela aprendam alguma coisa, mas a fim de que se habituem a observar pontualmente o que se lhes ordene". O que não significa adestrar a criança à obediência passiva, mas ensiná-la a agir com planos e submeter-se a uma disciplina. Kant quer atingir a obediência voluntária, capaz de reconhecer que as exigências são razoáveis e superiores aos caprichos momentâneos.

Mesmo quando existe, a coerção tem por finalidade propiciar a liberdade do sujeito moral. Em última análise, cabe a cada um proceder a sua própria formação. Ao unir educação e liberdade, Kant redefine a relação pedagógica, reforçando a atividade do aluno, que deve aprender a "pensar por si mesmo".

O mesmo princípio da conduta moral vale para o saber, que também deve ser um ato de liberdade. Nenhuma verdade vem de fora (não é transmitida, nem deve ser imposta), mas é construída pelo sujeito.

Coerente com o conceito de autonomia do pensar e do agir, Kant destaca a liberdade de credo e valoriza a tolerância religiosa. Embora tenha sido educado sob severa disciplina pietista[7], preocupa-se — à semelhança de Rousseau — com os riscos das superstições inculcadas desde cedo nas crianças. A pessoa moralmente livre é um fim em si mesmo, e não meio para coisa alguma, para ninguém, nem mesmo para Deus. Com essas afirmações, Kant mostra-se mais uma vez como representante do Iluminismo, ao buscar os fundamentos de uma educação laica, própria do pensamento burguês.

Os princípios kantianos serão reexaminados no século XX por diversos autores

[7] Pietista: partidário do *pietismo*, movimento religioso originário da Igreja Luterana e conhecido pelo rigor dos costumes e fé extremada.

na área da moral e da educação, como Piaget, Kohlberg ou ainda Habermas. Esses teóricos seguiram rumos diferentes, mas utilizaram largamente os fecundos parâmetros do filósofo alemão.

4. A pedagogia em Portugal

Já vimos o que significou a reforma do ensino em Portugal, sob a orientação do marquês de Pombal. Trataremos agora de lembrar alguns teóricos que refletiram sobre os novos rumos da pedagogia. Não que se dedicassem exclusivamente a essa temática, mas se ocupavam com a educação em decorrência do desejo de implantação das idéias iluministas nas novas gerações. Por serem portugueses que passaram a morar no exterior — geralmente devido a desavenças e perseguições, sobretudo da Inquisição —, esses intelectuais eram conhecidos como *estrangeirados*.

D. Luís da Cunha (1662-1740) viveu no tempo de D. João V, a quem serviu como diplomata em várias capitais da Europa, como Londres, Madri e Paris, sofrendo a influência das idéias iluministas. Comparando a estagnação de Portugal com aqueles países em que a economia se desenvolvia, analisou suas causas em *Testamento político*, dedicado ao príncipe herdeiro (que seria o futuro D. José I). Acusava a ação intolerante da Inquisição que perseguia judeus e hereges, afastando indivíduos produtivos. Além disso, D. Luís considerava os protestantes mais avançados do que os conservadores católicos.

Ribeiro Sanches (1699-1783) era médico renomado que atuou na corte da Rússia e em Paris conviveu com os iluministas. A convite de Diderot, participou da *Enciclopédia*, além de se corresponder com a elite intelectual européia. Com a atenção voltada para aspectos da medicina social, escreveu *Método para aprender e estudar a medicina* e, na área da pedagogia, elaborou *Cartas sobre a educação da mocidade*. Ribeiro Sanches era cristão-novo (judeu convertido) e criticou acerbamente a intolerância religiosa que impedia a prosperidade de Portugal, bem como a atuação compacta da Companhia de Jesus, cujo poder considerava excessivo e pernicioso. Defendia o ensino público, totalmente administrado pelo Estado.

Luís Antonio Verney (1713-1792) era sacerdote formado em direito. Viveu na Itália, onde escreveu *O verdadeiro método de estudar*, na língua materna e, para evitar represálias, sob pseudônimo. A professora Carlota Boto assim resume suas propostas: "Verney – como D. Luís da Cunha e Ribeiro Sanches – irá atentar para os grandes óbices colocados à sociedade portuguesa pela ação da Companhia de Jesus e pela tradição inquisitorial de intolerância religiosa. Sob tal perspectiva, ele sugere: secularização dos tribunais da Inquisição pelo poder real; ampliação da defesa dos réus; restrição da tortura; abolição de autos-de-fé-públicos; rejeição da crença na possibilidade de pactos demoníacos. Verney manifestará, sob tal aspecto, nítidas preocupações quanto à necessidade de restrição da fiscalização eclesiástica a propósito da censura de livros"[8].

Quanto à educação, ao sugerir a formação de indivíduos para a pátria e para a religião, continua Carlota Boto: "Essa conjugação entre intentos civis e religiosos parece ser (...) a tônica predominante da Ilustração portuguesa. Não se pode confundir, então, as severas críticas imputadas ao clero com apressadas e impróprias inferências acerca

[8] "Iluminismo e educação em Portugal: o legado do século XVIII ao XIX", in Maria Stephanou e Maria Helena Camara Bastos (orgs.), *Histórias e memórias da educação no Brasil*. Petrópolis, Vozes, 2004, v. I: *Séculos XVI-XVIII*, p. 165.

do cariz laico[9] do movimento iluminista em Portugal. Já à partida, demarca-se o território do discurso pedagógico, pontuando a diferença em relação à metodologia do ensino jesuítico que acentuava, desde o princípio do aprendizado, o latim como linguagem fundadora. A proposta de Verney, ao contrário, salienta o valor básico da gramática nacional: a língua de origem, como referência de comunicação verbal, deve constituir o princípio dos estudos da gramática. Ao criticar os castigos corporais, os exercícios de memória e as práticas afetadas da conversação em latim, Verney aborda temas relativos ao aprendizado da retórica, de suas regras e a questões de estilo como veículos privilegiados de expressão do discurso"[10]. A esse propósito, Verney critica severamente a estética barroca e teoriza sobre o neoclássico (ver leitura complementar 3).

Além da discussão de temas éticos, Verney preconiza a educação da mulher, para que possa aprender bem a língua e ocupar-se com atividades que não sejam frívolas. E ainda porque as mães sempre são as primeiras educadoras.

Embora nem sempre essas idéias fossem levadas a efeito na prática, muitas delas mereceram a atenção do governo nas leis que esboçaram mudanças a serem cumpridas ao longo do século seguinte.

Conclusão

Temos observado como as mudanças nas relações entre os seres humanos — sociais, políticas, econômicas — exigem transformações da educação, em vista das diferentes metas a serem alcançadas. Desde o Renascimento, lutava-se contra a visão de mundo feudal, aristocrática e religiosa, à qual se opunha a perspectiva burguesa, liberal e leiga. Como vimos, esse movimento se fez em meio a ambigüidades e contradições, e muitas vezes a educação ministrada de fato desmentia as aspirações teóricas. Apesar disso, algumas idéias eram aos poucos incorporadas, alimentando sonhos de mudança.

O Século das Luzes expressou no pensamento controvertido de Rousseau anseios que animariam as reflexões pedagógicas no período subseqüente. Atacando o ideal de pessoa "bem-educada", de cortesão ou de gentil-homem, Rousseau propõe o desenvolvimento livre e espontâneo, respeitando a existência concreta da criança. "Deste modo, a pedagogia rousseauniana foi a primeira tentativa radical e apaixonada de oposição fundamental à pedagogia da essência e de criação de perspectivas para uma pedagogia da existência", é o que afirma Bogdan Suchodolski[11].

Veremos como as idéias de Rousseau influenciaram as mais diferentes correntes, sobretudo as tendências não-diretivas, no século XX.

O pensamento de Kant também se insere no movimento de crítica à educação dogmática, aberto pela Ilustração. Embora não concebesse as normas e os modelos conforme a própria existência concreta e variável (mas de um sujeito universal), nem por isso admite o modelo tradicional de ideal, que se imporia exteriormente ao indivíduo. Para ele são as leis inflexíveis e universais da razão pura e da razão prática que constroem o conhecimento e a lei moral, o que significa a valorização definitiva do sujeito como ser autônomo e livre, para o qual tanto o conhecimento como a conduta são obras suas.

Por fim, as idéias pedagógicas dos "estrangeirados" levaram para Portugal os sopros do Iluminismo europeu, que deram o substrato teórico para importantes reformas no ensino.

[9] Cariz laico: aparência secularizada, não-religiosa.

[10] "Iluminismo e educação em Portugal: o legado do século XVIII ao XIX", in Maria Stephanou e Maria Helena Camara Bastos (orgs.), *Histórias e memórias da educação no Brasil*, v. I: *Séculos XVI-XVIII*, p. 166.

[11] *A pedagogia e as grandes correntes filosóficas*. 3. ed. Lisboa, Livros Horizonte, 1984, p. 40.

Dropes

1 - O que é o Iluminismo? A saída do homem da sua minoridade, da qual é ele próprio o responsável. Minoridade, isto é, incapacidade de se servir do seu entendimento sem a direção de outrem, minoridade da qual é ele próprio responsável, já que a sua causa reside não num defeito do entendimento, mas numa falta de decisão e de coragem de se servir dela sem a direção de outrem. "Sapere aude!" Tem a coragem de te servires do teu próprio entendimento. Eis aí a divisa do Iluminismo. (Kant)

2 - A educação pública exige, para ser universal, que todos os indivíduos da sociedade participem dela, mas cada um de acordo com as circunstâncias e com o seu destino. Assim, o colono deve ser instruído para ser colono, e não para ser magistrado. Assim, o artesão deve receber na infância uma instrução que possa afastá-lo do vício e conduzi-lo à virtude, ao amor à Pátria, ao respeito às leis, uma instrução que possa facilitar-lhe o progresso na sua arte, mas nunca uma instrução que possibilite a direção dos negócios da Pátria e a administração do governo. Em resumo, para ser universal, a educação pública deve ser tal, que todas as classes, todas as ordens do Estado dela participem, mas não uma educação em que todas as classes tenham a mesma parte. (Filangieri)

3 - (...) em 24 de setembro de 1770, um edital da Real Mesa Censória torna pública uma lista de livros proibidos por conterem doutrina "ímpia, falsa, temerária, blasfema, herética, cismática, sediciosa, ofensiva da paz e sossego público". Na longa lista figuram Hobbes, Diderot, Rousseau, Voltaire, La Fontaine, Espinosa etc. De todos os livros recolhidos e condenados mandou o marquês de Pombal proceder a grandes fogueiras no Terreiro do Paço e na Praça do Pelourinho, em Lisboa. (Rómulo Carvalho)

● Leituras complementares

❶ [A educação de Emílio]

Toda a nossa sabedoria consiste em preconceitos servis; todos os nossos usos não são senão sujeição, embaraço e constrangimento. O homem civil nasce, vive e morre na escravidão; ao nascer, envolvem-no em um cueiro; ao morrer, encerram-no em um caixão; enquanto conserva sua figura humana está acorrentado a nossas instituições.

Sofrer é a primeira coisa que deve aprender e a que terá mais necessidade de saber. (...) Que dizer desse amontoado de coisas que reúnem ao redor da criança para defendê-la contra a dor, até que, já crescida, continue à mercê deles, sem coragem e sem experiência, que se acredite morrer à primeira picada e desmaie vendo sua primeira gota de sangue?

A natureza quer que as crianças sejam crianças antes de ser homens. Se quisermos perturbar essa ordem, produziremos frutos precoces, que não terão maturação nem sabor e não tardarão em corromper-se; teremos jovens doutores e crianças velhas. A infância tem maneiras de ver, de pensar, de sentir que lhe são próprias; nada menos sensato do que querer substituí-las pelas nossas; e seria o mesmo exigir que uma criança tivesse cinco pés de altura do que juízo aos dez anos. Com efeito, que lhe adiantaria ter razão nessa idade? Ela é o freio da força, e a criança não tem necessidade desse freio.

Ponhamos como máxima incontestável que os primeiros movimentos da natureza são sempre retos: não existe perversidade original no coração humano.

A educação primeira deve portanto ser puramente negativa. Ela consiste não em ensinar a virtude ou a verdade, mas em preservar o coração do vício e o espírito do erro. Se pudésseis conduzir vosso aluno são e robusto até a idade de 12 anos, sem que ele soubesse distinguir sua mão direita de sua mão esquerda, logo às vossas primeiras lições os olhos de seu entendimento se abririam para a razão. Sem preconceitos, sem hábitos, nada teria ele em si que pudesse contrariar o resultado de vossos cuidados. Logo ele se tornaria, em vossas mãos, o mais sensato dos homens; e começando por nada fazer teríeis feito um prodígio de educação.

Fazei o contrário do uso e fareis quase sempre bem. Como não se quer fazer de uma criança uma criança e sim um doutor, pais e mestres nunca acham cedo demais para ralhar, corrigir, repreender, lisonjear, ameaçar, prometer, instruir, apelar para a razão. Fazei melhor: sede sensatos e não raciocineis com vosso aluno, principalmente para fazerdes que aprove o que lhe desagrada, pois meter sempre a razão nas coisas desagradáveis é tornar-lha aborrecida, é desacreditá-la desde cedo num espírito que ainda não está em estado de compreendê-la. Exercitai seu corpo, seus órgãos, seus sentidos, suas forças, mas deixai sua alma ociosa enquanto for possível. Temei todos os sentimentos anteriores ao julgamento que os aprecia. Detende, sustai as impressões estranhas e, para impedirdes que surja o mal, não vos apresseis em fazer o bem, porquanto este só o é quando a razão o ilumina. Encarai todas as dilações como vantagens: ganhar muito, caminhar para o fim sem nada perder; deixai a infância amadurecer nas crianças. Alguma lição se faz necessária? Evitai dar-lha desde logo, se puderdes adiá-la sem perigo.

Outra consideração que confirma a utilidade deste método está no temperamento particular da criança, que é preciso conhecer bem para saber que regime moral lhe convém. Cada espírito tem sua forma própria, segundo a qual precisa ser governado, e o êxito depende de ser governado por essa forma e não por outra. Homem prudente, atentai longamente para a natureza, observai cuidadosamente vosso aluno antes de lhe dizerdes a primeira palavra; deixai antes de tudo que o germe de seu caráter se revele em plena liberdade, não exerçais nenhuma coerção a fim de melhor vê-lo por inteiro. Pensais que esse período de liberdade seja perdido para ele? Ao contrário, será o mais bem empregado, pois assim é que aprendereis a não perder um só momento de tão preciosa fase. Ao passo que se começardes a agir antes de saber como, agireis ao acaso; expondo-vos a engano, sereis obrigado a voltar atrás; estareis mais afastado da meta do que se tivésseis tido menos pressa em atingi-la. Não façais portanto como o avarento, que perde muito por não querer perder nada. Sacrificai na primeira infância um tempo que recuperareis com juros em idade mais avançada. O médico sábio não receita às tontas à primeira vista, estuda primeiramente o temperamento do doente antes de prescrever; começa a tratá-lo tarde mas o cura, enquanto o médico demasiado apressado o mata.

Mas onde poremos essa criança para educá-la assim como ser insensível, como um autômato? Na lua, numa ilha deserta?

Afastada de todos os humanos? Não terá ela continuamente no mundo o espetáculo e o exemplo das paixões alheias? Não verá nunca outras crianças de sua idade? Não verá seus pais, seus vizinhos, sua ama, sua governanta, seu criado, seu mestre, mesmo que, afinal, não será um anjo?

Essa objeção é séria e sólida. Mas vos terei dito porventura que uma educação natural fosse uma empresa fácil? Ó homens, será culpa minha se tornastes difícil tudo que é certo? Sinto tais dificuldades, confesso: talvez sejam insuperáveis, mas o fato é que, procurando aplicadamente preveni-las, até certo ponto as prevenimos. Mostro a meta que é preciso atingir, não digo que se possa consegui-lo; mas digo que quem dela mais se aproximar terá tido o maior êxito.

Jean-Jacques Rousseau, *Emílio ou da educação*. São Paulo, Difel, 1968, p. 17, 59, 75, 78, 80 e 81.

❷ [A cultura moral]

A cultura moral deve-se fundar sobre máximas, não sobre a disciplina[12]. Esta impede os defeitos; aquelas formam a maneira de pensar. É preciso proceder de tal modo que a criança se acostume a agir segundo máximas, e não segundo certos motivos. A disciplina não gera senão um hábito, que desaparece com os anos. É necessário que a criança aprenda a agir segundo certas máximas, cuja eqüidade ela própria distinga. Vê-se facilmente que é difícil desenvolver tal coisa nas crianças, e que por isso a cultura moral requer muitos conhecimentos, por parte dos pais e mestres.

(...)

As máximas são deduzidas do próprio homem. Deve-se procurar desde cedo inculcar nas crianças, mediante a cultura moral, a idéia do que é bom ou mal. Se se quer fundar a moralidade, não se deve punir. A moralidade é algo tão santo e sublime que não se deve rebaixá-la, nem igualá-la à disciplina. O primeiro esforço da cultura moral é lançar os fundamentos da formação do caráter. O caráter consiste no hábito de agir segundo certas máximas. Estas são, a princípio, as da escola e, mais tarde, as da humanidade. A princípio, a criança obedece a leis. Até as máximas são leis, mas subjetivas, elas derivam da própria inteligência do homem.

Immanuel Kant, *Sobre a pedagogia*. Piracicaba, Unimep, 1999, p. 80 e 81.

❸ [Estilo simples]

Ao estilo sublime contrapomos o estilo simples ou humilde. Assim como as coisas grandes devem explicar-se magnificamente, assim o que é humilde deve-se dizer com estilo mui simples e modo de exprimir mui natural. As expressões do estilo simples são tiradas dos modos mais comuns de falar a língua; e isto não se pode fazer sem perfeito conhecimento da dita língua. Esta é, segundo os mestres da arte, a grande dificuldade do estilo simples. Fácil coisa é a um homem de alguma literatura ornar o discurso com figuras; antes todos propendemos para isso, não só porque o discurso se encurta, mas porque talvez nos explicamos melhor com uma figura do que com muitas palavras. Pelo contrário, para nos explicarmos naturalmente e sem figura, é necessário buscar o

[12] Para Kant, a *disciplina* "é o que impede ao homem de desviar-se do seu destino, de desviar-se da humanidade, através das suas inclinações animais. (...) Mas a disciplina é puramente negativa, porque é o tratamento através do qual se tira do homem a sua selvageria; a instrução, pelo contrário, é a parte positiva da educação". (*Sobre a pedagogia*, p. 12.)

termo próprio, que exprima o que se quer, o qual nem sempre se acha, ou, ao menos, não sem dificuldade, e sempre se quer perfeita inteligência da língua para o executar. Além disto, as figuras encantam o leitor e impedem-lhe penetrar e descobrir os vícios que se cobrem com tão ricos vestidos. Não assim no estilo simples, o qual, como não faz pompa de ornamentos, deixa considerar miudamente os pensamentos do escritor...

Isto que digo das expressões comuns e naturais deve-se entender com proporção. Não quero dizer que um homem civil fale como a plebe, mas que fale naturalmente. A matéria do estilo humilde não pede elevação de figuras etc., mas nem por isso se deve exprimir com aquelas toscas palavras de que usa o povo ignorante. Não é o mesmo estilo baixo que *estilo simples*. O estilo baixo são modos de falar dos ignorantes e pouco cultos; o estilo simples é modo de falar natural e sem ornamentos, mas com palavras próprias e puras. Pode um pensamento ter estilo sublime, e não ser pensamento sublime; e pode achar-se um pensamento sublime, com estilo simples.

Luís Antonio Verney, *O verdadeiro método de estudar*, carta VI.

Atividades

Questões gerais

1. Analise que transformações políticas e econômicas ocorreram no século XVIII e definiram o poder da burguesia.

2. Que características da educação do século XVIII são as mesmas do século anterior e quais as principais inovações?

3. Relacione Iluminismo, burguesia e educação.

4. Quais foram as principais conquistas da educação alemã?

5. Analise as semelhanças e diferenças das iniciativas sobre a educação dos diversos países com relação a Portugal. Explique em que medida as diferenças se devem ao sistema político em vigor.

6. Relacione o *enciclopedismo* francês e sua influência nas concepções pedagógicas.

7. Esclareça: embora os enciclopedistas Voltaire e Diderot tivessem ideais semelhantes, divergiam sobre a universalidade do ensino.

8. Estabeleça as relações de coerência que existem entre as idéias políticas e pedagógicas de Rousseau.

9. Relacione os conceitos de educação natural e educação negativa em Rousseau.

10. Analise a concepção pedagógica de Rousseau como um marco na história da educação. Discuta também quais são as ressonâncias atuais desse pensamento.

11. "(...) considerai primeiramente que, querendo formar um homem da natureza, nem por isso se trata de fazer dele um selvagem, de jogá-lo no fundo da floresta; mas que, entregue ao turbilhão social, basta que não se deixe arrastar pelas paixões nem pelas opiniões dos homens; que veja com seus olhos, que sinta com seu coração; que nenhuma autoridade o governe a não ser sua própria razão." A partir dessa citação de Rousseau, responda sob que aspecto esse filósofo se revela um pensador iluminista e como já expressa também uma crítica ao racionalismo das Luzes. Discuta como essa concepção repercute na sua pedagogia.

12. Em que sentido o pensamento de Kant vincula-se aos ideais iluministas, tanto do ponto de vista do conhecimento como da vida moral?

13. A partir do que vimos sobre Kant, responda à questão por ele mesmo formulada: "Um dos maiores problemas da educação é o seguinte: de que modo unir a submissão sob uma coerção legal com a faculdade de se servir de sua liberdade? Pois a coerção é necessária! Mas como posso eu cultivar a liberdade sob a coerção?"

14. Com base no dropes 1, responda às questões:

a) Por que o ser humano é responsável por sua minoridade?

b) Que transformação esse raciocínio trouxe para a educação?

15. Com base no dropes 3, responda às questões:

a) Embora Filangieri se refira ao ideal da educação pública e universal, identifique as severas restrições que são por ele interpostas à sua implantação.

b) Como poderíamos analisar o caráter elitista do pensamento do autor?

16. Com base no dropes 4, explique quais eram as contradições da Ilustração em países em que persistia o despotismo esclarecido.

17. O dualismo escolar existe até hoje na educação. Discuta com seu grupo sobre medidas possíveis para superá-lo.

Questões sobre as leituras complementares

Com base na leitura complementar de Rousseau, responda às seguintes questões.

1. Qual é o argumento de Rousseau contra a idéia da criança como adulto em miniatura?

2. Identifique os argumentos que justificam atribuir-se a Rousseau a realização de uma revolução copernicana na educação.

Considerando o texto de Kant, responda às questões a seguir.

3. Explique com suas palavras qual é a diferença que o filósofo estabelece entre "disciplina" e "máxima".

4. Segundo o autor, a disciplina permite a punição, mas na cultura moral ela não deve ser usada. Explique por quê. Você concorda com o autor? Justifique.

5. Forme um grupo de trabalho para discutir sobre o ensino de valores morais na escola: quais os riscos e quais as possibilidades.

Com base no texto de Verney, responda às questões a seguir.

6. Identifique no texto a crítica que Verney faz ao ensino vigente em seu tempo.

7. Qual é a diferença que ele estabelece entre *estilo simples* e estilo baixo? Hoje em dia ainda podemos fazer essa distinção? Justifique.

8. Embora o uso do ornamento, das figuras, não precise ser desprezado, o seu abuso pode indicar palavreado vazio. Discuta com seu grupo como muitos alunos têm dificuldade de esclarecer os conceitos, quando se restringem apenas aos exemplos concretos. Nesse caso, qual seria a função do professor?

PARTE II

O Brasil na era pombalina

Contexto histórico

No século XVIII, a Europa enfrentava a crise do Antigo Regime. Ao absolutismo e ao mercantilismo opunham-se os ideais liberais, que culminariam nas revoluções burguesas. A Inglaterra, antecipando essas alterações políticas e econômicas, surgiu como grande potência transformadora da economia européia ao iniciar o capitalismo industrial.

Portugal, que tivera até então um poderio advindo das colônias de além-mar, achava-se em franco declínio e se submetia a tratados comerciais lesivos para si e para a colônia, em troca de proteção da Inglaterra. O Tratado de Methuen, por exemplo, obrigava os portugueses a comprar a produção dos lanifícios ingleses, o que impedia o desenvolvimento de sua indústria manufatureira e também afetava a colônia, porque as riquezas naturais daqui eram levadas à Inglaterra, para pagamento de dívidas.

Algumas datas do século XVIII

- Final do século XVII e meados do XVIII — produção aurífera nas Minas Gerais.
- 1720 — em Vila Rica, repressão da revolta de Filipe dos Santos.
- 1747 — destruição de uma oficina tipográfica no Rio de Janeiro.
- 1759 — expulsão dos jesuítas de Portugal e Brasil, por Pombal.
- 1772 — implantação do ensino público oficial.
- 1776 — Independência dos Estados Unidos da América.
- 1785 — proibição de qualquer atividade manufatureira no Brasil.
- 1789 — Revolução Francesa.
- 1789 — Conjuração Mineira.
- 1798 — Conjuração Baiana.

Sem acompanhar as transformações das forças produtivas na Europa, Portugal, como vimos na primeira parte, tentava superar o atraso pelo fortalecimento do Estado, expresso no despotismo esclarecido do rei D. José I. O gestor dessa reorganização administrativa e econômica foi o primeiro-ministro marquês de Pombal, que procurou modernizar o reino a fim de manter o absolutismo real. Nesse sentido, combatia toda forma de oposição.

E no Brasil, o que estava ocorrendo? As plantações de cana-de-açúcar do Nordeste sofreram rude golpe com a concorrência estrangeira. Porém, com a descoberta das minas de ouro, o centro econômico deslocou-se para o sul de Minas Gerais e região Sul. O período de produção aurífera estendeu-se do final do século XVII até meados do século XVIII.

Enquanto predominava a cultura canavieira, a estrutura social se baseava na classe dominante dos senhores de engenho, cujo poder se fundava na propriedade da terra e na exploração agrícola por meio de trabalho escravo. Com a mineração, surgiu uma organização social diferente. O processo de urbanização provocou o aumento da população nas cidades[13], dando início a uma pequena burguesia, dedicada ao comércio interno. A administração mais complexa da cidade exigia a expansão dos quadros do setor terciário (lojas, armazéns, hospedarias etc.).

Novos ventos sopravam na cidade, reunindo gente de toda parte, desejosa de enriquecimento. Notava-se mesmo certa mobilidade social, ou pelo menos uma estrutura "movediça", como diz Sérgio Buarque de Holanda. Valores mais flexíveis opunham-se à rigidez dos padrões da aristocracia agrária, tornando compreensível a eclosão cultural na sociedade das Gerais, que nos legou o barroco das igrejas, a música sacra, os poetas da Arcádia Mineira.

Quando a extração do ouro se retraiu sensivelmente, aumentou a opressão do reino, o que provocou a temível "derrama", forma de cobrança de impostos instituída por Pombal, pela qual, sob proteção de tropas, se exigia que a arrecadação de uma cidade atingisse um mínimo estabelecido. Esse procedimento arbitrário e violento criou um ambiente de tensão, ampliado pelo desagrado com diversas outras medidas, como a criação das companhias para controlar o monopólio do comércio e a proibição de qualquer atividade manufatureira no Brasil (alvará de 1785, de D. Maria I, a Louca). Outro fator de descontentamento era a crescente centralização político-administrativa, que distanciava ainda mais a colônia da metrópole.

Não por acaso, também os movimentos contra a opressão colonial se manifestaram na região. Em 1720, em Vila Rica, a revolta de Filipe dos Santos foi reprimida de forma violenta, e em 1789 a Conjuração Mineira não reivindicava apenas reformas, mas contestava o pacto colonial, embora não conseguisse impor a nova ordem. Semelhantemente, foi sufocado um movimento mais radical ainda, a Conjuração Baiana, em 1798.

Educação

1. As aldeias missioneiras

No capítulo anterior, vimos como foi a atuação dos jesuítas durante os séculos XVI e XVII, sobretudo nas missões, cujo

[13] "A população da colônia, do início para o fim do século XVIII [passou] de 300.000 habitantes para 3.300.000, na maior parte concentrados nos altiplanos das Gerais". (Nelson Werneck Sodré, *Síntese de história da cultura brasileira*. Rio de Janeiro, Civilização Brasileira, 1970, p. 21.)

auge ocorreu na primeira metade do século XVIII. Nesse período também recrudesceram as dissidências entre Portugal e Espanha sobre as fronteiras das Sete Missões, na região do Prata, permeada pelas "guerras guaraníticas".

Ao mesmo tempo, crescia a animosidade contra a Companhia de Jesus. O governo temia o seu poder econômico e político, exercido maciçamente sobre todas as camadas sociais ao modelar-lhes a consciência e o comportamento. Ainda mais, desde os tempos de Nóbrega, a Coroa se comprometera a destinar-lhe uma taxa especial de 10% da arrecadação dos impostos, além da doação de terras. A Companhia tornara-se então muito rica, com todos esses benefícios, sem contar a produção agrária das missões, altamente lucrativa.

Entre as muitas alegações políticas às intromissões dos jesuítas, Pombal atribuiu à Companhia o interesse de formar um "império temporal cristão" na região das missões, referindo-se à resistência indígena dos Sete Povos diante da determinação de transferir seus núcleos.

Quando foi decretada a expulsão dos jesuítas, em 1759, só na colônia a Companhia tinha "25 residências, 36 missões e 17 colégios e seminários, sem contar os seminários menores e as escolas de ler e escrever, instaladas em quase todas as aldeias e povoações onde existiam casas da Companhia"[14].

2. A reforma pombalina no Brasil

Além de sua atuação nas missões, os jesuítas tiveram influência na educação dos filhos dos colonos, cujo foco estava voltado para o ensino médio, já que o governo de Portugal não permitia a criação de universidades na colônia bem como impunha outras medidas cerceadoras de nossa emancipação intelectual. Em 1747, por exemplo, foi destruída uma oficina tipográfica instalada por um padre jesuíta no Rio de Janeiro.

Após a expulsão dos jesuítas, os bens dos padres foram confiscados, muitos livros e manuscritos importantes destruídos. Segundo alguns historiadores, de início o desmantelamento da estrutura educacional montada pela Companhia de Jesus foi prejudicial, porque, de imediato, não se substituiu o ensino regular por outra organização escolar, enquanto os índios, entregues à sua própria sorte, abandonaram as missões.

Várias medidas antecederam as primeiras providências mais efetivas, levadas a efeito só a partir de 1772, quando teria sido implantado o *ensino público oficial*. A Coroa nomeou professores, estabeleceu planos de estudo e inspeção e modificou o curso de humanidades, típico do ensino jesuítico, para o sistema de *aulas régias* de disciplinas isoladas, como ocorrera na metrópole. Para o pagamento dos professores, o governo instituiu o "subsídio literário", a fim de gerar recursos que "nem sempre foram aplicados na manutenção das aulas", segundo Sérgio Buarque de Holanda.

As vantagens proclamadas pelo ensino reformado decorriam da intenção de oferecer aulas de línguas modernas, como o francês, além de desenho, aritmética, geometria, ciências naturais, no espírito dos novos tempos e contra o dogmatismo da tradição jesuítica.

De acordo com a historiografia tradicional, o marquês de Pombal não conseguira de imediato introduzir as inovações de sua reforma no Brasil, após ter desmantelado a estrutura jesuítica, o que teria provocado o

[14] Fernando de Azevedo, *A cultura brasileira*: introdução ao estudo da cultura no Brasil. 4. ed. rev. e ampl. Brasília, Ed. UnB, 1963, p. 539.

retrocesso de todo o sistema educacional brasileiro. Essa interpretação pessimista prevaleceu ao ser divulgada na importante obra de Fernando de Azevedo (*A cultura brasileira*), na qual ele afirma que "a ação reconstrutora de Pombal não atingiu senão de raspão a vida escolar da colônia" e que, após a expulsão dos jesuítas, teria havido "meio século de decadência e transição".

Os estudos mais recentes, porém, descobriram na colônia um movimento mais rico, embebido com as idéias iluministas. As idéias "afrancesadas" que já circulavam em Portugal por meio das publicações dos intelectuais "estrangeirados" também tiveram sua divulgação no Brasil. Não só pela atuação dos formados pela Universidade de Coimbra, mas pela difusão entre nós de obras iluministas, aquelas recomendadas por Pombal e também as que foram por ele condenadas.

Conforme a descrição da professora Maria Lucia Spedo Hilsdorf, "mesmo sem imprensa na colônia, as idéias circulavam em panfletos e cópias manuscritas, em cadernos de notas, em textos embarcados clandestinamente e vendidos com muita rapidez para os interessados. (...) Roberto Ventura confirma que a circulação das idéias 'afrancesadas' ultrapassava o âmbito das elites esclarecidas, pois foram encontrados cadernos com cópias manuscritas de autores franceses proibidos, como Rousseau, entre os participantes da Inconfidência Baiana de 1798, a chamada 'Conjuração dos Alfaiates', que teve grande embasamento e participação das camadas populares"[15].

A expansão das idéias iluministas também se exerceu pelas lojas maçônicas[16] e pelas academias literárias, inúmeras delas espalhadas na colônia. Por fim, muitos desses intelectuais conhecedores de bibliografia atualizada foram professores das aulas régias, sobretudo de disciplinas como ciência moderna, filosofia, matemática, retórica.

Já no final do século XVIII, em 1798, o bispo Azeredo Coutinho abriu o Seminário de Olinda, em Pernambuco, sob a inspiração das idéias iluministas que absorvera como aluno da Universidade de Coimbra. Nesse Seminário, destinado à formação de padres e educadores, deu-se destaque ao ensino das ciências, das línguas vivas e da literatura moderna. Cuidou-se também de uma nova metodologia de ensino, distinta daquela tradicional baseada em castigos físicos e na memorização.

É interessante lembrar que não podemos imaginar alunos assistindo a aulas em prédios escolares, como hoje, porque os lugares de estudo eram improvisados (ver leitura completar da segunda parte do próximo capítulo). Além da educação doméstica, em que os mais abastados pagavam preceptores para seus filhos, reuniam-se as crianças nas igrejas, em salas das prefeituras e de lojas maçônicas ou na casa dos professores, que podiam ser nomeados pelo governo ou contratados por particulares.

Ainda mais, outras ordens religiosas continuaram atentas à educação, tais como carmelitas, beneditinos e franciscanos, estes últimos bem informados sobre as idéias iluministas.

---

[15] *História da educação brasileira*: leituras. São Paulo, Pioneira Thomson Learning, 2005, p. 31.

[16] A Maçonaria é um tipo de sociedade secreta, cujo ingresso depende de rituais iniciáticos. Desempenhou importante papel no século XVIII, com a divulgação das idéias iluministas que culminaram com as revoluções burguesas, embora os próprios maçons fossem de certa maneira conservadores. Existe ainda hoje, com o objetivo principal de desenvolver a fraternidade e a filantropia.

3. Ensino profissionalizante

Vimos no capítulo anterior (segunda parte, item 4, *A aprendizagem de ofícios*) que a mentalidade escravocrata depreciava a atividade manual, considerada "trabalho desqualificado", e que os artesãos não eram preparados em escolas, mas sim pela educação informal.

Na primeira metade do século XVIII, a Companhia de Jesus dispunha de algumas oficinas em que mestres jesuítas, muitos deles vindo do exterior, ensinavam os ofícios mais necessários. Depois, com o desenvolvimento da economia e a intensificação da urbanização, aumentou a demanda de artesãos (ver dropes 5). Várias lojas de ofícios foram criadas — no final do século XVIII havia 631 delas —, seguindo o mesmo sistema de corporações existente na metrópole. Ou seja, os mestres registravam os aprendizes, que, depois de quatro anos ou mais, recebiam o certificado de oficiais, após exame devidamente supervisionado[17].

Conclusão

No século XVIII, permanecia grande o contraste entre a Europa e o Brasil. Apesar das grandes transformações no Velho Mundo — sociais (ascensão da burguesia), econômicas (liberalismo) e políticas (revoluções para destituir os reis absolutistas) —, o Brasil continuava com a sua aristocracia agrária escravista, a economia agroexportadora dependente e submetido à política colonial de opressão.

As conseqüências para a cultura e a educação são previsíveis e já foram analisadas. Persistia o panorama do analfabetismo e do ensino precário, retrito a poucos, uma vez que a atuação mais eficaz dos jesuítas se fez sobre a burguesia e na formação das classes dirigentes, além da tarefa dos missionários entre os índios. Uma sociedade exclusivamente agrária, que não exigia especialização e em que o trabalho manual estava a cargo de escravos, permitiu a formação de uma elite intelectual cujo saber universal e abstrato voltava-se mais para o bacharelismo, a burocracia e as profissões liberais. Resultou daí um ensino predominantemente clássico, por valorizar a literatura e a retórica e desprezar as ciências e a atividade manual. Durante esse longo período do Brasil colônia, aumentou o fosso entre os letrados e a maioria da população analfabeta.

Essa tradição de três séculos acentuou o gosto pelo "anel de doutor", a pose e o discurso empolado. Diz Gilberto Freyre: "Daí a tendência para a oratória, que ficou no brasileiro, perturbando-o tanto no esforço de pensar como no de analisar as coisas. Mesmo ocupando-se de assuntos que peçam a maior sobriedade verbal, a precisão de preferência ao efeito literário, o tom de conversa em vez do discurso, a maior pureza possível de objetividade, o brasileiro insensivelmente levanta a voz e arredonda a frase. Efeito de muito latim de frade; de muita retórica de padre"[18].

Embora a reforma pombalina não tivesse repercutido de imediato na colônia, foram lançadas as sementes de um novo processo que iria amadurecer aos poucos a partir do século seguinte.

---

[17] Consultar Silvia Maria Manfredi, *Educação profissional no Brasil.* São Paulo, Cortez, 2002. p. 70.
[18] *Sobrados e mocambos*. São Paulo, Nacional, 1936, p. 269.

Dropes

1 - Por iniciativa da Academia dos Seletos e de seu presidente, um jesuíta, o padre Francisco de Faria, fundou-se no Rio de Janeiro, no século XVIII, a primeira oficina tipográfica, destruída mais tarde por ordem do governo português (Carta Régia de 6 de julho de 1747), que "mandou seqüestrar e remeter para Portugal as letras de imprensa, proibindo que se imprimissem livros, obras ou papéis avulsos e cominando a pena de prisão para o reino". (Fernando de Azevedo)

2 - As artes plásticas conseguem, nas Minas Gerais em particular, por essa época [século XVIII], pela primeira vez, algo especificamente nosso, renovando velhos modelos metropolitanos, de influência jesuítica quase todos, gerando uma arte com traços originais, como o barroco brasileiro.

Nas Minas Gerais, precisamente quando a mineração declina, surgem a torêutica[19], a escultura e a arquitetura religiosa, que fixarão os nomes de alguns artistas excepcionais, todos eles de origem popular, particularmente dois: Valentim da Fonseca e Silva — o grande Mestre Valentim —, desenhista e entalhador; e Antônio Francisco Lisboa — o Aleijadinho —, artista plástico de mérito inconfundível. E é ainda nas Minas Gerais que aparece um grupo de poetas que, por ali terem vivido na época e até juntos participado de acontecimentos políticos, deram motivo à qualificação do conjunto como "Escola Mineira". O documento político desses poetas são as *Cartas chilenas*; o documento literário é a *Marília de Dirceu*, de Tomás Antônio Gonzaga. (Nelson Werneck Sodré)

3 - No Brasil as idéias "afrancesadas" chegam com os alunos que estudavam fora da colônia. Com seus estudos científicos modernos pós-reforma, Coimbra era a universidade mais procurada, podendo ser considerada como uma verdadeira matriz de toda uma geração de intelectuais e cientistas que iniciaram o cultivo das ciências naturais e exatas. O historiador R. Maxwell diz que nos anos letivos de 1786 e 1787 foram matriculados nos cursos de Coimbra, respectivamente, 27 e 19 brasileiros, sendo 12 e dez mineiros, o que explica para ele o envolvimento de Minas na Inconfidência de 1789-94. E por que havia essa grande porcentagem de mineiros indo estudar na Coimbra reformada? Provavelmente porque, entre 1699 e 1750, com a produção do ouro, Minas apresenta outra composição social, complexa, com bastante mobilidade, com atividades econômicas diversificadas e urbanizadas e maior riqueza cultural; não é patricarcal como a "sociedade do açúcar" nem sofreu a influência da presença dos jesuítas ou outras ordens religiosas nos séculos XVI e XVII.

Mas outros centros de estudo das modernas ciências naturais e médicas — como Edimburgo, Paris e Montpellier — eram também muito procurados. (Maria Lucia Spedo Hilsdorf)

4 - Na Universidade de Coimbra em que estudou (1784-1790) e de que veio a ser, mais tarde, professor da cadeira de metalurgia, adquiriu José Bonifácio [de Andrada e Silva] o gosto pelas ciências de observação e pelos conhecimentos sobre a natureza, que, aperfeiçoados em viagens de estudos pelos principais centros científicos da Europa, lhe permitiram tornar-se um grande mineralogista e um dos mais cultos brasileiros de seu tempo. (Fernando de Azevedo)

5 - A intensificação das atividades econômicas, o crescimento das vilas e núcleos urbanos, ao longo do litoral, e a necessidade de defesa da colônia fizeram aumentar a importância, nas cidades, da burocracia do Estado (a administração, o Exército, a Justiça). Gerou-se, assim, uma nova demanda de artesãos de todos os tipos para a construção, reparação de equipamentos e prestação de serviços aos funcionários do Estado, comerciantes e seus empregados. (...) Instalaram-se olarias, caieiras para a fabricação de cal a partir das ostras de sambaquis, cerâmicas para a fabricação de ladrilhos, e artefatos domésticos (moringas e louças), curtumes e oficinas para a fabricação dos mais diferentes produtos necessários às atividades de cultivo, da mineração, transporte, comércio, construção de edifícios rurais e urbanos, e artefatos para a vida cotidiana nas fazendas e cidades. (Luiz Antônio Cunha)

---

[19] Torêutica: arte de cinzelar metais, marfim ou madeira. O cinzel é um instrumento de metal com uma das extremidades cortante.

● Leitura complementar

[A educação da mulher]

Desde o início da colonização, a educação formal destinava-se apenas aos meninos e, mesmo esses, nem sempre recebiam os cuidados de um mestre. Pode afirmar-se que a instrução e a leitura constituíram o quinhão de uma minoria de crianças e jovens. Desde o século XVI, os colégios dos jesuítas visavam dois objetivos principais: ensinar a ler e escrever aos pequenos índios isolados de suas famílias e arrancados à cultura indígena; e formar os quadros para a própria Companhia de Jesus no Brasil.

(...)

É preciso contudo ressaltar que, mesmo no período em que os jesuítas dominavam o ensino na colônia, existiam outros mestres que ensinavam as primeiras letras aos meninos, como se pode constatar pelas recomendações dos juízes dos órfãos, desde finais do século XVI, para que os tutores fizessem as meninas aprender a costurar e outras prendas domésticas e os meninos a ler, escrever e contar. Pela análise dos testamentos femininos se observa que a quase totalidade das mulheres da Capitania de São Vicente, depois Capitania de São Paulo, eram incapazes de assinar seu nome, o que não significa que elas não soubessem ler algumas frases, pois leitura e escrita não possuíam a mesma dificuldade de aprendizagem.

Escapavam a esta situação de analfabetismo as meninas que eram enviadas, muito jovens, para os conventos de Portugal ou das ilhas atlânticas.

(...)

O fluxo de jovens da colônia para a metrópole, a fim de ingressarem em mosteiros, não encontrou inicialmente qualquer impedimento que não fosse de ordem econômica (despesas com a viagem e o dote religioso). Depois, sobretudo em regiões de povoamento recente, esta sangria de jovens passou a ser considerada excessiva, como escrevia [ao rei] o governador de Minas Gerais (...): "Se Vossa Majestade não lhe puser toda a proibição, suponho que toda mulher do Brasil será freira".

(...)

Mas será preciso esperar até finais do século XVIII para depararmos com um recolhimento claramente fundado em objetivos educativos.

Os Estatutos do recolhimento de Nossa Senhora da Glória, do lugar da Boavista, foram redigidos por D. José Joaquim de Azeredo Coutinho e publicados em Lisboa em 1798. (...) O bispo obteve aprovação régia para este projeto e chamou a si a tarefa de redigir as regras a serem observadas na instituição.

A primeira cláusula que chama a atenção é o número restrito de recolhidas, 12, que se dedicariam à administração da instituição e ao ensino das educandas ali recebidas. Pela primeira vez, se nota num recolhimento a separação nítida entre recolhidas e educandas, assumindo as primeiras o papel de mestras. (...)

Quanto às educandas, todas as regras a elas referentes assentavam no princípio da necessidade da educação das meninas, dado "o grande influxo que as mulheres têm no bem, ou no mal, das sociedades". Os papéis femininos eram claramente definidos: "elas têm uma casa que governar, marido que fazer feliz, e filhos que educar na virtude". Para virem a bem desempenhar estas funções, as meninas deviam ser retiradas das casas paternas, onde sua formação era descuidada, para serem educadas no recolhimento. Os vícios da educação doméstica eram descritos pelo bispo de Pernambuco em torno do conceito de ociosidade. Tendo serviçais, logo a menina pensava estar isenta do "trabalho das mãos" e, sem ter nada que fazer, dormia demais, o que a tornava mole e "mais exposta às rebeliões da carne". Adquiria uma "perniciosa sensibilidade para os divertimentos e espetáculos" e uma grande curiosidade pela vida alheia, procurando saber "tudo o que se diz e o que se faz".

(...)

Seu plano de estudos adequava-se aos papéis femininos na sociedade de então: as meninas limitar-se-iam a aprender a ler, escrever e contar, além de coserem e bordarem, pois isso bastaria para o governo de suas casas no futuro. Pode parecer pouco, mas na sociedade colonial, onde eram raras as mulheres que sabiam assinar seus nomes e escrever uma carta, o programa do bispo Azeredo Coutinho representava um passo importante na educação feminina.

Maria Beatriz Nizza da Silva, "A educação da mulher e da criança no Brasil colônia", in Maria Stephanou e Maria Helena Camara Bastos (orgs.), *Histórias e memórias da educação no Brasil*. Petrópolis, Vozes, v. I: *Séculos XVI-XVIII*, 2004, p. 131 a 135.

Atividades

Questões gerais

1. Considerando a mudança do eixo econômico do Nordeste para a região aurífera de Minas Gerais, explique que mudanças econômicas ocorreram e como repercutiram na procura de educação.

2. Existe na historiografia uma polêmica em torno dos problemas decorrentes da expulsão dos jesuítas do Brasil, em meados do século XVIII. Explique como as pesquisas atuais desfazem a crença de um vazio educacional de meio século.

3. Indique quais foram as metas da reforma pombalina no Brasil. Identifique também quais foram as contradições do despotismo esclarecido ao tentar introduzir as idéias iluministas em Portugal e quais foram as precauções a esse respeito com relação ao Brasil.

4. Com base no dropes 2 e a partir dos elementos vistos no capítulo (sobre a nova organização social), explique o que possibilitou as expressões artísticas a que Nelson Werneck Sodré se refere.

5. Com base no dropes 3, explique o que significa dizer, como Gilberto Freyre, que a Conjuração Mineira "foi uma revolução de bacharéis".

6. Com base no dropes 4, pesquise em um livro de história a importância política de José Bonifácio de Andrada e Silva, o Patriarca da Independência.

7. Relacione o desenvolvimento inicial do ensino profissional com as mudanças econômico-sociais do século XVIII.

8. Consulte livros de literatura sobre o Brasil colonial para fazer um levantamento da produção do arcadismo mineiro e identifique:

a) os elementos estranhos à nossa realidade e que resultam do neoclassicismo presente no arcadismo;

b) o nascente sentimento nativista.

Questões sobre a leitura complementar

1. Reveja na primeira parte do capítulo a discussão a respeito do desenvolvimento de uma sociedade disciplinar em que a escola era um dos pilares. Discuta como esse controle era mais rigoroso para as mulheres e por quê.

2. Retome com o seu grupo as passagens deste livro que se referem à educação feminina ao longo da história e analise se até o século XVIII as mudanças foram significativas.

3. Compare os motivos em que se baseia a defesa (ou a exclusão) da escolarização das meninas. Comente quais foram as danças de orientação a partir do século XX. Explique por quê.

Capítulo 9

Século XIX: a educação nacional

‹ As faculdades de Direito das cidades de Recife e de São Paulo surgiram em 1827, providência tardia se considerarmos a implantação de cursos superiores nas nações européias e mesmo na América. (Igreja São Francisco e Faculdade de Direito, São Paulo, 1863.)

O fenômeno da urbanização acelerada, decorrente do capitalismo industrial, criou forte expectativa com respeito à educação, pois a complexidade do trabalho exigia melhor qualificação da mão-de-obra.

Desde o século XVII, Comênio preconizava "ensinar tudo a todos", mas, apesar das tentativas de universalização do ensino no século seguinte, apenas no século XIX esse projeto começou a se concretizar, com a intervenção cada vez maior do Estado para estabelecer a escola elementar universal, laica, gratuita e obrigatória. O desenvolvimento do capitalismo industrial estimulou a criação de escolas politécnicas. A discussão sobre os metodologia intensificou-se.

Na primeira parte deste capítulo veremos como se processou esse projeto na Europa e nos Estados Unidos, enquanto na segunda parte examinamos a situação do Brasil, que passava de colônia a Império, mas enfrentava sérios problemas com a escolarização, sobretudo pelo fato de aqui ainda persistir um modelo de economia agrário-comercial, com tentativas de industrialização apenas no final do século. A grande massa da população, constituída de escravos e pessoas do campo, não reivindicava a escolarização, e a taxa de analfabetismo mantinha-se alta.

A organização da educação pública

Contexto histórico

No século XVIII, a Revolução Industrial começou a alterar a fisionomia do mundo do trabalho, enquanto no século seguinte será percebido o impacto dessas mudanças.

As novas máquinas modificaram profundamente as relações de produção, com o desenvolvimento do sistema fabril em grande escala e a divisão do trabalho. Na agricultura, a introdução de novas técnicas e a aplicação de conhecimentos científicos ampliaram a produtividade. Deu-se também uma revolução nos transportes, com o navio a vapor, a construção de rodovias e ferrovias. Novas fontes de energia, como o petróleo e a eletricidade, substituíram o carvão. Acentuou-se o processo de deslocamento da população do campo para as cidades, que passaram a concentrar grande massa trabalhadora.

A partir de 1870, o aumento da produção alterou o capitalismo liberal, que substituiu a livre concorrência pelo moderno capitalismo dos monopólios, com a formação de trustes poderosos e eficientes no campo empresarial, bem como forte monopólio dos bancos.

Em busca de matéria-prima e visando a garantir mercado para a absorção dos excedentes da indústria, o capitalismo expandiu-se dando início ao imperialismo colonialista. Nessa fase, países como Inglaterra, França, Bélgica, Itália e Alemanha retalharam a África e a Ásia em colônias.

O século XIX representou o período da consolidação do poder dos burgueses, que até então tinham sido os opositores ao regime aristocrático e feudal. Após as revoluções, ainda na primeira metade do século XIX, eles lutavam contra as forças reacionárias da nobreza desejosa de restauração e só a partir de 1848 se instalaram no poder em toda a Europa.

O contraste entre a riqueza e a pobreza era cruel nesse século em que a jornada de trabalho se estendia de 14 a 16 horas, inclusive com mão-de-obra infantil e feminina. Para enfrentar essas dificuldades, o proletariado fortaleceu-se como a classe revolucionária, opondo aos interesses burgueses suas próprias reivindicações. Os movimentos dos trabalhadores se inspiraram nas ideologias críticas do liberalismo burguês, como o socialismo utópico (Proudhon), o anarquismo (Bakunin) e o socialismo científico (Marx e Engels).

Na onda do nacionalismo do século XIX, a Europa presenciou a unificação da Alemanha e a da Itália, ambas em 1870; na América, as colônias espanholas e portuguesa (Brasil) tornaram-se independentes.

Educação

1. Características gerais

Enquanto o Estado se esforçava para oferecer a escola gratuita para os pobres, é bem verdade que os ricos ainda procuravam as escolas tradicionais religiosas. De fato, a urbanização e a industrialização criaram o fenômeno das crianças na rua, e havia a necessidade de "controle do corpo infantil", a fim de evitar os problemas sociais que daí poderiam derivar.

Apesar das críticas dos religiosos à educação laica, lentamente os governos conseguiam intervir inclusive nas escolas particulares, mediante legislação que buscava uniformizar o calendário escolar, o controle do tempo, o currículo, os procedimentos, criando os "sistemas educativos nacionais". Nesse período, verificou-se uma nítida separação entre os pedagogos, ou teóricos da educação, e os educadores propriamente ditos, que exerciam seu mister nas salas de aula.

Deu-se uma grande expansão da rede escolar, não só em número de escolas, mas na ampliação da escola elementar, da rede secundária e superior, além da novidade da pré-escola.

Na reorganização da rede secundária, mantinha-se a dicotomia que destina à elite burguesa a formação clássica e propedêutica, enquanto para o trabalhador diferenciado da indústria e do comércio é reservada a instrução técnica. No ensino universitário, ampliado e reformulado, foram criadas as escolas politécnicas para atender às necessidades decorrentes do avanço da tecnologia. Iniciados por Froebel, surgiram os "jardins da infância". O interesse pela educação estendeu-se às escolas normais, denominação genérica dada aos cursos de preparação para o magistério.

Os cuidados com a metodologia, que se acentuavam desde a Idade Moderna, tomaram contornos mais rigorosos em virtude das novas ciências humanas, sobretudo da psicologia.

Ao lado da expansão da rede escolar, outro objetivo dos educadores no século XIX era formar a consciência nacional e patriótica do cidadão. Até então a educação tivera um caráter geral e universal, mas agora se dava maior ênfase à formação cívica, certamente em razão das tendências nacionalistas da época. Veremos adiante como a emergência do movimento romântico na Alemanha repercutiu na pedagogia daquela época.

2. Educação alemã

Desde a época de Lutero (século XVI), a Alemanha dera atenção à educação elementar. Porém, a derrota infligida por Napoleão aos alemães, no começo do século XIX, prejudicou bastante a organização escolar, cuja reconstrução coube ao ministro da Prússia, Wilhelm von Humboldt (1767-1835), filósofo e lingüista. Suas reformas enfatizaram a integração dos graus de ensino, visando a uma escola unificada, que deveria ser aberta e acessível a todos.

A reformulação da escola elementar sofreu a influência do suíço-alemão Pestalozzi, enquanto a secundária manteve o caráter nitidamente humanista e erudito. O coroamento do processo completou-se com a criação da Universidade de Berlim em 1810, símbolo da nova cultura germânica. Grandes pensadores, como Fichte, Schleiermacher dela fizeram parte, imprimindo-lhe forte tendência para a discussão filosófica e a cultura geral.

Humboldt esperava que todos tivessem direito e acesso à escola de formação geral e que a procura das escolas profissionais dependesse apenas da vontade de cada um. No entanto, essa possibilidade não existia de fato. Ainda assim, era boa a oferta de escolas profissionais, destinadas a preparar para as tarefas da oficina, do comércio e da agricultura. Inclusive os patrões eram obrigados a facilitar o horário de trabalho, para permitir que os operários pudessem freqüentar os cursos.

Esse período culminou com a unificação dos Estados alemães em 1870, sob a liderança da Prússia. Até o final do século XIX, inúmeras e efetivas reformas conduziram a Alemanha a um ensino secundário eficiente, rigoroso e disciplinado, com baixo nível de analfabetismo e invejável posição de progresso técnico e administrativo.

É bem verdade que se tratava de uma escola excessivamente autoritária e disciplinar, que mereceu a crítica, sem efeito naquele momento, dos defensores da liberdade e da autonomia na educação.

3. França

Desde a Revolução de 1789, os franceses já defendiam a educação pública e gratuita. No começo do século XIX, porém, Napoleão adotou uma política autoritária e centralizadora do ensino. Voltou sua atenção sobretudo para a universidade e o ensino secundário (os liceus), deixando o ensino elementar a cargo das ordens religiosas e, portanto, sem a gratuidade tão defendida no século anterior.

Após a queda de Napoleão, quando foram restabelecidas relações com a Inglaterra, os franceses aproveitaram-se das técnicas do ensino mútuo, ou monitorial (que descreveremos melhor no próximo item), a fim de atender às reivindicações de educação para as crianças da classe trabalhadora. Essa experiência de ensino elementar de massa teve momentos de pleno sucesso (de 1815 a 1820, abriram-se mil escolas mútuas, reunindo 150 mil alunos). Depois de algum recesso e de novo florescimento, o projeto acabou por se extinguir por volta da década de 1870.

Um pouco antes, em 1865, o industrial francês Godin, inspirado pelas idéias socialistas de Fourier, fundara uma escola ao lado de um núcleo habitacional, chamado *familistério*. Essa experiência, exemplo raro de atendimento a filhos de operários, sofreu pesadas críticas de liberais temerosos da influência socialista.

Após a derrota da França pela Prússia, no período conhecido como Terceira República, os franceses retomaram a discussão sobre a necessidade da escola pública e muito elogiaram o mestre-escola alemão. Uma lei de 1882 instituiu de novo a escola laica, gratuita e obrigatória, tendo como modelo a Alemanha. Além da atenção à formação de professores, foi reorganizado o ensino técnico, diante da necessidade de formar "chefes de oficina e bons operários".

Naquele período a universidade liberou-se do monopólio instaurado ainda no tempo de Napoleão e os cursos se tornaram mais didáticos (deixando o estilo de preleções para ouvintes, como era antes), com sensíveis mudanças pedagógicas e conseqüente aumento do número de estudantes.

4. Inglaterra

Na Inglaterra, a situação foi um pouco diferente. Devido à tradição de pequena intervenção do Estado, a educação continuou como função da sociedade civil, subvencionada por igrejas ou fundações particulares.

A partir de 1830 o Estado implantou uma série de medidas para exercer maior controle sobre o ensino público, criando então as *public schools*, que de início foram mais freqüentadas por crianças das classes ricas. Em meados do século XIX, auxiliou essas escolas e pronunciou-se sobre a obrigatoriedade do ensino e a exigência de gratuidade. Mesmo assim, o papel do Estado se restringia com freqüência ao apoio econômico e à supervisão das atividades pedagógicas. Em 1899 foi criado o Ministério da Educação (*Board of Education*).

Em outra linha de atuação, o socialista utópico Robert Owen (1771-1858), impressionado com as condições de vida dos operários ingleses, fundou escolas para os filhos dos trabalhadores.

O ensino mútuo ou monitorial

Dada a necessidade de ampliar a alfabetização em uma sociedade em pleno crescimento industrial, surgiram propostas as mais diversas. É singular a experiência do ensino mútuo (ou sistema monitorial) aplicada pelo anglicano Bell (1753-1832) e pelo *quaker*[1] Lancaster (1778-1838), em suas respectivas escolas destinadas a crianças pobres. Adotaram o sistema de monitoria, em que o professor não ensina todos os alunos, mas prepara apenas os melhores, que por sua vez atendem grupos de colegas. A divisa de Lancaster era: "Um só mestre para mil alunos".

O sistema consistia em reunir um grande número de alunos em um galpão – Lancaster chegou a reunir mil – e agrupá-los de acordo com o seu adiantamento em leitura, ortografia e aritmética. Antes das aulas, o professor ensinava os mais adiantados, que seriam os monitores e deviam se incumbir dos diversos grupos de acordo com o seu nível de conhecimento. À medida que cumpriam uma etapa, eram transferidos para o grupo de grau mais elevado e assim por diante. As "classes" não eram as mesmas para leitura e aritmética, porque um aluno podia estar mais adiantado em uma delas e não na outra.

Para que o sistema funcionasse, havia rígida disciplina. A entrada era em fila organizada, após o toque do sino, e um apito chamava a atenção dos indisciplinados. Falava-se baixo, havia cartazes e quadros bem como cartões de sinalização, para indicar a seqüência dos trabalhos, que todos da mesma "classe" deveriam cumprir ao mesmo tempo. O único professor, do alto de um estrado, supervisionava o andamento das aulas e interferia quando necessário.

Esse processo barateava os custos e conseguia impor rígida disciplina, mas os resultados não eram dos melhores, como se pode imaginar, já que os monitores eram escolhidos entre os alunos. Assim comenta a professora Maria Helena Camara Bastos: "As críticas formuladas ao método monitorial/mútuo centram-se na incompetência dos monitores, na maioria das vezes incapazes de fornecer explicações complementares, ou de adaptar-se ao nível de compreensão de seus colegas; no sistema *empírico e prático*, baseado em *procedimentos mecânicos*, portanto, desprovido de valor educativo; na inculcação de fórmulas e receitas; na transmissão de conhecimentos *superficiais e sem valor*, que não leva os alunos à reflexão e não desenvolve a inteligência. O aluno é a grande vítima da mecânica do ensino monitorial/mútuo: está preso a um verdadeiro sistema militar, que o leva a agir somente mediante uma ordem e a submeter-se a um condicionamento destinado a torná-lo um cidadão dócil e obediente. Foucault considera o ensino mútuo uma máquina de quebrar os corpos e as inteligências"[2]. (A este propósito, ver a leitura complementar 2 desta primeira parte.)

Em todo caso, a idéia entusiasmou muita gente por algum tempo, também fora da Inglaterra, como na França, nos Estados Unidos e inclusive no Brasil, onde várias leis de diversos estados estimularam a adoção do método, durante o período monárquico.

5. Estados Unidos da América

A instalação da escola pública norte-americana, bem no início do século XIX, atingiu inclusive o ensino universitário, com a fundação da primeira universidade estatal

[1] *Quakers* e anglicanos são membros de diferentes ramos da Igreja Protestante na Inglaterra. O anglicanismo é a religião oficial daquele país desde Henrique VIII, no século XVI. Os *quakers* surgiram no século XVII e propagaram sua crença também nos Estados Unidos.

[2] "O ensino monitorial/mútuo no Brasil (1827-1854)", in Maria Stephanou e Maria Helena Camara Bastos (orgs.), *Histórias e memórias da educação no Brasil*. Petrópolis, Vozes, 2005, v. II: *Século XIX*, p. 40.

de Virgínia, em 1819, exemplo seguido por outros estados.

Desde 1820 inúmeras instituições politécnicas destinadas ao ensino profissional orientado para a indústria, a agricultura e o comércio ajudaram o crescimento econômico do país. Na década seguinte, a atenção concentrou-se no ensino primário e, por volta de 1850, no secundário. Naquela época, vários estados possuíam departamentos para organizar e supervisionar a educação.

Horace Mann (1796-1859), ao se tornar superintendente de educação no estado de Massachusetts em 1837, criou escolas urbanas e rurais, escolas normais, bibliotecas e incentivou a expansão da educação pública além do seu estado.

Segundo Mann, a empreitada abriria horizontes otimistas para as classes oprimidas: "A educação, mais do que qualquer outro instrumento de origem humana, é a grande igualadora das condições entre os homens — o eixo de equilíbrio da maquinaria social (...)". Como veremos, essas idéias divulgavam a crença na função equalizadora da educação, que mais tarde animou os adeptos da Escola Nova.

Com a criação de escolas normais estatais para a formação de mestres, delineava-se o quadro da educação norte-americana, já bem configurado em meados do século XIX.

Pedagogia

1. O ideário do século XIX

Além de sofrer a influência das alterações econômicas e sociais a que já nos referimos, o pensamento pedagógico do século XIX precisa ser compreendido a partir do estágio em que se encontravam naquele momento a filosofia e as ciências, bem como da revolução cultural caracterizada pelos ideais românticos que se opunham de certa forma ao racionalismo iluminista. Enquanto na Ilustração a razão é tudo, para os românticos ela é apenas um dos aspectos da força espiritual humana, que se compõe também da imaginação, da incerteza, do contraditório.

Nascido na Alemanha, o romantismo estético espalhou-se depois pela Europa, exaltando os sentimentos, a individualidade, a espiritualidade, a vida nos seus aspectos de paixão, tragédia, heroísmo e mistério. Influenciou igualmente a exploração de temas como povo, história, nação, ou seja, o conjunto dos indivíduos unidos pela mesma língua e por laços de origens, crenças e tradições.

Na pedagogia, o romantismo alemão alargou a noção de *Bildung*, conceito complexo que representa mais do que o simples significado literal de "formação". *Bildung* pode corresponder à ampla visão de um desenvolvimento espiritual por meio da cultura. Voltaremos a este tema mais adiante.

Vimos que no século anterior Kant desenvolvera importante reflexão a respeito das possibilidades e limites da razão para conhecer a realidade, e como suas idéias repercutiram na definição do projeto educacional voltado para a construção de um agir e pensar autônomos.

Os filósofos do século XIX interpretaram de muitas formas o pensamento kantiano. Por questões didáticas, destacaremos três das principais tendências:

- Os *positivistas* (Comte) levaram às últimas conseqüências as críticas kantianas à metafísica, afirmando que não cabe ao filósofo teorizar sobre "idéias sem conteúdo". Assim, reduzem o trabalho da filosofia à mera síntese das diversas ciências particulares.
- Os *idealistas* (Fichte, Schelling e Hegel) destacaram a capacidade que Kant atribuía à razão de impor formas *a priori* ao conteúdo dado pela experiência.

• Os *materialistas* (Feuerbach), críticos do idealismo, influenciaram a vertente socialista, representada sobretudo por Marx e Engels.

2. Positivismo e ciência

O francês Augusto Comte (1798-1857), iniciador da corrente positivista, partiu do pressuposto de que a humanidade (e o próprio indivíduo, na sua trajetória pessoal) passa por diversos estágios até alcançar o *estado positivo*, que se caracteriza pela maturidade do espírito humano.

O termo *positivo* designa o real, em oposição às formas teológicas ou metafísicas de explicação do mundo, que predominavam na filosofia até então. Para Comte, "todos os bons espíritos repetem, desde Bacon, que somente são reais os conhecimentos que repousam sobre fatos observados". Isso significa que, por meio da observação e do raciocínio, o indivíduo é capaz de descobrir as relações invariáveis entre os fenômenos, ou seja, suas leis efetivas.

O positivismo exprime a exaltação provocada no século XIX pelo avanço da ciência moderna, capaz de revolucionar o mundo com uma tecnologia cada vez mais eficaz: "Saber é poder". Esse entusiasmo desembocou no *cientificismo*, visão reducionista segundo a qual a ciência seria o único conhecimento válido. Desse modo, o método das ciências da natureza — baseado na observação, experimentação e matematização — deveria ser estendido a todos os campos de indagação e a todas as atividades humanas.

Outra decorrência do positivismo é a concepção determinista, que atribui ao comportamento humano as mesmas relações invariáveis de causa e efeito que presidem as leis da natureza. Por exemplo, para Taine, um dos seguidores de Comte, o ato humano não é livre, já que é determinado por causas das quais não pode escapar, como a raça (determinismo biológico), o meio (determinismo geográfico) e o momento (determinismo histórico).

Se o positivismo considerava os princípios da experimentação e da matematização inerentes ao conceito de ciência, era de esperar que esses princípios também se aplicassem às ciências humanas, caso estas quisessem ser reconhecidas como ciências. Ou seja, a sociologia, a psicologia, a economia deveriam usar um método semelhante ao das ciências da natureza, a fim de alcançar rigor e objetividade.

Da perspectiva positivista, Comte define a sociologia como uma *física social*, aplicando a ela os modelos da biologia para explicar a sociedade como um organismo coletivo. Submetido à consciência coletiva, resta ao indivíduo pequena possibilidade de intervenção nos fatos sociais. Na mesma linha, ao desenvolver o método sociológico, Durkheim — que veremos no próximo capítulo — recomenda que os fatos sociais sejam observados como coisas.

Igual intenção orientou o método da psicologia, ainda que o próprio Comte admitisse ser impossível contornar o seu caráter subjetivo. Apesar disso, a psicologia experimental surgiu no final do século XIX. Os primeiros psicólogos abandonaram as especulações de caráter filosófico — sobre a origem, o destino ou a natureza da alma ou do conhecimento, por exemplo — e, seguindo a tendência naturalista do positivismo, aplicaram o método experimental voltando-se para os aspectos do comportamento que podiam ser verificados exteriormente.

Os pioneiros da psicologia experimental foram os alemães Weber, Fechner, Helmholtz e Wundt, este último responsável pelo primeiro laboratório de psicologia experimental em Leipzig, em 1879.

Só depois surgiram teóricos de outra tendência — genericamente chamada de *humanista* —, que, ao criticar o positivismo, procuravam garantir a especificidade do objeto das ciências humanas, distinguindo-as das ciências da natureza. Voltaremos à questão no próximo capítulo.

Positivismo e educação

Augusto Comte estava convencido de que a educação deveria levar em conta, em cada indivíduo, as etapas que a humanidade percorrera: o pensamento fetichista da criança seria superado pela concepção metafísica, e esta, finalmente, pela positivista, no momento em que atingisse a idade madura.

O positivismo permeou de maneira eficaz a pedagogia daí em diante, ora de maneira explícita, ora camuflada. Entre os seguidores mais próximos, dois se interessaram especificamente pela educação: Herbert Spencer e John Stuart Mill.

Spencer (1820-1903), além da influência positivista, incorporou o evolucionismo de Darwin. Portanto, para ele a educação, como tudo no mundo, sofre um processo evolutivo em que o ser revela suas potencialidades. Essa convicção baseia-se na idéia de *progresso*, cara ao ideário positivista, que parte do pressuposto segundo o qual as coisas têm em germe aquilo que elas serão, bastando existir condições para serem desencadeadas. Imbuído da concepção cientificista, Spencer escreveu a obra *Educação*, que obteve muita popularidade. Nela considera o ensino das ciências o centro de toda educação, não só em termos de transmissão dos conhecimentos, como da formação mesma do espírito científico. Entre as ciências, a física, a química e a biologia seriam as mais importantes. Na sua obra prevalece o interesse pelas questões utilitárias, em franca oposição ao ensino humanista tradicional.

John Stuart Mill (1806-1873) amenizou em parte o cientificismo spenceriano ao enfatizar a importância das ciências sociais como a história, a economia, o direito etc. Sempre interessado em melhores condições de vida, destacou-se como batalhador da causa feminina.

O positivismo atuou de forma marcante no ideário das escolas estatais, sobretudo na luta a favor do ensino laico das ciências e contra a escola tradicional humanista religiosa. No século XX ainda permaneceu viva essa influência. Por exemplo, a psicologia comportamentalista de Watson e Skinner (behaviorismo norte-americano) serviu de base a muita teoria pedagógica. No Brasil, o positivismo influenciou as medidas governamentais do início da República e, na década de 1970, por ocasião da tentativa de implantação da escola tecnicista.

3. O idealismo

Em filosofia, o conceito de *idealismo* não se confunde com o sentido comum do termo, que identifica a atitude de pessoas com um grande ideal moral ou intelectual. Do ponto da teoria do conhecimento, *idealismo* é o nome genérico de diversos sistemas filosóficos segundo os quais o ser ou a realidade são determinados pela consciência: são as idéias que produzem a realidade, porque "ser" significa "ser dado na consciência".

Hegel (1770-1831), o mais importante dos pensadores idealistas do século XIX, desenvolveu a filosofia do devir (do movimento, do vir-a-ser). Ao explicar o movimento gerador da realidade, Hegel desenvolve a *dialética idealista*, em que a racionalidade "é o próprio tecido do real e do pensamento". O mundo é a manifestação da idéia, e por esse movimento a Razão passa por todos os graus, desde a natureza inorgânica, a natureza viva, a vida humana individual, a social até as mais altas manifestações da cultura.

Para explicar a realidade em constante processo, Hegel não utiliza a lógica tradicional, aristotélica, inadequada para compreender o movimento, mas estabelece os princípios de uma outra lógica: a *dialética*. Da abordagem dialética deriva um novo conceito de razão e de história: enquanto os filósofos anteriores estavam preocupados em afirmar ou rejeitar a capacidade da razão para alcançar a verdade eterna e imutável, Hegel argumentava que a razão é histórica. Nesse sentido, o presente é visto como resultado de longo e dramático processo. A história não se faz linearmente, como acumulação e justaposição de fatos no tempo, mas por verdadeiro engendramento, cujo motor interno é a contradição. Essa transformação se processa por tese, antítese e síntese, os três momentos da dialética.

Hegel atribui ao Estado uma importância muito grande, afirmando que, em determinado momento do processo, ao superar a contradição entre o privado e o público, ele se torna uma das mais altas sínteses do Espírito objetivo, o que permite a superação da subjetividade egoísta, para vivermos melhor em sociedade.

Idealismo e educação

Para Hegel, a educação é um meio de espiritualização humana, cabendo ao Estado incentivar esse processo. Diz Hegel: "Só no Estado tem o homem existência racional. Toda educação se dirige para que o indivíduo não continue a ser algo subjetivo, mas se faça objetivo, no Estado".

Contemporâneo de Hegel e conhecido nos meios intelectuais europeus antes dele, o filósofo idealista Fichte (1762-1814) valorizava sobremaneira a educação. Ele parte da idéia de que a natureza humana não nos é dada, mas nos humanizamos na medida em que nos afirmamos como sujeitos, capazes de consciência de si e de atividade livre. Por isso, a educação não se restringe a formar "alguma coisa no homem", mas o "homem ele mesmo".

Envolvido com as questões políticas do seu tempo, após a derrota infligida pelos franceses aos prussianos, nos famosos e inflamados *Discursos à nação alemã*, Fichte destaca a educação como indispensável para o renascimento e a grandeza da Alemanha. Para ele, era tarefa do Estado instaurar a escola nacional e unificada.

Além de Fichte, os filósofos Schleiermacher e Von Humboldt e os poetas Goethe e Schiller representam a pedagogia do neo-humanismo. Segundo o historiador da educação Franco Cambi, "O tema pedagógico dominante nesses autores é o da *Bildung* (ou formação humana) que aponta na direção de um ideal de homem integral, capaz de conciliar dentro de si sensibilidade e razão, de desenvolver a si próprio em plena liberdade interior e de organizar-se, mediante uma viva relação com a cultura, como personalidade harmônica" (ver leitura complementar 1).

4. As idéias socialistas

Com o desenvolvimento do capitalismo, a classe proletária cresceu em tamanho, mas sem acesso aos benefícios da nova ordem econômica. Ao contrário, eram terríveis as condições de moradia das famílias amontoadas nos arrabaldes das grandes cidades, depois de enfrentar extensa jornada de trabalho mal pago e em locais insalubres.

No século XIX, surgiram as organizações de trabalhadores, criadas para defender seus interesses contra a exploração dos donos do capital. Esses movimentos foram fecundados pelas idéias socialistas, inicialmente pela produção teórica dos chamados *socialistas utópicos* (Saint-Simon, Fourier, Proudhon, Owen), que, embora percebessem o antagonismo das classes, propunham meios paternalistas para a emancipação da classe oprimida.

O britânico Robert Owen, por exemplo, tinha convicção de que a instrução seria um meio para restituir a dignidade aos operários. Já no seu tempo, fez a crítica da divisão do trabalho, que começava a ser aplicada nas fábricas, acusando esse procedimento de causar fraqueza física e mental. Propõe, em contraposição, a instrução geral para toda criança, o que "a tornará apta para os fins da sociedade", uma vez que faria surgir "uma classe trabalhadora cheia de iniciativas de úteis conhecimentos". De maneira ingênua, por achar que a educação teria a capacidade de mudar a sociedade e contando com a boa vontade do dono do capital, afirma: "Se a invenção das máquinas multiplicou a capacidade de trabalho em muitos campos com evidentes vantagens de privados, enquanto agravou a condição de muitos outros, a minha é uma invenção que, com sua introdução e sua rapidíssima difusão, multiplicará logo, incalculavelmente, as forças físicas e mentais da sociedade inteira sem prejudicar a ninguém". Sua tentativa em concretizar essas idéias fracassou.

Os utópicos foram criticados por Marx (1818-1883) e Engels (1820-1895), ao estabelecerem as bases do que eles mesmos denominaram *socialismo científico*. A teoria marxista, ou materialismo histórico-dialético, foi elaborada com a influência e a crítica de diversas tendências.

Como Hegel, Marx parte da concepção histórica e dialética do real, mas não considera o mundo material a encarnação da "idéia absoluta", da "consciência", como os idealistas. Ao contrário, para o materialismo, o movimento é a propriedade fundamental da matéria e existe independentemente da consciência; portanto, esta é um dado secundário, derivado, já que é reflexo da matéria. Como se vê, Marx e Engels invertem a perspectiva idealista.

Para exemplificar, lembramos que a abordagem idealista da história, assimilada pelo senso comum, explica seu movimento pela ação dos "grandes homens", das grandes idéias ou, às vezes, até pela intervenção divina. Para Marx, diferentemente, no lugar das idéias, estão os fatos materiais; no lugar dos heróis, a luta de classes. A história se faz com os fatores materiais, econômicos e técnicos que correspondem às condições em que os indivíduos se reúnem para produzir sua existência por meio do trabalho. Nesse processo, surgem contradições no seio da sociedade, que no tempo de Marx, e ainda hoje, resultam dos interesses antagônicos do capitalista e do proletário.

Marx não nega que o ser humano tenha idéias, mas as explica a partir da estrutura material da sociedade em que vive. Para ele, as idéias de uma sociedade, expressas na filosofia, na moral, na ciência, no direito, nas artes, na pedagogia, constituem a superestrutura e dependem da infra-estrutura, as condições materiais ou econômicas dessa sociedade.

Do ponto de vista dialético, porém, os fenômenos materiais são processos (nada é estático), e o espírito não é conseqüência passiva da ação da matéria. A consciência humana, ao tomar conhecimento dos determinismos, pode agir sobre o mundo, transformando-o, inclusive pela revolução. Em política, a ação revolucionária tem por objetivo a transformação radical do *status quo*, com a alteração da estrutura econômica, política e social. Pressupõe também um confronto em que as novas idéias são impostas pela violência.

Para Marx e Engels, a classe operária, organizando-se num partido revolucionário, destruiria o Estado burguês e, suprimindo a propriedade privada dos meios de produção, haveria de instaurar uma sociedade igualitária. Antes de alcançar esse objetivo, ela precisa conhecer a própria força, tomando consciência da alienação a que está submetida e da ideologia que a impede de perceber que age com valores impostos pela classe dominante.

Na mesma linha de crítica ao sistema capitalista e à exploração da classe proletária pela burguesia, destaca-se o anarquismo, movimento iniciado por Bakunin (1814-1876). Os libertários (como são conhecidos os anarquistas), inicialmente próximos a Marx, dele se distanciaram por divergências em pontos fundamentais. Repudiam toda forma de poder e autoridade e buscam fundar "a ordem na anarquia". Criticam o Estado, a Igreja, e todas as instituições hierárquicas, inclusive a escola autoritária.

Socialismo e educação

As idéias socialistas provocaram grandes alterações nas concepções pedagógicas. Do ponto de vista epistemológico, rejeitam os pressupostos idealistas e ao materialismo tradicional contrapõem a dialética. Do ponto de vista político, denunciam a exploração de uma classe por outra e defendem a educação universal e politécnica.

Segundo o materialismo dialético, é ilusório pensar que a educação seja capaz por si só de transformar o mundo, porém existem tarefas para os educadores enquanto não se realiza a ação revolucionária. Por exemplo:

- a luta pela democratização do ensino (universal) e pela escola única (não dualista), isto é, sem distinção entre formar e profissionalizar;
- a valorização do pensar e do fazer, em que o saber esteja voltado para a transformação do mundo;
- a desmistificação da alienação e da ideologia, ou seja, a conscientização da classe oprimida.

Além de Marx, também se ocuparam com a nova educação os socialistas utópicos, como o francês Fourier (1772-1837), que destacou a importância da formação integral, e o britânico Owen, empenhado em preparar os filhos de operários, como já vimos.

Entre os anarquistas, o espanhol Francisco Ferrer Guardia (1859-1909) fundou uma escola em moldes antiautoritários, equipada de biblioteca com livros especialmente escritos ou adaptados para a implantação das idéias libertárias.

5. Principais pedagogos

Os principais pedagogos cujas idéias fertilizaram o século XIX foram o suíço-alemão Pestalozzi e os alemães Froebel e Herbart. Além deles, no final do século, os filósofos Dilthey e Nietzsche anteciparam a crítica à escola tradicional.

Pestalozzi

Johann Heinrich Pestalozzi (1746-1827), suíço-alemão nascido em Zurique, atraiu a atenção do mundo como mestre, diretor e fundador de escolas. Suas obras principais são *Leonardo e Gertrudes* (1781) e *Gertrudes instrui seus filhos* (1801). Embora as suas atividades tenham se iniciado no século XVIII, elas amadureceram no começo do século XIX, por isso preferimos abordar suas idéias neste capítulo.

Estudioso de Rousseau e Basedow, Pestalozzi sempre se interessou pela educação elementar, sobretudo das crianças pobres. Em 1774, fundou em Neuhof uma escola em que recolhia órfãos, mendigos e pequenos ladrões. Com avançada concepção, que aliava formação geral e profissional, tentou reeducá-los recorrendo a trabalhos de fiação e tecelagem. A experiência durou apenas cinco anos, porque o jovem educador não conseguiu mantê-la financeiramente.

Em 1799, em um castelo perto de Berna, fundou um internato, depois transferido para Yverdon, onde funcionou de 1805 até 1825. De toda a parte estudiosos e autoridades vinham conhecer esse trabalho.

Pestalozzi é considerado um dos defensores da escola popular extensiva a todos. Reconhecia firmemente a função social do ensino, que não se acha restrito à formação do gentil-homem. Além disso, ao povo não se destina apenas a simples instrução, mas sim a formação completa, pela qual cada um é levado à plenitude do seu ser.

Como bom discípulo de Rousseau, estava convencido da inocência e bondade humanas. Por isso, é tarefa do mestre compreender o espírito infantil, a fim de estimular o desenvolvimento espontâneo do aluno, atitude que o distancia do ensino dogmático e autoritário. A psicologia proposta por Pestalozzi era ainda incipiente e ingênua, mesmo porque no seu tempo essa disciplina ainda não tinha se constituído como ciência, mas a sua tentativa indica uma direção que seria constante na pedagogia daí em diante.

Para Pestalozzi, o indivíduo é um todo cujas partes devem ser cultivadas: a unidade espírito-coração-mão corresponde ao importante desenvolvimento da tríplice atividade conhecer-querer-agir, por meio da qual se dá o aprimoramento da inteligência, da moral e da técnica. Daí a importância dos métodos para a organização do trabalho manual e intelectual: segundo ele, deve-se partir sempre da vivência intuitiva, para só depois introduzir os conceitos.

A criança tem potencialidades inatas, que serão desenvolvidas até a maturidade, tal como a semente que se transforma em árvore. Semelhante a um jardineiro, o professor não pode forçar o aluno, mas ministrar a instrução "de acordo com o grau do poder crescente da criança". Ou seja, o método para educar funda-se em um princípio simples: seguir a natureza.

A família constitui a base de toda a educação por ser o lugar do afeto e do trabalho comum. Também é positiva a experiência religiosa íntima e não-confessional, que diz respeito à pessoa e, portanto, não se submete a dogmas nem a seitas. Em outras palavras, despertar o sentimento religioso na criança não significa fazê-la memorizar o catecismo.

Pestalozzi exerceu profunda influência em vários países da Europa, e suas idéias chegaram até os Estados Unidos.

Froebel

Friedrich Froebel (1782-1852) nasceu na Turíngia, região da Alemanha. Aprendeu com os filósofos idealistas e, no campo da pedagogia, seguiu muitas idéias de Pestalozzi. Uma visão mística marca seu pensamento e obra.

Sua principal contribuição pedagógica resulta da atenção para com as crianças na fase anterior ao ensino elementar, ou seja, a educação da primeira infância. Pioneiro, fundou os *Kindergarten* (jardins de infância), em alusão ao jardineiro que cuida da planta desde pequenina para que cresça bem, pressupondo que os primeiros anos são básicos para a formação humana.

Froebel privilegiava a atividade lúdica por perceber o significado funcional do jogo e do brinquedo para o desenvolvimento sensório-motor e inventou métodos para aperfeiçoar as habilidades. Estava convencido de que a alegria do jogo levaria a criança a aceitar o trabalho de forma mais tranqüila.

A fim de estimular os impulsos criadores na atividade lúdica, inventou cuidadoso equipamento, de acordo com a fase em que se encontravam as crianças. As construções da primeira série foram por ele chamadas *dons*, como se fossem "dádivas divinas". Os dons são materiais destinados a despertar a representação da forma, da cor, do movimento e da matéria. O primeiro e mais universal "dom" é a bola; o segundo, a bola, o cubo e o cilindro; o terceiro é formado pela divisão dos cubos desmontáveis.

Além dos dons, Froebel destaca as *ocupações*, de modo especial a tecelagem, a dobradura e o recorte. O canto e a poesia também são prestigiados, sobretudo para facilitar a educação moral e religiosa.

Embora a fundamentação teórica da sua psicologia tenha sido objeto de críticas severas, é inegável a influência da pedagogia de Froebel, expressa na difusão dos jardins de infância espalhados pelo mundo.

Herbart

O alemão Johann F. Herbart (1776-1841) trouxe grande contribuição para a pedagogia como ciência, buscando o maior rigor de método. Pode-se ainda dizer que Herbart foi o precursor de uma psicologia experimental aplicada à pedagogia. Mesmo que essa psicologia apresentasse resquícios de metafísica e utilizasse uma matematização de valor discutível, constituiu um avanço sobre seus antecessores. Vejamos então a psicologia herbartiana, a teoria de educação da vontade e o método de instrução desse pensador que estava consciente de ter elaborado uma pedagogia como ciência da educação.

A psicologia herbartiana

Herbart desenvolveu uma pedagogia social e ética com finalidade de formar o caráter moral por meio do esclarecimento da vontade, que se alcança pela instrução. Como é possível perceber, para ele, a educação moral (formação da vontade) não se separa da instrução (esclarecimento intelectual), o que supõe uma unidade das atividades mentais (querer e pensar). Por isso, é preciso examinar alguns aspectos da sua psicologia.

Rejeitando a clássica doutrina das faculdades isoladas da alma, Herbart compreende a vida psíquica como uma unidade nas suas operações básicas de conhecer, sentir e querer. Assume, porém, uma posição intelectualista, que privilegia o conhecimento ao considerar o sentir e o querer funções secundárias e derivadas do processo ideativo.

Esse processo pode ser mais bem entendido se levarmos em conta a novidade introduzida por Herbart nos conceitos de *consciência*, *limiar da consciência* e *inconsciente*. Para ele, o fluxo da consciência é oscilante, já que várias representações dos objetos permanecem algum tempo na consciência, com intensidade diferente, algumas no limiar, subindo para o foco de atenção ou desaparecendo depois, temporariamente, no inconsciente. A grande massa submersa não é esquecida, podendo voltar à consciência a qualquer momento e, aliás, está sempre tentando voltar. O esforço para retornar à consciência provoca os sentimentos de prazer ou dor, que resultam do aparecimento daquelas representações na consciência ou da submersão no inconsciente.

Processa-se dessa forma o "círculo de pensamento": "dos pensamentos saem sentimentos e, destes, princípios e modos de ação". Assim o desejo é transformado em volição, isto é, em possibilidade de sua concretização. Ora, se os sentimentos e as volições derivam secundariamente do conflito entre as representações, torna-se enorme a importância do professor, que educa os sentimentos e os desejos dos alunos por meio do controle de suas idéias (ver adiante a noção de interesse). Daí a importância da instrução, caminho para a moralidade.

Por isso Herbart critica Rousseau e todos os pedagogos que desvalorizam a instrução, da mesma forma que recrimina a educação tradicional por ensinar muita coisa inútil para a ação. Reconhece então a necessidade de utilizar o rigor de um método para a educação da vontade.

A educação da vontade

Segundo Herbart, a conduta pedagógica segue três procedimentos básicos: o *governo*, a *instrução* e a *disciplina*.

O *governo* é a forma de controle da agitação infantil, levado a efeito inicialmente pelos pais e depois pelos mestres, a fim de submeter a criança às regras do mundo adulto e tornar possível o início da instrução. Além da vigilância constante, caso necessário, pode-se recorrer às proibições, ameaças e punições, evidentemente com as devidas recomendações para evitar excessos contraproducentes. É preciso ainda combinar autoridade e amor, além de manter a criança sempre ocupada.

A *instrução*, procedimento principal da educação, supõe o desenvolvimento dos interesses. O conceito de interesse adquire em Herbart um sentido básico e muito específico, a partir da já referida tendência íntima do indivíduo de trazer ou não um objeto de pensamento à tona. O movimento de retorno à consciência pode ser estimulado pelas leis da freqüência e da associação, que levam à formação do hábito. Por isso, o interesse é um poder ativo que determina quais idéias e experiências receberão atenção.

Assim explica Frederick Eby: "A suprema arte do educador é, por conseguinte, trazer constantemente para a atenção aquelas idéias que ele deseja que dominem a vida de seu aluno. Controlando, assim, a experiência da criança, o instrutor constrói massas de idéias que, por sua vez, se desenvolvem pela assimilação de novos materiais. Os interesses de um médico estão na medicina e na cirurgia; os de um banqueiro, no dinheiro; os de um teólogo, na religião. A diferença de conteúdo mental é devida ao fato de que, através dos anos, cada um vem construindo uma diferente massa de idéias"[3].

Para Herbart, a instrução é compreendida como construção (aliás, é este o sentido etimológico do termo), o que o leva a não separar a instrução intelectual da moral, porque uma é condição da outra. Se formar moralmente uma criança significa educar sua vontade, é preciso maior clarificação das representações e crescimento das idéias. É assim que Herbart julga possível trazer à mente, com freqüência, as representações mais adequadas, visando ao controle do interesse. Convém ainda estimular o aparecimento de interesses múltiplos para que a educação seja completa. É essa a finalidade dos cinco passos formais examinados mais adiante.

Além do governo e da instrução, a *disciplina* é o terceiro procedimento básico da conduta pedagógica que mantém firme a vontade educada no propósito da virtude. Enquanto o governo é exterior e heterônomo, mais usado com crianças pequenas, a disciplina supõe a autodeterminação característica do amadurecimento moral, que leva à formação do caráter proposta.

Método de instrução

Insatisfeito com a precária assimilação do que se ensinava nas escolas, Herbart atribuía a causa à aplicação inadequada dos métodos, incapazes de relacionar os conhecimentos adquiridos com a experiência do indivíduo, o que resulta em material inutilmente memorizado e logo esquecido.

[3] *História da educação moderna*: teoria, organização e prática educacionais. Porto Alegre, Globo, 1962, p. 412.

Para evitar o insucesso, Herbart propõe os *cinco passos formais*, que propiciam o desenvolvimento do aluno:

• *preparação*: o mestre recorda o já sabido, a fim de que o aluno traga à consciência a massa de idéias necessária para criar interesse pelos novos conteúdos;

• *apresentação*: o conhecimento novo é apresentado, sem esquecer a clareza, que para Herbart significa sempre partir do concreto;

• *assimilação* (ou associação ou comparação): o aluno é capaz de comparar o novo com o velho, perceber semelhanças e diferenças;

• *generalização* (ou sistematização): além das experiências concretas, o aluno é capaz de abstrair, chegando a concepções gerais; esse passo é importante sobretudo na adolescência;

• *aplicação*: por meio de exercícios, o aluno mostra que sabe aplicar o que aprendeu em exemplos novos; só assim a massa de idéias adquire sentido vital, deixando de ser mera acumulação inútil de informação.

Avaliação da pedagogia herbartiana

Numa rápida avaliação da teoria de Herbart, é preciso reconhecê-lo como o primeiro a elaborar uma pedagogia que pretendia ser uma *ciência da educação*. O caráter de objetividade de análise, a tentativa de psicometria, o rigor dos passos seguidos e a sistematização são aspectos que determinam a sua grande influência no pensamento pedagógico.

Os cinco passos formais marcaram de maneira vigorosa o ensino expositivo da escola tradicional, que adquiriu um caráter de rigor por emprestar do método científico a indução, isto é, o caminho do raciocínio que vai do concreto para o abstrato. Os cinco passos revelam também os pressupostos epistemológicos do empirismo, subjacentes ao método de Herbart. Para ele, o conhecimento é oferecido pelo mestre ao aluno, que só posteriormente o aplica à experiência vivida.

Sua psicologia, no entanto, sofre as restrições a que já nos referimos no início. Ainda que tenha corretamente refletido sobre a unidade da vida psíquica, exagerou ao admitir que impulsos e desejos possam nascer das idéias. Daí a crítica que seus pósteros fazem (sobretudo a Escola Nova) ao caráter excessivamente intelectualista do seu projeto. Considerar a possibilidade de controlar o sentir e o querer, afinal, supõe depositar otimismo demasiado no poder da educação. Este mesmo poder significa, de certo ponto de vista, a diminuição do campo de atuação livre do educando. A questão é: tanto controle tornaria viável a passagem do governo para a disciplina? Vejamos, a seguir, como o pensamento de Nietzsche é crítico desse tipo de educação.

6. Educação e cultura: a crítica de Nietzsche

Friedrich Nietzsche (1844-1900) usou em seus escritos o recurso dos aforismos, cuja força está no conteúdo questionador e provocativo. Aliás, é assim, de forma contundente e crítica, que Nietzsche examina a cultura de seu tempo e lamenta o estilo de educação: em toda a sua obra condena a erudição vazia, a educação intelectualizada, separada da vida.

Vejamos a primeira parte de *Assim falou Zaratustra*[4] ("Das três transmutações"), em que ele cita as mudanças possíveis do espí-

[4] Zaratustra (ou Zoroastro) foi um reformador religioso persa que teria vivido no século VI ou VII a.C.

rito humano, que de camelo pode se fazer leão, e de leão se transformar em criança.

Descrevendo o espírito como camelo, Nietzsche diz: "O que é pesado? assim pergunta o espírito de carga, assim ele se ajoelha, igual ao camelo e quer ser bem carregado. (...) Todo esse pesadíssimo o espírito de carga toma sobre si: igual ao camelo, que carregado corre para o deserto, assim ele corre para seu deserto. / Mas no mais solitário deserto ocorre a segunda transmutação: em leão se torna aqui o espírito, liberdade quer ele conquistar, e ser senhor de seu próprio deserto".

Adiante, diz: "Meus irmãos, para que é preciso o leão no espírito? Em que não basta o animal de carga, que renuncia e é respeitoso? / Criar novos valores — disso nem mesmo o leão ainda é capaz: mas criar liberdade para nova criação — disso é capaz a potência do leão. / Criar liberdade e um sagrado *Não*, mesmo diante do dever: para isso, meus irmãos, é preciso ser o leão".

Finalmente, completa: "Mas dizei, meus irmãos, de que ainda é capaz a criança, de que nem mesmo o leão foi capaz? Em que o leão rapinante tem ainda de se tornar em criança? / Inocência é a criança, o esquecimento, um começar-de-novo, um jogo, uma roda rodando por si mesma, um primeiro movimento, um sagrado dizer-sim. / Sim, para o jogo do criar, meus irmãos, é preciso um sagrado dizer-sim: *sua* vontade quer agora o espírito, *seu* mundo ganha para si o perdido do mundo".

De que fala Nietzsche? Que a educação tem nos transformado em camelos cheios de conhecimentos desligados da vida — para ele, "o erudito é um eunuco do saber" — e obedientes, prontos para negar nossos impulsos vitais. Agimos de acordo com o "você deve" e não com o "eu quero". A posição reativa do leão é intermediária porque ousada, mas negativa: o leão apenas conquista a liberdade de criação, continuando ressentido e niilista (no latim *nihill*, "nada"). Quem pode criar, no entanto, é a criança.

Assumindo o tom profético de Zaratustra, Nietzsche quer destruir a antiga ordem que aprisiona o espírito, mas não sem apresentar a esperança da criação de novos valores que sejam "afirmativos da vida": a criança simboliza o começo, a possibilidade de recuperação das energias vitais que foram abafadas pela longa trajetória da educação greco-judaico-cristã.

Ao criticar os "homens cultos" da Alemanha, Nietzsche os vê imbuídos de uma cultura livresca — que não passa de um "verniz", de um adorno —, os quais acumulam conhecimentos alheios e imitam modelos de modo artificial. Condena também a escola utilitária e profissionalizante, bem como os riscos de um ensino submetido à ideologia do Estado. Mais ainda, acusa de "filisteus[5] da cultura" aqueles que a tornam venal, ou seja, que transformam toda produção cultural em mercadoria, objeto de venda, de consumo.

Conclusão

No decorrer do século XIX, com a expansão das escolas públicas, o Estado assumiu, cada vez mais, o encargo da escolarização. Outro fato importante é a atenção dada à educação elementar, contrária à tendência até então voltada para o nível secundário e superior. O cuidado com o método de ensino, baseado na compreensão

[5] Filisteu: no sentido literal, povo que ocupou a Palestina na Antiguidade; no sentido figurado, "burguês de espírito estreito e vulgar".

da natureza infantil, justificava a vontade de aplicar a psicologia à educação.

Mesmo que tenha persistido a tendência individualista, própria do liberalismo, surgiram nítidas preocupações com os fins sociais da educação e a necessidade de preparar a criança para a vida em sociedade. Enfatizou-se a relação entre educação e bem-estar social, estabilidade, progresso e capacidade de transformação. Daí o interesse pelo ensino técnico ou pela expansão das disciplinas científicas.

Além disso, ao nacionalizar-se, a educação demonstrava interesse de formar o cidadão. Pensadores socialistas, como Owen e Fourier, destacaram a necessidade da educação integral e politécnica e a de democratização do ensino.

No entanto, em pleno século de valorização das ciências, do progresso e da exaltação da técnica, vozes dissonantes, como a de Nietzsche, advertiam sobre o excesso de disciplina e os riscos de uma civilização excessivamente pragmática.

Dropes

1 - Para os primeiros elementos de geografia éramos levados ao ar livre. Começavam por conduzir nossos passos na direção de um vale afastado, perto de Yverdun, ao longo do qual flui o Bûron. Devíamos olhar para esse vale como um todo em suas diversas partes, até que tivéssemos dele uma impressão exata e completa. Então nos era dito, a cada um de nós, que devíamos cavar certa quantidade de barro, que havia em camadas de um lado do vale, e, com isso, enchíamos grandes folhas de papel, trazidas para esse fim.

Quando chegávamos à escola, éramos postos ao redor de grandes mesas, que eram divididas, e cada criança devia, com o barro, construir, na parte que lhe fora destinada, um modelo do vale que havíamos recentemente observado... Então, e somente então, olhávamos para o mapa, pois só agora havíamos adquirido a capacidade de interpretá-lo corretamente. (Relato de um aluno de Pestalozzi, apud F. Eby)

2 - Nós filósofos não temos a liberdade de separar entre alma e corpo, como o povo separa, e menos ainda temos a liberdade de separar entre alma e espírito. Não somos rãs pensantes, nem aparelhos de objetivação e máquinas registradoras com vísceras congeladas — temos constantemente de parir nossos pensamentos de nossa dor e maternalmente transmitir-lhes tudo o que temos em nós de sangue, coração, fogo, prazer, paixão, tormento, consciência, destino, fatalidade. *Viver* — assim se chama para nós, transmudar constantemente tudo o que nós somos em luz e chama; e também tudo o que nos atinge; não *podemos* fazer de outro modo. (Nietzsche)

• Leituras complementares

❶ [A *Bildung* alemã]

A pedagogia do neo-humanismo, elaborada na Alemanha por Friedrich Schiller, Wolfgang Goethe e Wilhelm von Humboldt, apresenta-se como uma referência explícita ao humanismo dos séculos XV e XVI e desenvolve-se como uma reflexão orgânica em torno do homem, bem como da cultura e da sociedade em que ele deveria idealmente viver. O tema pedagógico dominante nesses autores é o da *Bildung* (ou formação humana) que aponta na direção de um ideal de homem integral, capaz de conciliar dentro de si sensibilidade e razão, de desenvolver a si próprio em plena liberdade interior e de organizar-se, mediante uma viva relação com a cultura, como personalidade harmônica. A *Bildung* é tensão espiritual do eu, contato profundo com as várias esferas da cultura e consciência de um crescimento interior para formas de personalidade cada vez mais complexas e harmônicas. Para realizar esse modelo de "formação humana", é necessário reaproximar-se da cultura dos clássicos gregos e revivê-la, já que foi justamente na Grécia que a harmonia entre instinto e razão, entre individualidade e cultura/sociedade foi mais plenamente atingida, mas é também oportuna a tendência a superar aquelas cisões radicais que caracterizam a cultura ocidental moderna (cristã e burguesa) entre sentimento e intelecto, entre espírito e corpo, entre destreza e conhecimento. Daí o papel central que esses autores atribuem à arte: nas pegadas do Kant da terceira *Crítica* [*A crítica do juízo*], identificam justamente na atividade estética o fulcro dessa educação harmônica e integral. A arte elabora, por meio da fantasia, um equilíbrio de necessidade e de liberdade, de intelecto e sentimento e, enquanto tal, deve tornar-se a grande e fundamental inspiradora de todo processo formativo. Em Schiller, a arte vê-se assim reconduzida a um comportamento universalmente humano, o do jogo que, enquanto atividade que se organiza segundo finalidades livres, é fixado como uma disposição essencial do homem, capaz de permitir-lhe um crescimento mais harmonioso e completo.

Segundo essas perspectivas fundamentais, os neo-humanistas enfrentam os vários problemas educativos, mas mantendo-se (à parte Humboldt que tentará realizar uma reforma escolar inspirada nesses princípios) num plano de reflexão filosófica, geral e idealizante, dando vida a uma utopia pedagógica que teve um papel profundamente inovador no âmbito das teorizações educativas.

Franco Cambi, *História da pedagogia*. São Paulo, Ed. Unesp, 1999, p. 420 e 421.

❷ [O *Panopticon*]

No final do século XVIII, o jurista Jeremy Bentham imaginou uma construção a que denominou Panopticon, *que significa "ver tudo". O filósofo francês Michel Foucault retomou, no século XX, esse relato, considerando-o indicativo do processo iniciado na Idade Moderna pelo qual se constituiu a sociedade disciplinar, baseada no controle e vigilância (na fábrica, na escola, na prisão, no hospício, no exército).*

O princípio é: na periferia, uma construção em anel; no centro, uma torre; esta possui grandes janelas que se abrem para a parte interna do anel. A construção periférica é dividida em celas, cada uma ocupando toda a largura da construção. Estas celas têm duas janelas: uma abrindo-se para o interior, correspondendo às janelas da torre; outra, dando para o exterior, permite que a luz atravesse a cela de um lado a outro. Basta então colocar um vigia na torre central e em cada cela trancafiar um louco, um doente, um condenado, um operário ou um estudante. Devido ao efeito de contraluz, pode-se perceber da torre, recortando-se na luminosidade, as pequenas silhuetas prisioneiras nas celas da periferia. Em suma, inverte-se o princípio da masmorra; a luz e o olhar de um vigia captam melhor que o escuro que, no fundo, protegia.

(...) o olhar vai exigir muito pouca despesa. Sem necessitar de armas, violências físicas, coações materiais. Apenas um olhar. Um olhar que vigia e que cada um, sentindo-o pesar sobre si, acabará por interiorizar, a ponto de observar a si mesmo; sendo assim, cada um exercerá esta vigilância sobre e contra si mesmo. Fórmula maravilhosa: um poder contínuo e de custo afinal de contas irrisório.

Michel Foucault, *Microfísica do poder*. Rio de Janeiro, Graal, 1979, p. 210 e 218.

Atividades

Questões gerais

1. Considerando o crescimento industrial e o fenômeno da urbanização no século XIX, discorra sobre as decorrentes necessidades da educação.

2. Que fatores econômicos estimulam o interesse pelas escolas politécnicas? Que tendências filosóficas justificam a necessidade dessa procura?

3. Discorra sobre a importância das reformas educacionais na Alemanha.

4. Descreva o método monitorial (ou mútuo) e identifique os interesses sociais e econômicos subjacentes à sua implantação.

5. Identifique, nesta citação de Horace Mann, a esperança que movia sua atuação pedagógica no estado de Massachusetts: "Nada, por certo, salvo a educação universal, pode contrabalançar a tendência à dominação do capital e à servilidade do trabalho. Se uma classe possui toda a riqueza e toda a educação, enquanto o restante da sociedade é ignorante e pobre, pouco importa o nome que dermos à relação entre uns e outros: em verdade e de fato, os segundos serão os dependentes servis e subjugados dos primeiros. Mas, se a educação for difundida por igual, atrairá ela, com a mais forte de todas as forças, posses e bens, pois nunca aconteceu e nunca acontecerá que um corpo de homens inteligentes e práticos venha a se conservar permanentemente pobre".

6. "Realizações, belas-artes, *belles-lettres*, e todas estas coisas que, como nós dizemos, constituem o florescimento da civilização, deveriam estar totalmente subordinadas àquele conhecimento e disciplina sobre os quais a civilização repousa. Assim como ocupam a parte de lazer da vida, assim deveriam ocupar a parte de lazer da educação." Com base na citação de Herbert Spencer, responda:

a) Qual seria a espécie de conhecimento "sobre o qual a civilização repousa"?

b) Identifique o pressuposto positivista do pensamento de acordo com esse tipo de subordinação.

c) Que programa de ensino esta concepção costuma estabelecer?

7. Em que aspectos as correntes socialistas contrapõem-se à concepção burguesa de pedagogia?

8. Que elementos da pedagogia de Pestalozzi o aproximam de Rousseau?

9. "Eu era inteiramente contrário a solicitar o julgamento das crianças aparentemente maduro antes do tempo, a respeito de qualquer assunto, mas preferia contê-lo ao máximo, até que elas tivessem realmente visto, com seus próprios olhos, o objeto sobre o qual deveriam se manifestar." Com base na citação de Pestalozzi, responda:

a) Que crítica Pestalozzi está fazendo à pedagogia tradicional?

b) Em oposição, qual é a novidade da sua proposta?

c) Compare o teor dessa citação com o relato de um aluno de Pestalozzi, transcrito no dropes 1.

10. Froebel foi um pioneiro da educação da primeira infância. Discuta com seu grupo a importância atual desse tema e quais as facilidades que temos hoje e faltavam na época em que ele viveu.

11. Justifique a natureza intelectualista da pedagogia de Herbart contida na citação: "O valor do homem não está em seu saber, mas em seu querer. Mas não existe algo como uma faculdade independente de vontade. A volição tem suas raízes no pensamento".

12. Qual é a diferença entre governo e disciplina, para Herbart?

13. Qual foi a importância de Herbart para o fortalecimento da escola tradicional?

14. Releia o dropes 2 e responda:

a) Que tipo de dicotomia do pensamento tradicional está sendo criticado por Nietzsche?

b) Como essa divisão prejudicou o modo de ensinar do seu tempo?

Questões sobre as leituras complementares

Com base na leitura complementar de Franco Cambi, responda às questões a seguir.

1. Explique em linhas gerais o que entendeu pelo conceito de *Bildung*.

2. Tendo em vista a formação integral, qual é a importância da arte?

3. Explique como esse ideal da formação integral não se consuma na sociedade contemporânea, excessivamente tecnológica e pragmática.

Com base na leitura complementar de Foucault, sem deixar de relembrar aspectos já estudados nos capítulos anteriores referentes à formação da burguesia, responda às questões a seguir.

4. Por que a disciplina passou a constituir um elemento importante para a implantação da economia burguesa?

5. Lembrando como era o ensino antes do Renascimento, que alterações ocorreram então na disciplina escolar?

6. O que o autor quer dizer com a "interiorização" do olhar do outro?

7. Identifique na educação do século XIX e sobretudo no método monitorial os elementos que justificam a crítica de Foucault.

8. Baseando-se no conceito de classe social, como um socialista criticaria essa interiorização do olhar do outro?

9. E Nietzsche, que crítica faria?

PARTE II

Brasil: de colônia a Império

Contexto histórico

Breve cronologia do período

- 1808 — vinda da família real para o Brasil.
- 1817 — Insurreição Pernambucana.
- 1822 — Independência do Brasil.
- 1822-1831 — Primeiro Reinado (D. Pedro I).
- 1831-1840 — Período Regencial.
- 1840-1889 — Segundo Reinado (D. Pedro II).
- 1864-1870 — Guerra do Paraguai.
- 1888 — Lei Áurea (abolição da escravatura).
- 1889 — proclamação da República.

1. A mudança da Corte para o Brasil

Em 1808, devido aos atritos da Corte portuguesa com Napoleão, a família real mudou-se para a colônia, sob a proteção da Inglaterra. A cidade do Rio de Janeiro precisou adaptar-se rapidamente ao grande número de cortesãos que invadiram suas casas e as ruas antes pacatas. A vida em Vila Rica, Salvador e Recife também sofreu alterações graças às novas exigências administrativas.

Com a vinda de D. João VI, o Brasil passou por modificações consideráveis: a abertura dos portos e a revogação do alvará que proibia a instalação de manufaturas significaram, de certa forma, a ruptura do pacto colonial. Eram alguns passos sugestivos em direção à Independência, embora tenha ficado mais nítida e direta a dependência brasileira ao governo britânico. Como veremos adiante, importantes transformações culturais resultaram da instalação da imprensa, museu, biblioteca e academias.

2. Brasil Império

Medidas econômicas adotadas beneficiavam a aristocracia rural, que, no entanto, se achava excluída das decisões políticas, esfera em que os ricos comerciantes portugueses tinham melhor trânsito. A tensão entre esses dois segmentos da sociedade, a alta taxação de impostos e as idéias iluministas contra o absolutismo real criaram um clima de animosidade que preparou a Independência do Brasil.

Devido a turbulências em Portugal, D. João VI retornara à metrópole, deixando aqui o príncipe, que proclamou a Independência em 1822, assumindo o nome de D. Pedro I. Esse movimento significou a vitória do partido brasileiro, dos moderados, constituído pelos grandes proprietários de terra, defensores da manutenção do escravismo, bem como de liberais conservadores. Assim, enquanto na Europa o liberalismo caminhava a passos largos para a industrialização, no Brasil a reforma política não propiciou mudanças econômicas e sociais significativas.

Em 1831, D. Pedro I abdicou (para assumir a Coroa em Portugal, como Pedro IV), e, devido à minoridade de seu filho, o Brasil foi governado por regentes desde aquela data até 1840, quando começou o Segundo Império, com D. Pedro II.

Na segunda metade do século XIX, ultrapassada a crise econômica decorrente da queda da produção de açúcar e de algodão, o cultivo do café expandiu-se, reativando o comércio. Além disso, os Estados Unidos consumiam mais da metade da exportação cafeeira. Dessa maneira, ao lado do *modelo agrário-exportador dependente*, teve início a consolidação do *modelo agrário-comercial-exportador dependente*.

O trabalho assalariado de milhares de imigrantes também já se tornara significativo na década de 1870, substituindo aos poucos a mão-de-obra escrava.

A atuação do barão de Mauá imprimiu pequeno surto industrial com a produção de navios a vapor, construção de estradas de ferro, instalação de telégrafo e abertura de bancos. Embora o processo de industrialização não tenha sido levado a bom termo, devido às falências, as cidades cresceram e a sociedade tornou-se mais complexa com o aumento dos quadros da pequena burguesia urbana.

Em 1870 terminou a Guerra do Paraguai, cujas conseqüências desastrosas afetaram os já abalados alicerces da monarquia. Em 1888, deu-se a abolição da escravatura, e em 1889 foi proclamada a República.

A propósito do conservadorismo brasileiro, diz Sérgio Buarque de Holanda: "A democracia no Brasil foi sempre um lamentável mal-entendido. Uma aristocracia rural e semifeudal importou-a e tratou de acomodá-la, onde fosse possível, aos seus direitos ou privilégios, os mesmos privilégios que tinham sido, no Velho Mundo, o alvo da luta da burguesia contra os aristocratas. E assim puderam incorporar à situação tradicional, ao menos como fachada ou decoração externa, alguns lemas que pareciam os mais acertados para a época e eram exaltados nos livros e discursos". Em seguida, o autor nota que movimentos como a Independência e a República partiram de cima para baixo. Cita, então, o testemunho de Aristides Lobo — um dos integrantes da conspiração que provocou a queda do Império — a respeito dos acontecimentos de 1889, segundo o qual o povo teria assistido a tudo "bestializado, atônito, surpreso", mesmo porque, naquele momento, "a cor do governo" era "puramente militar" e "a colaboração do elemento civil foi quase nula"[6].

[6] *Raízes do Brasil*. 23. ed. Rio de Janeiro, José Olympio, 1991, p. 119 e 120.

Embora a República tenha sido proclamada no final do século XIX, abordaremos a última década no capítulo 11.

Educação

1. Período joanino

De modo geral, podemos dizer que no século XIX ainda não havia uma política de educação sistemática e planejada. As mudanças tendiam a resolver problemas imediatos, sem encará-los como um todo. Quando a família real chegou ao Brasil, existiam as aulas régias do tempo de Pombal, o que obrigou o rei a criar escolas, sobretudo superiores, a fim de atender às necessidades do momento.

Além das adaptações administrativas necessárias, houve o incremento das atividades culturais, antes inexistentes ou simplesmente proibidas. Essas iniciativas estavam de acordo com o movimento iluminista que já amadurecera na Europa.

Transformações culturais e criação de cursos superiores

No período joanino, foram as seguintes as inovações no campo cultural:

• Imprensa Régia (1808): até então as publicações eram proibidas; surgiram sob proteção oficial: a *Gazeta do Rio de Janeiro* (1808) e, na Bahia, *A idade de ouro no Brasil* (1811); já o *Correio Braziliense*, impresso em Londres, era o único jornal de oposição à política de D. João VI.

• A biblioteca (1810), futura Biblioteca Nacional: composta por 60 mil volumes trazidos por D. João VI; em 1814 foi franqueada ao público.

• Jardim Botânico do Rio (1810): incentivou os estudos de botânica e zoologia, fez o levantamento das variedades de plantas e animais, bem como estimulou expedições científicas.

• Museu Real (1818), depois Museu Nacional: começou com material fornecido pelo rei, depois recebeu a coleção mineralógica de José Bonifácio e várias coleções de zoologia doadas por naturalistas estrangeiros em viagem pelo Brasil.

• Missão cultural francesa (1816): foram convidados artistas franceses, como Lebreton, Debret, Taunay, Montigny e outros, que influenciaram a criação da Escola Nacional de Belas Artes. Apesar do valor dessa obra, convém lembrar que a estética estrangeira se firmou à revelia do estilo barroco brasileiro, interrompendo a tradição da arte colonial.

As primeiras medidas a respeito da educação tomadas por D. João VI assim que chegou ao Brasil, em 1808, foram a criação de escolas de nível superior para atender às necessidades do momento, ou seja, formar oficiais do exército e da marinha (para a defesa da colônia), engenheiros militares, médicos, e a abertura de cursos especiais de caráter pragmático. Vejamos algumas dessas realizações.

• Academia Real da Marinha (1808) e Academia Real Militar (1810): após 1832 foram anexadas, compondo uma instituição de engenharia militar, naval e civil; com sucessivas junções e desmembramentos, a Escola Militar organizou-se em 1858 e a Escola Politécnica em 1874, como instituições que preparavam para a carreira militar e formavam engenheiros civis, respectivamente.

• Cursos médico-cirúrgicos: a partir de 1808, na Bahia e no Rio; visavam à formação de médicos para a marinha e o exército.

• Diversos cursos avulsos de economia, química e agricultura, também na Bahia e no Rio.

As faculdades propriamente ditas, tais como as de ensino jurídico, foram criadas já no período do Primeiro Império, como veremos mais adiante.

2. Império: os três níveis de ensino

Ao examinarmos os três níveis de ensino nos períodos do Primeiro e do Segundo Império, notamos as dificuldades de sistematização dos dois primeiros níveis, por conta dos interesses elitistas da monarquia, que não se importava com a educação da maioria da população, ainda predominantemente rural. O ensino secundário também foi conturbado na medida em que se configurava propedêutico, portanto atrelado aos interesses do ingresso nos cursos superiores. Veremos, em cada um dos níveis (elementar, secundário e superior), as medidas do Decreto Imperial de 1827, a descentralização de 1834 e, finalmente, as décadas após 1870, cuja fermentação de idéias gestava não só os ideais abolicionistas e republicanos, mas também novos horizontes para a educação.

O ensino elementar

A situação era bastante caótica no ensino elementar. Embora o modelo econômico brasileiro, predominantemente agrário, tivesse sofrido algumas alterações na segunda metade do século XIX em razão do incremento do comércio e, mais para o final, devido ao pequeno surto de industrialização, esse modelo não favorecia a demanda da educação, que não era vista como meta prioritária, apesar da grande população rural analfabeta composta sobretudo de escravos.

Logo após a Independência, já na Assembléia Constituinte de 1823, as discussões voaram alto demais. Motivados pelos ideais da Revolução Francesa, os deputados aspiravam a um sistema nacional de instrução pública que resultou em lei nunca cumprida.

A Assembléia Constituinte foi dissolvida e a Constituição, outorgada[7] pela Coroa. Mantiveram-se o princípio de liberdade de ensino sem restrições e a intenção de "instrução primária gratuita a todos os cidadãos". Finalmente, foi instituída a lei de 1827, "a única que em mais de um século se promulgou sobre o assunto para todo o país e que determina a criação de escolas de primeiras letras em todas as cidades, vilas e lugarejos (art. 1º) e, no art. XI, 'escolas de meninas nas cidades e vilas mais populosas'. Os resultados, porém, dessa lei que fracassou por várias causas, econômicas, técnicas e políticas, não corresponderam aos intuitos do legislador"[8].

Aquele ideal do ensino para todos logo foi considerado inexeqüível, e o Decreto Imperial de 1827 reservou para o ensino elementar algo muito menos ambicioso. Assim comenta a professora Maria Elizabete S. P. Xavier: "A necessidade e a urgência da criação de um sistema de instrução pública foram, durante todos os debates, diretamente associadas ao caráter do regime político nacional e liberal: educar homens livres, capazes de sustentar o novo sistema representativo". No entanto, a execução do projeto foi protelada porque se argumentou que antes deveria haver melhor conhecimento de nossa realidade, além de uma base teórica que exigia a redação de um "Tratado da Educação Brasileira". Em continuidade à citação anterior: "A proclamada urgência do problema não implicava a tomada de decisões apressadas e inadequadas. O problema da instrução popular

[7] A Constituição é *aprovada* quando os deputados da Assembléia Constituinte a submetem à aprovação do Congresso. Ela é *outorgada* quando elaborada por outros que não os deputados eleitos e imposta de forma autoritária à nação.

[8] Fernando de Azevedo, *A cultura brasileira*: introdução ao estudo da cultura no Brasil. 4. ed. rev. e ampl. Brasília, Ed. UnB, 1963, p. 564.

deveria esperar o tempo necessário para ser resolvido satisfatoriamente, muito embora fosse inconcebível, na sua ausência, o funcionamento do novo regime constitucional. E, muito discutido e emendado, o primeiro projeto apresentado pela Comissão de Instrução foi engavetado e esquecido antes de ser aprovado"[9]. Como veremos adiante, a postura dos deputados diante da criação de faculdades foi bem outra.

Por isso, embora já na Constituição outorgada de 1824 houvesse referência a um "sistema nacional de educação", esse projeto não foi contemplado em 1827. Sem a exigência de conclusão do curso primário para o acesso a outros níveis, a elite educava seus filhos em casa, com preceptores. Outras vezes, os pais se reuniam para contratar professores que dessem aulas em conjunto para seus filhos em algum lugar escolhido. Portanto, sem vínculo com o Estado.

Para os demais segmentos sociais, restava a oferta de poucas escolas cuja atividade se restringia à instrução elementar: ler, escrever e contar. Segundo o relatório de Liberato Barroso, apoiado em dados oficiais, em 1867 apenas 10% da população em idade escolar se matriculara nas escolas primárias.

Uma experiência realizada foi a implantação do método de ensino mútuo ou monitorial, copiado do pedagogo inglês Lancaster (ver parte I deste capítulo) e que tinha o objetivo de instruir o maior número de alunos com o menor gasto possível. Desde 1819 surgiram algumas tentativas de sua aplicação, e na continuidade dos debates, nos quais geralmente eram exaltadas suas vantagens, o método foi adotado por decreto em 1827. Arrastou-se sem muito sucesso provavelmente até 1854, e, mesmo depois, ainda era aplicado em alguns lugares, na sua forma original ou geralmente mesclada a outros métodos.

O fracasso da experiência deveu-se a várias causas. A necessidade de salas bem amplas para abrigar grande número de alunos certamente não foi contemplada, porque os prédios usados, sempre de improviso, não eram apropriados. Faltava, ainda, material adequado, tais como bancos, quadros, fichas, sinetas, compêndios etc. Apesar de terem sido criadas escolas normais em vários estados para a instrução do método mútuo, os professores, além de descontentes com a remuneração, nem sempre estavam bem preparados.

É lamentável notar que, no texto da nossa primeira lei sobre instrução pública de 1827, havia a seguinte explicitação: "Para as escolas de ensino mútuo se aplicarão os edifícios, que houverem com suficiência nos lugares delas, arranjando-se com utensílios necessários à custa da Fazenda Pública. Os professores que não tiverem a necessária instrução deste Ensino, *irão instruir-se em curto prazo e à custa dos seus ordenados nas escolas das capitais* [grifo nosso]". Como conseqüência, os resultados da experiência foram medíocres e artificiais, principalmente porque, além de tudo, esse método se ancorava na atividade de monitores, os próprios colegas de 10 ou 12 anos, incumbidos de repassar o aprendido aos demais.

Pela reforma de 1834, o ensino elementar, o secundário e o de formação de professores foram descentralizados, passando para a iniciativa e responsabilidade das províncias. Só o curso superior ficaria a encargo do poder central. Veremos no próximo item como na verdade se tratou de uma pseudodescentralização quanto ao ensino secundário e quais os problemas decorrentes dessa determinação.

---

[9] *Poder político e educação de elite*. 3. ed. São Paulo, Cortez/Autores Associados, 1992, p. 59-61.

Na segunda metade do século XIX, discutiu-se acerca da necessidade de prédios adequados para o ensino, com muitas críticas em jornais e nas assembléias sobre a precariedade das instalações oferecidas aos alunos (ver dropes 1). No último quartel do século XIX recrudesceu, na sociedade e nas instâncias do governo, o debate sobre a educação, sobretudo a respeito dos novos métodos aplicados em outros países. Apenas depois da proclamação da República é que começaram a ser construídos os "grupos escolares" e intensificaram-se as discussões pedagógicas já iniciadas no período pré-republicano.

Fernando de Azevedo nos informa que a taxa de analfabetismo no Brasil atingia em 1890 a cifra de 67,2%, herança do período imperial que a República não conseguiria reduzir senão a 60,1%, até 1920.

O ensino secundário

Segundo Fernando de Azevedo, "a educação teria de arrastar-se, através de todo o século XIX, inorganizada, anárquica, incessantemente desagregada. Entre o ensino primário e o secundário não há pontes ou articulações: são dois mundos que se orientam, cada um na sua direção"[10]. Esse fracionamento, sem um eixo unitário, com uma dualidade de sistemas, em tudo era prejudicial à educação. Enquanto outros países caminhavam em direção oposta, promovendo a educação nacional, nosso ensino perdia ainda mais a unidade de ação.

O precário sistema de tributação tornava a falta de recursos um crônico empecilho para qualquer realização, seja a construção de escolas, seja a preparação de mestres, ou a sua remuneração mais decente. Por isso, não era boa a qualidade do ensino, com professores improvisados, incompetentes e, devido aos baixos salários, obrigados a se dedicar a outras atividades ao mesmo tempo.

Não havia vinculação entre os currículos dos diversos níveis, aliás, nem se poderia falar propriamente em currículo, em razão da escolha aleatória de disciplinas, sem nenhuma exigência de se completar um curso para iniciar outro. Ao contrário, eram os parâmetros do ensino superior que determinavam a escolha das disciplinas do ensino secundário, obrigando-o a se tornar propedêutico, destinado a preparar os jovens para os cursos superiores.

O golpe de misericórdia que prejudicou de vez a educação brasileira veio, no entanto, de uma emenda à Constituição, o Ato Adicional de 1834. Essa reforma descentralizou o ensino, atribuindo à Coroa a função de promover e regulamentar o ensino superior, enquanto às províncias (futuros estados) foram destinadas a escola elementar e a secundária. Desse modo, a educação da elite ficou a cargo do poder central e a do povo, confiada às províncias.

A descentralização impedia a unidade orgânica do sistema educacional, com o agravante de deixar o ensino elementar para a incipiente iniciativa das províncias, com suas múltiplas e precárias orientações. Como resultado, muitos decretos e projetos de lei apresentados às câmaras legislativas transformavam-se rapidamente em letra morta.

No que se refere ao ensino secundário, porém, ocorreu uma pseudodescentralização, pois em 1837 foi fundado no Rio de Janeiro o Colégio D. Pedro II, que ficou sob a jurisdição da Coroa. Destinado a educar a elite intelectual e a servir de padrão de ensino para os demais liceus do país, esse colégio era o único autorizado a realizar exames

[10] *A cultura brasileira*: introdução ao estudo da cultura no Brasil. 4. ed. rev. e ampl., p. 568.

parcelados para conferir grau de bacharel, indispensável para o acesso aos cursos superiores. Essa distorção fez com que o ensino secundário se desinteressasse da formação global dos alunos, tornando-se ainda mais propedêutico. Como agravante, os demais liceus provinciais precisavam adequar seus programas aos do colégio-padrão, inclusive usando os mesmos livros didáticos. Muitas vezes nem chegava a haver currículo nessas escolas, mas sim aulas avulsas das disciplinas que seriam objeto de exame.

Como vimos na segunda parte do capítulo anterior, o Seminário de Olinda, Pernambuco, fundado ainda em 1798 pelo bispo Azeredo Coutinho, constituía notável exceção à tradição humanista e literária. Sob a inspiração das idéias iluministas, que impregnavam as reformas pombalinas na Universidade de Coimbra, aquele colégio destacava o ensino das ciências, das línguas vivas e de literatura moderna, sem se descuidar de aplicar uma nova metodologia. Para Valnir Chagas, o Seminário de Olinda foi "o germe da verdadeira escola secundária brasileira, porém constituiu uma exceção brilhante e efêmera". Diante da grande influência do Seminário de Olinda, Fernando de Azevedo admitia que as raízes da Revolução Pernambucana de 1817 se encontravam na difusão das idéias liberais.

No mesmo espírito inovador, Azeredo Coutinho fundou o primeiro colégio para as meninas de casa-grande e de sobrado, isto é, para as filhas de senhores de engenho e para as da elite urbana.

A partir de meados da década de 1860 novos debates tomaram conta das assembléias e da sociedade, no sentido de imprimir nas escolas o viés mais liberal em implantação nos Estados Unidos, de defesa das idéias de liberdade de ensino e de consciência, bem como as novidades pedagógicas que circulavam no exterior.

Leôncio de Carvalho — "o inovador de ensino mais audacioso e radical do período do Império", segundo Fernando de Azevedo — estabeleceu normas para o ensino primário, secundário e superior na reforma de 1879. Nessa lei, defendia a liberdade de ensino (inclusive sem a fiscalização do governo), de freqüência, de credo religioso (os não-católicos ficavam desobrigados de assistirem às aulas de religião), a criação de escolas normais e o fim da proibição de matrícula de escravos. Estimulou ainda a organização de colégios com propostas divergentes, como, por exemplo, os de tendência positivista, que, valorizando as ciências, pudessem superar o ensino acadêmico e humanista da tradição colonial. Teve a iniciativa de sugerir a adoção do método intuitivo ou de lições de coisas (como veremos no tópico *Pedagogia*). Mas nem todas essas propostas se efetivaram.

A reforma de Leôncio de Carvalho, embora radical, esteve em vigor por pouco tempo, mas a discussão sobre a interferência ou não do Estado continuou acesa. Por exemplo, Rui Barbosa atribuía ao Estado a obrigação de tomar para si os cuidados com a educação, porque, entre outras coisas, as escolas particulares se orientavam pelas leis do mercado. Essas discussões repercutiriam de maneira mais efetiva nos primeiros anos da República.

A tendência de criar escolas religiosas no Brasil do século XIX era oposta à do resto do mundo, cuja laicização se tornava cada vez mais freqüente. Entre nós, predominava ainda a ideologia religiosa, sobretudo a católica. No período de 1860 a 1890 a iniciativa particular organizou-se, criando importantes colégios, inclusive de jesuítas, que retornaram oitenta anos após sua expulsão. Um exemplo foi o Colégio São Luís, fundado na cidade de Itu, em 1867 (e depois transferido para São Paulo, em 1917). Outro, o Colégio Caraça, em Minas Gerais, fundado em 1820, passou em 1856 para a direção dos padres franceses lazaristas, de metodologia avançada.

Também os protestantes trouxeram inovações da educação americana para o Colégio Mackenzie, em São Paulo (1870), o Colégio Americano, em Porto Alegre (1885), o Colégio Internacional (1873), em Campinas (estado de São Paulo), entre outros.

Destacaram-se, no entanto, importantes iniciativas leigas, como é o caso da Sociedade Culto à Ciência, de Campinas, São Paulo, fundada por maçons. Com pressupostos de inspiração positivista, oferecia o estudo de ciências, menosprezado pela tradição humanística. No Rio de Janeiro e na Bahia surgiram outras escolas leigas, criadas geralmente por iniciativa de médicos e engenheiros, com extremo cuidado na contratação de mestres de valor.

Os colégios leigos da época eram os mais progressistas e renovadores. Acrescentando-se a estes os já referidos colégios religiosos, percebe-se que grande parte da elite se dirigia às escolas particulares. Além disso, os poucos liceus provinciais fundados pela iniciativa pública enfrentavam dificuldades diversas, decorrentes da falta de organização e de recursos, corpo docente mal-habilitado e até de insuficiente número de alunos, o que levou muitos a fecharem as portas.

O ensino superior

No capítulo anterior, vimos que, para freqüentar os cursos superiores, os jovens brasileiros deviam atravessar o Atlântico e dirigir-se às instituições européias, sobretudo Coimbra e Évora, em Portugal. Aqui havia, sim, cursos superiores, como os seminários, mas destinados à formação de padres.

Neste capítulo já nos referimos a alguns cursos de nível superior iniciados no Brasil ainda no período joanino, cuja instalação ligava-se intimamente à defesa militar da colônia e ao atendimento dos interesses da família real aqui sediada. Apenas depois da Independência é que foram criados os dois cursos jurídicos: um em São Paulo (no Largo de São Francisco) e o outro em Recife. Fundados em 1827, passaram a faculdades em 1854.

Os cursos superiores, mesmo quando transformados em faculdades, permaneceram como institutos isolados, sem que houvesse interesse na formação de universidades (que só surgiriam no século XX). De qualquer forma, a atenção especial dada ao ensino superior reforçava o caráter elitista e aristocrático da educação brasileira, que privilegiava o acesso aos nobres, aos proprietários de terras e a uma camada intermediária, surgida da ampliação dos quadros administrativos e burocráticos.

Na continuidade dos comentários da professora Maria Elizabete S. P. Xavier, a propósito do engavetamento do projeto do ensino elementar, como vimos anteriormente: "O mesmo não aconteceu com o projeto de criação de Universidade, apresentado, discutido e aprovado sem muitas delongas. A finalidade e viabilidade imediata do projeto foram tomadas como premissas. Não se questionou seriamente da necessidade ou finalidade de Universidades em um país destituído de educação elementar; e não se cogitou da possibilidade de um adiamento até ocasião mais propícia"[11].

Os cursos jurídicos eram os que mais atraíam os jovens na segunda metade do século XIX, época de ouro do bacharel, cujo prestígio vinha sobretudo do uso da tribuna. A camada intermediária procurava esses cursos, não só para seguir a ati-

[11] *Poder político e educação de elites*. 3. ed.

vidade jurídica, mas para ocupar funções administrativas e políticas ou dedicar-se ao jornalismo. Além disso, o diploma exercia uma função de "enobrecimento". Letrados e eruditos, com ênfase na formação humanística, cada vez mais se distanciavam do trabalho físico, "maculado" pelo sistema escravista.

3. A formação de professores

Para melhorar a formação de mestres, foram fundadas as escolas normais. A primeira delas foi a Escola Normal de Niterói (1835), capital da província do Rio de Janeiro. Funcionava precariamente com um só professor e poucos alunos. Fechou em 1849 por falta de alunos, para retornar mais tarde às atividades. Em seguida, surgiram várias outras escolas normais nas diversas províncias, tais como em Minas Gerais (1836, instalada em 1840), Bahia (1836, instalada em 1841) e São Paulo (1846). Por volta das décadas de 1860, 70 e 80 outras tantas foram criadas. No entanto, tinham duração instável, fechando e retornando às atividades, como "plantas exóticas [que] nascem e morrem quase no mesmo dia".

O descaso pelo preparo do mestre fazia sentido em uma sociedade não comprometida em priorizar a educação elementar. Além disso, prevalecia a tradição pragmática de acolher professores sem formação, a partir do pressuposto de que não havia necessidade de nenhum método pedagógico específico. Essa tendência, embora começasse a ser criticada pelo governo — a Escola Normal de Niterói fora fundada em 1835 para que os mestres aprendessem a aplicar o método lancasteriano do ensino mútuo —, iria predominar ainda por muito tempo, em decorrência da concepção "artesanal" da formação do professor.

Aliás, era grande a distância entre o discurso, que valorizava a profissão docente, e a sua prática efetiva, porque o próprio governo pagava mal e não oferecia adequado apoio didático às escolas. Além disso, selecionava os mestres em concursos e exames que dispensavam a formação profissional. Segundo Leonor Maria Tanuri, nesses exames — que por não terem a devida publicidade eram pouco disputados —, o candidato deveria mostrar que "lê correntemente, escreve com maior ou menor apuro caligráfico, efetua as quatro operações fundamentais da aritmética, às vezes com dificuldade e alguns erros; a parte teórica não é devidamente aprofundada. Em Religião, recita de cor as orações principais da Igreja: responde a uma ou outra pergunta, sem contudo dar provas de que cabalmente compreende os princípios e a doutrina"[12].

Outra causa que agia contra a formação adequada de mestres era o costume de nomear funcionários públicos sem concurso, devido à troca de apoio, forma de clientelismo que sempre existiu — e continua existindo — no Brasil dos laços de família e dos favores que estimulam a prática de nepotismo e protecionismo.

Geralmente as escolas normais ofereciam apenas dois a três anos de curso, muitas vezes de nível inferior ao secundário. Para ingressar, bastava saber ler e escrever, ser brasileiro, ter 18 anos de idade e bons costumes. De início, atendiam apenas rapazes: a primeira escola normal de São Paulo, só trinta anos depois de fundada, passou a oferecer uma seção para mulheres, e, com o tempo, a clientela tornou-se predominan-

[12] *Revista Brasileira de Educação*, Campinas, Autores Associados/Anped (Associação Nacional de Pós-Graduação e Pesquisa em Educação), nº 14, maio a agosto de 2000, p. 65.

temente feminina. Essa feminização deveu-se em parte à lenta entrada da mulher na esfera pública, e porque a profissão do magistério era uma das poucas que permitiam conciliar com as obrigações domésticas. Além disso, constituía uma atividade socialmente aceita, por se pensar que estava ligada à experiência maternal das mulheres — de novo o aspecto artesanal da educação —, e, por fim, mas não por último, tratava-se de um ofício cuja baixa remuneração era aceita mais resignadamente por elas.

Por volta das décadas de 1860 e seguintes, quando o interesse pela educação recrudesceu nos debates da sociedade, a formação de professores adquiriu maior relevo, ao lado de inúmeras outras providências para melhorar o ensino. Segundo Tanuri, se daquelas escolas normais criadas nas décadas de 1830 e 1840 haviam restado apenas quatro em 1867, já em 1883 encontravam-se 22 delas funcionando em todo o Brasil.

Dessa feita, o que se propunha era preparar o professor para "saber se portar, saber o que ensinar e saber como ensinar". Por exemplo, após sua reativação, a Escola Normal de Niterói teve como diretor, no período de 1868 a 1876, o bacharel e jornalista Alambary Luz, que trabalhou com a intenção de tornar aquela instituição uma escola-modelo. Nesse período, o currículo foi ampliado e enriquecido, e a aprendizagem da metodologia pedagógica modernizou-se, acatando as novidades da Europa e dos Estados Unidos, que enfatizavam o ensino intuitivo. Ainda com esse propósito, Alambary Luz importou material didático próprio para a aplicação do método (que veremos adiante).

4. Outros cursos profissionalizantes

O ensino técnico no período do Império era bastante incipiente. O governo se desinteressava da educação popular e também da formação técnica, privilegiando as profissões liberais destinadas à minoria. Da mesma forma, até pouco tempo a historiografia voltava as atenções para a formação das elites políticas e intelectuais, e menos para esse segmento da educação.

Nossa tradição humanística, retórica e literária, distanciada da realidade concreta vivida, não valorizava a educação atenta aos problemas práticos e econômicos. Aliava-se a isso a mentalidade escravocrata, que desprezava o trabalho feito com as mãos, tendo-o como humilhante e inferior. É preciso ficar claro, porém, que a desvalorização dos ofícios com os quais os escravos se ocupavam (como carpinteiros, ferreiros, pedreiros, tecelões etc.) era devida não tanto pelo tipo de trabalho em si, mas pelo fato de esses ofícios estarem sempre relacionados à condição social inferior de quem os exercia.

Vimos, na segunda parte do capítulo anterior, que, até a primeira metade do século XVIII, os jesuítas ofereciam oficinas para a formação de artífices, mas com a sua expulsão, embora essa atividade continuasse precariamente por iniciativa particular ou de outras ordens religiosas, ela demorou a ser tratada com mais atenção pelo Estado.

De fato, isso só ocorreu por ocasião da vinda da família real para o Brasil. Como vimos, as primeiras medidas de D. João VI privilegiaram cursos de formação superior, a não ser o Colégio das Fábricas, criado em 1809 e destinado a ensinar ofícios aos órfãos que aqui chegaram com a comitiva real e aprendiam com artífices que também vieram de Portugal. O ensino não ocorria em escolas, mas nos próprios locais de trabalho, como cais, hospitais, arsenais militares e da marinha. Só mais tarde é que estes se dedicaram também a ensinar as primeiras letras a esses jovens.

Como os homens livres desprezassem esses ofícios, o governo usou de subterfúgios para conseguir formar artífices, confinando desocupados e miseráveis para a aprendizagem compulsória nas guarnições militares e navais.

Entre 1840 e 1856, as Casas de Educandos Artífices, caracterizadas pela disciplina militar, foram criadas em dez províncias. Um dos estabelecimentos de destaque foi o Asilo dos Meninos Desvalidos, em 1875, no qual se recolhiam crianças de 6 a 12 anos (ver dropes 5).

Organizações da sociedade civil estimulavam a aprendizagem de ofícios, geralmente com apoio do governo para tais empreendimentos. Foi o caso da fundação dos Liceus de Artes e Ofícios: o primeiro deles surgiu em 1858 no Rio de Janeiro, depois vieram o de Salvador (1872) e o de São Paulo (1882), até se completarem oito deles no país.

Além de formação para o trabalho qualificado, essas escolas expressavam um cunho assistencialista que não se desvinculava do interesse em disciplinar os segmentos populares, devido ao temor que a elite sentia com o exemplo dos movimentos de oposição à ordem política, então freqüentes na Europa.

5. A educação da mulher

A maioria das mulheres no Império vivia em situação de dependência e inferioridade, com pequena possibilidade de instrução. Em algumas famílias mais abastadas, às vezes elas recebiam noções de leitura, mas se dedicavam sobretudo às prendas domésticas, à aprendizagem de boas maneiras e à formação moral e religiosa. O objetivo era sempre prepará-las para o casamento e, quando muito, procurava-se dar um "verniz" para o convívio social, daí o empenho em lhes ensinar piano e línguas estrangeiras, sobretudo o francês.

Em 1825, D. Pedro I autorizou o funcionamento do Seminário de Educandas de São Paulo (ou Seminário da Glória), que diferia dos antigos asilos para meninas órfãs ou desamparadas pelo fato de que a iniciativa não cabia às ordens religiosas, mas ao Estado. De início, na verdade, abrigava as filhas de militares em serviço, bem como as órfãs daqueles que haviam morrido nas lutas da Independência. Mas também fazia a guarda das meninas que precisavam ser afastadas temporariamente das famílias. Aí aprendiam a ler, escrever, contar, bordar, cozinhar e eram "protegidas dos vícios" e da "depravação dos costumes".

Mas foi com a lei de 1827 que pela primeira vez se determinaram aulas regulares para as meninas, embora ainda se justificasse que sua educação tinha por objetivo o melhor exercício das "funções maternais" que elas haveriam um dia de exercer. Essas aulas deveriam ser ministradas por "senhoras honestas e prudentes", das quais não se exigiriam grandes conhecimentos, uma vez que, em aritmética, por exemplo, bastava ensinar as quatro operações. O problema, porém, decorria da impossibilidade de conseguir mulheres que tivessem o mínimo preparo, e, quando tinham pelo menos um pouco, podiam não ser aceitas se não soubessem as "artes da agulha". Segundo dados de 1832, "por falta de professorado idôneo, não atraído pela remuneração parca", em todo o Império o número de escolas para meninas não chegava a vinte.

Com a criação da seção feminina na Escola Normal da Província, em 1875, as moças poderiam se profissionalizar na carreira do magistério. Mas, dada a precariedade desses cursos que, conforme já vimos, ora abriam, ora fechavam, o resultado era ruim, insatisfatório. Além de que apenas no final do século a classe docente começou a se tornar predominantemente feminina.

Devido à falta de ensino público secundário para as moças, quando elas tinham posses, freqüentavam as aulas em escolas particulares confessionais protestantes ou católicas.

De qualquer forma, as mulheres achavam-se excluídas da possibilidade de acesso aos cursos superiores, mesmo que se preparassem adequadamente em escolas particulares ou com preceptores. Isso porque para tal não se exigiam diplomas, mas era necessário fazer os exames preparatórios aplicados pelo Colégio D. Pedro II, destinados exclusivamente ao público masculino. Consta que a primeira mulher a se matricular na Faculdade de Medicina do Rio de Janeiro foi Dona Ambrozina de Magalhães, em 1881. No ano seguinte, mais duas se matricularam — uma delas assistia às aulas acompanhada pelo pai e a outra por uma senhora idosa, o que demonstrava o temor que a emancipação feminina (ou a sua exposição pública) provocava.

No entanto, a educação feminina esperou a fase pré-republicana do final do século para começar a despertar maior interesse, quando então, no burburinho das idéias inovadoras, se começou a falar em co-educação, o que supunha oferecer também às mulheres os estudos antes reservados aos rapazes. Apesar disso, a controvérsia era grande: os mais conservadores, temendo o desmonte do sistema patriarcal e a dissolução da família, usavam como argumentos a "natureza" inferior da inteligência feminina e seu destino doméstico; outros, mais liberais, destacavam a importância da sua educação para o exercício das funções de esposa e mãe; os mais avançados, como Tobias Barreto e Tito Lívio de Castro, porém, percebiam que a educação da mulher exercia o papel central de um programa de reformas sociais, imbuídos de que "a crença inabalável do poder da educação como fator de mudança social, de um lado, e, de outro, como fator de justiça social, constituía, por assim dizer, a questão-chave de cuja solução dependia o progresso da sociedade brasileira"[13].

Aos poucos foram surgindo escolas, sobretudo dirigidas por instituições de religiosas francesas, voltadas para a educação feminina. Se em 1832 havia vinte escolas primárias femininas em todo o Império, em 1873 apenas a província de São Paulo contava com 174 unidades.

Merece destaque o Colégio Piracicabano, internato feminino fundado em 1881 no interior da província de São Paulo e dirigido por Marta Watts, missionária norte-americana que implantou um ensino avançado. De origem leiga, destaca-se também o Colégio para Meninas, em São Paulo, sob a direção de Rangel Pestana, que ali imprimiu o ensino das lições de coisas.

Pedagogia

1. Reflexões pedagógicas no final do Império

No século XIX ainda não havia propriamente o que poderia chamar-se *pedagogia brasileira*. No entanto, alguns intelectuais, influenciados pelas idéias européias e norte-americanas, buscavam novos rumos para a educação, apresentando projetos de leis, criando escolas, além de promoverem significativo debate aberto para a sociedade civil.

Tratava-se de uma atuação irregular, fragmentária e quase nunca com resultados satisfatórios, devido à distância entre a teoria e a prática efetiva. Isso se devia às situações, muitas vezes contraditórias, que

[13] Helleieth I. Saffioti, *A mulher na sociedade de classes*: mito e realidade. São Paulo, Quatro Artes, 1969, p. 223.

resultaram da lenta passagem de uma sociedade rural-agrícola para urbano-comercial. As forças conservadoras de uma tradição agrária sustentada por escravos resistiam às idéias liberais implantadas na Europa, onde a economia capitalista se encontrava em expansão.

De fato, vimos no tópico *Contexto histórico* que no último quartel do século XIX ocorreram diversas mudanças significativas no Brasil: surto industrial, fortalecimento da burguesia urbano-industrial, aceleração da política imigratória, abolição da escravatura e por fim a queda da monarquia e a proclamação da República.

No campo das idéias, o então dominante pensamento católico começava a enfrentar a oposição do positivismo e da ideologia liberal leiga, que exerceram forte influência na libertação dos escravos e na proclamação da República. No campo educacional, a orientação positivista do ensino intensificava a luta pela escola pública, leiga e gratuita, bem como pelo ensino das ciências.

Não se pode negar, portanto, que nas últimas três décadas do século XIX tenha fermentado o debate sobre questões propriamente metodológicas. Esse processo começou com a reforma Couto Ferraz, em 1854, que visava a regulamentar a instrução primária e secundária do Município da Corte. Nessa ocasião foram instituídas as *conferências pedagógicas*, com a intenção de difundir as idéias novas para professores, bem como para o público interessado. No entanto, as conferências foram realizadas apenas a partir de 1873. Até 1886, apenas na Corte organizaram-se nove delas, mas diversas outras províncias também apresentaram as conferências a um público ávido das novidades dos países adiantados. Além dos métodos possíveis, eram discutidos assuntos diversos, tais como higiene escolar, castigos corporais, atuação do Estado na educação, formação de professores, escola popular etc.

Assim diz Maria Helena Camara Bastos, em um artigo que, não por acaso, se chama "A educação como espetáculo": "As conferências populares, públicas, literárias, pedagógicas ou de professores são reconhecidas como fator relevante para o progresso e melhoramento da instrução primária. Têm caráter educativo e modernizante de vulgarização do conhecimento; têm uma perspectiva de atualização, de continuação dos estudos depois da formação, de vulgarização e aperfeiçoamento dos métodos de ensino das diferentes matérias, língua francesa, cálculo, métodos de leitura e escrita, métodos de geografia e história"[14].

Outras medidas foram tomadas, tais como o Congresso da Instrução, em 1883, por iniciativa do próprio imperador Pedro II. A abertura de debates estava sendo comum nos países mais adiantados, bem como as exposições pedagógicas e a instalação de museus. Também aqui foram criados inúmeros museus de educação, não só para os mestres, mas também para o público em geral. Bibliotecas, publicações diversas e livros propunham disseminar questões educacionais. A divulgação das novas idéias era feita também pela imprensa comprometida com o objetivo de ampliar a instrução popular, tais como os jornais *A Província de S. Paulo* (fundado por Rangel Pestana e hoje *O Estado de S. Paulo*) e a *Gazeta de Campinas*.

Pouco antes, em 1882, o conselheiro Rodolfo Dantas apresentara ao parlamento um projeto de reforma, estudado por uma

[14] "A educação como espetáculo", in Maria Stephanou e Maria Helena Camara Bastos (orgs.), *Histórias e memórias da educação no Brasil*, v. II: *Século XIX*, p. 117.

comissão especialmente nomeada, cujo relator era Rui Barbosa. O extenso parecer em que ele analisa a situação do ensino no Brasil ficou famoso pela erudição e eloqüência. Apesar de fazer também um levantamento cuidadoso do ensino nos países mais adiantados, resultou daí "um plano ideal e teórico", distante da realidade brasileira, portanto incapaz de soluções eficazes.

De qualquer forma, essa fermentação de idéias alimentou durante muito tempo as esperanças de transformação da sociedade por meio da educação universal, no espírito que mais tarde iria caracterizar o otimismo da Escola Nova, confiante no caráter de democratização da educação.

2. O método intuitivo

Depois do fracasso na implantação do método monitorial lancasteriano, na primeira metade do século XIX, a grande discussão pedagógica na segunda metade desse século deu-se em torno do *método intuitivo* e *lições de coisas*. Essas idéias surgiram na América Latina sobretudo pela divulgação do pensamento dos franceses Célestin Hippeau (1808-1883) e Ferdinand Buisson (1841-1932). Ao participar da Exposição de Paris, em 1878, Buisson se referia aos antecessores desse método: os empiristas Locke e Condilac; a defesa da "razão sensitiva" de Rousseau; a valorização da educação popular por Pestalozzi, que defendia o desenvolvimento espontâneo do aluno, baseando-se na intuição psicológica; o equipamento lúdico para o desenvolvimento sensório-motor das crianças na primeira infância inventado por Froebel. Mas Buisson reconhece em Marie Pape-Carpentier a popularização mais recente do método e a criação de material didático, como a Caixa de Lição de Coisas e a Lanterna Mágica, aparelho para projetar figuras com forte apelo visual.

A ênfase do método está no reconhecimento de que os sentidos são a porta para todo conhecimento. Ao contrário da tradição, que valoriza o ensino discursivo, que atua por raciocínio lógico e, portanto, é abstrato, busca-se começar a instrução primária educando a sensibilidade, pela qual percebemos cores, formas, sons, luz etc. É esta que prepara e antecipa a intuição intelectual, quando então percebemos as relações (de igualdade, causalidade etc.) entre as coisas. Ou seja, rejeitando a educação livresca, a criança deveria aprender a ler o mundo visível, pela observação e percepção das relações entre os fenômenos.

Embora a expressão "lição de coisas" servisse para indicar o método intuitivo aplicado em todas as disciplinas, com freqüência ela designava o ensino elementar das ciências da natureza, isto é, restringia-se a uma das disciplinas do currículo. Buisson mesmo reconhecera essas duas possibilidades, mas ressaltava ser importante compreender "lição de coisas" como método constituinte de todo programa de ensino. Rui Barbosa considerava importante a divulgação do método intuitivo entre os professores e, para tanto, traduziu *Primeiras lições de coisas*, do norte-americano Norman Calkins.

Em *Reforma do ensino secundário e superior*, Rui Barbosa avalia o ensino do seu tempo: "Perceber os fenômenos, discernir relações, comparar as analogias e as dessemelhanças, classificar as realidades, e induzir as leis, eis a ciência; eis, portanto, o alvo que a educação tem em mira. Espertar na inteligência nascente as faculdades cujo concurso se requer nesses processos de descobrir e assimilar a verdade, é o a que devem tender os programas e os métodos de ensino. Ora, os nossos métodos e os nossos programas tendem precisamente ao contrário: a entorpecer as funções, a atrofiar as faculdades que habilitam o homem a penetrar o seio da natureza real e perscrutar-lhe os segredos.

Em vez de educar no estudante os sentidos, de industriá-lo em descobrir e pensar, a escola e o liceu entre nós ocupam-se exclusivamente em criar e desenvolver nele os hábitos mecânicos de decorar, e repetir. A ciência e o sopro científico não passam por nós".

Outros livros foram traduzidos e também escritos por pedagogos brasileiros, como foi o caso de João Kopke. Esse educador, com experiência em sala de aula, abriu escolas inovadoras, cujo ensino se baseava na aplicação do método intuitivo, e escreveu tratados de pedagogia e livros para crianças.

De modo sintético, a professora Maria Helena Camara Bastos diz: "As idéias que circularam no Brasil, através das conferências pedagógicas, das conferências populares, do Congresso de Instrução, da exposição pedagógica e escolar, do museu escolar e pedagógico, dos impressos, faziam parte de um movimento internacional, no qual a elite intelectual brasileira procurava integrar-se e vivenciá-lo na sua realidade social. Ao mesmo tempo que participavam do Estado, favorecendo a sua manutenção, esses intelectuais preconizavam transformações nas estruturas sociais, na perspectiva de que a educação equivalia a 'progresso' "[15].

Conclusão

Eram muitas as contradições sociais e políticas de um país cuja economia consolidava o modelo agrário-comercial e fazia as primeiras tentativas de industrialização. Debatiam-se os segmentos renovadores — que aspiravam aos ideais liberais e positivistas da burguesia européia — e as forças retrógradas da tradição agrária escravocrata.

Como vimos, o poder da reação manteve o privilégio de classe ao valorizar o ensino superior em detrimento dos demais níveis, sobretudo o elementar e o técnico, sem falar evidentemente da desprezada educação da mulher.

Ainda que no final do Império surgissem algumas esperanças de mudança no quadro educacional, por conta de intenso debate sobre a educação, a situação do ensino continuava muito precária. Deixamos a análise da educação da Primeira República para o capítulo 11.

---

[15] "A educação como espetáculo", in Maria Stephanou e Maria Helena Camara Bastos (orgs.), *Histórias e memórias da educação no Brasil*. v. II: *Século XIX*, p. 130.

Dropes

1 - Como o professor é pobre e escasso o ordenado, instala a escola numa saleta qualquer, contanto que seja barata e lhe não absorva o ordenado. A título de mobília procura dois ou três bancos de pau, uma cadeira para si, uma mesa onde ao menos possa encostar os cotovelos e tomar notas, um pote e uma caneca, e aí temos armado o alcatifado palacete da instrução. Agrupam-se aí dentro 20, 30 ou 40 crianças, tendo por único horizonte as frestas sombrias de uma rótula[16] e durante quatro ou cinco horas diárias martirizam os ouvidos e as cordas vocais da laringe em insólito berreiro, respirando ar viciado e poeira, arruinando a saúde, cansando a inteligência, matando a vontade de aprender, a natural curiosidade infantil e a paciência (...). O resultado é tornar-se a escola o mau sonho das crianças. (Editorial de *A província de S. Paulo*, 13/01/1876, apud Maria Lucia Hilsdorf)

2 - Em 1836, havia na cidade (São Paulo) apenas dois professores de primeiras letras, um da freguesia da Sé e outro na de Santa Ifigênia, (...) ambos partidários dos castigos corporais como meio de manter a disciplina. Numa representação dirigida à Câmara Municipal, pediam "a concessão de alguns castigos físicos em suas escolas a fim de melhor ensinarem e corrigirem os seus alunos, por isso que esses nenhum caso fazem dos castigos morais, mofando mesmo de seus mestres". (Fernando de Azevedo)

3 - Em 1846 é criada (...) a primeira escola normal de São Paulo, destinada somente a homens, e com um único professor, Manuel José Chaves, catedrático de filosofia e moral no curso anexo à Faculdade de Direito; essa escola funcionou numa sala do Cabido, contígua à Sé Catedral, e foi suprimida em 1867, tendo formado cerca de 40 professores em perto de 20 anos (dois, em média, por ano). (...) Em 1874 é criada na capital de São Paulo uma escola normal, com um curso de dois anos, que se instalou em 1875 com 33 alunos numa sala do curso anexo à Faculdade de Direito. Também esta, por falta de verba para a instalação e custeio, se fechou em 1878, para se abrir, e desta vez com três anos de curso, a 2 de agosto de 1880. (Fernando de Azevedo)

4 - Nessa sociedade, de economia baseada no latifúndio e na escravidão, e à qual, por isso, não interessava a educação popular, era para os ginásios e as escolas superiores que afluíam os rapazes do tempo com possibilidades de fazer os estudos. As atividades públicas, administrativas e políticas, postas em grande realce pela vida da Corte e pelo regime parlamentar, e os títulos concedidos pelo imperador contribuíam ainda mais para valorizar o letrado, o bacharel e o doutor. (Fernando de Azevedo)

5 - Os "meninos desvalidos" [do Asilo dos Meninos Desvalidos] eram os que, de idade entre 6 e 12 anos, fossem encontrados em tal estado de pobreza que, além da falta de roupa adequada para freqüentar escolas comuns, vivessem na mendicância. Esses meninos eram encaminhados pela autoridade policial ao asilo, onde recebiam instrução primária e aprendiam os ofícios de tipografia, encadernação, alfaiataria, carpintaria, marcenaria, tornearia, entalhe, funilaria, ferraria, serralheria, courearia ou sapataria. Concluída a aprendizagem, o artífice permanecia mais três anos no asilo, trabalhando nas oficinas, com o duplo fim de pagar sua aprendizagem e formar um pecúlio, que lhe era entregue ao fim do triênio. (Luiz Antônio Cunha)

---

[16] Rótula: grade de madeiras cruzadas que ocupa um vão de janela.

Leitura complementar

[Escolas de improviso]

A questão do espaço para abrigar a escola pública primária começou a aparecer especialmente a partir da segunda década do século XIX, em algumas cidades da então colônia, e, posteriormente à Independência, em várias províncias do Império, quando intelectuais e políticos puseram em circulação o debate em torno da necessidade de se adotar um novo método de ensino nas escolas brasileiras: o método mútuo. (...) Todos reconheciam que para abrigar dezenas ou, mesmo, centenas de aprendizes fazia-se necessária a construção de novos espaços escolares.

(...) A solução aos problemas espaciais, entretanto, foi muitas vezes associada ao uso de prédios já existentes.

(...) A realidade material e espacial da escola brasileira continuava como tema em debate passados 30 anos. Na década de 1870, os diagnósticos dos mais diferentes profissionais que atuavam na escola ou na administração dos serviços da instrução, ou ainda políticos e demais interessados na educação do povo (médicos, engenheiros...), eram unânimes em afirmar o estado de precariedade dos espaços ocupados pelas escolas, sobretudo as públicas, mas não somente essas, e advogavam a urgência de se construírem espaços específicos para a realização da educação primária.

(...) Sobretudo no último quartel do século XIX, foi-se, paulatinamente, reforçando a representação de que a construção de prédios específicos para a escola era imprescindível a uma ação eficaz junto às crianças, indicando, assim, o êxito daqueles que defendiam a superioridade e a especificidade da educação escolar diante das outras estruturas sociais de formação e socialização como a família, a Igreja e, mesmo, os grupos de convívio. Tal representação era articulada na confluência de diversos fatores, dentre os quais queremos destacar os de ordem político-cultural, pedagógica, científica e administrativa.

No que se refere aos primeiros, há que se considerar que a instituição e o fortalecimento do Estado Imperial eram fenômenos, também, político-culturais. Relacionado a isso estava o fato de que a escolarização, no mundo moderno como um todo, fazia parte dos agenciamentos de dar a ver e de fortalecer as estruturas de poder estatais, podendo, mesmo, ser considerada como um dos momentos de realização dos Estados modernos. (...)

Em segundo lugar, as discussões pedagógicas, sobretudo aquelas referentes às propostas metodológicas, foram demonstrando a necessidade de que se construíssem espaços próprios para a escola, como condição mesma da realização de sua função social específica. Assim, os defensores do método intuitivo, da mesma maneira que os do método mútuo no início do século XIX, argumentavam a necessidade de o espaço da sala de aula permitir que as diversas classes pudessem realizar as *lições de coisas*. Somava-se a isso que a escola foi, sobretudo ao final do século XIX, sendo invadida por todo um arsenal inovador de materiais didático-pedagógicos (globos, cartazes, coleções, carteiras, cadernos, livros...) para os quais não era possível mais ficar adaptando os espaços, sob pena de não colher, desses materiais, os reais benefícios que podiam trazer para a instrução.

Também o desenvolvimento dos saberes científicos, notadamente da medicina e, dentro dessa, da higiene, e a aproximação desses do fazer pedagógico influíram decisivamente na elaboração da necessidade de um espaço específico para a escola (...). Ao mesmo tempo que elaboravam uma contundente crítica às péssimas condições das moradias e dos demais prédios para a saúde da população em geral, os higienistas acentuavam sobremaneira o mal causado, às crianças, pelas péssimas instalações escolares. Além disso, expunham o quanto a falta de espaços e materiais *higienicamente* concebidos era prejudicial à saúde e à aprendizagem dos alunos.

Finalmente, a falta de espaços próprios para as escolas era vista, também, como um problema administrativo na medida em que as instituições escolares, isoladas e distantes umas das outras, acabavam não sendo fiscalizadas, não oferecendo indicadores confiáveis do desenvolvimento do ensino e, além do mais, consumindo parte significativa das verbas com pagamento do aluguel da *casa de escola* e do professor. Dessa forma, os professores não eram controlados, os dados estatísticos eram falseados, os professores misturavam suas atividades de ensino a outras atividades profissionais e, em boa parte das vezes, as escolas não funcionavam literalmente.

Luciano Mendes de Faria Filho e Diana Gonçalves Vidal, "Os tempos e os espaços escolares no processo de institucionalização da escola primária no Brasil", in *Revista Brasileira de Educação*. Campinas, Autores Associados/Anped (Associação Nacional de Pós-Graduação e Pesquisa em Educação), nº 14, maio a agosto de 2000, p. 22-24.

Atividades

Questões gerais

1. A vinda da família real para o Brasil provocou algumas mudanças do ponto de vista da cultura. Identifique algumas delas, discutindo sobre sua importância.

2. No período joanino foram criadas algumas escolas superiores. Explique qual foi o critério de privilegiar essa escolha.

3. No Império, desde cedo houve a intenção de criar um "sistema nacional de educação". Explique por que não foi implantado.

4. Apesar da intenção inicial de valorizar o ensino elementar, esse projeto não se realizou. Analise as dificuldades alegadas e discuta quais foram as causas econômicas e sociais que prevaleceram para o abandono daquele projeto e a priorização das faculdades jurídicas.

5. Releia, na primeira parte do capítulo, quais eram as características do *ensino mútuo* (ou monitorial) e explique como foi implantado no Brasil, qual era a intenção inicial e por que não se concretizou de fato.

6. Considerando que no Império foi distribuída por lei a responsabilidade dos três segmentos da educação, responda:

a) O que ficou a cargo da Coroa e o que era incumbência das províncias?

b) Como essa divisão prejudicou o ensino elementar?

c) Por que no ensino secundário houve, na verdade, uma pseudodescentralização e quais os prejuízos para esse setor?

7. Podemos dizer que até hoje prevalece a idéia do ensino secundário propedêutico? Justifique sob que aspectos essa afirmação ainda é verdadeira e quais os prejuízos para a educação integral do aluno. Discuta se, ao contrário, já sentimos avanços nesse setor.

8. Discuta sobre os prejuízos para a educação decorrentes das precárias condições das escolas normais, de acordo com o que foi visto no capítulo e nos dropes 1 e 2. E hoje em dia, as mudanças são substanciais?

9. No século XIX, ampliou-se o atendimento escolar para a educação de ofícios. Explique por que e identifique como podemos reconhecer nessas iniciativas um cunho assistencialista e disciplinador.

10. A educação da mulher sempre foi preterida, devido à concepção que as sociedades tradicionais sempre tiveram a respeito do papel feminino. Identifique as mudanças no final do século XIX.

11. Examine os aspectos inovadores dos projetos de Leôncio de Carvalho no âmbito da educação.

12. Na última "fala do trono", proferida na abertura solene do parlamento alguns meses antes de a República ser proclamada, D. Pedro II se referia às necessidades de um ministério destinado à instrução pública, escolas técnicas, duas universidades, uma no norte, outra no sul do país, e de difundir a instrução primária e secundária. Em que sentido podemos analisar essa "fala derradeira" como a aspiração não realizada da educação no Império?

13. Analise algumas diferenças entre a educação no resto do mundo e no Brasil do século XIX.

14. Quais foram as modificações econômicas e sociais que determinaram maior interesse pela educação e pela pedagogia?

15. Explique o que eram as conferências pedagógicas e em que medida representaram um novo interesse dos brasileiros pela educação.

16. "Lição de coisas" e "método intuitivo": conceitos sinônimos ou há diferenças entre eles?

17. Releia o dropes 1 da primeira parte do capítulo, que se refere ao método de Pestalozzi, e explique por que lá se encontra o germe do chamado ensino intuitivo.

18. Que alteração o pensamento positivista provocou na educação no Brasil?

Questões sobre a leitura complementar

1. Vários fatores determinaram o interesse pela construção de prédios especiais para as escolas no final do século XIX. Identifique os de ordem político-cultural, pedagógica, científica e administrativa.

2. Discuta com seus colegas em que medida o padrão da arquitetura daquelas escolas vem sofrendo modificações hoje em dia. Quais as principais mudanças que ainda precisam ser implementadas?

Capítulo 10 Educação para a democracia

Neste capítulo, vamos tratar da educação geral, reservando o próximo apenas para a do Brasil, uma vez que o século XX foi bastante rico em experiências educacionais e no pluralismo de teorias pedagógicas. Procuramos continuar estabelecendo a separação entre as práticas educativas e as reflexões pedagógicas, nada impedindo que o leitor procure estabelecer a devida complementação entre os dois tipos de abordagem didática do nosso objeto de estudo.

Os tempos atuais, em que compreendemos o século XX e o começo do século XXI, adquiriram tal complexidade que se torna sempre difícil resumir em poucas páginas os inúmeros vetores que os caracterizam. Nesta introdução destacamos os principais aspectos da educação no mundo que serão analisados no capítulo, segundo as três abordagens: contexto histórico, educação e pedagogia. Diferentemente dos capítulos anteriores, preferimos abrir um capítulo novo para o Brasil, dada a amplitude que também entre nós assumiu a questão educacional.

Na cronologia da história costumamos chamar de *época contemporânea* o período iniciado em 1789, com a Revolução Francesa. Esta revolução burguesa sinalizou a queda do Antigo Regime,

‹ No turbulento século XX vivemos duas guerras mundiais e inúmeros conflitos, mas este também foi o século das reivindicações de muitas bandeiras — do feminismo, do poder jovem, de todas as minorias silenciadas por milênios —, provocando mudanças comportamentais significativas. (Manifestação de estudantes em Paris, maio de 1968.)

que primava pela visão aristocrática da realeza e seus súditos, para desenvolver lentamente as conquistas da cidadania na construção das democracias atuais. Vimos que esse movimento social se fez a partir da sobreposição dos ideais liberais da burguesia sobre a concepção aristocrática do absolutismo dos reis. E que, embora inicialmente o liberalismo fosse muito elitista, por privilegiar os proprietários e excluir a grande massa, aos poucos foram introduzidos mecanismos de maior participação popular, ainda que, devamos reconhecer, muitas vezes de maneira formal e nem sempre efetiva. Como exemplo, lembramos que uma das principais reivindicações da cidadania — a escola leiga, gratuita e universal — ainda constitui um projeto inalcançável para a grande maioria dos países periféricos.

Apesar disso, vale destacar que a ambição dos pensadores do Iluminismo do século XVIII foi a da emancipação humana, do sujeito com autonomia de pensar e agir, sustentada pela garantia dos direitos conquistados. No século XIX vivemos o tempo das rupturas, das lutas revolucionárias para a construção de uma sociedade mais justa e democrática, incluindo-se aí não só o anseio de liberdade, mas também de igualdade.

Bem ou mal, esses projetos foram implementados no século XX pelo sufrágio universal, ao estender às mulheres e aos analfabetos o direito de voto nas sociedades democráticas. Aliás, nesse século intensificou-se a defesa dos direitos do cidadão, da mulher, da criança, do trabalhador, das etnias, das minorias, dos animais e da natureza.

O século XX foi a época das revoluções socialistas — ainda que muitos dos projetos tenham fracassado quase na última década, por exemplo, com a desagregação da União Soviética. Foi o tempo que sofreu a crueldade do totalitarismo, que, mesmo vencido na metade do século, ainda nos ameaça com manifestações neonazistas. Sob esse aspecto, as grandes migrações de populações empobrecidas que buscam os centros mais desenvolvidos têm acirrado a intolerância xenófoba daqueles grupos.

Esse foi o século da luta contra o *apartheid*, com inúmeras conquistas dos direitos de negros e indígenas. Mas também recrudesceram os ódios étnicos, seja dos radicais islâmicos responsáveis pelo terrorismo, seja das nações ocidentais ditas "civilizadas", que respondem com a violência da guerra e a ameaça de desrespeito a direitos humanos fundamentais.

Esse foi o século do avanço das ciências e da tecnologia, em que o progresso e o conforto se expressaram pelo refinamento da racionalidade técnica. Ao mesmo tempo, uma racionalidade que despreza os valores vitais, quando deixa prevalecer o interesse econômico e a visão estritamente utilitarista e consumista.

Esse foi o século que produziu as massas, tanto nos projetos de reivindicação como nos de lazer, como protagonistas dos movimentos de rebeldia ou de fruição hedonista. No entanto, como diz Franco Cambi, "a contemporaneidade produz as massas, mas também os mecanismos para o seu controle, desde as ideologias até as associações, a propaganda, o uso do tempo livre, os meios de comunicação; e neste binômio dinâmico de massificação e de regulamentação das massas se exprime uma das características mais profundas, mais constantes do tempo presente"[1].

---

[1] *História da pedagogia*. São Paulo, Ed. Unesp, 1999, p. 380.

Veremos como todas essas ambigüidades têm mobilizado e desafiado os estudiosos da educação.

Contexto histórico

> **Breve cronologia do período**
>
> • Primeira Grande Guerra (1914-1918)
> • Revolução Russa (1917)
> • Fascismo na Itália (1922-1945)
> • Quebra da Bolsa de Nova York (1929)
> • Portugal: ditadura de Salazar (1932-1968)
> • Nazismo na Alemanha (1933-1945)
> • Brasil: Estado Novo (1937-1945)
> • Espanha: ditadura de Franco (1939-1969)
> • Bomba atômica — Hiroshima e Nagasaki (1945)
> • Criação da ONU (1945)
> • República Popular da China (1949)
> • Revolução Cubana (1959-)
> • Descolonização da África e da Ásia
> • Guerra do Vietnã (1963-1973)
> • Golpe militar no Brasil (1964-1984)
> • Queda do Muro de Berlim (1989)
> • Desagregação dos Estados socialistas (a partir de 1991)
> • Atentado terrorista em Nova York (11-9-2001)
> • Guerra do Iraque (2003-)

1. Conflitos do século XX

Ao analisar a história do século XIX, vimos que a colonização da África e da Ásia decorreu da política imperialista do capitalismo. No continente europeu, no início do século XX, a livre concorrência foi substituída pelo capitalismo de monopólios, acentuando a concentração de renda e as conseqüentes disparidades sociais. Os choques entre as potências imperialistas culminaram no conflito armado da Primeira Grande Guerra (1914-1918).

Durante a guerra, outro fato importante abalou o mundo: com a Revolução Russa de 1917, instaurou-se o primeiro governo socialista, após a deposição do czar Nicolau II.

No período posterior à Primeira Guerra, tornou-se marcante a influência econômica dos Estados Unidos, inclusive na Europa. Por esse motivo, o impacto mundial da crise gerada pela quebra da Bolsa de Nova York em 1929 provocou falências, retração de mercado e desemprego em massa, bem como a pauperização da classe média e maior degradação do proletariado.

A gravidade da depressão econômica da década de 1930 obrigou o Estado a intervir na economia e substituir o capitalismo liberal pelo capitalismo de organização. A fim de evitar tanto o perigo do nazismo como a tentação do comunismo, os Estados Unidos criaram o *Estado de bem-estar social* (*Welfare State*), pelo qual o *Estado benfeitor* implantou medidas de controle da economia, de estímulo à produção, garantindo a distribuição de bens e serviços sociais.

Em alguns países, o clima de insegurança e insatisfação auxiliou a expansão de ideologias de extrema direita: na Itália, o fascismo triunfou em 1922 com Benito Mussolini, e em 1933 Adolf Hitler fortaleceu o nazismo na Alemanha. A partir de 1936, a guerra civil na Espanha resultou na imposição da ditadura de Francisco Franco, enquanto Portugal sucumbia sob a ditadura de Antônio Salazar. Ecos dessas mudanças se fizeram sentir no Brasil com a Ação Integralista e, mais tarde, sob alguns aspectos, com o Estado Novo da era getulista. Mesmo diferentes, essas tendências criticavam tanto o liberalismo como o comunismo. Enquanto Itália e Alemanha representavam o chamado totalitarismo de direita, na União Soviética o totalitarismo de esquerda surgiu quando Lênin foi substituído por Stálin, a partir de 1925.

Depois da Segunda Grande Guerra (1939-1945), foi fundada a Organização das Nações Unidas (ONU), organismo que visa a manter a paz mundial e defender os direitos humanos. Dentre seus diversos órgãos especializados, destacamos a Organização das Nações Unidas para a Educação, Ciência e Cultura (Unesco), por ter um dos seus focos na educação.

No pós-guerra os Estados Unidos assumiram posição hegemônica na economia mundial, reforçada pelo poderio atômico — demonstrado no lançamento da bomba atômica em Hiroshima e Nagasaki — e pelo crescimento da indústria bélica, que desencadeou a corrida armamentista. No outro pólo, a União Soviética expandia sua zona de influência, também com seu poder bélico e atômico. O confronto das duas potências gerou a Guerra Fria, que deixava em suspenso a ameaça constante à paz mundial.

A tensão entre as duas potências aumentou com a expansão do socialismo. Além das democracias populares da Europa centro-oriental, aderiram ao comunismo o Vietnã do Norte (1945), a Coréia do Norte (1948), a China de Mao Tsé-Tung (1949), o Laos e o Camboja (Campuchea). Em 1959 foi a vez da adesão de Cuba, com Fidel Castro.

Outro acontecimento importante do período pós-guerra foi a paulatina descolonização da África e da Ásia, processo pelo qual muitas das antigas colônias, ao se libertar, aderiram ao socialismo. Já nos referimos à necessidade de expansão inerente ao capitalismo. Com a descolonização, o imperialismo tomou outra forma. A partir do fortalecimento do capitalismo de organização, as multinacionais representaram a nova estratégia de instalar indústrias em países não-desenvolvidos a fim de explorar a mão-de-obra barata, agravando o problema das economias de base agrícola. Estes eram os países que compunham o então chamado bloco do *Terceiro Mundo*[2] e procuravam a emancipação a duras penas, dificultada pelos laços de dependência econômica e até política. No Brasil, por exemplo, os Estados Unidos interferiram diretamente no golpe militar de 1964 e, no campo educacional, dirigiram o rumo das reformas realizadas por meio dos acordos MEC-Usaid, como veremos no próximo capítulo.

Quando o bloco dos países comunistas começou a apresentar rupturas, os problemas culminaram com a queda do Muro de Berlim, em 1989. Em 1991 a própria União Soviética desintegrou-se, incapaz de manter unidas as Repúblicas constituídas por diferentes nacionalidades.

Enquanto isso, nos países de economia capitalista, como Estados Unidos e Inglaterra, desde a década de 1980 foram reto-

[2] *Terceiro Mundo* era a designação dada aos países subdesenvolvidos, que estavam à margem do Primeiro e Segundo Mundos, constituídos pelos países ricos capitalistas e do bloco socialista. Após o desmantelamento do "socialismo real", passou-se a considerar as desigualdades entre os ricos do Norte e os pobres do Sul, ou seja, entre os países *centrais* (e hegemônicos) e os *periféricos*. Vale lembrar que entre os chamados países ricos não encontramos sequer uma dezena entre as 170 nações do globo.

madas as práticas do neoliberalismo — e, portanto, o ideal do Estado minimalista —, retirando-se do governo as funções assistencialistas assumidas pelo Estado de bem-estar social.

Daquela época até a transição do século, muitas foram as mudanças. Citaremos apenas algumas delas. O neoliberalismo expandiu-se por meio da economia globalizada, favorecendo acordos entre nações: um exemplo foi a União Européia, que instituiu o euro como moeda única. Outros blocos têm buscado favorecer laços no mercado internacional. Por outro lado, por privilegiar os interesses dos países hegemônicos, a globalização recebe crítica de grupos da sociedade civil, na defesa de uma solução alternativa, mais democrática, que não se cumpra à custa dos países periféricos, como tem ocorrido.

Essas alianças não existem apenas no campo da economia, mas também da política, na tentativa de se instituir uma *governança global* em que os Estados-nação não percam sua soberania, mas organizem foros internacionais de discussão — por exemplo, já existe o Parlamento europeu. Isso vale para a resolução comum de problemas que afetam a todos, bem como para o combate articulado de crimes como narcotráfico, lavagem de dinheiro, atentados aos direitos humanos, crime internacional organizado, terrorismo.

Resta lembrar que, ao contrário do século XIX, marcado pela visão do trabalho e da poupança, o século XX construiu o ideal da sociedade de lazer, ancorado na ilusão do mundo do consumo. Para não sofrer os efeitos perigosos dessa ilusão, convém que comecemos a preparar nossos jovens para o desfrute do lazer criativo.

2. Movimentos sociais de contestação

À margem da política oficial, desde meados do século XX grupos diversos agitaram a sociedade civil com variadas formas de contestação. Uma das mais significativas foi representada nos movimentos de *contracultura*. Na década de 1950, os *beatniks* (da *beat generation*[3] norte-americana) e nos anos de 1960 os *hippies* opuseram-se — cada tendência a seu modo — aos valores da sociedade industrial e de consumo. No final da década de 1970 apareceram os *punks*, e, na seqüência, inúmeros outros grupos têm entrado em confronto com os valores de uma sociedade massificada pelo consumismo e pela visão pragmática da tecnocracia.

A partir da década de 1960, tornou-se marcante a mobilização das minorias, entendidas como segmentos da sociedade destituídos de poder: o movimento negro, o estudantil (seu momento crucial ocorreu em maio de 1968, em Paris, com irradiação mundial) e o feminista (ou de gênero, que se desenvolvia desde o começo do século e recrudesceu naquela década), a revolução sexual, os movimentos contra a discriminação do homoerotismo, em prol da preservação das populações indígenas, enfim, pela defesa dos direitos humanos. Os grupos pacifistas, que atuavam havia tempo, intensificaram suas atividades por ocasião da Guerra do Vietnã (1963-1973).

Entre essas mobilizações, não há como desconsiderar a arregimentação da classe dos trabalhadores nos movimentos sindicais, na organização de greves para as mais diversas reivindicações e conquistas. A partir da década de 1970, os grupos de defesa da ecologia intensificaram sua atuação não só diante da ameaça de uma guerra nuclear

[3] *Beat generation*: literalmente "geração gasta, corroída". Esses grupos, formados por intelectuais e artistas, desprezavam a sociedade materialista e utilitarista contemporânea. *Beatniks* designa o diminutivo de *beat*.

— que significaria a destruição da humanidade — mas devido ao temor cotidiano de acidentes, bem como do efetivo desequilíbrio ecológico já constatado, como resultado da inadequada intervenção humana na natureza.

No item anterior vimos como o fênomeno da globalização da economia tem suscitado a crítica ao modelo neoliberal e provocado a defesa de uma globalização mais democrática, desencadeando movimentos de contestação no início do século XXI em cidades como Gênova (Itália), Seattle (Estados Unidos) e Porto Alegre (Brasil), entre outras.

A partir da década de 1980, esses grupos críticos, formados na sociedade civil, começaram a fundar as *organizações não-governamentais* (ONGs), chamadas de *terceiro setor* por não representarem nem o Estado nem as empresas, mas por buscarem a solução de problemas que afetam determinados segmentos da sociedade que não mereceram os devidos cuidados do governo central.

3. Uma mudança vertiginosa

Do ponto de vista da ciência e da tecnologia foram notáveis as transformações do século XX: novas fontes de energia (elétrica, petrolífera, nuclear); crescente processo de urbanização; automação nas fábricas e no campo; desenvolvimento da medicina avançada, sobretudo a bioengenharia (seqüenciamento do genoma, experiências com clonagem e células-tronco); revolução nos transportes e nas comunicações (telégrafo, telefone, rádio, cinema, televisão, fax, microcomputador pessoal, internet, celular); e o impacto dos meios de comunicação de massa. Vivemos a época da sociedade de informação.

Quanto ao crescimento industrial, o século XX proporcionou o estímulo à produção e ao consumo em massa. No final do século, foram introduzidas novidades da robotização. Sob os efeitos da cibernética, a sociedade industrial encontra-se em transformação para a pós-industrial, caracterizada pela predominância das atividades do setor de serviços.

Mais ainda, incrementou-se o setor de entretenimento e lazer, fazendo surgir o que se pode chamar *sociedade do lazer*, ainda que em contradição com o desemprego estrutural, os bolsões de pobreza nos países ricos e a miséria em países periféricos. Na virada do século, as diferenças sociais se acentuaram no mundo capitalista, e o problema da fome recrudesceu. Além disso, como já dissemos, graves questões, como o terrorismo, o narcotráfico, o crime organizado, a violência urbana, desafiam os esquemas de segurança.

O fenômeno da globalização e da sociedade da informação, estimulado pelos avanços tecnológicos, ao mudar a face do mundo, provocou alterações no trabalho, na família e, conseqüentemente, exigiu um novo tipo de escola.

Educação

1. Tempo de crise: tempo de mudanças

No esboço sobre o contexto histórico do século XX, constatamos notáveis transformações no campo, na cidade e na mentalidade, de tal forma que podemos identificar a crise por que passa a humanidade na transição do milênio.

A palavra de origem grega *crise* refere-se a situação difícil, a desafios, mas tem a mesma raiz de *julgamento* e, portanto, de *crítica*. Significa, por conseguinte, a constatação do envelhecimento de alguma coisa que não serve mais, e ao mesmo tempo o esforço para entender, julgar e escolher — ou melhor, inventar — novos caminhos. Com isso queremos dizer que não só a escola ou a pedagogia estão em crise, mas a própria humanidade encontra-se na transposição de uma nova era, que exige a construção de outros valores e paradigmas. Voltaremos a esse assunto no capítulo 12.

Diante de uma sociedade tão complexa e cheia de contradições, podemos imaginar o papel importante que representa a implantação de um adequado sistema de educação, antecedido por reflexões rigorosas sobre seus fundamentos e objetivos, ou seja, uma reflexão pedagógica. Por ser uma sociedade plural, veremos como têm sido inúmeras as indagações e respostas a essas questões. Assinalamos aqui algumas tendências que veremos a seguir.

Vimos que desde o século XVIII já se esboçava o ideal da escola laica, gratuita e universal, sob a responsabilidade do Estado. Diante da sua importância, cada vez mais a educação assumiu caráter político, devido ao seu papel na sociedade como instrumento de transmissão da cultura e formação da cidadania: formar o cidadão, ou seja, o sujeito político que conhece seus direitos e deveres.

Nesse sentido, os projetos educacionais passaram por um período de otimismo, em que a escola representava a esperança de democratização da sociedade. Depois, alguns teóricos destacaram o caráter ideológico da escola, como lugar de inculcação das idéias da classe dominante, o que realçava apenas o seu caráter reprodutor do sistema. Entre esses dois pólos, foi tecida a rede entre educação e sociedade, para destacar não só seu papel integrador, mas também de uma possível crítica e inovação. Se a educação "não pode tudo", mesmo assim ela tem uma função importante a desempenhar, porque ela não só instrui socializando, como pode ser emancipadora, ao abrir espaços para a desmistificação da ideologia.

Também nesse último século vimos a deturpação do uso da política na educação, quando esta foi posta a serviço da doutrinação pelos Estados totalitários (fascismo, nazismo, stalinismo), para exercer a função de plasmar e controlar crianças e jovens.

Além disso, ainda hoje a escola procura o prumo entre as duas orientações da educação para o trabalho e a educação humanista, que têm configurado o dualismo escolar, responsável pela perpetuação da desigual repartição dos saberes. Ou, ao contrário, diante de uma sociedade tecnocrática, a escola é mantida como prisioneira do objetivo de preparação para o mercado de trabalho, descuidando-se da formação integral e da consciência crítica.

Outro aspecto importante a ressaltar foi a ampliação do leque dos sujeitos educativos, que desde a Antiguidade se restringia à criança do sexo masculino. Agora, também se coloca ênfase na educação anterior às primeiras letras (o "jardim de infância"), na educação da mulher (emancipada de sua condição subalterna), do deficiente (físico e mental, visando a sua integração social), das etnias até então excluídas (pelo reconhecimento da importância do diálogo com o diferente).

Era de esperar que tal gama de projetos educacionais exigisse em contrapartida maior rigor da reflexão pedagógica, o que se fez pela sua articulação com as ciências, tais como a psicologia, a sociologia, a antropologia, a lingüística, a psicanálise, a estatística, a biologia, a cibernética e assim por diante. Por isso mesmo, a pedagogia se desvencilha da antiga orientação metafísica que se baseava em um modelo universal de humanidade a ser plasmada. A recusa da pedagogia metafísica não significa, porém, desprezo pela filosofia. Ao contrário, a reflexão filosófica permanece como indagação sobre o rigor epistemológico da pedagogia e sobre os valores e os fins que orientam qualquer prática educativa.

A fim de melhor avaliar esse "momento de passagem", retomaremos mais adiante alguns pontos, pela ótica das teorias pedagógicas.

2. A expansão do ensino

De maneira geral, as propostas educacionais do século XIX reafirmaram, no século XX, a necessidade da escola pública, leiga, gratuita e obrigatória. Esta exigência tornou-se mais premente devido ao crescimento das indústrias e à explosão demográfica. Apesar da efetiva extensão dos programas de atendimento, as medidas tomadas pelos governos ainda são insuficientes, principalmente nos países em desenvolvimento. Abundante legislação procura sanar as deficiências, mas nem sempre de modo eficaz.

A ampliação dos três níveis de ensino (fundamental, secundário e superior) da rede escolar, inclusive com a proposta de melhor integração entre eles, deveu-se à expansão da indústria e do comércio, à diversificação das profissões técnicas e dos quadros burocráticos na administração e organização dos negócios.

Desde o final do século XIX até a década de 1940, em decorrência da ampliação das oportunidades de estudo, verificou-se maior mobilidade e ascensão social, sobretudo para a classe média. Segundo a expressão do sociólogo americano Wright Mills, surgiu uma "nova classe média" formada pelos *white collars*, "colarinhos brancos", ou seja, gerentes, vendedores, empregados de escritório e profissionais liberais assalariados.

Em dado momento, porém, principalmente nos países desenvolvidos, o número de empregos oferecidos passou a ser inferior ao de diplomados, gerando uma política de contenção na demanda de educação. Além disso, muitas pessoas formadas, ao encontrar pequena oferta de emprego, tiveram o salário pressionado para baixo.

Apesar disso, continuava a ilusão de que a educação pudesse garantir mobilidade social e sucesso profissional. Para essa concepção de educação, como instrumento de democratização da sociedade, muito contribuiu o ideário da Escola Nova.

3. Realizações da Escola Nova

O escolanovismo resultou da tentativa de superar a escola tradicional excessivamente rígida, magistrocêntrica e voltada para a memorização dos conteúdos. Desde a Revolução Industrial a burguesia precisava de uma escola mais realista, que se adequasse ao mundo em constante transformação.

Os pedagogos Feltre, Basedow e Pestalozzi foram de certo modo precursores da Escola Nova, por preconizarem métodos ativos de educação, tendo em vista também a formação global do aluno. A partir do final do século XIX e início do XX, porém, é que se configurou definitivamente o movimento escolanovista.

A escola pioneira, a de Abbotsholme, surgiu na Inglaterra em 1889, seguida de outras espalhadas pela França, Alemanha, Bélgica, Itália e Estados Unidos. Em alguns países, os novos métodos foram adotados nas escolas públicas, como os de Cousinet e Freinet na França e o de Kerschensteiner na Alemanha. Várias cidades norte-americanas também realizaram experiências importantes nesse sentido.

Como veremos no tópico *Pedagogia*, foram importantes as experiências de educadores e pedagogos como Maria Montessori, na Itália, e Decroly, na Bélgica.

Em 1899, por iniciativa de Adolphe Ferrière (1879-1961), foi fundado o Bureau Internacional das Escolas Novas, sediado em Genebra. Devido à criação de inúmeras escolas novas com tendências diferentes, em 1919 o Bureau aprovou trinta itens básicos da nova pedagogia, de modo que, para uma escola pertencer ao movimento, deveria cumprir pelo menos dois terços deles. Segundo esse padrão, eram as seguintes as principais características da Escola Nova: educação integral (intelectual, moral, física); educação ativa; educação prática, com obrigatoriedade de trabalhos manuais; exercício de autonomia; vida no campo; internato; co-educação; ensino individualizado.

Esse projeto exige métodos ativos, com mais ênfase nos processos do conhecimento do que propriamente no produto. Para tanto as atividades são centradas nos alunos, e a criação de laboratórios, oficinas, hortas ou até imprensa, conforme a linha a ser seguida, deve ter em vista a estimulação da iniciativa.

Tentando superar o viés intelectualista da escola tradicional, são valorizados os jogos, os exercícios físicos, as práticas de desenvolvimento da motricidade e da percepção, a fim de aperfeiçoar as mais diversas habilidades. Também se voltam para a compreensão da natureza psicológica da criança, o que orienta a busca de métodos para estimular o interesse sem cercear a espontaneidade.

Mais adiante, no tópico *Pedagogia*, veremos os precursores e os representantes da Escola Nova.

4. A educação de inspiração socialista

Vimos no capítulo anterior como o antagonismo de classes atingiu seu ponto crítico no século XIX, mobilizando os proletários e os intelectuais que desenvolveram as concepções socialistas em oposição ao liberalismo.

Os teóricos que repensaram Marx e Engels no século XX o fizeram a partir da experiência concreta da Revolução Russa de 1917, quando não mais se tratava de elaborar um projeto de revolução e sim de enfrentar problemas decorrentes da implantação do socialismo.

Destaca-se a contribuição de Lênin (1870-1924), cujo trabalho teórico não se separava do ativismo exercido como líder da facção bolchevique. Contrapondo-se às teses revisionistas, Lênin restabeleceu a ortodoxia da concepção de Marx e Engels, com o que a doutrina oficial passou a ser conhecida como *marxismo-leninismo*. Após o sucesso da revolução, Lênin ocupou o poder até sua morte precoce, quando foi substituído por Stálin.

A União Soviética transformou-se em uma potência industrializada, conseguindo resolver problemas sociais como moradia, saúde e educação. Sem nos esquecermos das condições semifeudais da Rússia pré-revolução, é surpreendente constatar como todos os países socialistas conseguiram erradicar o analfabetismo.

Se a democracia socialista se destacou pela distribuição mais justa dos bens, no entanto a liberdade individual foi sufocada no direito de cada um expressar e difundir a informação. Na política, o partido único impedia o pluralismo, impossibilitando a crítica ao sistema.

A educação na União Soviética

Em qualquer um dos países em que se realizou a revolução socialista, o interesse prioritário foi a educação popular, tanto em termos de elaboração de teorias fundadas no marxismo, como pela garantia da universalização da escola elementar, gratuita e obrigatória. Logo de início, toda a sociedade foi regimentada para o esforço comum de alfabetização. Também se valorizou o trabalho coletivo, a auto-organização dos estudantes, a ligação entre escola e vida e entre trabalho intelectual e manual.

Após a Revolução de 1917, ainda no período do governo de Lênin e antes do endurecimento da gestão stalinista, a União Soviética passou por um momento decisivo na sua história. Predominava um entusiasmo pela educação diante da necessidade de formar o novo cidadão da sociedade revolucionária. Lênin ligou a pedagogia a uma estratégia política revolucionária que, se por um lado defendia a importância de não se desprezar a cultura do passado burguês, sobretudo as conquistas da ciência e da tecnologia, por outro lado devia reforçar a consciência da luta de classes e prioridade da instrução politécnica, voltada para o trabalho.

Nessa fase, destacaram-se o ministro da Educação Lunatcharski, junto com Nadeska K. Krupskaia (companheira de Lênin), e, mais tarde, os educadores Anton Makarenko e Moisei Pistrak, que introduziram profundas alterações nas concepções pedagógicas, a fim de enfrentar o desafio de uma nação com 80% de analfabetos. O objetivo era criar o novo cidadão, ao transformar a sociedade semifeudal em um país industrial moderno. Durante a implantação da política educacional, o ensino religioso foi suprimido, prevalecendo uma orientação exclusivamente voltada para a doutrinação do marxismo-leninismo.

Na época de Stálin ocorreram mudanças significativas. O ideal da relação estreita entre trabalho e educação foi de certo modo descuidado pela prioridade dada à formação cultural e científica. A escola voltava a ser intelectualista, adequando-se ao modelo tradicional com horários, programas, provas, disciplina, manuais. Assim, voltou a prevalecer o dualismo escolar, com a criação de escolas "profissionais" separadas das escolas de formação. Mais tarde, na era Kruchev, tentou-se retomar o ideal da união entre trabalho intelectual e manual.

O embate das ideologias

No período da Guerra Fria, as duas potências — Estados Unidos e União Soviética — se defrontaram, determinando, de ambos os lados, um viés maniqueísta no esforço de difundir um modelo de sociedade e, portanto, de humanidade. A esse respeito, diz Franco Cambi: "Na luta entre civilizações que mantinham a Guerra Fria (dada como luta mortal, pelo menos no curso dos anos 50) opunham-se Oeste e Leste, Democracia e Socialismo, Liberdade e Totalitarismo (ou alienação e emancipação, segundo a frente marxista), Capitalismo e Economia Planejada; opunham-se o Verdadeiro e o Falso, o Bem e o Mal, segundo um dualismo testemunha de uma ideologia elementar e propagandística"[4].

É evidente que essas duas visões de mundo antagônicas determinaram de maneira forte a orientação pedagógica dos diferentes blocos, conforme estivessem alinhados ao capitalismo liberal ou ao socialismo. Se a Leste a doutrinação da juventude adquirira forte caráter de adesão aos valores socialistas, a Oeste, em que pese a influência da Escola Nova, com seu ideal de autonomia e individualidade, os países capitalistas se ressentiram do impacto da ideologia anticomunista, que teve seu auge durante o período do macartismo. O termo *macartismo* vem de Joseph McCarthy, senador norte-americano que na década de 1950 desencadeou um movimento de perseguição aos supostos comunistas infiltrados, inaugurando uma época cinzenta de intimidações, delações, verdadeira "caça às bruxas" que atingiu funcionários públicos, artistas e intelectuais.

Ainda que o macartismo tenha ficado restrito àquele período, nada impede que

[4] *História da pedagogia*, p. 601.

continuemos a usar o termo para nos referirmos a momentos em que recrudesce a paranóia diante da "ameaça do inimigo", fazendo cercear as liberdades e instaurar a censura. No começo do século XXI, por exemplo, vemos ressonâncias desse temor no confronto da Guerra do Iraque: não por acaso, epítetos como "Eixo do Mal" (como os radicais de cá designam os árabes) e "Grande Satã" (como os de lá vêem os norte-americanos), só fazem incrementar a onda de intolerância e xenofobia.

Outros países socialistas

A China, após a revolução de 1949 liderada por Mao Tsé-Tung, também dedicou especial atenção à educação. O processo radicalizou-se após a chamada "revolução cultural" de 1960, pela qual se pretendia evitar qualquer influência burguesa, considerada desagregadora da nova sociedade revolucionária.

Em Cuba, após a revolução castrista de 1959, o Estado passou a oferecer condições de acesso à escola a todos. De início, devido a problemas econômicos, 20 mil estudantes secundaristas, professores e funcionários foram deslocados para a colheita da cana-de-açúcar, ao mesmo tempo que se intensificavam as atividades escolares.

Com a universalização da escola elementar, em um só dia foram abertas mais de 10 mil salas de aula, para atender 90% das crianças de 6 a 12 anos. Era grande a diferença da época do ditador Fulgêncio Batista, quando metade da população de crianças em idade escolar permanecia fora da escola. O Estado construiu instalações escolares, além de converter quase setenta quartéis militares em escolas. Mediante a arregimentação de professores voluntários, a educação foi levada aos lugares mais distantes. Em um ano a taxa de analfabetismo desceu de 23,6% para 3,9%, e em 1981 reduziu-se a 1,9%. A divisa do movimento era: "Si sabes, enseña, si no sabes: aprende".

Foram criados semi-internatos com bolsas e alojamentos; ensino técnico e profissional; creches para acolher as crianças de mães trabalhadoras; escolas para deficientes físicos e mentais e formação de professores, em todas as províncias. A reformulação dos currículos apoiou-se na discussão entre grupos de professores e em função da perspectiva socialista. Além disso, os livros e os demais materiais didáticos foram barateados.

Os países socialistas do Leste Europeu (Hungria, Albânia, Alemanha Oriental, Romênia, Bulgária, Tchecoslováquia, Iugoslávia) em geral seguiram de início as orientações da União Soviética, mas depois passaram por diversificações, diante das necessidades de cada um deles. Na Polônia, país de tradição de fé cristã, o pedagogo Bogdan Suchokolski defendia um *humanismo socialista* que primasse pela formação ética, baseada na cooperação.

Na África, na década de 1970, ao mesmo tempo que se descolonizavam, vários países aderiram ao socialismo e introduziram processos semelhantes de reformulação da educação. Entretanto, sofreram dificuldades decorrentes da extrema miséria, da variedade de dialetos e das diferenças culturais entre as tribos que compunham cada nação.

O pedagogo brasileiro Paulo Freire e sua equipe viveram essa experiência na ex-colônia portuguesa da Guiné-Bissau, onde o projeto de alfabetização foi precedido por intenso trabalho de conscientização e elaboração crítica do fazer dos trabalhadores.

Na Nicarágua, em 1978, quinze dias após a vitória sandinista sobre o governo de Somoza, já se iniciavam os estudos para a erradicação do analfabetismo.

Após a queda do Muro de Berlim

Conforme estatísticas[5], os países do Leste Europeu, que inicialmente enfrentaram graves problemas com analfabetismo, tinham alcançado os seguintes índices: União Soviética, Alemanha Oriental e Tchecoslováquia apresentavam taxa insignificante; Polônia, 0,8% (em 1983); Bulgária, 0,5% (em 1980); Romênia, 4,2% (em 1983); Hungria, 1% (em 1984).

Em 1989, com a queda do Muro de Berlim, o socialismo real entrou em colapso. Acelerou-se o processo de desagregação das repúblicas socialistas, que pouco a pouco aderiram à economia de mercado. Após a derrocada, a situação difícil que já se arrastava na década de 1980 tendia a piorar, com inflação, desemprego, fome e rápida perda dos benefícios sociais, como moradia e educação.

5. O desvio do totalitarismo: nazismo, fascismo e stalinismo

No período entre as duas Grandes Guerras (décadas de 1920 e 1930), difundiram-se na Europa as idéias que levaram à implantação do totalitarismo: fascismo na Itália, nazismo na Alemanha, totalitarismo de esquerda na União Soviética (stalinismo). Na Península Ibérica, as idéias nazifascistas inspiraram a ditadura de Salazar, em Portugal, e o governo do general Franco, na Espanha.

Apesar das diferenças locais, em todas essas experiências prevalecia a exaltação do poder do Estado, que tudo aglutinava sob as ordens do partido único rigidamente organizado e burocratizado, sem tolerar confronto. É o partido que promove a identificação entre o poder e o povo, processando a homogeneização do campo social. Desse modo, o Estado interfere na totalidade da atividade humana: na vida familiar, escolar, econômica, intelectual, religiosa, de lazer, nada restando de propriamente privado e autônomo.

O nazismo e o fascismo são avessos à teoria, e se vangloriam de um antiintelectualismo fundado no primado da ação. Mais do que idéias, a eles interessam a retórica e seus efeitos de doutrinação, que levam à obediência e à disciplina. É possível, no entanto, encontrar a influência de alguns teóricos, como Carl Schmitt. Em 1928 este jurista alemão acusava o liberalismo de ser incapaz de evitar a fragmentação da sociedade civil causada pelos conflitos individualistas. Em contrapartida, procurava justificar a preeminência do todo sobre o indivíduo.

Ainda que mais tarde os nazistas recusassem a teoria de Schmitt, ela serviu para colocar o Estado como instância hierarquicamente superior à comunidade, sem precisar de nenhuma legitimação para exercer sua soberania absoluta. Para ele, o Estado não se funda no direito, mas, ao contrário, o direito procede do Estado, cuja vontade política se expressa no chefe, que é a alma do todo. Aliás, os epítetos de Hitler e de Mussolini, respectivamente *Führer* e *Duce*, têm o mesmo significado de "condutor", "guia".

Na Itália, Giovanni Gentile (1875-1944) participou de um grupo de estudiosos neo-hegelianos. Como vimos no capítulo anterior, Hegel desenvolveu a dialética idealista, pela qual o Estado realizaria a síntese da totalidade dos interesses contraditórios entre os indivíduos em uma realidade coletiva. Ou seja, o Estado representaria a unidade final e mais perfeita que superava a contradição entre o privado e o público.

[5] *Folha de S.Paulo*, 10-03-1990, caderno especial "Europa do Leste", p. 4 e 5.

Mesmo que Gentile tenha feito uma apropriação indevida e apressada dos conceitos do idealismo hegeliano, a exacerbação da idéia de Estado como a suprema e mais perfeita realidade favoreceu a implantação do ideal totalitário. Tanto é que o filósofo, ao dar-se conta dos caminhos tomados por Mussolini, se afastou do governo que apoiara de início.

Antes, porém, em face dos interesses ideológicos comuns, Gentile, nomeado por Mussolini ministro da instrução pública de 1922 a 1925, procedeu a uma reforma do ensino que acentuou o dualismo escolar (separação entre formação humanista e escola profissionalizante), na verdade, um retrocesso na tendência em outros países de universalização da escola pública de qualidade.

Ainda mais, com a instituição do exame de Estado para avaliar os alunos ao final do curso, tornou o ensino secundário cada vez mais seletivo, o que correspondia à intenção de criar "poucas escolas, mas boas". Essas medidas faziam sentido no contexto mais geral, que se baseava na concepção aristocrática de privilegiar a formação da classe dirigente.

Enquanto a Escola Nova teve por ideal educar para a liberdade, no sentido de possibilitar a autogestão do educando e a construção da sociedade democrática, as escolas nos governos totalitários representaram um desvio e um retrocesso, além de evidente violência simbólica.

O totalitarismo de direita fazia a crítica ao comunismo e ao caráter individualista do liberalismo. Desprezava a democracia, valorizando, ao contrário, o papel do mais forte, da elite dirigente. A educação assumiu caráter privilegiado de controle e difusão da ideologia oficial.

Fora da escola, procedeu-se à manipulação das consciências, buscando enquadrar a juventude na ideologia do regime, por meio da adesão a organizações extra-escolares, que administravam o tempo livre dos jovens e os condicionavam à obediência e à hierarquia. Em todas as atividades da comunidade predominavam as técnicas de psicologia coletiva, que promoviam a manipulação das massas: *slogans*, símbolos, repetição, discursos eloqüentes e inflamados, violência sensorial (grandes paradas militares, símbolos do regime reproduzidos em enormes painéis, músicas do partido). Em tudo, as emoções exacerbadas ao máximo facilitavam a adesão quase física aos "ideais coletivos".

Nas escolas propriamente ditas, valorizavam-se as disciplinas de moral e cívica, para formar o caráter, a força de vontade, a disciplina e o excessivo amor à pátria. Especial atenção era dedicada à educação física, para atender ao ideal de corpos sadios e rígidos (o endurecimento do corpo exige rigor militar). Por outro lado, prevalecia evidente desprezo pelas atividades intelectuais e por qualquer teoria, lembrando que o primado da ação consistia em meta explícita de Mussolini.

Nada disso pode ser considerado educação propriamente dita, no sentido pleno da palavra, mas sim doutrinação e adestramento, cujos efeitos nefastos atingiram o movimento da Escola Nova. O governo italiano determinou o fechamento das escolas montessorianas; na Espanha do general Franco exigiu-se maior rigidez no ensino; na França de Pétain (sob a ocupação alemã) foram suprimidas a escola única e a gratuidade do curso secundário. Valorizou-se ainda a cultura física em detrimento da intelectual, com maior imposição das idéias de hierarquia e obediência.

Ao findar a guerra, em 1945, depois de tão rigoroso adestramento ocorreu lento processo de descondicionamento, não só dos alunos, como também dos professores.

Já vimos, no item sobre educação socialista, que na época de Stálin a União Soviética viveu um governo totalitário. Além de serem abandonados os ideais socialistas da educação politécnica, tanto a escola como o controle do tempo livre encaminhavam as crianças e os jovens para a formação do "cidadão comunista", o que significava a imposição da ideologia a fim de evitar as dissidências.

Um alerta para o futuro

As atrocidades cometidas pelos governos totalitários se exerceram nos mais diversos campos: a doutrinação na escola, a censura na cultura, o silenciamento forçado dos intelectuais, a barbárie perpetrada pelas polícias secretas, o genocídio de judeus e ciganos nos campos de concentração da Alemanha, o confinamento de dissidentes nos *gulags* soviéticos.

Pensadores como Hannah Arendt, bem como os filósofos da Escola de Frankfurt, entre outros, refletiram sobre as causas do totalitarismo, na tentativa de compreender e evitar que a humanidade passasse de novo por esse horror.

Em linhas muito gerais, é preciso estarmos atentos às massas atomizadas facilmente manipuláveis, aos destinos de uma sociedade burocratizada e hierarquizada, que a fim de manter a ordem está sempre pronta para aderir a um "pai" forte. E atentos também à sociedade injusta em que predomina a exclusão, que relega seus membros à impotência e, portanto, ao conformismo. Essas questões tornam-se mais complexas atualmente com o empobrecimento das populações periféricas, que migram para os países adiantados e aí encontram os grupos racistas em plena expansão. Basta ver a atuação de neonazistas na Alemanha, na Áustria, além de expressões de xenofobia de cidadãos comuns da França.

A solução desses e de outros problemas exige providências no plano político e econômico, a fim de evitar que continuem existindo as causas sociais que levam à barbárie. Se nesse contexto a educação não chega a exercer um papel decisivo, convém não desconsiderar sua relevância. Por isso, toda escola deve dar condições para a discussão dos valores que levem à conscientização e à auto-reflexão crítica.

Na contramão das tendências totalitárias, outros educadores desenvolveram teorias antiautoritárias e criticaram inclusive a escola tradicional, considerada excessivamente impositiva. Defendiam uma educação não-diretiva, cujo método visava antes de tudo a deslocar o aluno para o centro do processo educativo, como sujeito, livrando-o do papel controlador do professor.

Deixamos para examinar, no tópico *Pedagogia*, as diversas teorias pedagógicas antiautoritárias, sejam as do não-diretivismo de cunho liberal, sejam as anarquistas.

6. Paris: maio de 1968

A partir da Segunda Guerra, a universidade européia enfrentou problemas decorrentes do processo de massificação, que fizera crescer enormemente a população estudantil. A situação tornou-se mais aguda na década de 1950, sobretudo porque o maior acesso à universidade não significou verdadeira democratização, já que o mercado de trabalho não conseguia assimilar adequadamente os diplomados.

A "revolução" de maio de 1968, acontecimento marcante do século XX, teve início na Universidade de Nanterre, em Paris, e em parte foi reflexo dessa crise. De cunho anárquico e, portanto, antiautoritário, esse movimento espontâneo provavelmente teria começado com questões internas de crítica ao sistema de exames, estendeu-se em razão da punição de alguns alunos e recrudesceu com os protestos contra a separação dos alojamentos femininos, o que significava também reivindicação de liberdade sexual e crítica à moralidade burguesa.

Ao se ampliar, o conflito atingiu a Sorbonne e, em seguida, o famoso Quartier Latin, onde os estudantes enfrentaram a polícia com barricadas de carros tombados, árvores, paralelepípedos, caixotes incendiados. Recebeu a adesão de operários, e os sindicatos deflagraram uma greve que paralisou a França. Tomando proporções inimagináveis, o movimento atingiu a maior parte dos países, inclusive o Brasil.

Os intérpretes da famosa "revolução" recusam reduzir as explicações à exigência de educação menos arcaica e de melhor adequação do ensino à oferta de empregos. Mesmo que inúmeras críticas fossem dirigidas à educação, parece que a revolta contestava profundamente os alicerces da vida moderna, a civilização do bem-estar e do consumo. As acusações orientavam-se para a sociedade produtivista, aparentemente racional, mas que exigia um trabalho embrutecedor, alienante e se sustentava na repressão dos desejos. É possível perceber tal inconformismo nos inúmeros grafites por toda a Paris (ver dropes 1).

Os estudantes reivindicavam maior participação na educação e nos diversos setores da política. Denunciavam o afastamento do cidadão comum dos centros de decisão, daí as palavras-chave serem autonomia, autogestão e diálogo.

As alterações realizadas nas universidades em razão dessa crise, no entanto, não ocultavam uma rachadura mais funda, enraizada nos alicerces da nossa sociedade industrial. Mais ainda, não se exigiam apenas reformas momentâneas mas, antes, era questionada a própria estrutura escolar. Não por acaso, na década de 1970 apareceram as mais virulentas análises, desde a de Ivan Illich, que propôs a desescolarização da sociedade, passando por outras propostas alternativas, até a ênfase dos teóricos crítico-reprodutivistas, posta no caráter ideológico da educação, como veremos no tópico *Pedagogia*.

Os grandes inspiradores da "revolução" de maio de 1968 foram o filósofo francês Jean-Paul Sartre e o alemão Herbert Marcuse. Este pertenceu ao grupo da Escola de Frankfurt e, ao radicar-se nos Estados Unidos, elaborou dura crítica à sociedade burguesa em suas obras *Eros e civilização* e *A ideologia da sociedade industrial*, a partir do pensamento de Marx e de Freud.

Mais do que uma "revolta juvenil", maio de 1968 significou uma "revolução cultural". Basta lembrar que, concomitantemente a esses eventos, se desenvolvia a contracultura juvenil. Um de seus exemplos era o movimento dos *hippies*, que, ao defender "paz e amor", divulgavam a cultura da não-violência e da recuperação do erótico na vida cotidiana.

7. A escola e a sociedade da informação

É sempre controvertida a discussão sobre o uso das modernas técnicas na educação. De um lado, uma postura conservadora resiste a qualquer inovação técnica como se fosse incompatível com a natureza espiritual do processo educativo, e, por outro, há o risco do tecnicismo, da exaltação desmedida da técnica.

Os recursos da tecnologia são utilizados tanto nos modernos *designs* do mobiliário como na arquitetura escolar (antes as escolas mais pareciam casernas ou prisões). Outras inovações tentam superar a indigência dos tradicionais manuais escolares e o dirigismo da didática magistrocêntrica.

Na segunda metade do século XX, recursos audiovisuais já se achavam disponíveis em sala de aula: retroprojetores, diapositivos, filmes, discos, fitas, videocassetes, gravadores, televisão, aparelhos para laboratórios de línguas, instrumentos que foram sendo refinados à medida que o mercado oferecia outros produtos, como CDs, DVDs, computadores etc.

Um interesse maior, portanto, revela-se na grande revolução tecnológica daquele século: a cibernética. Essa revolução nos introduziu na chamada *sociedade da informação*. O computador entrou nos mais diversos campos do mundo contemporâneo, e certamente na era da informática a escola não tem como permanecer artesanal nem ficar à parte, reclusa, em plena época de globalização da informação. São de grande valia para os usuários os bancos de dados, as bibliotecas eletrônicas facilmente acessadas por meio da internet, o que exige a rápida adaptação da escola aos tempos marcados pela velocidade da mudança e pelo volume crescente de informação.

No momento, estamos no início desse processo em que o computador vem sendo usado nas escolas, ora como requintado meio de armazenamento de dados, ora como linguagem a ser aprendida em um mundo de computadores. Além disso, já existem linguagens de computação criadas com finalidades educacionais, o que, com certeza, alterará o processo da aula tradicional.

Aliás, os processos massivos da indústria cultural tornaram obsoleta e ineficaz a velha aula de saliva e giz, pelo menos para transmitir informações. É nesse sentido que poderá vir a mudar a função docente. Diante da necessidade de democratizar o ensino e ampliar a rede escolar, haverá economia de esforços e melhor aproveitamento do professor, que, liberto das funções de informação e repetição, poderá desempenhar melhor um papel que é só seu e que jamais será transferido para máquina alguma: a discussão, interpretação e crítica das informações.

A utilização dos recursos da técnica eletrônica, porém, nem sempre foi regular em muitas escolas — sobretudo nos países em desenvolvimento — devido a diversos fatores, tais como gasto dispendioso de instalação, dificuldade de adaptação ao esquema rígido de horários escolares, além do despreparo de professores ou até de sua resistência às inovações. A propósito do alto custo dessa tecnologia, existe o desafio democrático de diminuir a porcentagem estatística de *analfabetos digitais*, pela ampliação do acesso a esse tipo de informação. Ainda mais, o uso da moderna tecnologia aplicada ao ensino não é bem explorado, uma vez que freqüentemente a intenção se restringe à quebra da monotonia das aulas, com o objetivo de motivar o aluno e não como instrumento fundamental e revolucionário de aprendizagem.

A questão da técnica também se coloca a propósito de outros desafios decorrentes do avanço tecnológico no século XX, porque, ao alterar as atividades das indústrias e do campo, as modernas máquinas da robótica exigem mudanças na maneira de ensinar. Aliás, a necessidade de alfabetização em massa já decorria da exigência cada vez maior de trabalhadores especializados para assumir os desafios do mercado de trabalho. Justamente essa orientação para o trabalho preocupa os pedagogos, porque eles se vêem diante do conflito permanente entre duas linhas de educação que deveriam estar ligadas na *escola unitária*, aquela que visa tanto à formação humanística como à educação para o trabalho, a fim de que sua tarefa não se reduza apenas a preparar mão-de-obra para o mercado, mas cidadãos conscientes e críticos.

Outra questão candente com que se defronta a escola contemporânea é a influência dos meios de comunicação de massa sobre as crianças e os jovens, exercendo inegável educação informal, muitas vezes até mais incisiva do que a da família, uma vez que nem sempre os pais acompanham de perto a formação dos seus filhos.

Sabemos que a mídia exerce um poder de padronização de comportamentos, de estímulo ao consumismo, além de valorizar, pela cultura de massa, uma produção rarefeita voltada para o entretenimento. Não vamos aqui entrar na já antiga polêmica entre "apocalípticos e integrados": os primeiros — cujos representantes principais são os teóricos da Escola de Frankfurt — acusam a indústria cultural de promover a evasão, a alienação e de atrofiar a imaginação e a crítica; os segundos — em um primeiro momento representados por McLuhan — dão destaque ao caráter informativo e de ampliação da sensibilidade provocado pela mídia, fatores importantes para o enriquecimento da cultura, o que significa, portanto, uma visão otimista desses meios.

Aqui, pretendemos apenas levantar essa questão que afeta de modo fundamental o trabalho do educador e do pedagogo diante da criança precocemente exposta a esse grande volume de informações, abrindo espaços na escola para a discussão sobre essa influência. A esse propósito, poderíamos lembrar o filósofo Montaigne, que, no século XVI, já preconizava uma educação que fizesse uma "cabeça bem-feita" e não uma "cabeça bem cheia". Edgar Morin retoma essa idéia quando diz: "Uma cabeça bem-feita é uma cabeça apta a organizar os conhecimentos e, com isso, evitar sua acumulação inútil".

O problema educacional não está, portanto, apenas em utilizar a tecnologia como instrumento avançado no ensino, acompanhar a sua evolução no mundo do trabalho, ou ainda estabelecer a interação entre a escola e a educação informal dos meios de comunicação de massa, mas questionar como deve ser daqui em diante uma pedagogia que realmente oriente o cidadão para compreender o mundo transformado pela técnica e atuar sobre ele de maneira crítica. Mais ainda, aprender de modo contínuo — tanto o aluno como o professor —, já que essas transformações continuarão ocorrendo de modo vertiginoso. Voltaremos a esse tema no capítulo 12.

Pedagogia

Neste tópico sobre a pedagogia contemporânea, retomamos alguns assuntos anteriormente abordados do ponto de vista da experiência educacional efetiva, para então examinar as teorias que fundamentam aquelas práticas, que as criticam, ou ainda as que propõem mudanças nesses procedimentos.

1. A contribuição das ciências

Observamos na produção pedagógica contemporânea forte influência das ciências humanas, ênfase que varia conforme o autor. O interesse pela natureza da criança, pelos processos de aprendizagem e pela busca de métodos adequados encontra na psicologia preciosa auxiliar. Evidentemente, a abordagem tem sido feita de acordo com as tendências — naturalista ou humanista, como veremos — que os psicopedagogos imprimem em suas pesquisas. Daí a diferença de orientação de pedagogias centradas na contribuição do behaviorismo, da *gestalt*, da psicanálise, entre outras ciências.

Do mesmo modo, a sociologia ajuda a compreender melhor a educação como instrumento de desenvolvimento da sociedade, quer para formar bons cidadãos e prepará-los para a participação produtiva nas atividades sociais, quer para discutir outros modos de recusa do conformismo. Daí o interesse não só pelo ensino técnico, mas pela educação para o trabalho, o que supõe inclusive a crítica à escola dualista.

Tal como no caso da psicologia, varia o uso que os pedagogos fazem da sociologia, conforme se apóiem na perspectiva positivista de Durkheim, na dialética de Marx, na teoria crítica dos pensadores da Escola de Frankfurt, no neokantismo, na linha crítico-reprodutivista e assim por diante.

A pedagogia do século XX, além de ser tributária da psicologia, da sociologia e de outras ciências, como a economia, a lingüística, a antropologia etc., tem acentuado a exigência que vem desde a Idade Moderna, qual seja, a inclusão da cultura científica como parte do conteúdo a ser ensinado.

2. Positivismo e pedagogia

Como vimos no capítulo anterior, o positivismo surgiu no século XIX, com Augusto Comte, cujas idéias exprimem a confiança no conhecimento científico, por ele considerado o único capaz de descobrir as leis do universo.

Adaptando-se às transformações dos novos tempos, o positivismo interferiu vivamente na concepção de mundo e sobretudo constituiu o pressuposto filosófico das ciências humanas de tendência naturalista, como a sociologia de Durkheim e a psicologia behaviorista. Vejamos como estas influenciaram a educação.

Sociologia: Durkheim

Coube a Émile Durkheim (1858-1917) desenvolver a ciência da sociologia sob diversos aspectos, inclusive inovando em sua obra *Educação e sociologia*.

Antes de Durkheim, a teoria da educação assumia orientação predominantemente intelectualista, por demais presa à visão filosófica idealista e individualista. Durkheim introduz a atitude *descritiva*, voltada para o exame dos elementos do fato da educação, aos quais aplica o método científico. Como sociólogo, enfatiza a origem social da educação, daí a sua clássica definição: "A educação é a ação exercida pelas gerações adultas sobre as gerações que não se encontram ainda preparadas para a vida social; tem por objeto suscitar e desenvolver, na criança, certo número de estados físicos, intelectuais e morais, reclamados pela sociedade política no seu conjunto e pelo meio especial a que a criança, particularmente, se destine"[6].

Para Durkheim, "a educação satisfaz, antes de tudo, as necessidades sociais", e "toda educação consiste num esforço contínuo para impor à criança maneiras de ver, de sentir e de agir às quais a criança não teria espontaneamente chegado".

A vantagem da perspectiva durkheimiana está no mérito de ter acentuado o caráter social dos fins da educação. Além disso, instituiu a pedagogia como disciplina autônoma, desligada da filosofia, da moral e da teologia. Os limites dessa abordagem encontram-se na sua parcialidade. Ao enfatizar a origem social da educação, Durkheim desenvolveu uma concepção determinista, segundo a qual a sociedade impõe os padrões de comportamento.

De lá para cá, tem sido grande a contribuição da sociologia, não só à análise das relações entre escola e meio social, como também à melhor compreensão dos problemas educacionais. E, por fim, situa a escola não apenas em determinado contexto social, mas a vê como um grupo social complexo, cuja estrutura interna precisa ser estudada.

[6] Émile Durkheim, *Educação e sociologia*, 4. ed. São Paulo, Melhoramentos, 1955, apud Luiz Pereira e Marialice M. Foracchi (orgs.), *Educação e sociedade*: leituras de sociologia da educação. 12. ed. São Paulo, Nacional, 1985, p. 42.

Veremos adiante como a sociologia, comprometida com a crítica à ideologia, auxilia a pedagogia a teorizar sobre caminhos alternativos, que não sejam apenas de adaptação e conformidade.

Psicologia: o behaviorismo

No século XX, a psicologia continuou a sofrer a influência da tendência positivista, sobretudo o behaviorismo norte-americano (*behaviour*, em inglês, significa conduta, comportamento). O método dessa corrente de psicologia privilegia os procedimentos que levam em conta a exterioridade do comportamento, o único considerado capaz de ser submetido a controle e experimentação objetivos.

O behaviorismo é tributário das descobertas do russo Pavlov (1849-1936) sobre o mecanismo do reflexo condicionado. Suas experiências foram ampliadas e aplicadas nos Estados Unidos por John B. Watson (1878-1958) e posteriormente por B. Frederich Skinner (1904-1990). A contribuição de ambos influenciou fortemente a pedagogia. Baseado na teoria do reforço (positivo e negativo), Skinner desenvolve a técnica da instrução programada, pela qual o texto apresentado ao aluno tem uma série de espaços em branco para serem preenchidos, em crescente grau de dificuldade. Se for dado um reforço a cada passo do processo e imediatamente após o ato, o aluno pode conferir o erro ou acerto de sua resposta. O processo foi desenvolvido para criar a máquina de ensinar, a que já nos referimos.

Além das obras científicas, Skinner descreve, no romance *Walden II*, uma sociedade utópica em que as pessoas são educadas de modo científico, por meio de reflexos condicionados.

O behaviorismo também está nos pressupostos da orientação tecnicista da educação, como veremos.

Muitas foram as controvérsias, sobretudo devido ao caráter mecanicista desse processo e à programação excessivamente rígida. Essas críticas foram dos psicólogos que destacavam a função globalizante da aprendizagem e por isso recusavam a explicação associacionista do comportamento levada a efeito pelo behaviorismo.

Várias filosofias se opuseram ao positivismo, criticando o seu reducionismo. O positivismo é cientificista ao eleger o método das ciências da natureza como modelo de cientificidade, reduzindo o objeto próprio das ciências à realidade observável, ao fato positivo. Além disso, a defesa do comportamento condicionado supõe admitir que o indivíduo deve adquirir conhecimentos e competências para se adaptar ao meio social em que vive.

Já na passagem do século XIX para o XX, o filósofo alemão Wilhelm Dilthey (1833-1911) criticava a tendência naturalista das ciências humanas, inclusive na pedagogia. Para ele, os fatos espirituais não se assemelham aos processos naturais, por se referir ao mundo humano da significação e do valor. Por isso não podem ser retirados do seu contexto histórico, nem é possível formular leis objetivas sobre eles, mas sim compreendê-los e interpretá-los.

Filósofos da linha fenomenológica, além dos frankfurtianos e muitos outros, criticaram os pressupostos positivistas que subjazem na metodologia das ciências humanas.

O tecnicismo: tecnocracia na organização escolar

O mundo contemporâneo muito deve ao desenvolvimento da ciência e da técnica, que determinaram um modo novo de pensar e agir sem similar em toda a história da humanidade. Com o capitalismo industrial, a ciência deixou de se comprometer apenas com o puro conhecimento, voltando-se para o desafio de "dominar a natureza", sonho que, desde Francis Bacon, no início da Idade Moderna, fascinava o ser humano. Hoje, bem sabemos, a máxima "saber é poder" tornou-se uma convicção perigosa para orientar os destinos da humanidade.

O avanço da tecnologia exigiu a formação de técnicos especializados e, mais ainda, de uma organização do trabalho voltada para o aumento da produtividade, eficiência e eficácia. Para tornar possível essa meta, teóricos propuseram técnicas de racionalização, tais como a do norte-americano Taylor, que no início do século XX teve o seu projeto de trabalho parcelado aplicado com sucesso nas fábricas, dando origem ao sistema da linha de montagem típica do fordismo. O taylorismo foi aceito em diversos países, independentemente de ideologia, inclusive por Lênin, na União Soviética.

No início da década de 1940, já se podia falar em uma "era dos organizadores", em que se estabeleceu uma nova hierarquia social decorrente do poder de coordenar o conjunto e dirigir o todo, já que "os seres humanos são instrumentos de produção tão importantes quanto as máquinas e é preciso saber manejá-los"[7]. Essa tendência baseia-se em pressupostos positivistas, e, em nome de um saber científico pretensamente neutro e objetivo, na verdade exerce uma função de controle e, portanto, oculta um significado político de dominação. Isso é evidente quando nos damos conta de que uma minoria controla e o restante é controlado.

O processo organizacional, típico das empresas de indústria e serviços, acabou por se estender à escola quando, por volta da metade do século, a Escola Nova frustrou as esperanças nela depositadas. Começou então, a partir das décadas de 1960 e 1970, a se esboçar a *tendência tecnicista*, de influência norte-americana, cuja proposta tinha o intuito de tornar a aprendizagem "mais objetiva": planejamento e organização racional da atividade pedagógica; operacionalização dos objetivos; parcelamento do trabalho, com a especialização das funções; incentivo a várias técnicas e instrumentos, como instrução programada, ensino por computador, máquinas de ensinar, telensino.

Outra influência na tendência tecnicista aplicada à educação encontra-se na Teoria do Capital Humano (TCH), divulgada sobretudo por Theodore Schultz, autor de *O valor econômico da educação*. Para ele, "as escolas podem ser consideradas empresas" especializadas em produzir instrução. A adaptação do ensino à mentalidade empresarial tecnocrática exige o planejamento e a organização racional do trabalho pedagógico, a operacionalização dos objetivos, o parcelamento do trabalho com a devida especialização das funções e a burocratização. Tudo para alcançar mais eficiência e produtividade.

Como todo processo em que predominam práticas administrativas, a tendência tecnicista privilegia as funções de planejar, organizar, dirigir e controlar, intensificando a burocratização que leva à divisão do trabalho. Os técnicos tornam-se então responsáveis pelo planejamento e controle, o diretor da escola é o intermediário entre eles, e os professores reduzem-se a simples executores. Com isso, o plano pedagógico submete-se ao administrativo.

Contudo, não convém situar essa tendência apenas até a década de 1970, porque no

[7] James Burnham, apud François Châtelet *et al.*, *História das idéias políticas*. Rio de Janeiro, Jorge Zahar, 1985, p. 336.

atual momento de globalização da economia e de fortalecimento do ideário neoliberal, continua existindo o risco de encarar a educação como uma técnica de adaptação humana ao mundo do mercado.

3. Fenomenologia e pedagogia

A fenomenologia é uma filosofia e um método que surgiram no final do século XIX. Foi Edmund Husserl (1859-1938), no entanto, quem formulou suas principais linhas, abrindo caminho para filósofos como Heidegger, Jaspers, Sartre, Merleau-Ponty e Martin Buber.

A fenomenologia contrapõe-se à filosofia positivista, presa demais à ilusão de alcançar o conhecimento objetivo do mundo. Enquanto o positivismo quer garantir um conhecimento científico cada vez mais neutro, despojado de subjetividade e distante do humano, a fenomenologia propõe a "humanização" da ciência, estabelecento uma nova relação entre sujeito-objeto e homem-mundo, considerados pólos inseparáveis.

Se examinarmos o conceito de fenômeno, que em grego significa "o que aparece", compreenderemos melhor que a fenomenologia trata dos objetos do conhecimento como aparecem, isto é, como se apresentam à consciência. Como doadora de sentido, como fonte de significado para o mundo, a consciência não se restringe ao mero conhecimento intelectual, mas é geradora de intencionalidades não só cognitivas como afetivas e práticas. O olhar sobre o mundo é o ato pelo qual o experienciamos, percebendo, imaginando, julgando, amando, temendo.

Para a fenomenologia não há fatos com a objetividade pretendida pelo behaviorismo, já que não percebemos o mundo como um dado bruto, desprovido de significados. O mundo é um mundo para mim, daí a importância do sentido, da rede de significações que envolvem os objetos percebidos.

Exemplificando: segundo a terapia reflexológica behaviorista, a reeducação de uma criança manhosa consiste em descondicionar a resposta manha e substituí-la por outro comportamento socialmente adequado. Na análise fenomenológica, ao contrário, a manha não *é*, mas *significa*, e pela emoção a criança se exprime na totalidade do seu ser, "dizendo" coisas com o choro, que por isso mesmo precisa ser interpretado. Desse modo, à relação mecânica entre estímulo e resposta estabelecida pelo behaviorismo, a fenomenologia contrapõe a distinção entre sinal e símbolo. Enquanto o sinal faz parte do mundo físico do ser, o símbolo pertence ao mundo humano do sentido.

Diversos psicólogos utilizaram o método fenomenológico, imprimindo na pedagogia uma linha contraposta à tendência empirista e positivista. São os casos de Dilthey e dos gestaltistas.

Dentre os norte-americanos destacam-se Rollo May (1909-1994) e Carl Rogers (1902-1987). Este último, também pedagogo, foi responsável pela tendência centrada no aluno, que privilegia o método não-diretivo, em que a interferência do professor é reduzida ao mínimo, como veremos no item 7.

A fenomenologia também está na base do existencialismo francês, cujo maior nome foi Jean-Paul Sartre. Suas reflexões filosóficas revelam a busca de um outro método para as ciências humanas, não mais comprometido com o positivismo e suas concepções deterministas, negadoras da liberdade humana. Em suas obras, Sartre ocupa-se com a questão crucial da liberdade, justamente o que distingue o ser humano dos animais. Com a afirmação de que "a existência precede a essência", Sartre quer dizer que "o homem primeiramente existe, se descobre, surge no mundo; e só depois se define. (...) O homem não é mais que o que ele faz". Por isso, o indivíduo não pode negar o impulso pelo qual ele próprio constrói a existência, sob pena de tornar sua vida inautêntica, o que ocorre quando vive de acordo com valores dados e não escolhidos. Ao contrário, deve enfrentar o desafio de construir seu próprio destino. Vale lembrar que Sartre não queria reduzir o existencialismo ao individualismo, pois a decisão supõe a responsabilidade, o que significa "responder" por todas as pessoas.

O método fenomenológico e a filosofia existencialista muito auxiliaram a discussão contemporânea sobre a metodologia das ciências humanas. Ao se colocarem contra a tendência positivista, esses pensadores interferiram diretamente em diversas concepções pedagógicas. Ao reconhecer o educando como o criador da sua própria essência, cabe ao educador despertá-lo para assumir sua liberdade, combatendo as forças alienantes da cultura que o desumanizam e o encaminham para a vida inautêntica.

A marca fenomenológica e existencialista na pedagogia contemporânea encontra-se, portanto, nas questões antropológicas decorrentes da concepção de que cada pessoa é única, deve se fazer a si mesma em comunicação com as outras, com as quais estabelece a intersubjetividade.

Crítica ao naturalismo: a *gestalt*

A fenomenologia serviu de fundamento para a *gestalt* ou *psicologia da forma*, cujos representantes foram os alemães Wolfgang Köhler (1887-1967) e Kurt Koffka (1886-1941). Estes psicólogos criticaram a tendência empirista, dominante no seu tempo, segundo a qual as idéias resultariam da associação de percepções, e estas, por sua vez, seriam formadas pelas sensações.

Os gestaltistas recusam a concepção atomística e associacionista da percepção, ao afirmar que não há excitação sensorial isolada, mas complexos em que o parcial é função do conjunto. Isso significa que o objeto não é percebido em suas partes, para depois ser organizado mentalmente, como quer o associacionismo, mas se apresenta primeiro na sua totalidade, na sua forma, na sua configuração (na sua *gestalt*, em alemão), e só depois são percebidos os detalhes.

Köhler fez diversas experiências com chimpanzés, a fim de observar como o animal consegue resolver o problema de pegar uma banana colocada fora de seu alcance. Ao contrário das explicações por ensaio e erro, Köhler atribui a solução encontrada ao *insight* (intuição, iluminação súbita) que ocorre quando o animal percebe como um todo o espaço onde se encontra, ao relacionar, num mesmo campo, a fruta e o bambu usado para alcançá-la.

As aplicações das descobertas gestaltistas na educação são importantes por recusarem o exercício mecânico no processo de aprendizagem. De nada adiantam as memorizações por simples repetição, se não houver esforço do aluno para compreender a situação vivida em seus múltiplos aspectos. As situações que ocasionam experiências ricas e variadas é que levam o sujeito ao amadurecimento e à emergência do *insight*.

4. O pragmatismo

O pragmatismo desenvolveu-se principalmente nos Estados Unidos e na Grã-Bretanha, apresentando pontos de convergência com diversas outras correntes do nosso tempo. Opõe-se a toda filosofia idealista e ao conhecimento contemplativo, puramente teórico. É antiintelectualista, privilegiando a prática e a experiência.

William James

O principal representante do pragmatismo, William James (1842-1910), disse em uma de suas conferências: "O termo [pragmatismo] deriva da mesma palavra grega, *prágma*, que significa ação, do qual vêm as nossas palavras 'prática' e 'prático'. Foi introduzido pela primeira vez em filosofia por Charles Peirce, em 1878. (...) Peirce, após salientar que nossas crenças são, realmente, regras de ação, dizia que, para desenvolver o significado de um pensamento, necessitamos apenas determinar que conduta está apto a produzir: aquilo é para nós o seu único significado". E mais adiante: "O pragmatismo volta as costas resolutamente e de uma vez por todas a uma série de hábitos inveterados, caros aos filósofos profissionais. Afasta-se da abstração e da insuficiência, das soluções verbais, das más razões *a priori*, dos princípios firmados, dos sistemas fechados, com pretensões ao absoluto e às origens. Volta-se para o concreto e o adequado, para os fatos, a ação e o poder. (...) Ao mesmo tempo não pretende quaisquer resultados especiais. É somente um método. (...) *As teorias, assim, tornam-se instrumentos, e não respostas aos enigmas, sobre as quais podemos descansar*"[8].

Em outras palavras, uma proposição é verdadeira quando "funciona", isto é, permite que nos orientemos na realidade, levando-nos de uma experiência a outra. A verdade não é, desse modo, rigidamente estabelecida de uma vez por todas, mas está sempre se fazendo. E, como tudo se baseia na experiência, nada é estável, mas está em constante movimento.

Quando o pragmatista reduz o verdadeiro ao útil, compreende a utilidade em sentido amplo. Não só a utilidade como satisfação das necessidades materiais, mas como tudo quanto sirva para o desenvolvimento do ser humano e da sociedade. Nesse sentido, a religião é verdadeira: William James, espírito religioso, desenvolveu o pragmatismo para aplicá-lo à religião.

Mesmo que as crenças não se fundem em bases lógicas e racionais, ninguém duvida da sua utilidade na vida prática, como guia da ação. No campo moral das relações humanas são valiosas as forças da simpatia, do amor e, ao contrário da tradição racionalista da filosofia, William James considera normal e benéfica a manifestação do desejo e da vontade, por determinar escolhas conforme as exigências da vida prática.

Dewey e a escola progressiva

O filósofo e pedagogo John Dewey (1859-1952), influenciado pelo pragmatismo de William James, preferia usar as expressões *instrumentalismo* ou *funcionalismo* para identificar a sua teoria. Escreveu *Meu credo pedagógico*, *A escola e a criança* e, entre outras, sua melhor obra, *Democracia e educação*. Tornou-se um dos maiores pedagogos americanos, contribuindo de forma marcante para a divulgação dos princípios da Escola Nova.

Para Dewey, o conhecimento é uma atividade dirigida que não tem um fim em si mesmo, mas está voltado para a experiência. As idéias são hipóteses de ação e, como tal, são verdadeiras à medida que funcionam como orientadoras da ação. Portanto, têm valor instrumental para resolver os problemas colocados pela experiência humana.

Ao fundar uma escola experimental na Universidade de Chicago, no final do século XIX, Dewey desenvolveu curta experiência concreta, pela qual pretendia estimular a atividade dos alunos para que eles aprendessem fazendo. Para isso enfatizou o trabalho, dando realce especial às atividades

[8] *Pragmatismo e outros ensaios*. Rio de Janeiro, Lidador, 1967, p. 44-48.

manuais, porque apresentam problemas concretos para serem resolvidos, tais como cozinhar, ou ocupar-se com tecelagem, fiação e carpintaria. Além disso, o trabalho favorece o espírito de comunidade, e a divisão das tarefas estimula a cooperação e o espírito social.

Dewey fez severas críticas à educação tradicional, sobretudo à predominância do intelectualismo e da memorização. Rejeita a educação pela instrução defendida por Herbart, opondo-lhe a educação pela ação. O fim da educação não é formar a criança de acordo com modelos, nem orientá-la para uma ação futura, mas dar condições para que resolva por si própria os problemas. Considerando a noção central de *experiência*, Dewey conclui que a escola não pode ser uma preparação para a vida, mas é a própria vida. Por isso, vida-experiência-aprendizagem não se separam, e a função da escola está em possibilitar a reconstrução continuada que a criança faz da experiência. A educação *progressiva* consiste justamente no crescimento constante da vida, à medida que aumentamos o conteúdo da experiência e o controle que exercemos sobre ela.

São também valiosas as reflexões de Dewey a respeito do interesse, na tentativa de superar a velha oposição entre interesse/esforço e interesse/disciplina. O esforço e a disciplina são para ele produtos do interesse. Por isso é importante para o educador a descoberta dos reais interesses da criança e só avançar na ampliação de seus poderes apoiando-se nesses interesses. Apenas assim a experiência adquire valor educativo e não se reduz a um artificialismo inócuo. Decorre daí a valorização das ciências humanas auxiliares da pedagogia, para melhor compreender o mundo infantil, tão diverso do mundo adulto.

A escola, segundo Dewey, deve ter a criança como centro — lembrar a "revolução copernicana" preconizada pela educação ativa desde Rousseau — e, portanto, oferecer espaço para o desenvolvimento dos principais interesses da criança: "conversação ou comunicação", pesquisa ou a descoberta das coisas", "fabricação ou a construção das coisas" e "expressão artística".

Desse modo, também muda o papel do professor, que deixa de ser central para acompanhar o trabalho dos alunos e animar as atividades escolares. Segundo Dewey, o professor "não está na escola para impor certas idéias à criança ou para formar nela certos hábitos, mas está ali como membro da comunidade para selecionar as influências que agirão sobre a criança e para ajudá-la a reagir convenientemente a essas influências".

Ao contrário da educação tradicional, que valoriza a obediência, Dewey destaca o espírito de iniciativa e independência, que leva à autonomia e ao autogoverno, virtudes de uma sociedade democrática. Nesse sentido, a democracia não é apenas um regime de governo, mas uma forma de vida, em que, pela educação, criamos significados coletivos, em um processo que nunca termina. Marcado pelos efeitos da Revolução Industrial e pelo ideal da democracia, Dewey queria preparar o aluno para a sociedade do desenvolvimento tecnológico e formar o cidadão para a convivência democrática. A escola seria o instrumento ideal para estender esses benefícios a todos, indistintamente, caracterizando a função democratizadora da educação de equalizar as oportunidades.

Veremos como resultou daí a "ilusão liberal" ou o "otimismo pedagógico" da Escola Nova. Nesse sentido, o projeto de Dewey seria utópico ao imaginar a escola como um território neutro, quando na verdade ele está permeado por todas as contradições sociais e políticas do seu contexto. De certo modo, na sua pedagogia é reforçada a adaptação do aluno à sociedade, que, como tal, não é questionada em momento algum. Trata-se de uma teoria que representa plenamente os ideais liberais, sem colocar em xeque os valores burgueses. Por exemplo, sua noção de trabalho não apresenta as características fundamentais que aparecem nas pedagogias socialistas, como veremos.

Apesar disso, a pedagogia de Dewey é rica em aspectos inovadores, e sua principal marca encontra-se na oposição à escola tradícional, na relação estreita entre teoria e prática, na valorização das ciências experimentais, não só para fundamentar a psicologia infantil, mas também como conteúdo cognitivo importante para as atividades escolares. Dewey desempenhou ainda um papel notável como pedagogo e educador incansável e até sua morte, aos 92 anos, continuava a receber os discípulos em sua residência. Para William Kilpatrick (1871-1965), um dos seus mais importantes seguidores, o principal foco da educação encontra-se na formação para a democracia em uma sociedade em constante mutação.

Mais adiante, no item 15, veremos as ressonâncias atualizadas do pensamento de Dewey na reflexão de Richard Rorty, principal representante do neopragmatismo.

5. A Escola Nova

Já vimos, no item 3 do tópico *Educação*, as realizações da Escola Nova, um movimento que defendia a educação ativista, a partir da renovação da pesquisa pedagógica, na busca teórica dos fundamentos filosóficos e científicos de uma prática educativa mais eficaz. Ao lado de uma atenção especial na formação do cidadão em uma sociedade democrática e plural — que estimulava o processo de socialização da criança —, havia o empenho em desenvolver a individualidade, a autonomia, o que só seria possível em uma escola não-autoritária que permitisse ao educando aprender por si mesmo, e aprender fazendo.

Desse modo, a ênfase da educação não está na acumulação de conhecimentos, mas na capacidade de aplicá-los às situações vividas. A pedagogia de Dewey foi importante para a divulgação dessas idéias, sobretudo entre os anos de 1920 e 1940. Pessoalmente, visitou vários países, proferindo palestras ou permanecendo em longas estadas, tal como na China, em que viveu mais de dois anos. Esteve também no México, na Turquia, no Japão, na União Soviética, em vários países europeus, além de que sua obra foi bastante traduzida, fecundando as mais diversas aplicações práticas de seus princípios.

Vários desses seguidores iniciaram os estudos com a pedagogia diferencial (com crianças deficientes), depois estendendo suas descobertas para um universo maior da educação.

Montessori e Decroly

A italiana Maria Montessori (1870-1952) foi a primeira mulher formada em medicina pela Universidade de Roma. Nesta mesma universidade tornou-se assistente na clínica neuropsiquiátrica, experiência que resultou em um interesse pela educação de crianças excepcionais e deficientes mentais, o que lhe permitiu fazer observações importantes sobre a psicologia infantil.

Conciliando espírito científico e misticismo — era católica fervorosa —, escreveu extensa obra, que difundiu seu método no mundo inteiro. Em 1907 abriu em Roma a primeira *Casa dei Bambini* (Casa das Crianças), para atender filhos de operários.

Empenhada na individualização do ensino, Montessori estimulava a atividade livre concentrada, com base no princípio da auto-educação. Nesse método marcantemente ativo, o aluno usa o material na ordem que quiser, cabendo ao professor apenas dirigir a atividade, e não propriamente ensinar. As crianças cuidam da higiene pessoal e da limpeza das salas, recolocando em ordem todo o material usado. A atenção ao ritmo de cada um, no entanto, não se contrapõe à socialização, antes facilita a integração no grupo.

A pedagogia montessoriana dá destaque ao ambiente, adequando-o ao tamanho das crianças (mesas, estantes, quadros, banheiros etc.). O rico e abundante material didático acha-se voltado para a estimulação sensório-motora: cores, formas, sons, qualidades táteis, dimensões, experiências térmicas, sensações musculares, movimentos, ginástica rítmica com a clara intenção de alcançar maior domínio do corpo e percepção das coisas.

Além disso, Montessori dava atenção prioritária à escrita, que, segundo ela, deveria preceder a leitura, já que esta última supõe maior abstração. Já a escrita começa com a preparação da mão e dos sentidos em geral, de modo que o desenvolvimento da psicomotricidade evite qualquer aprendizagem mecânica.

Recebeu algumas críticas daqueles que consideravam exagerada a atenção dada a esses aspectos, o que teria tornado a teoria montessoriana baseada em uma concepção sensualista, atomística e associacionista da aprendizagem. Ou seja, ao privilegiar a educação dos sentidos, Montessori criou materiais que isolavam as sensações, o mesmo acontecendo com a aprendizagem da escrita, que partia de letras isoladas, ou da aritmética, que requeria o uso de pauzinhos de diversas cores.

O belga Ovide Decroly (1871-1932) também era médico e inicialmente interessou-se pelas crianças excepcionais. Auxiliado por sua mulher, fundou em 1907 a Escola da rua do Ermitage.

Decroly observou, de maneira pertinente, que, enquanto o adulto é capaz de analisar, separar o todo em partes, a criança tende para as representações globais, de conjunto, isto é, percebe os fatos e as coisas como um todo. Além disso, o indivíduo aprende como uma totalidade que percebe, pensa e age conjuntamente. Tais idéias mantêm uma afinidade com a teoria da *gestalt* e se contrapõem às tendências associacionistas da aprendizagem, inclusive a montessoriana.

Enquanto o ensino da leitura era feito tradicionalmente por meio de letras isoladas, depois reunidas na formação de palavras e, após isso, na construção de frases, Decroly inverte o processo, sugerindo a iniciação à leitura por frases inteiras. O mesmo procedimento acompanha a escolha da programação montada em torno de centros de interesses, que visam à apreensão globalizadora: a criança e a família, a criança e a escola, a criança e o mundo animal e assim por diante.

Escola do trabalho: Kerschensteiner e Freinet

Uma das características da Escola Nova é a preocupação com o trabalho. Alguns educadores enfatizaram sobremaneira esse aspecto, como o alemão Kerschensteiner e o francês Freinet, cujas experiências seriam aproveitadas também na escola pública de seus países.

Georg Kerschensteiner (1854-1932) sofreu a influência de Pestalozzi e de Dewey e criticou severamente o ensino da escola tradicional por ser livresco e voltado para a memorização. A ele opôs a escola ativa, cujos pilares são o trabalho, a cooperação e o autogoverno. Para ele, como para Dewey, a educação é um produto da sociedade e tem função social. Apesar disso, deve-se começar pelo desenvolvimento da individualidade e do cultivo dos valores espirituais que caracterizam o ser humano. Propõe então um método baseado nos estágios do desenvolvimento do interesse por meio da aquisição das técnicas elementares de ler, escrever e calcular, desde que se destaque a atividade manual em primeiro plano. Critica as abordagens diletantistas do trabalho, por considerá-lo fundamental para o autocontrole e auto-exame de quem o exerce com seriedade.

O trabalho na escola, no entanto, não se reduz a simples profissionalização, mas se insere numa proposta de formação humana mais abrangente, voltada para os valores individuais e, sobretudo, sociais. Para Kerschensteiner, as três tarefas da escola são: a educação profissional, a moralização da profissão e, conseqüentemente, a moralização da sociedade.

Célestin Freinet (1896-1966) escreveu *A educação pelo trabalho*. Na longa atividade como professor primário, lutou contra as práticas tradicionais do ensino público francês. Pela preocupação com a educação popular, bem poderia ser colocado ao lado dos pedagogos socialistas. O fato de não ter conseguido melhores resultados com seu método deve-se sobretudo às limitações do ambiente em que suas experiências eram levadas a efeito.

Para Freinet, a verdadeira fraternidade é a que nasce do trabalho. Por isso valoriza a atividade manual e a de grupo, por estimularem a cooperação, a iniciativa e a participação.

A aprendizagem da gramática e dos conteúdos a serem pesquisados era feita de maneira original, porque seu método estava centrado no projeto de imprensa na escola. Eliminados os manuais escolares, aprende-se a composição para a imprensa e cultiva-se a expressão por meio do texto livre. Supondo que o conhecimento verdadeiro é sempre recriação, Freinet estimula a exploração da curiosidade, a coleta de informações — tanto pelos alunos como pelos professores —, o debate e, por fim, a expressão escrita. Para a montagem do texto a ser impresso, são feitos os cálculos necessários e as ilustrações. Além disso, as comunicações diversas, trocadas entre alunos de classes diferentes a propósito das pesquisas, estimulam a correspondência interescolar.

Avaliação do escolanovismo

Muitas críticas foram feitas à Escola Nova e voltaremos a elas ao discutirmos as teorias crítico-reprodutivistas, que revelaram o caráter excessivamente otimista do projeto escolanovista.

Resta lembrar outros riscos dessa proposta: se a escola tradicional era magistrocêntrica, por valorizar demais o papel do professor, o escolanovismo minimizava esse papel — quase nulo nas formas mais radicais do não-diretivismo —, para tender ao puerilismo (ou pedocentrismo), que supervalorizava a criança; a preocupação excessiva com o psicológico intensificava o individualismo; a oposição ao autoritarismo da escola tradicional resultava em ausência de disciplina; a ênfase no processo descuidava da transmissão do conteúdo.

Em que pesem essas críticas, sem dúvida foi valiosa a contribuição da Escola Nova para o enriquecimento e a discussão dos métodos pedagógicos. É preciso reconhecer que os estudos de psicologia, de medicina neurológica, de biologia realizados pelos escolanovistas muito auxiliaram na introdução de projetos didáticos sustentados em base mais rigorosa e científica.

A influência da Escola Nova estendeu-se até o Brasil, como veremos no próximo capítulo, estimulando fortemente as nossas primeiras reflexões mais sistemáticas em pedagogia a partir das décadas de 1920 e 1930.

6. As teorias socialistas

No item 4 do tópico *Educação*, vimos como os países socialistas imprimiram modificações nas suas escolas. Aqui voltaremos a atenção para alguns teóricos, examinando os seus princípios comuns, bem como algumas diferenças de orientação.

De modo geral, as teorias socialistas relacionam dialeticamente educação e sociedade, isto é, não separam a educação do indivíduo de sua inserção na sociedade.

Reconhecem ainda a estreita ligação entre educação e política, não só para estimular a crítica à alienação e à ideologia, como também para estimular a práxis revolucionária nos países em que o socialismo teria chances de ser implantado, ou para mantê-la ativa naqueles que já haviam passado pela revolução.

Outro aspecto a destacar é a centralidade do trabalho, como elemento fundamental para a formação humana. Diferentemente das escolas ativistas, o trabalho não significa apenas uma atividade em classe, para desenvolver a habilidade manual do estudante, mas trata-se do trabalho real, em oficinas. Desde que, obviamente, seja uma atividade produtiva conjugada com formação cultural.

Pistrak e Makarenko

Moisei Pistrak (1888-1940) realizou atividade pioneira na Escola Lepechinsky e, apoiado nessa experiência, escreveu *Fundamentos da escola do trabalho*, obra em que apresenta sua teoria pedagógica social, cuja contribuição se destaca no contexto da Revolução de 1917 na União Soviética. Para melhor desempenhar o papel destinado ao mestre, buscava o engajamento dos alunos e o estudo da atualidade. Defendia a escola dinâmica, ativa, que prepara para a ação, baseada na auto-organização dos estudantes, sem que isso significasse, no entanto, desvalorizar o papel do professor.

Nesse processo, a educação para o trabalho aparece como fundamental. A proposta de superação da dicotomia entre atividade intelectual e manual, no entanto, só se torna possível com a teoria pedagógica social, que acompanha dialeticamente a prática educativa. Em outras palavras, essa teoria ainda não estava escrita, e, segundo Pistrak, "só agora é que ela começa a surgir para nós, no contexto da nossa prática escolar guiada pelo marxismo".

Ao contrário de muitas escolas que se utilizavam do trabalho para fins pedagógicos, Pistrak adverte que o trabalho deve ser real e não simbólico e que também não estivesse apenas ao lado da teoria, procedimento que mantém a dicotomia pensar-fazer. Não se trata de qualquer trabalho, mas daquele socialmente útil, objetivado nas mercadorias produzidas e pelo qual se estabelecem as relações humanas. Sugere vários tipos de trabalho, como o doméstico, o das oficinas, o agrícola e o chamado trabalho improdutivo (atividades burocráticas). A condição explícita é que tudo esteja a serviço do estudo sobre o trabalho e, ao mesmo tempo, seja útil e necessário.

Anton Makarenko (1888-1939), outro importante pedagogo soviético, foi encarregado, em 1920, de dirigir a Colônia de Trabalho Gorki, instituto de reabilitação de adolescentes delinqüentes, que abrigava órfãos de guerra, toxicômanos e desempregados. Entre outros escritos, defendeu suas idéias em sua obra mais famosa, *Poema pedagógico*.

Embora sua pedagogia estivesse centrada em uma proposta democrática, de início Makarenko exerceu uma autoridade não vacilante. Às vezes enfrentava os alunos corpo a corpo e não raro recorria a castigos físicos. Justificava o caráter momentâneo da violência por entender que o choque entre as individualidades gerava conflitos nos quais imperava a lei do mais forte. Esta violência, porém, deveria ser superada, pois a intenção explícita era levar o grupo a formar uma comunidade. Por isso, a autoridade do professor deveria ser firme e não arbitrária, reeducando para a vida em uma coletividade, na qual os principais valores eram o trabalho, a disciplina e o sentimento do dever.

Nas condições históricas revolucionárias vividas por Makarenko, a educação exercia importante papel de politização. Ainda mais, diante do imperativo da transformação industrial do país, a formação politécnica era valorizada, mas não como estreita profissionalização, e sim na tentativa de unir o pensar e o agir. Ou seja, à medida que trabalhavam, os alunos teriam condições de conhecer as bases científicas das principais atividades produtivas.

Apesar desse controle externo aparentemente severo, o projeto de Makarenko era promover a autogestão educativa e assim foi reconhecida sua atuação. Segundo G. Lapassade, o pedagogo soviético foi um exemplo do que se poderia chamar paradoxalmente de "autogestão autoritária", "porque os modelos institucionais de funcionamento eram propostos de cima, mas ainda assim autogestão, já que esses modelos possibilitavam a gestão da instituição por parte da própria coletividade".

De fato, nas colônias criadas por Makarenko, os alunos trabalhavam quatro horas diárias e dedicavam cinco horas às atividades escolares. Por conta disso, as instituições que ele dirigia tornavam-se autossuficientes, porque o produto do trabalho efetivo — trabalho real, sem artifícios para a aprendizagem apenas escolar — era vendido, ainda sobrando o que era encaminhado para os cofres do Estado. Em uma das comunas chegou a montar uma fábrica de furadoras elétricas e outra de câmeras fotográficas Leika.

É interessante notar que a pedagogia de Makarenko seguia na contramão das idéias escolanovistas, devido ao rigor militar imposto ao ritmo dos trabalhos e às exigências com a disciplina, o que o distanciava da educação centrada no educando.

Mais adiante, no segmento sobre o construtivismo, veremos a importância das teorias de Vygotsky e Luria, também marxistas.

Gramsci

No campo teórico, o italiano Antonio Gramsci (1891-1937), como crítico do marxismo oficial, desenvolveu importantes reflexões para a compreensão do papel do intelectual na cultura em geral e especificamente na educação. Durante onze anos esteve preso pela ditadura fascista de Mussolini e, mesmo no cárcere, até morrer, escreveu muito. Suas principais obras são: *Concepção dialética da história*, *Os intelectuais e a organização da cultura* e *Literatura e vida nacional*.

Uma de suas contribuições originais está no conceito de *hegemonia*, que etimologicamente significa dirigir, guiar, conduzir. Segundo Gramsci, uma classe é hegemônica não só quando exerce a dominação pelo poder coercitivo, mas também quando o faz pelo consenso, pela persuasão. Essa tarefa cabe aos intelectuais, que elaboram um convincente sistema de idéias pelo qual se conquista a adesão até da classe dominada. Basta constatar que a escola burguesa é classista. Além de preparar seus intelectuais, infiltra-se nas classes populares para cooptar os melhores elementos, que, assimilados, passam a aderir aos valores burgueses.

A classe dominada, por sua vez, sem conseguir organizar sua própria visão de mundo, permanece desestruturada e passiva, e por isso as eventuais rebeliões tornam-se ineficazes. Gramsci convenceu-se de que esses elementos precisavam continuar organicamente ligados à sua origem social, de maneira que elaborassem, coerente e criticamente, a experiência proletária. Só assim os dominados teriam os seus próprios intelectuais orgânicos.

A consciência de classe do intelectual orgânico pode ser mais bem desenvolvida entre os grupos de pressão formados na sociedade civil, como os sindicatos e o partido dos trabalhadores, que, capazes de criar uma contra-hegemonia, resistem à inculcação ideológica da escola e podem atrair intelectuais até então comprometidos com o sistema.

Isso não significa, porém, desconsiderar o importante papel da escola no projeto de democratização da cultura e do saber. A educação proposta por Gramsci está centrada no valor do trabalho e na tarefa de superar as dicotomias existentes entre o fazer e o pensar, entre cultura erudita e cultura popular. Para tanto, a escola classista burguesa precisaria ser substituída pela escola unitária, oferecendo a mesma educação para todas as crianças, a fim de desenvolver nelas a capacidade de trabalhar manual e intelectualmente. Nesse caso, entrar em contato com a técnica do seu tempo não significa deixar de lado a cultura geral, humanista, formativa.

Sob esse aspecto, Gramsci faz a crítica das teses marxistas: concorda que o trabalho é um fator central na educação, o que não significa, porém, tornar a escola uma fábrica, e sim o local privilegiado da atividade pedagógica. Dito de outra maneira, preparar o homem novo supõe primeiro a construção da "hegemonia" cultural e só depois a hegemonia política, e não vice-versa. A hegemonia cultural se constrói por meio das instituições educativas, que transmitem criticamente a herança da cultura histórica e científica, a fim de preparar o intelectual hegemônico.

A ênfase nos conteúdos delineia o novo humanismo socialista, diferente do humanismo greco-latino tradicional, na medida em que, segundo Gramsci, a escola unitária visa à "cultura geral, formativa, que saiba dosar justamente o desenvolvimento da capacidade de trabalhar manualmente (...) e o do desenvolvimento das capacidades do trabalho intelectual".

O historiador italiano Manacorda, um de seus seguidores, explica: "Ele [Gramsci] pode assim falar de 'unificação cultural do gênero humano', onde a unificação (...) não é massificação, mas é a elevação comum de cada indivíduo ao mais alto nível de consciência crítica e de capacidade produtiva atingido pela humanidade na sua história".

Gramsci exerce até hoje grande influência na pedagogia, e a teoria progressista, que veremos adiante, deve a ele seus fundamentos.

7. As tendências não-diretivas

A primeira metade do século XX viu desabrocharem inúmeras teorias pedagógicas não-diretivas, que levaram às últimas conseqüências a crítica ao autoritarismo da escola tradicional, exacerbado, nesse mesmo período, pela experiência nazifascista e do totalitarismo soviético.

Já vimos que, no século XVIII, Rousseau foi o primeiro a promover a "revolução copernicana", pela qual a criança se desloca para o centro da aprendizagem, em que sempre se fixara o professor. O filósofo genebrino, ao admitir a bondade original do ser humano, considerava o ensino tradicional como depravação da natureza e inibidor da espontaneidade infantil. Nessa linha, as teorias não-diretivas rejeitam o autoritarismo por temer o risco sempre presente de doutrinação que assalta até o professor "compreensivo", "bonzinho", quando induz a criança a agir como ele quer, com persuasão, sem deixar espaços para a atividade do aluno.

Nas teorias não-diretivas o professor deve acompanhar o aluno sem dirigi-lo, o que significa dar condições para que ele desenvolva sua experiência e se estruture por conta própria. Sua função é a de facilitador da aprendizagem: usando a linguagem da química, o mestre se restringe a ser o catalisador do processo.

As teorias antiautoritárias, sejam liberais, sejam anarquistas, fornecem vasto material de reflexão a respeito dos desvios do poder. Denunciam também as formas camufladas pelas quais uma autoridade anônima, dissimulada, se introduz nas relações humanas do mundo contemporâneo.

Representantes da tendência antiautoritária

Nos Estados Unidos foi importante a contribuição de Carl Rogers (1902-1987), psicólogo que transplantou para a pedagogia as técnicas utilizadas em terapia. Suas observações se baseiam na dinâmica de grupo do *T-group* (*training group*), em que dez a quinze pessoas interagem sob a observação de um monitor, com a função de intervir o menos possível, dissolvendo as relações de autoridade que decorrem da compulsão de mandar ou obedecer.

Segundo Rogers, é a própria relação entre as pessoas que promove o crescimento de cada uma, ou seja, o ato educativo é essencialmente relacional e não individual. O intercâmbio enriquece as experiências, e o grupo, incluído aí o professor, transforma-se em uma "comunidade de aprendizagem".

Na Inglaterra, destacou-se a longa e polêmica experiência do escocês Alexander S. Neill (1883-1973). Pedagogo sensível à temática socialista, Neill reconhecia o viés autoritário da escola inserida no sistema capitalista. Sofreu influência de Wilhem Reich (1897-1957), psicanalista alemão que concilia Freud e Marx, para criticar as formas atuantes de repressão da vida sexual.

Em 1921, Neill fundou a escola Summerhill, na costa sul da Inglaterra, onde recebia crianças do mundo inteiro, experiência relatada em seu livro *Liberdade sem medo*, seguido posteriormente por outro, *Liberdade sem excessos*, a fim de explicar que a escola que criara não era uma comunidade sem regras. Na verdade, ele confiava na possibilidade de desenvolver a capacidade de auto-regulação individual e de autogoverno coletivo.

Ao todo, a escola reunia cerca de setenta alunos, na época de sua fundação. Esse número variou pouco no correr dos anos e persiste até hoje nessa instituição, que se encontra sob a direção de Zoë Redhead, filha de Neill. Muitos alunos vivem em sistema de internato, poucos moram nas redondezas, e o motivo principal da procura dessa escola deve-se ao fato de os pais admirarem a orientação pedagógica de Neill.

Os exames e a obrigatoriedade de assistir às aulas foram suprimidos, e não se dá ênfase à instrução. As questões de disciplina são resolvidas pela Assembléia Geral da Escola, em que os próprios alunos decidem sobre as regras da comunidade. Algumas vezes a escola enfrentou dificuldades com o governo inglês, devido à ausência dos parâmetros exigidos pela lei.

Avesso às maneiras de sufocar os instintos e as emoções, Neill ocupou-se mais "com o coração do que com a cabeça", o que justifica a pouca atenção dada ao conteúdo das informações e a conseqüente valorização dos processos que encaminham as crianças para a vida mais livre e mais feliz.

Seus livros foram traduzidos em vários idiomas, e entre as décadas de 1960 e 1970 a fama de Neill foi tão grande que houve época em que chegou a solicitar que não se visitasse Summerhill, tal era o número de pessoas que desejavam conhecer aquele experimento ímpar e alternativo.

Outro pedagogo radical foi Ivan Illich (1926-2002), austríaco radicado no México, que escreveu em 1970 o livro *Sociedade sem escolas*. Em meio a tantas críticas à escola, Illich se pergunta por que não "desescolarizar" a sociedade. Nesse mundo institucionalizado em que saúde, nutrição, educação, transporte, comunicação etc. se encontram nas mãos de especialistas e tecnocratas para "proteger" e "orientar", cada vez mais os indivíduos perdem a capacidade de decidir por si próprios.

No caso da educação, não é verdade que as crianças aprendem na escola, que cria expectativas prejudiciais, ao prometer o que não é capaz de cumprir. Afastada da realidade da produção, a escola vive o paradoxo de querer preparar para o mundo ao mesmo tempo que corta os contatos com ele. Embora reconheça que a vida em sociedade seria impossível sem as instituições, Illich faz uma distinção entre as instituições *manipulativas* e as *conviviais*. As primeiras são as que merecem suas críticas, por não estarem a serviço das pessoas, mas contra elas, voltadas que se acham para os interesse econômicos de alguns privilegiados. As segundas seriam interativas, permitindo o intercâmbio entre os indivíduos com a condição de que todos mantenham sua autonomia.

Illich chama de *convivialidade* a criação de "redes de comunicações culturais" que facilitariam o encontro de pessoas interessadas no mesmo assunto. Então, o inverso da escola seria possível. Essas redes não seriam escolas — por não terem programas preestabelecidos nem reconstituírem a figura do professor — e proporcionariam apenas a troca de experiências, com base na aprendizagem automotivada. "Desescolarizar significa abolir o poder de uma pessoa de obrigar outra a freqüentar uma reunião. Também significa o direito de qualquer pessoa, de qualquer idade ou sexo, de convocar uma reunião".

O recurso ao computador seria indispensável, por facilitar o encontro de parceiros a partir de interesses comuns, inclusive com acesso a bibliotecas ou consulta a educadores em geral, então despojados de seu autoritarismo e limitados ao importante papel de aconselhamento e orientação. Haveria também o auxílio do sistema de correios, bem como de uma rede de boletins informativos ou anúncios classificados de jornais.

A educação anarquista

O anarquismo é um movimento que surgiu paralelamente ao socialismo de Marx e Engels, no século XIX, mas que dele se distingue pela recusa do processo preconizado por aqueles pensadores, segundo os quais a instalação do comunismo deveria passar primeiro pela chamada *ditadura do proletariado*. Ao contrário, os teóricos anarquistas — entre eles Bakunin e Kropotkin — são contra o Estado, seja burguês, seja socialista, uma vez que a tendência do poder em toda instituição é perpetuar-se.

Portanto, os anarquistas (ou libertários) criticam o Estado, a Igreja e todas as instituições hierarquizadas, inclusive a escola autoritária, e pretendem implantar "a ordem na anarquia". Para tanto, as organizações anarquistas recusam as relações humanas coercitivas e se pautam pela cooperação voluntária, pela autodisciplina e pela autogestão.

A tese anarquista da negação do Estado não deve nos levar a pensar que se trata de uma proposta individualista, do salve-se quem puder, porque o conceito de organização não-coercitiva se funda na cooperação e na aceitação da comunidade. Para os libertários, o ser humano é capaz de viver em paz com seus semelhantes, mas as instituições autoritárias deformam e atrofiam suas tendências cooperativas. Para inverter a pirâmide de poder que o Estado representa, propõem uma descentralização, buscando modos mais diretos de relação, pelo contato "cara a cara". A responsabilidade surge a partir dos núcleos vitais das relações sociais, tais como no local de trabalho, nos bairros e, no caso dos educadores anarquistas, na escola. O importante é manter a participação, a colaboração, a consulta direta entre as pessoas envolvidas.

Nesse sentido a tendência anarquista caracteriza-se, na educação, como uma das linhas antiautoritárias, cujos teóricos mais significativos foram os franceses Michel Lobrot, Fernand Oury, Aïda Vásquez e Paul Robin e o catalão Francisco Ferrer i Guàrdia. A principal diferença entre estes e os pedagogos liberais está na certeza de que a escola antiautoritária depende também da ação revolucionária mais ampla, capaz de implantar a nova ordem política. Por esse motivo, o espanhol Ferrer i Guàrdia (1859-1909), depois de fundar a Escola Moderna de Barcelona, enfrentou dificuldades com os setores reacionários que culminaram com o seu fuzilamento.

Significativo, e com repercussões no Brasil, foi o trabalho de Paul Robin (1837-1912), que, na direção de um orfanato nos arredores de Paris, transformou-o em uma escola libertária. Seus preceitos de educação integral compreendiam a educação intelectual, a educação moral e a educação física. O primeiro aspecto sustentava-se no processo de indagação e confronto com o saber já socializado, enquanto a educação moral se voltava para o estímulo à cooperação e à vivênvia coletiva responsável. A educação física não se restringia apenas a jogos e recreação, estendendo-se a atividades manuais, inclusive com instalação de oficinas para a educação profissional politécnica.

Para esses teóricos, a questão da autogestão é fundamental. Não propriamente como é pensada entre os pedagogos da não-diretividade, em que o professor se afasta para que o aluno desabroche por si mesmo as faculdades que lhe seriam naturais. A liberdade no conceito anarquista é uma meta a ser aprendida e construída por meio das relações entre os indivíduos. Nesse caso, o professor intervém para alcançar esse propósito, uma vez que a criança é um ser inacabado, em formação. Portanto, para os anarquistas, se a escola não é função do Estado, ela dependerá sempre da responsabilidade da comunidade.

Avaliação da educação não-diretiva

Segundo alguns autores, as teorias antiautoritárias são de certa forma ingênuas e românticas, por sonhar com uma "ordem natural" em que tudo seguiria seu curso espontâneo, como se fosse possível deixar as crianças livres de qualquer constrangimento.

Nesse sentido, o pedagogo francês Georges Snyders critica a proposta de Ivan Illich de desescolarizar a sociedade. É ilusão supor que a criança, livre diante dos seus desejos, seja capaz de enfrentar sozinha os preconceitos e condicionamentos ideológicos da cultura a que pertence. Além disso, o que prevalece é uma visão estreita do conceito de liberdade, que conduz a uma percepção muito individualista do mundo e das relações humanas.

O ideal de convivialidade, segundo o qual a desigualdade existente no nosso sistema de escolarização seria substituída pelo ensino em rede igualitária, repousa na ingenuidade de supor que o sistema de redes escaparia à pressão e às contradições dos interesses estabelecidos.

O grande risco do não-diretivismo e do ideal de convivialidade decorre de abandonar os alunos a maneiras de pensar e viver impregnadas da ideologia dominante. Para evitar isso, apenas um corpo docente crítico e experiente teria condições de provocar um questionamento radical, ainda que demorado.

As tendências não-diretivas, ao descuidar intencionalmente da transmissão da cultura, provocam sérios problemas que precisam ser avaliados de modo mais cuidadoso. Um dos riscos é abandonar à sua própria sorte os segmentos populares e excluídos, sem condições de superar a situação de dependência em que se encontram.

No entanto, se para muitos as pedagogias não-autoritárias não se aplicariam tal qual foram pensadas, não resta dúvida de que elas podem nos dar elementos preciosos para discutir questões como autoritarismo, doutrinação, individualismo, que freqüentemente prevalecem na herança da escola tradicional, impedindo a democratização da escola, não só na ampliação do seu alcance (uma educação igual para todos) como na sua própria gestão (uma autogestão pedagógica).

8. Teoria crítica: a Escola de Frankfurt

A Escola de Frankfurt[9], surgida na Alemanha em 1923, tem como representantes Max Horkheimer, Theodor Adorno, Herbert Marcuse, Walter Benjamin e Erich Fromm. O filósofo Jürgen Habermas, embora tenha participado do grupo, dele se distanciou posteriormente. Partindo da teoria marxista, aqueles filósofos desenvolveram um pensamento original afastado da ortodoxia e crítico dos rumos tomados pela implantação do socialismo da União Soviética.

Essa crítica atinge também a sociedade capitalista altamente tecnicizada e burocratizada. Vimos, a propósito, como o movimento estudantil de maio de 1968 iniciado na França sofreu influência direta de Herbert Marcuse.

A Escola de Frankfurt é responsável pela formulação da *teoria crítica da sociedade*. Seus principais temas de natureza sociológico-filosófica são a autoridade, o autoritarismo, o totalitarismo, a família, a cultura de massa, o papel da ciência e da técnica, a liberdade. Seus representantes partem da convicção de que os ideais da razão emancipadora sonhados pelos filósofos iluministas do século XVIII não foram ainda atingidos. Ao contrário, sofreram desvios perversos na sociedade em que a ciência e a técnica se encontram a serviço do capital e em que se procede à dominação da natureza e do ser humano para fins lucrativos.

Os frankfurtianos criticam a exaltação feita ao progresso e desmistificam esse conceito, que dá a ilusão de aperfeiçoamento espontâneo, quando na verdade, em certas circunstâncias, pode estar nos encaminhando para a barbárie. Esse risco surge toda vez que os fins propriamente humanos são substituídos por outros que excluem a compaixão e levam ao ódio primitivo e à violência.

No mundo "desencantado" — porque regido pelo cálculo, pelo lucro, pelos negócios — impera a razão instrumental, sem lugar para os afetos, as paixões, a imaginação, enfim, para a subjetividade. Ora, como pode ser concebível a civilização da opulência, tão desenvolvida na sua ciência e técnica, permitir a coexistência de tantos excluídos, condenados à fome, à ignorância e submetidos à violência de toda sorte?

[9] Consultar Olgária Matos, *A Escola de Frankfurt*: luzes e sombras do Iluminismo. São Paulo, Moderna, 1994 (Coleção Logos).

Como explicar a barbárie dos Estados totalitários, ainda mais quando lembramos que o nazismo surgiu na Alemanha, tão culta e educada?

Para os frankfurtianos, no entanto, criticar a razão não significa enveredar pelos caminhos do irracional, mas recuperá-la para o serviço da emancipação humana.

Essas candentes discussões interessam à reflexão pedagógica e muito contribuem para a avaliação do papel da educação na sociedade contemporânea, justamente porque é preciso recuperar o indivíduo autônomo, consciente dos fins a que se propõe. E isso só será possível se for resolvido o conflito entre a autonomia da razão e as forças obscuras que invadem essa mesma razão.

9. Teorias crítico-reprodutivistas

Os principais representantes da tendência crítico-reprodutivista deveriam estar no item sobre as teorias socialistas. No entanto, essa classificação seria correta para as teorias de Althusser e de Establet e Baudelot, mas não para Bourdieu e Passeron, que nelas não se ajustariam. Esses teóricos têm em comum, porém, a análise dos efeitos da sociedade dividida sobre a educação. A partir das décadas de 1960 e 1970, por diferentes caminhos, chegaram à seguinte conclusão: a escola está de tal forma condicionada pela sociedade dividida que, em vez de democratizar, reproduz as diferenças sociais, perpetuando o *status quo*.

Essas teorias são conhecidas como *crítico-reprodutivistas*, justamente por denunciar a ingenuidade das concepções vigentes para as quais a ampliação das oportunidades de escolarização seria a esperança de democratização da sociedade. Ao contrário, para os crítico-reprodutivistas a escola não democratiza, mas reproduz a desigualdade.

Aliás, tinha sido essa a "ilusão liberal" da Escola Nova. Longe desse otimismo, segundo as estatísticas de qualquer país, mesmo os mais adiantados, aqueles teóricos constatavam persistirem altos índices de exclusão, evasão e repetência.

Os sociólogos franceses Pierre Bourdieu (1930-2002) e Jean-Claude Passeron (1930) escreveram juntos *Os herdeiros* e *A reprodução*. Segundo a noção de violência simbólica, o sistema de ensino institucionalizado e burocratizado permite que a ação pedagógica, sustentada pela autoridade pedagógica, imponha a cultura da classe dominante a todos os segmentos sociais.

Isso se faz pelos *habitus*, inculcados desde a infância, interiorizando em cada indivíduo as normas de conduta desejadas pela sociedade. Como as escolas trabalham com os hábitos típicos das famílias burguesas, as crianças vindas dos segmentos desfavorecidos enfrentam dificuldades que as levam ao insucesso. Essas desigualdades, no entanto, são dissimuladas pela autoridade pedagógica, que, em última análise, aplica sanções e obriga ao reconhecimento da pretensa "universalidade" dos valores da cultura dominante.

Em 1969, o filósofo francês Louis Althusser (1918-1990) publicou *Ideologia e aparelhos ideológicos de Estado*. Partindo da teoria marxista, demonstra que a exploração de uma classe por outra é mascarada pela ideologia, por meio da qual os valores da classe dominante são universalizados e assimilados pelo proletariado. Para ele, além de criar um aparelho repressivo que assegura a ordem capitalista por meio da violência (exército, política, tribunais, prisões etc.), o Estado possui aparelhos ideológicos, constituídos por instituições da sociedade civil que impõem os valores vigentes. São os aparelhos ideológicos: religioso, escolar, familiar, jurídico, político, sindical, de informação e o cultural.

Dentre estes, Althusser destaca a escola, por desempenhar o papel de inculcar a ideologia e impedir iguais chances a todos, reproduzindo a divisão social.

Roger Establet e Christian Baudelot (1938), também franceses, são marxistas da linha maoísta. Escreveram, em 1971, o livro *A escola capitalista na França*, no qual criticam o fato de a "escola única" ser, na verdade, uma escola dualista. Para eles, há duas grandes redes de escolaridade chamadas SS (secundária superior) e PP (primária profissional), que correspondem à divisão da sociedade em burguesia e proletariado. Os burgueses têm acesso à escolarização completa, incluindo a formação superior, enquanto o proletariado é encaminhado para a profissionalização precoce.

A principal crítica destes autores prende-se ao fato de que a divisão das duas redes é determinada desde o início da escolarização. Isto é, a escola impede que os filhos dos proletários continuem os estudos, já que estão destinados a contribuir para a formação da força de trabalho.

É evidente que a radicalização de tal crítica levaria a um pessimismo imobilista, retirando da escola qualquer potencial transformador. Não há, porém, como negar a importância dessas teorias para a compreensão dos mecanismos da escola na sociedade dividida em classes. A consciência disso certamente poderá orientar os professores para uma atuação mais crítica dentro do sistema.

Segundo Georges Snyders, se o operário não consegue de imediato uma consciência inteiramente lúcida da realidade social, nem por isso estará reduzido a um joguete passivo de mistificação. Do mesmo modo, os conhecimentos adquiridos na escola, por mais dirigidos que sejam, também podem ser reelaborados à luz de outras experiências. Geralmente essa retomada crítica torna-se possível nos segmentos mais progressistas da sociedade civil, cuja ação pode dinamizar a escola e outras instituições.

10. Teorias progressistas

São considerados precursores da teoria progressista os soviéticos Makarenko e Pistrak e o italiano Gramsci (que vimos no item 6). Posteriormente, acrescenta-se a contribuição do francês Georges Snyders, do polonês Bogdan Suchodolski e de outros como Bernard Charlot, Henry Giroux, Mario A. Manacorda e Michel Lobrot.

Não é fácil estabelecer as linhas de força desse movimento, que apresenta as mais diversas nuanças. A própria denominação *progressista*, inspirada em um dos livros de Georges Snyders, não foi assumida por todos os que, porventura, possam se aproximar das características dessa tendência. No próximo capítulo, veremos a fecunda repercussão dessa teoria no Brasil.

Georges Snyders (1917), filósofo e educador francês, escreveu *Pedagogia progressista*, *Escola, classe e luta de classes* e *Para onde vão as pedagogias não-diretivas?*. Nestas obras faz a crítica da escola contemporânea e constrói uma pedagogia social e crítica. Contra as pedagogias não-diretivas, defende o papel do professor, a quem atribui uma função política. Condena também a proposta de desescolarização de Ivan Illich, demonstrando que a escola e os mestres têm uma tarefa importante a cumprir. Na mesma linha, embora reconheça a crítica dos teóricos reprodutivistas, ressalta o caráter contraditório da escola, que pode desenvolver a contra-educação, evitando assim a mera reprodução do sistema. Critica a Escola Nova, por ser excessivamente preocupada com o processo e não com o conteúdo, reforçando a necessidade da transmissão da cultura dominante, convencido de que a emancipação das crianças do povo passa pela apropriação do saber burguês.

Por isso, um dos pontos de destaque da teoria progressista revela-se na ênfase aos conteúdos do ensino, resgatando uma dimensão da escola tradicional tão criticada pela Escola Nova. Apenas é preciso ressalvar que essa recuperação se faz pelo viés socialista, que recusa todo saber abstrato, desvinculado do vivido. Ao contrário, a decisão sobre o que saber, o que fazer e para que fazer depende da compreensão das necessidades sociais, analisadas sempre de acordo com a situação histórica.

Segundo Snyders, diante da força da ideologia não convém deixar os alunos à mercê de sua espontaneidade. Por isso, cabe ao mestre encaminhá-los "a noções, a formas de ação e a atitudes às quais eles não chegariam por si mesmos".

Outro desafio proposto pela teoria progressista está na superação da clássica dicotomia entre trabalho manual e intelectual, buscando não só maneiras de ensinar as técnicas do seu tempo, mas a compreensão mais ampla desses procedimentos.

11. Teorias construtivistas

As teorias construtivistas representam um esforço na busca de caminhos que dêem conta da complexidade do processo de conhecimento. Por isso apóiam-se em pesquisas científicas — da psicologia, da psicologia social, da psicanálise, da medicina, da biologia, da cibernética, da lingüística, entre outras — para melhor compreender o funcionamento da mente infantil e do desenvolvimento cognitivo.

Embora os construtivistas tenham atuado em locais e épocas diferentes, percorrendo caminhos originais, é possível estabelecer algumas linhas comuns, sobretudo se examinarmos os pressupostos filosóficos de suas teorias.

Do ponto de vista antropológico, para os construtivistas o ser humano tem uma existência histórico-social que determina a maneira de se situar no mundo, por meio de um processo dinâmico que se expressa de modos diferentes no decorrer do tempo. A história é entendida como a experiência da pessoa ou do grupo de modo que, ao surgirem fatores novos, as antigas estruturas lógicas se desfazem, para em seguida alcançar nova equilibração. Em outras palavras, os construtivistas recusam a concepção de uma natureza humana universal, essencial e estática, herança da metafísica tradicional, já que o ser humano se faz e se refaz pela interação social e por sua ação sobre o mundo.

Do ponto de vista epistemológico, para os construtivistas o conhecimento resulta de uma construção contínua, entremeada pela invenção e descoberta. Essa explicação difere das duas tendências que marcaram a modernidade, o racionalismo e o empirismo. Sabemos que desde a Idade Moderna perdurava entre os filósofos a discussão sobre a origem, a natureza e os limites do conhecimento humano. Assim:

- Segundo a tendência racionalista, herdada de Descartes, prevalece o inatismo, pelo qual o sujeito que conhece seria o pólo mais importante no processo do conhecimento.
- Segundo a tendência empirista, iniciada com Bacon e Locke, o sujeito que conhece é passivo, recebendo de fora — da experiência — os elementos para a elaboração do conteúdo mental.

Os construtivistas superam essa dicotomia ao admitir que o conhecimento é construído: não é inato nem apenas dado pelo objeto, mas antes se forma e se transforma pela interação entre ambos. Daí o construtivismo também ser visto como uma *concepção interacionista* da aprendizagem. Como conseqüência para a educação, a criança não é passiva nem o professor é simples transmissor de conhecimento. Outra característica desse modelo epistemológico decorre da constatação de que o conhecimento se produz a partir do desenvolvimento por etapas ou estágios sucessivos, nos quais a criança organiza e reorganiza o pensamento e a afetividade.

Essa nova atitude, portanto, recusa o *objetivismo*, porque o mundo que conhecemos não aparece tal como é, mas depende de como nós o vemos; recusa o *realismo* (o pensamento não é o espelho do mundo); aceita o princípio da *auto-organização*: todo conhecimento resulta de organizações e reorganizações sucessivas em níveis de complexidade cada vez maiores.

O construtivismo realça justamente a capacidade adaptativa da inteligência e da afetividade, dando condições para que o processo de amadurecimento não seja ilusório, o que acontece quando resulta de pressões externas sem a "gestação" por parte do sujeito.

Dentre os representantes clássicos dessa tendência, destacamos Jean Piaget, Emilia Ferreiro, Lev Vygotsky. Inúmeros outros fazem parte dessa orientação, como o francês Henri Wallon, os russos Alexander Luria e Alexei Leontiev, estes últimos divulgadores do sócio-construtivismo, colaboradores e continuadores de Vygotsky.

Mais recentemente, embora seguindo caminhos diferentes, vemos Lawrence Kohlberg, Edgar Morin, Phillippe Perrenoud. Já em uma linha pós-construtivista, o francês Gérard Vergnaud parte das concepções de Piaget, Wallon e Vygotsky, mas vai além deles, ao enfatizar a aprendizagem como fenômeno grupal.

Piaget: a epistemologia genética

Jean Piaget (1896-1980), nascido na Suíça, embora não fosse propriamente pedagogo, exerceu significativa influência na pedagogia do século XX. Suas primeiras obras surgiram na década de 1920 e logo tiveram grande repercussão, sobretudo as que abordam a psicologia genética, que investiga o desenvolvimento cognitivo da criança desde o nascimento até a adolescência. Entre as mais significativas, destacamos *Introdução à epistemologia genética*, *O juízo moral na criança*, *A construção do real na criança*, *Seis estudos de psicologia*.

Segundo Piaget, o processo dinâmico da inteligência e da afetividade supõe uma estrutura concebida como uma totalidade em equilíbrio. À medida que a influência do meio altera esse equilíbrio, a inteligência, que exerce função adaptativa por excelência, restabelece a auto-regulação.

As mudanças mais significativas ocorrem na passagem de um estágio para outro, o que Piaget analisa ao descrever a construção do real na criança nas fases do processo do desenvolvimento mental. A passagem de um estágio para outro é possível pelo mecanismo de *organização* e *adaptação*. A adaptação, por sua vez, supõe dois processos interligados, a *assimilação* e a *acomodação*. Pela assimilação, a realidade externa é interpretada por meio de algum tipo de significado já existente na organização cognitiva do indivíduo, ao mesmo tempo que a acomodação realiza a alteração desses significados já existentes.

As mudanças mais significativas ocorrem na passagem de um estágio para outro, quando se desfaz o equilíbrio instável e busca-se nova equilibração. Assim, os quatro estágios — sensório-motor, intuitivo, das operações concretas e das operações abstratas — representam o desenvolvimento:

- da inteligência (da lógica), que evolui da simples motricidade do bebê até o pensamento abstrato do adolescente;
- da afetividade, que parte do egocentrismo infantil até atingir a reciprocidade e a cooperação, típicas da vida adulta;
- da consciência moral, que resulta de uma evolução que parte da anomia (ausência de leis), passa pela heteronomia (aceitação da norma externa) até atingir a autonomia ou capacidade de autodeterminação, que indica a superação da moral infantil.

A contribuição de Piaget para a pedagogia tem sido, até hoje, inestimável, sobretudo devido às indicações sobre o estágio adequado para serem ensinados determinados conteúdos às crianças, sem desrespeitar suas reais possibilidades mentais, ou seja, de acordo com seu desenvolvimento intelectual e afetivo.

Vygotsky: pensamento e linguagem

Lev Semenovich Vygotsky (1896-1934) nasceu na Rússia czarista e com Luria e Leontiev desenvolveu uma teoria original e fecunda. Foi um intelectual de ampla formação: além do curso de direito, estudou filosofia, filologia, literatura, pedagogia e psicologia, o que o levou a se dedicar ao ensino, à pesquisa e a organizar o Laboratório de Psicologia para Crianças Deficientes. Sempre preocupado com o estudo das anomalias físicas e mentais, Vygotsky cursou também medicina. Apesar de ter morrido muito jovem, aos 37 anos, produziu volumosa obra escrita, além de ter se aplicado em múltiplas atividades.

Os acontecimentos políticos da Revolução Russa de 1917 foram importantes para o seu pensamento, caracterizado pela influência marxista do método dialético. Tomou conhecimento das experiências da psicologia da *gestalt* e foi crítico da tendência naturalista das ciências humanas, principalmente do behaviorismo.

Desejando ir mais além na discussão das características da inteligência humana, privilegiou o estudo das operações superiores, tais como o pensamento abstrato, a atenção voluntária, a memorização ativa e as ações intencionais. Segundo Vygotsky, o nível superior da reflexão, do conhecimento abstrato do mundo, tem início com as interações sociais cotidianas, desde as atividades práticas da criança até tornar-se capaz de formular conceitos.

Ao analisar os fenômenos da linguagem e do pensamento, busca compreendê-los dentro do processo sócio-histórico como "internalização das atividades socialmente enraizadas e historicamente desenvolvidas". No processo de internalização é fundamental a interferência do outro — a mãe, os companheiros de brincadeira e estudo, os professores — para que os conceitos sejam construídos e sofram constantes transformações.

Para explicar as operações superiores, Vygotsky usa o conceito de *mediação*, segundo o qual a relação do indivíduo com o mundo não é direta, mas mediada pelos sistemas simbólicos. A interferência do outro — por exemplo, a mãe — é fundamental para a aprendizagem dos signos socialmente elaborados.

A mediação também é importante com relação ao pensamento e à linguagem. O entendimento entre as mentes é impossível sem a expressão mediadora da fala humana, cujo componente essencial é o significado, que supõe a generalização. Por exemplo, a palavra *casa* não é um som vazio que pode ser identificado apenas a uma determinada casa concreta, mas se aplica à noção de casa em geral.

Geralmente costumamos avaliar as crianças pelo seu *desenvolvimento real*. Além desse nível, porém, existe um estágio anterior, que Vygotsky chama de *zona de desenvolvimento proximal* (ou *potencial*), caracterizado pela capacidade de resolver problemas sob a estimulação de um adulto ou em colaboração com os colegas. A ênfase nesse estado potencial, em que uma função ainda não amadureceu, mas se encontra em processo, é de grande valia para o educador, porque o auxilia a enfrentar mais eficazmente os desafios da aprendizagem.

Além disso, a fase de colaboração traz a vantagem de estimular o trabalho coletivo, necessário para transformar uma ação interpessoal — portanto social — em um processo intrapessoal, isto é, de internalização. A importância dessa passagem é alcançar a independência intelectual e afetiva, já que a discussão constitui uma etapa para o desenvolvimento da reflexão.

Além dos teóricos analisados, destaca-se a contribuição do médico neurologista e psicólogo francês Henri Wallon (1879-1962). Com base na concepção dialética marxista, orienta suas observações sobre as anomalias psicomotoras de crianças doentes. Desenvolve então uma teoria para explicar o processo que se faz desde os movimentos mais simples até o ato mental, desde o mais automático reflexo, passando pelos gestos de apelo dirigidos às pessoas, pela mímese, até chegar à idéia.

Emilia Ferreiro: a psicogênese da escrita

Emilia Ferreiro (1937), argentina radicada no México, estudou na Suíça com Piaget. Assim como o mestre, procurou evitar o "adultocentrismo", que erroneamente compreende a criança à semelhança do adulto. Ao analisar a construção do conhecimento, destacam-se seus valiosos estudos de lingüística para observar como se realiza a construção da linguagem escrita.

Muitos educadores explicam as dificuldades e insucessos da alfabetização pela ineficiência dos próprios mestres, pela ineficácia dos métodos ou do material didático. Emilia Ferreiro, no entanto, desloca a questão para outro campo. Primeiramente, se a invenção da escrita alfabética resultou de um processo histórico que envolveu a humanidade por longo tempo, isso nos faz reconhecer como é difícil para a criança perceber com rapidez a natureza da escrita. A alfabetização levanta, antes de tudo, um problema epistemológico fundamental: "Qual é a natureza da relação entre o real e a sua representação?". Essa questão provocou a revolução conceitual da alfabetização.

Realizando diversas experiências com crianças a fim de investigar a psicogênese da escrita, Emilia Ferreiro percebeu que elas de fato reinventam a escrita, no sentido de que precisam inicialmente compreender seu processo de construção e suas regras de produção.

Mesmo antes do ensino formal, a criança já construiu interpretações, elaborações internas, que não dependem da interferência do adulto e não devem ser entendidas como confusões perceptivas. As garatujas nunca são simples rabiscos sem nexo, por isso cabe ao professor observar o que o aluno já sabe, atento para o modo como ele interpreta os sinais ao seu redor e não para aquilo que a escola pensa que ele deve saber.

Diz Emilia Ferreiro: "É necessário imaginação pedagógica para dar às crianças oportunidades ricas e variadas de interagir com a linguagem escrita. É necessário formação psicológica para compreender as respostas e as perguntas das crianças. É necessário entender que a aprendizagem da linguagem escrita é muito mais que a aprendizagem de um código de transcrição: é a construção de um sistema de representação"[10].

As teorias de Emilia Ferreiro foram desenvolvidas em conjunto com Ana Teberosky, pedagoga de Barcelona, e produziram um efeito revolucionário nas propostas de superação das dificuldades enfrentadas por crianças com problemas de aprendizagem.

---

[10] *Reflexões sobre alfabetização*. São Paulo, Cortez, 1988, p. 102.

12. Kohlberg e a educação de valores

A questão do ensino moral sempre esteve de maneira implícita embutida na atividade docente. Vários pedagogos se interessaram pelo assunto, mas até hoje essa proposta pedagógica permanece um desafio, uma vez que são altos os riscos de doutrinação, de imposição de valores. Jean Piaget, em 1930, publicou *O julgamento moral da criança*, obra que influenciou diversos pensadores, voltados para a indagação a respeito do desenvolvimento moral da criança e do adolescente. O que, por conseqüência, leva à indagação sobre a viabilidade ou não do ensino moral. Em caso afirmativo, qual seria o melhor caminho, a fim de evitar os riscos de doutrinação moral? Como educar para a autonomia?

Aqui veremos a contribuição do psicólogo norte-americano Lawrence Kohlberg[11] (1927-1987), um seguidor de Piaget que investigou o comportamento moral de grupos os mais diversos, em escolas de diferentes segmentos sociais, em prisões, quartéis e *kibutz* (colônias coletivas em Israel). Acompanhou por vários anos os diversos grupos entrevistados em que aplicava seus *dilemas morais*. Além disso, em escolas alternativas, participou da experiência nas "comunidades justas", que visavam a promover a participação democrática e a maturidade moral de seus membros.

O resultado teórico de suas pesquisas nos oferece uma filosofia moral baseada em pressupostos kantianos. De fato, para o filósofo alemão Immanuel Kant a vontade humana é verdadeiramente moral quando regida por *imperativos categóricos*, isto é, por princípios éticos incondicionados (não-hipotéticos), absolutos, voltados para a realização da ação tendo em vista o dever. Por exemplo, a ação moral não se vincula a condicionantes como a felicidade ou o interesse: não se faz o bem para ser feliz ou para merecer o paraíso, nem se deixa de fazer o mal para evitar castigo. Nas palavras do próprio Kant: "Aja de tal forma que a norma de sua ação possa valer como princípio universal de conduta"; "Aja sempre de tal modo que trate a Humanidade, tanto na sua pessoa como na do outro, como fim e não apenas como meio".

A partir desse modo de pensar kantiano, Kohlberg conclui que a educação moral não se baseia na inculcação de "virtudes", porque para avaliar o amadurecimento moral das pessoas não basta verificar a exterioridade da sua ação. Isso porque, embora agindo de maneira idêntica, as pessoas podem estar movidas por critérios diferentes caso visem a escapar de uma punição, atender a um interesse particular, garantir a ordem social, ou, ainda, para serem justas. Esclarecer esses pressupostos é importante na identificação do nível de consciência moral, por serem indicativos de diferentes estágios evolutivos de moralidade.

Assim, agir por temor à punição ou por desejo de elogio é indicativo do estágio de heteronomia, típico do comportamento infantil, enquanto guiar-se pela justiça é admitir um princípio ético superior na escala do aprimoramento moral.

Para avaliar as respostas dadas aos dilemas morais, Kohlberg estabeleceu três níveis de moralidade: o pré-convencional, o convencional e o pós-convencional. Em cada um deles há dois estágios (portanto, seis ao todo), por meio dos quais é avaliado o amadurecimento moral desde a infância até a idade adulta.

O nível *pré-convencional* caracteriza-se pela moral heterônoma: as regras morais derivam da autoridade, e a ação tem em vista evitar punição e merecer recompensa. Da perspectiva sócio-moral prevalece o pon-

[11] Sugerimos consultar Angela Biagio, *Lawrence Kohlberg*: ética e educação moral. São Paulo, Moderna, 2002.

to de vista egocêntrico (o indivíduo está centrado em si mesmo). À medida que se socializa, passa a reconhecer os interesses dos outros, mas ainda prevalece o individualismo.

No nível *convencional* é superada a fase anterior, ao ser valorizado o reconhecimento do outro em campos cada vez mais ampliados (grupo, família, nação). Portanto, passam a predominar expectativas interpessoais, e, em um estágio mais avançado, as relações individuais são consideradas do ponto de vista do sistema, das instituições, das leis que garantem a manutenção da ordem na sociedade.

O *pós-convencional* é o mais alto nível, por isso mesmo pouquíssimas pessoas são capazes de atingi-lo. Nessa fase percebem-se os conflitos entre as regras e os sistemas, entre o direito e os princípios morais. Por exemplo, como conciliar as leis do *apartheid* com o princípio moral da dignidade humana? Como aceitar leis injustas como a escravidão, diante do princípio moral da liberdade? Nesse nível prevalece o princípio de que as pessoas não podem ser meios, mas apenas fins e que, portanto, leis injustas precisam ser mudadas.

No entanto, a passagem de um estágio a outro não é automática, antes necessita da intervenção educativa. A partir de experimentos aplicados, Kohlberg verificou, por exemplo, que, nas prisões, muitos agem sem levar em conta as normas do sistema, o que significa um comportamento do nível pré-convencional. Mas também podemos identificar ações típicas desse nível infantil em pessoas que defendem a lei de talião ("olho por olho, dente por dente"; "bateu / levou"; "toma lá / dá cá"), que param o carro em fila dupla ou agem sempre de forma egocêntrica: para essas não houve o descentramento necessário à vida moral, ocasião em que descobrimos em cada pessoa um outro-eu.

A educação para os valores supõe dar oportunidades para que o indivíduo passe de um estágio a outro. É importante superar o comportamento infantil, egoísta, interesseiro, individualista (pré-convencional), para em seguida ser capaz de valorizar as relações interpessoais, agindo com os outros do modo que gostaríamos que eles agissem conosco (convencional), e por fim perceber, no nível pós-convencional, que pode existir conflito entre as leis e os princípios: se devemos obedecer (de modo autônomo, evidentemente) às leis e nos adequamos às instituições, às vezes é preciso reconhecer que os princípios valem mais quando visam a garantir a justiça, a vida, a dignidade e não podem estar subordinados a valores menores como propriedade, sucesso, poder etc.

13. Morin e o pensamento complexo

Não é fácil dar as grandes linhas do pensamento do francês Edgar Morin (1921), intelectual que não pode ser enquadrado em uma só linha teórica, tal a multiplicidade de interesses que orientam suas pesquisas e atuações. Ainda jovem, Morin matriculou-se na Sorbonne simultaneamente nos cursos de história, geografia e direito, tendo freqüentado também as disciplinas de ciências políticas, sociologia e filosofia. Na época da Segunda Grande Guerra, participou da Resistência na França ocupada pelos alemães, fez parte durante um tempo do Partido Comunista Francês e, de 1973 a 1989, participou dos trabalhos do Centro de Estudos Transdisciplinares (sociologia, antropologia e política) da École de Hautes Études de Sciences Sociales (Escola de Altos Estudos de Ciências Sociais).

Fazemos essa introdução para apresentar essa figura multifacetada, cuja *teoria do pensamento complexo* deixa entrever o caminho singular por ele percorrido. Além das inúmeras conferências (muitas delas no Brasil), entrevistas e artigos, escreveu vários livros, dentre os quais destacamos: *O enigma do ho-*

mem: para uma nova antropologia, *Ciência com consciência*, *A cabeça bem-feita*: repensar a reforma, reformar o pensamento, e sua obra principal, *O método*, em quatro volumes.

Morin encontra-se atento às características do final do século XX, nas quais se percebe o questionamento do pensamento racionalista, cientificista e, portanto, redutor, típico do paradigma que surgiu na Idade Moderna. Agora, a nova epistemologia descarta as certezas absolutas, para viver as contradições, a imprevisibilidade e os elementos de incerteza como parte de um outro modelo de concepção de mundo. Nesse sentido, Morin se refere a uma *crise planetária* que nos coloca diante de perigos que exigem nossa atuação, não no sentido de negar a incerteza, o caos, a desordem, mas para incorporá-los como elementos constituintes do conhecimento.

No que se refere à educação, Morin observa o risco que representa o conhecimento compartimentalizado, cuja expressão mais clara é a divisão do currículo em disciplinas estanques e incomunicáveis. Assim, explica: "As crianças aprendem a história, a geografia, a química e a física dentro de categorias isoladas, sem saber, ao mesmo tempo, que a história sempre se situa dentro de espaços geográficos e que cada paisagem geográfica é fruto de uma história terrestre; sem saber que a química e a microfísica têm o mesmo objeto, porém, em escalas diferentes. As crianças aprendem a conhecer os objetos isolando-os, quando seria preciso, também, recolocá-los em seu meio ambiente para melhor conhecê-los, sabendo que todo ser vivo só pode ser conhecido na sua relação com o meio que o cerca, onde vai buscar energia e organização"[12].

Diante dessa crítica, Morin preconiza não a recusa das disciplinas, mas um outro olhar do educador e do educando: é preciso "ecologizar" as disciplinas, "levar em conta tudo que lhes é contextual, inclusive as condições culturais e sociais, ou seja, ver em que meio elas nascem, levantam problemas, ficam esclerosadas e transformam-se. (...) É preciso que uma disciplina seja, ao mesmo tempo, aberta e fechada"[13].

Romper com a idéia do saber parcelado nos coloca diante da relação entre o *todo* e a *parte*, que pode ser compreendida na noção de *complexidade*. Em latim, *complexus* é o que abrange muitos elementos ou várias partes: o todo é uma unidade complexa, o que não quer dizer que o todo seja a simples soma das partes. Por outro lado, também as partes, se reconhecermos nelas a sua singularidade e especificidade, modificam-se na relação com o todo. Um exemplo simples é a música, cuja complexidade não se reduz a um amontoado de notas distintas, mas resulta da combinação feita entre os sons a partir do ritmo, da melodia e da harmonia.

O mesmo ocorre com o sujeito: cada indivíduo tem sua singularidade, como também as semelhanças com sua etnia, a sociedade e a cultura em que vive. Portanto, a concepção do "eu" é complexa, porque para se constituir ele precisa do "tu", assim como "nós" pertencemos ao mundo. Dizendo de outro modo, as qualidades das partes, inicialmente virtuais, apenas se atualizam por meio das inter-relações com outras pessoas e com o ambiente.

Assim explica a professora Izabel Petraglia: "O ser humano vive a construção de sua própria identidade, que pressupõe

---

[12] Edgard Morin, *Le doigt dans l'Emile*: notes éparses pour um Emile contemporain (O dedo no Emílio: notas esparsas para um Emílio contemporâneo), apud Izabel Cristina Petraglia, *Edgar Morin*: a educação e a complexidade do ser e do saber. Petrópolis, Vozes, 1995, p. 68 e 69.

[13] Edgard Morin, *A cabeça bem-feita*: repensar a reforma, reformar o pensamento. 7. ed. Rio de Janeiro, Bertrand Brasil, 2002, p. 115.

a *liberdade* e a *autonomia*, para tornar-se sujeito, a partir das *dependências* que alimenta, necessita ou tolera, como, por exemplo, da família, da escola, da linguagem, da cultura, da sociedade etc.". O grifo é nosso, para realçar a contradição — que devemos assumir — entre liberdade e dependência do sujeito.

Retomando a idéia de que vivemos uma "crise planetária", Morin explica que essa agonia não é só a soma de conflitos tradicionais, mas "é um todo que se nutre desses ingredientes conflituais, de crise e de problemas, englobando-os, ultrapassando-os e, por sua vez, alimentando-os". Se o desenvolvimento da ciência e da tecnologia nos propiciou conforto e bem-estar, por outro lado, as pessoas se tornaram egocêntricas, individualistas, perdendo a capacidade de solidariedade. É nesse sentido que a educação surge como importante processo para que façamos a reflexão sobre a complexidade dessa realidade que vivemos. Complexa, por admitir que "o todo tem suas qualidades próprias", que "o todo está também em cada parte", que "distinguir e associar" não é o mesmo que "disjuntar e reduzir" e que "enriquecer-se pelo sistema" não significa "ser reduzido ao sistema". Em todo momento, Morin lembra a importância da ética, para que não se percam as preocupações consigo mesmo, com o outro e com o meio.

É bem verdade que a atuação dos professores, no momento de crise em que vivemos, supõe o enfrentamento de um desafio de mudar a mentalidade da escola, quando eles próprios ainda sofrem o impacto das contradições do modelo antigo.

Na leitura complementar 3 deste capítulo veremos uma reflexão de Morin sobre o todo e as suas partes. No capítulo 12 voltaremos a essa temática da crise de paradigmas, para examinar outro conceito caro a Morin, qual seja o de *transdisciplinaridade*.

14. Perrenoud e a construção de competências

O sociólogo suíço Philippe Perrenoud (1944) interessou-se pela pedagogia na tentativa de entender por que a escola mantém a desigualdade e é responsável pelo fracasso, constatado pelos altos índices de evasão e de repetência.

Tal como Morin, Perrenoud retoma a expressão do filósofo Montaigne, que já no longínquo século XVI comentava em seus *Ensaios*: "mais vale uma cabeça bem-feita do que uma cabeça bem-cheia". O mesmo filósofo refletia também que ao avaliar as pessoas "cumpre indagar quem sabe melhor e não quem sabe mais". Portanto, Perrenoud se pergunta: "para que serve ir à escola, se não se adquire nela os meios para *agir no e sobre o mundo*?".

A partir desse impasse, Perrenoud afirma que "o desenvolvimento mais metódico de competências desde a escola pode parecer uma via para sair da crise do sistema educacional". Desenvolve então o conceito de *competência* como a capacidade de mobilizar diversos recursos cognitivos para enfrentar situações novas. As competências não são, portanto, saberes ou atitudes, mas elas "mobilizam, integram e orquestram tais recursos". Para evitar mal-entendidos, Perrenoud lembra, em *Construir as competências desde a escola*, que desenvolver competências não significa desistir de transmitir informações, mas trabalhá-las a fim de privilegiar um "*pequeno número de situações fortes e fecundas* que produzem aprendizados e giram em torno de importantes conhecimentos".

Assim, um bom médico identifica e mobiliza conhecimentos científicos em uma situação concreta: se, por um lado, os conhecimentos adquiridos — de física, biologia, anatomia, fisiologia, farmacologia etc. — são importantes, por outro, não são suficientes para que ele faça um diagnóstico diante de situações que são sempre singulares, daquele doente concreto e não de outro. O médico deve "fazer relacionamentos, interpretações, interpolações, inferências, invenções, em suma, complexas operações mentais cuja orquestração só pode construir-se *ao vivo*, em função tanto de seu saber e de sua perícia quanto de sua visão da situação".

Dizendo de outra maneira, para desenvolvermos as competências na escola, é preciso construí-las à medida que as exercitamos em situações complexas. No entanto, não se trata de propor aos alunos problemas artificiais e descontextualizados. Tampouco insistir no sistema de séries anuais, em que as avaliações são feitas muito rapidamente. Perrenoud propõe a criação de ciclos plurianuais de aprendizado: "trabalhar uma competência requer visar a uma continuidade do processo durante, no mínimo, três anos".

Outra advertência é que trabalhar com situações-problema supõe mudar o sistema de aula professoral e instigar as atividades em grupo e a realização de projetos. Isso significa superar de alguma maneira a tradição das disciplinas que fragmentam o currículo escolar, buscando modos de inter-relacioná-las, atenuando as divisões rígidas que costumam existir entre elas.

Do mesmo modo, desenvolver competências não é um objetivo apenas para os alunos, mas é de supor que também os professores desenvolvam "competências para ensinar", inventário que Perrenoud faz em seu livro *Dez novas competências para ensinar*, no qual pretende "orientar a formação contínua [para o ofício de professor] para torná-la coerente com as renovações em andamento no sistema educativo".

Resta dizer que as idéias de Perrenoud tiveram ampla divulgação no Brasil, tendo influenciado sobremaneira na elaboração dos Parâmetros Curriculares Nacionais. Apesar disso, alguns críticos vêem a adaptação das suas idéias nos Parâmetros como uma aproximação da noção de competência aos princípios do mercado, estabelecidos na atualidade em países que assumem políticas neoliberais. Ou seja, estimula-se uma "orientação que desconsidera o entendimento do currículo como política cultural e ainda reduz seus princípios à inserção social e ao atendimento às demandas do mercado de trabalho"[14].

Na leitura complementar 1 do capítulo 12, a professora Isabel Alarcão faz outras referências a Perrenoud.

15. Rorty e o neopragmatismo

No século XX, o neopragmatismo teve seu principal expoente em Richard Rorty (1931), norte-americano cuja teoria foi construída a partir de Dewey, Heidegger e Wittgenstein. Além disso, Rorty tem debatido com filósofos de diversas tendências nas quais predomina a problemática epistemológica, tais como Donald Davidson e Jürgen Habermas.

No seu livro *A filosofia e o espelho da natureza*, publicado em 1979, Rorty recusa-se a buscar a "verdade objetiva", criticando a epistemologia tradicional, segundo a qual a mente humana teria a capacidade de *espelhar* a natureza e atingir a sua representação precisa. Propõe uma nova concepção de filosofia, antiplatônica por excelência, porque não-essencialista tampouco sistemática do conhecimento. Para ele, ao contrário, o significado

[14] Alice Casimiro Lopes, "Os Parâmetros Curriculares Nacionais para o ensino médio e a submissão ao mundo produtivo: o caso do conceito de contextualização", in Revista *Educação e Sociedade*, nº 80, v. 23, Especial, 2002, p. 399.

está sempre em aberto, mantendo-se assim por meio da reflexão que não dispensa o diálogo permanente na "grande conversação" capaz de buscar as novas crenças e novas descrições de um mundo em mutação.

Quais as conseqüências desse posicionamento para a pedagogia? Segundo o professor Paulo Ghiraldelli Júnior, tradutor e divulgador das idéias de Rorty entre nós, podemos entender a sua filosofia "como uma filosofia da educação". E concorda com autores que situam essa teoria numa transição de paradigmas: "a passagem de um paradigma epistemológico — a filosofia como fundamentação do conhecimento — para um paradigma pedagógico — a filosofia como conversação contínua e plural visando à edificação das pessoas"[15].

Ao pensar a educação, Rorty enfatiza a socialização e a individualização, que, para ele, são ambas importantes, como duas forças igualmente valiosas, uma que visa à integração e outra à crítica. Sua posição se distingue de teóricos para os quais esses dois movimentos estão separados dependendo da faixa etária, cabendo ao educador da escola elementar proceder à socialização do aluno a partir das verdades que devem ser inculcadas nas novas gerações, enquanto ao educador universitário caberia estimular o processo de crítica do sistema, para garantir a individualização.

Rorty, porém, reconhece que esses dois pólos da educação — socialização e individualização, ou seja, integração e crítica — são indissociáveis e, portanto, devem animar o tempo todo a ação de qualquer professor, desde o ensino básico. Desse modo, um professor de história, por exemplo, pode mostrar às crianças que os fatos ocorrem em um processo não acabado, sempre resultando um espaço pessoal de interferência e possibilidade de esperança. Usando expressões de Rorty, assim diz Ghiraldelli: "O que a educação deve transmitir, como Rorty a entende, é 'mais a esperança que a verdade'. E ele acredita que na sociedade liberal é 'razoavelmente fácil reunir o ensino dos fatos históricos com o ensino da esperança social'". Assim, os professores podem conciliar socialização e individualização, ao acenarem para "o desejo de mudanças e de aperfeiçoamento moral e social". Aliás, essa idéia serve para toda a vida do indivíduo, já que, ao se considerar o ser humano fundamentalmente plástico, a educação é um processo contínuo, que nunca termina.

Como herdeiro do pragmatismo, Rorty não busca a pretensa "objetividade" da verdade, mas para ele o ser humano está sempre aberto à intersubjetividade, pela qual encontramos soluções para os problemas, para em seguida nos encontrarmos diante de novos problemas que aguardam novas soluções.

Conclusão

É difícil fazer uma síntese da educação e da pedagogia no mundo contemporâneo, período marcado por transformações tão intensas que nos envolvem em ambigüidades, contradições e perplexidades.

Se reexaminarmos as observações iniciais da *Introdução* e do *Contexto histórico* deste capítulo, poderemos constatar as vertiginosas mudanças econômicas, políticas, morais que sacodem nosso tempo. Vimos as revoluções que implantaram o socialismo e também a sua derrocada, sem que pudéssemos, ao mesmo tempo, aplaudir o liberalismo como mentor de um plano capaz de democratizar a sociedade, inclusive a educação. Mais ainda, o capitalismo for-

[15] *Richard Rorty*: a filosofia do Novo Mundo em busca de mundos novos. Petrópolis, Vozes, 1999, p. 67 e seguintes.

taleceu-se com o recrudescimento do ideário neoliberal e o processo de globalização. Desse modo, as promessas feitas no século XIX para a implantação de uma escola pública, única e universal, não se cumpriram de fato. Ao contrário, persiste o risco da educação ficar atrelada aos interesses do capital, preparando indivíduos pouco críticos para exercerem suas funções no mercado de trabalho.

Para completar, o modelo da escola tradicional passou por inúmeras críticas, desde a Escola Nova até as mais contemporâneas teorias. No entanto, além das tentativas de mudanças metodológicas, é a própria instituição escolar que se acha em crise. Mesmo porque, nesse início do século XXI, o nosso modo contemporâneo de pensar, sentir e agir está posto em questão, o que exige, sem dúvida, profundas modificações na pedagogia e nas formas de educar.

Para examinar ainda que brevemente essas questões, voltaremos ao assunto no capítulo 12.

Dropes

1 - Veja alguns grafites representativos da "revolta" estudantil de 1968: É proibido proibir; Não mude de emprego, mude o emprego da sua vida; A barricada fecha a rua, mas abre o caminho; Sejam realistas, peçam o impossível; O sonho é a realidade; Sou marxista, tendência Groucho (obs.: Groucho Marx foi um famoso humorista do cinema norte-americano); A felicidade é o poder estudantil; Nosso modernismo não passa de uma modernização da política; Limpeza = Repressão; Levemos a revolução a sério, mas não nos levemos a sério; Construir uma revolução é também romper todas as correntes interiores; A imaginação no poder.

2 - A escola contemporânea parece (...) dividida por esses quatro aspectos problemáticos que, no curso dos decênios, entrelaçaram-se e acentuaram-se de maneira variada, mas também marcharam juntos para dar à escola o perfil complexo que lhe é próprio nas sociedades industriais avançadas e democráticas e para manter abertos aqueles problemas de estrutura (...) que ainda hoje a atravessam: a oposição entre escola de massa e escola de elite, entre escola de todos e escola seletiva; a oposição entre escola de cultura (desinteressada) e escola profissionalizante (orientada para um objetivo); a oposição entre escola livre (caracterizada pela liberdade de ensino, como quer uma instância de verdadeira cultura na escola) e escola conformativa (a papéis sociais, a papéis produtivos). São, justamente, problemas abertos, que ainda caracterizarão por muito tempo a escola nos decênios vindouros (...), e que devem ser enfrentados sem exclusivismos e sem fechamentos, com a nítida consciência de que a escola contemporânea é, ainda, uma escola em transformação, que procura dar resposta a situações sociais, culturais e de mercado de trabalho profundamente novas, e em contínuo devenir. (Franco Cambi)

3 - Marco Polo descreve uma ponte, pedra por pedra.

— Mas qual é a pedra que sustenta a ponte? — pergunta Kublai Khan.

— A ponte não é sustentada por esta ou aquela pedra — responde Marco —, mas pela curva do arco que estas formam.

Kublai Khan permanece em silêncio, refletindo. Depois acrescenta:

— Por que falar das pedras? Só o arco me interessa.

Polo responde:

— Sem pedras o arco não existe. (Ítalo Calvino)

4 - Esta idéia da liberdade — não me incomodes que eu também não incomodo a ti —, seja isto dito a um colega, seja dito a um professor, diria eu que é o primeiro grau da liberdade, é o grau mais baixo da liberdade.

Para mim, conforme as palavras de Marx, "a verdadeira liberdade consiste, para cada um, em ver em cada homem não a limitação mas a realização da sua liberdade". A liberdade é a união de todos nós para criar um mundo mais livre. Mas é um sentimento de liberdade a que a criança não pode chegar por si própria, não o alcançará sem uma longa e constante intervenção do adulto. (Georges Snyders)

● Leituras complementares

❶ [Democracia e educação]

(...) a maioria dos seres humanos ainda não goza de liberdade econômica. Suas ocupações são escolhidas pelo acaso e pela premência das circunstâncias; não são a expressão normal de suas aptidões em atuação recíproca com as necessidades e recursos do ambiente. As nossas condições econômicas ainda reduzem muitos homens a uma condição servil. A conseqüência é não ser liberal a inteligência daqueles que são os senhores da situação, na vida prática. Em vez de pugnarem resolutamente pela submissão do mundo aos fins humanos eles dedicam-se a utilizar-se dos outros homens para fins tanto mais anti-humanos, quanto mais egoístas.

Semelhante estado de coisas explica muitos fatos de nossas tradições históricas educacionais; projeta luz sobre a contradição de objetivos entre as diferentes partes do sistema escolar, sobre a natureza estreitamente utilitarista da educação elementar e sobre o caráter estreitamente disciplinar ou cultural da educação superior. Contribui para a tendência a isolar as matérias intelectuais até os conhecimentos tornarem-se escolásticos, acadêmicos ou técnicos e para a convicção dominante de que a educação liberal é contrária às exigências de uma educação que atenda aos reclamos da vida prática.

Mas, por outro lado, esse estado de coisas contribui para definir o problema particular da educação hodierna. A escola não pode refugir diretamente aos ideais implantados pelas anteriores condições sociais. Mas a escola pode contribuir para a melhoria dessas condições, por meio do tipo de mentalidade intelectual e sentimental que formar.

E justamente neste ponto as verdadeiras concepções de interesse e disciplina são da máxima importância. As pessoas cujos interesses se ampliaram e cuja inteligência foi exercitada ao contato com coisas e fatos, em ocupações ativas com finalidade (seja no jogo, seja no trabalho), poderão com mais probabilidades escapar às alternativas de uma cultura puramente acadêmica e ociosa, de uma prática dura, áspera, acanhada de vistas e simplesmente "prática". Aquilo que mais precisa ser feito para melhorar as condições sociais é organizar a educação de modo que as tendências ativas naturais se empreguem plenamente na feitura de alguma coisa, alguma coisa que requeira observação, a aquisição de conhecimentos informativos e o uso de uma imaginação construtora. Oscilar entre exercícios seriados e intensivos para se conseguir a eficiência em atos exteriores sem o concurso da inteligência, e uma acumulação de conhecimentos que se supõe bastarem-se a si mesmos, significa que a educação aceita as presentes condições sociais como definitivas e por esse meio assume a responsabilidade de perpetuá-las. Uma reorganização da educação de modo que a instrução se efetue em conexão com a inteligente realização de atividades com um escopo será um trabalho lento. Ele só pode efetuar-se aos poucos, dando-se um passo de cada vez. Mas isto não é uma razão para aceitarmos nominalmente uma filosofia educacional e adotarmos outra na prática. Será antes um incentivo para empreendermos o trabalho de reorganização animosamente e nele prosseguirmos com perseverança.

John Dewey, *Democracia e educação*: introdução à filosofia da educação. 4. ed. São Paulo, Nacional, 1979, p. 149 e 150.

❷ As pedagogias não-diretivas

A pedagogia não-diretiva, e a pedagogia de Neill, especialmente, assenta na idéia de que o desejo da criança serve de fundamento a todo o edifício. É uma espécie de primeiro termo, eu diria quase uma voz da natureza; é o termo do qual tudo depende e que de nada mais depende. Vou ler um trecho de Neill: "deixada em liberdade, longe de qualquer sugestão adulta, a criança pode desenvolver-se tão completamente quanto as suas capacidades naturais lhe permitam; Summerhill é um lugar onde os que têm capacidades naturais e a vontade necessária para fazer-se sábios se farão sábios, ao passo que os que só têm capacidade para ser varredores irão varrer as ruas".

Mas, pessoalmente, eu penso que o desejo da criança não é a voz da natureza; o desejo da criança é o resultado do seu modo de vida; é a resultante de muitas influências que sobre ela se exercem; em grande parte, o desejo está em relação com a classe social da criança. Os filhos de operários indiferenciados não têm imediatamente os mesmos desejos que os filhos dos engenheiros ou dos médicos. O desejo de estudar álgebra não se reparte igualmente por toda população.

É por isso que eu tenho grandes reticências quanto à pedagogia não-diretiva; não é por ela ser demasiado revolucionária, mas sim porque, querendo ser revolucionária, não o consegue e mantém-se no conformismo; pois, se tomarmos como fio condutor o desejo da criança, as crianças que vivem num meio onde ninguém ou quase ninguém se interessa, digamos, pela leitura de livros, devido às condições de vida, à superexploração, às condições do trabalho etc., essas crianças hão de vir a ter pouca vontade de ler.

Eu creio que uma pedagogia realmente progressista é uma pedagogia capaz de desmistificar o próprio desejo da criança, capaz de explicar-lhe por que é que ela tem esse desejo, de onde lhe vem essa limitação dos seus desejos, capaz de a auxiliar a ultrapassar os seus desejos primeiros e dirigir-se para desejos culturais que, de outro modo, ficariam a ser monopólio da classe dirigente.

Georges Snyders, "Pedagogias não-diretivas", in Georges Snyders *et al.*, *Correntes atuais da pedagogia*. Lisboa, Livros Horizonte, 1984, p. 19 e 20.

❸ O todo tem suas qualidades próprias

(...) para mim, o pensamento sistêmico é um pensamento-chave; o pensamento que se funda sobre o conhecimento complexo daquilo que quer dizer a palavra sistema. Um sistema não é simplesmente um todo constituído de partes; um sistema é qualquer coisa — como sabem muito bem os sistêmicos — que tem qualidades, propriedades que não existem no nível das partes isoladas. Ou seja, *o todo é mais que a soma das partes*. Mas, há também — e eu me permito insistir nisso — qualidades e propriedades das partes que são freqüentemente inibidas pelo todo: *portanto, o todo é também menos que a soma das partes*. Dessa forma, o que há de notável num sistema é que ele tem suas qualidades próprias, que chamamos *emergentes*; essas qualidades só emergem quando o sistema se constitui. Quando a vida surge, por exemplo, as partes são macromoléculas agrupadas umas às outras, mas as propriedades do todo é a reprodução, a possibilidade de se mover, se alimentar etc.

Essas qualidades do todo que emergem retroagem também sobre as partes. Por exemplo, nós, seres sociais, fazemos parte de uma sociedade, mas a sociedade só pode se constituir pelas interações entre os indivíduos que somos. Dessas interações nasceram qualidades emergentes, a cultura, a educação, e são elas que fazem de nós verdadeiros indivíduos. Ou seja, se não houvesse esta rotação dos indivíduos para a sociedade e da sociedade para os indivíduos, nós seríamos apenas primatas de última linha, nós não poderíamos desenvolver nossas qualidades individuais. As qualidades emergentes, portanto, não são observadas somente no nível do todo, elas intervêm também no nível dos indivíduos e das partes.

Edgar Morin, "Pour une réforme de la pensée", entrevista de *Cahiers Pedagogiques* nº 268, in Izabel Cristina Petraglia, *Edgar Morin*: a educação e a complexidade do ser e do saber. Petrópolis, Vozes, 1995, p. 81 e 82.

Atividades

Questões gerais

1. Explique por que o século XX apresenta características únicas que determinaram mudanças radicais no processo de educação.

2. A respeito da Escola Nova, responda:

a) Quais são as críticas feitas pela Escola Nova à escola tradicional?

b) Compare as diversas tendências da Escola Nova e selecione o que há de comum entre elas.

c) Analise a característica que você considera mais importante no movimento escolanovista e justifique sua escolha.

3. Que relações Dewey estabelece entre educação e sociedade? Qual é a importância de sua contribuição? Quais são seus limites?

4. Explique de que maneira os países socialistas encararam a educação e comente se nos países capitalistas o empenho tem sido semelhante ou não. Justifique sua resposta.

5. "Gratuita! Queres dizer, paga pelo Estado. Mas quem pagará ao Estado? O povo. Já vês por aí que a educação não é gratuita. Mas isso não é tudo. Quem se aproveitará mais da educação gratuita, o rico ou o pobre? Evidentemente será o rico: o pobre está condenado ao trabalho desde o berço." Nessa citação, o anarquista francês Pierre-Joseph Proudhon critica a educação gratuita oferecida pelo Estado. Responda:

a) Por que Proudhon acha que a escola gratuita não é de fato gratuita?

b) Explique o que os anarquistas pensam sobre o Estado e outras instituições.

c) Diante dessa crítica, como deveria ser a escola segundo a concepção anarquista?

6. "Tinha razão aquele que, quando perguntado em que idade deve iniciar a educação da criança, respondeu: quando nasce seu avô." A partir dessa frase de Ferrer i Guàrdia, responda:

a) Que relação o pedagogo catalão estabelece entre a criança e sua família, ou comunidade?

b) Em que sentido essa posição difere de outras propostas de pedagogia não-diretiva, por exemplo, a de Neill?

7. "Não é o trabalho em si mesmo, o trabalho abstrato, como se fosse dotado de uma virtude educativa natural e independente de seu valor social, que deve servir de base para o ensino do trabalho manual. (...) Não, a base da educação comunista é antes de tudo o trabalho imaginado na perspectiva de nossa vida moderna, o trabalho concebido do ponto de vista social, na base do qual se forja inevitavelmente uma compreensão determinada da realidade atual, o trabalho que introduz a criança desde o início na atividade socialmente útil." A partir da citação de Pistrak, responda:

a) Explique que crítica o autor faz às teorias pedagógicas burguesas que recomendam a introdução do trabalho na escola.

b) Em que sentido a proposta de Pistrak visa à superação da dicotomia entre trabalho intelectual e trabalho manual?

8. "Os estudos secundários são, por sua própria natureza, aristocráticos, no sentido ótimo da palavra; estudos para poucos, para os melhores, porque preparam para uma formação desinteressada, à qual não podem corresponder senão aqueles poucos que estão destinados de fato, pela sua capacidade ou pela sua situação familiar, ao culto dos mais altos ideais humanos." A partir da citação de Giovani Gentile, responda:

a) Quais são as características da educação que Gentile defende?

b) Explique por que essa concepção está de acordo com o ideal fascista.

9. "Suspeito que a barbárie existe em toda parte em que há uma regressão à violência física primitiva, sem que haja uma vinculação transparente com objetivos racionais na sociedade, onde exista portanto a identificação com a erupção da violência física. Por outro lado, em circunstâncias em que a violência conduz inclusive a situações bem constrangedoras em contextos transparentes para a geração de condições humanas mais dignas, a violência não pode sem mais nem menos ser condenada como barbárie." A partir da citação de Theodor Adorno, responda:

a) Segundo o autor, nem toda violência é barbárie. O que as distingue?

b) Em outro texto, Adorno diz: "A exigência que Auschwitz [campo de extermínio de judeus] não se repita é a primeira de todas para a educação". Estabeleça a relação entre esta afirmação e a citação anterior. Relacione também com a questão do totalitarismo.

c) Considerando que Adorno é um frankfurtiano, justifique a citação de acordo com a temática da Escola de Frankfurt.

10. A revolta estudantil de 1968 teve causas muito mais amplas do que apenas a crítica à educação. Explique que outros elementos ajudaram a deflagrar aquele movimento.

11. Comente a frase de Neill: "O futuro do próprio Summerhill pode ser pouco importante, mas o futuro da idéia de Summerhill é da maior importância para a humanidade".

12. Analise se hoje seria muito mais fácil aplicar a proposta de desescolarização de Ivan Illich, tendo em vista a ampliação do uso das infovias acessadas pelo computador pessoal. Discuta também quais seriam os aspectos positivos bem como os riscos desse processo.

13. A partir da citação de Georges Snyders, no dropes 4, responda:

a) Por que para Snyders essa definição de liberdade, aliás, a mais corriqueira, seria o grau mais baixo da liberdade?

b) Aplique esse argumento de Snyders para criticar as pedagogias não-diretivas.

c) Identifique alguns pedagogos que concordariam com Snyders a respeito da importância dos outros para a aprendizagem e nossa realização pessoal. Justique sua resposta.

d) Coloque-se pessoalmente a respeito dessa questão.

14. Caracterize a tendência tecnicista em educação e critique sua proposta de neutralidade.

15. Que influência a *gestalt* pode exercer sobre o método de aprendizagem de leitura?

16. Comente a frase de Baudelot e Establet: "Tudo o que acontece na escola só pode ser explicado através do que ocorre fora dos muros escolares". Em seguida, discorra se concorda ou não com eles, justicando sua posição.

17. De que maneira podemos afirmar que as teorias construtivistas superam as concepções empiristas e inatistas da aprendizagem?

18. "Um estado de equilíbrio não é um estado de repouso final, mas constitui um novo ponto de partida." A partir da afirmação de Piaget, responda:

a) Em que medida essa afirmação sustenta a concepção de evolução em estágios? Quais são os estágios que Piaget descreve?

b) Identifique outros pedagogos que também concordam com a noção de equilíbrio instável.

19. Explique por que, segundo a teoria do desenvolvimento de Vygotsky, não é bom separar em classe à parte as crianças consideradas "mais fracas".

20. Explique a extensão do significado da frase de Emilia Ferreiro, em face das dificuldades da criança quando começa a aprender a ler: "É necessário entender que a aprendizagem da linguagem escrita é muito mais que a aprendizagem de um código de transcrição: é a construção de um sistema de representação".

21. Explique por que, para Lawrence Kohlberg, a exterioridade de um comportamento não é suficiente para indicar o nível de moralidade alcançado.

22. Ainda com base em Kohlberg, reúna-se com seu grupo para dar exemplos de comportamentos morais que podem ser identificados em cada um dos três níveis de moralidade (pré-convencional, convencional e pós-convencional).

23. A partir do texto de Ítalo Calvino (dropes 3), explique que analogia podemos fazer com a teoria do pensamento complexo de Edgar Morin.

24. "Afinal, vai-se à escola para adquirir conhecimentos, ou para desenvolver competências?" Explique por que Philippe Perrenoud assim responde aos críticos de suas teorias: "Essa pergunta oculta um mal-entendido e designa um verdadeiro dilema".

25. Leia as três citações a seguir, comentando o que elas têm em comum e que relação podemos fazer entre elas e as advertências das teorias pedagógicas contemporâneas.
"Não basta adquirir sabedoria, é preciso tirar proveito dela." (Cícero)
" O erudito é um eunuco do saber." (Nietzsche)
"O especialista é aquele que sabe tanto de uma parte, até saber tudo de nada." (frase irônica de Pittigrilli)

Questões sobre as leituras complementares

Responda às questões a seguir, com base na leitura complementar 1.

1. Qual é a proposta de Dewey para melhorar a condição social da grande massa de seres humanos que não goza de liberdade econômica?

2. Identifique no texto reivindicações educacionais que ainda são atuais.

3. Explique por que alguns pedagogos socialistas criticam a Escola Nova como excessivamente otimista e ilusória.

Responda às questões abaixo, considerando a leitura complementar 2.

4. Qual é a concepção de Neill sobre a liberdade e que crítica Snyders lhe dirige?

5. Snyders recusa a existência de desejos "naturais", considerando ainda que se trata de uma idéia conservadora. Justifique.

6. O que pensa Snyders sobre os conteúdos do ensino, tendo em vista sua posição de representante da escola progressista? Assinale também qual é para ele o papel reservado ao professor.

Responda às questões a seguir, com base na leitura complementar 3.

7. Várias vezes Morin repete a frase do filósofo Pascal (século XVII): "Considero impossível conhecer as partes sem conhecer o todo, assim como conhecer o todo sem conhecer particularmente as partes". Explique por que, mesmo considerando essa afirmação paradoxal, Morin concorda com ela.

8. Amplie as explicações do texto a respeito das relações entre indivíduo e sociedade, aplicando-as às relações aluno – escola.

9. Em decorrência da relação entre o todo e as partes, explique qual é a crítica que Morin faz ao ensino fragmentado pelas diferentes disciplinas.

© JORGE ARAÚJO/FOLHA IMAGEM

Capítulo 11

Brasil: a educação contemporânea

Neste capítulo, abordaremos os desafios da educação no Brasil contemporâneo, bem como a sua extensa elaboração teórica, às vezes sob a influência direta das pedagogias européias e norte-americanas, mas não raro com reflexões originais a partir de nosso contexto histórico e do enfrentamento de dificuldades de um país periférico. Relembramos que a separação didática feita nos três diferentes tópicos, *Contexto histórico*, *Educação* e *Pedagogia*, não deve constituir empecilho para que o leitor estabeleça por si mesmo a relação intrínseca que existe entre eles.

O século XX, como vimos no capítulo anterior, foi marcado por transformações cruciais em todos os pontos de vista — social, político, econômico, cultural —, além de nos ter introduzido na sociedade da informação, com os conseqüentes desafios para o educador. Talvez o principal deles seja ainda estender a educação unitária e leiga a toda a população.

‹ Antes mesmo de resolvermos o problema da educação universal, já nos defrontamos com o desafio da inclusão digital, em um mundo transformado pelo advento da informatização.

Contexto histórico

Breve cronologia do período

- Proclamação da República (1889)
- Primeira República (1889-1930)
- Revolução de 1930
- Era Vargas (1930-1945)
  - Revolução Constitucionalista (1932)
  - Estado Novo (1937-1945)
- República Populista (1945-1964)
- Ditadura militar (1964-1985)
- Redemocratização — Nova República — 1985

1. Primeira República e Era Vargas

Com a queda da monarquia em 1889, começou a Primeira República, que durou até 1930. Pela Constituição de 1891 foi instaurado o governo representativo, federal e presidencial. O federalismo deu autonomia aos estados, criando distorções com o crescimento desigual que favoreceu São Paulo, Rio de Janeiro e Minas Gerais.

O período da Primeira República costuma ser também designado como República Velha, República Oligárquica, República dos Coronéis, República do Café. *Oligarquia* significa um governo de poucos, indicando que a escolha dos governantes não é propriamente democrática, mas controlada por uma elite. Dependendo da situação e do lugar, prevalecia ou a influência dos "coronéis"[1], ou os interesses dos fazendeiros de café e de criadores de gado (daí a chamada política café-com-leite, que se refere à alternância no poder dos líderes paulistas e mineiros).

Após a Primeira Guerra Mundial (1914-1918), começou a lenta mudança do modelo econômico agrário-exportador. Um surto industrial deu início à nacionalização da economia, com a redução de importações, e fez surgir uma burguesia industrial urbana.

O operariado, recrutado sobretudo entre imigrantes italianos e espanhóis, organizou os sindicatos sob influência anarquista. De 1917 a 1920, uma onda de greves pressionou o governo, a fim de obter algumas esparsas leis que protegessem minimamente seus interesses.

A década de 1920, foi fértil em movimentos de contestação. Sob a influência das greves e da Revolução Russa de 1917 foi fundado o Partido Comunista do Brasil em 1922, que teve breves períodos de atuação legal. Daquele mesmo ano até 1927, as revoltas tenentistas representaram o descontentamento dos segmentos médios urbanos com a oligarquia dominante. Desses revoltosos saiu a Coluna Prestes, marcha guerrilheira que percorreu o território brasileiro de 1924 a 1927, sob o comando de Luís Carlos Prestes, que posteriormente se tornou líder comunista brasileiro.

No campo cultural, a Semana de Arte Moderna de 22 reuniu representantes da pintura, escultura, música, arquitetura e literatura. Os modernistas não só ansiavam por uma nova estética nacional, desligada das influências européias, como faziam críticas à velha ordem social e política.

Alguns desses movimentos eram bem-vistos pela burguesia urbana, desejosa de

[1] Os coronéis da antiga Guarda Nacional, na sua maioria, eram proprietários rurais com base local de poder. Foram poderosos especialmente no interior do Nordeste. Com o tempo, o termo *coronel* estendeu-se a qualquer importante proprietário rural.

mudança política e econômica e, portanto, em conflito com o conservadorismo da oligarquia agrária.

A quebra da Bolsa de Nova York em 1929 afetou o mundo inteiro. No Brasil, desencadeou a crise do café, cujas conseqüências foram de certo modo benéficas, por provocar uma reação dinâmica, ao estimular o crescimento do mercado interno e a queda das exportações, o que resultou em maior oportunidade para a indústria brasileira.

A oposição às forças conservadoras da aristocracia rural recrudesceu com a Revolução de 1930, que aglutinou grupos de diferentes segmentos sociais e econômicos e de diversas tendências ideológicas: intelectuais, militares, políticos, burguesia industrial e comercial, além de segmentos da classe média.

Desta situação aproveitou-se Getúlio Vargas para se tornar chefe do governo provisório. A fecundidade de debates no início da década arrefeceu com o golpe do Estado Novo, que durou de 1937 a 1945. Esse governo, centralizado e ditatorial, sofreu influência das doutrinas totalitárias vigentes na Europa (nazismo e fascismo). O forte controle estatal imprimiu o crescimento à indústria nacional, com incremento da política de substituição de importações pela produção interna e implantação de uma indústria de base, como a siderurgia.

Conhecido como "protetor dos trabalhadores", "pai dos pobres", coerente com a tendência autoritária do seu governo, na verdade Getúlio controlava a estrutura sindical, subordinando-a ao Estado. Enquanto manipulava a opinião pública pela propaganda do governo e pela censura, sufocava a oposição com prisões, tortura, exílio.

2. República Populista

Depois da Segunda Guerra Mundial (1939-1945) teve início a chamada República Populista, que se estendeu desde a deposição de Getúlio em 1945 até o golpe militar de 1964.

O populismo, fenômeno típico da América Latina, surgiu a partir do período entreguerras, com a emergência das classes populares urbanas, resultantes da industrialização, quando o modelo agrário-exportador foi substituído aos poucos pelo nacional-desenvolvimentismo. No caso do Brasil, vimos que essa tendência se fez presente desde 1930 e durante o Estado Novo, com a atuação de Getúlio.

Diante dos operários insatisfeitos com suas condições de vida e trabalho, o governo populista revelava-se ambíguo: se por um lado reconhecia os anseios populares e reagia sensivelmente às pressões, por outro desenvolveu uma "política de massa", procurando manipular e dirigir essas aspirações.

O governo interferia na economia, praticamente criando vários grupos industriais. Por exemplo, no seu segundo governo, de 1951 a 1954, Vargas estabeleceu o monopólio estatal do petróleo com a criação da Petrobras, de acordo com o espírito nacionalista da época.

No período do pós-guerra, cristalizou-se a supremacia econômica dos Estados Unidos, cujos interesses imperialistas se chocavam com o nosso modelo nacionalista. Não tardou, porém, a invasão econômica e cultural norte-americana, e no governo de Juscelino Kubitschek (1956-1961) as indústrias multinacionais (entre elas, a automobilística) entraram definitivamente no Brasil.

O crescimento decorrente da entrada do capital estrangeiro teve várias faces. Se por um lado ampliou e diversificou o parque industrial, por outro o imperialismo norte-americano atuou nos rumos econômicos e também políticos do país. Cresceram as disparidades regionais, os centros urbanos começaram a inchar, aumentou a inflação, e as distorções da concentração de renda agravaram a pobreza.

Depois de Juscelino, a tendência populista expressou-se na liderança de Jânio Quadros (1961), que renunciou no início do mandato. Durante o governo de João Goulart (Jango, 1964), herdeiro político de Vargas, o populismo já se encontrava desgastado. As forças conservadoras e anticomunistas, temerosas da instauração de uma "nova Cuba", depuseram o presidente e estabeleceram a ditadura militar.

3. Ditadura militar

Com o golpe militar de 1964, desapareceu o estado de direito. Emudecidas as assembléias após expurgos e a dissolução dos partidos políticos, foram criados outros dois, a Aliança Renovadora Nacional (Arena) e o Movimento Democrático Brasileiro (MDB), evidentemente manipulados pelo poder centralizado. O Executivo forte governava apoiado em atos institucionais (AI), mecanismo adotado pelos militares para transformar em lei imposta as decisões que não estavam previstas na Constituição ou mesmo eram contrárias a ela.

Com o enrijecimento do regime, as manifestações políticas foram vigorosamente contidas. A doutrina de segurança nacional justificou todo tipo de repressão, desde cassação de direitos políticos, censura da mídia, até prisão, tortura, exílio e assassinato. Dessa maneira, perderam força os grupos que antes buscavam se fazer ouvir: operários, camponeses, estudantes.

Na economia, acentuou-se o processo de desnacionalização e conseqüente vinculação ao capitalismo internacional. Se por um lado as multinacionais foram beneficiadas, por outro as pequenas e médias empresas tiveram prejuízos, mais ainda pela recessão, endividamento externo e inflação. Esse modelo econômico, conhecido como "industrialização excludente", garantia o desenvolvimento, mas com distorções, devido ao arrocho salarial e à perversa concentração de renda. A situação adversa não tardou a provocar tensões sociais, sempre sufocadas pela repressão.

A partir de 1978, os movimentos populares surgidos de diversos segmentos da sociedade civil cada vez mais exigiam a abertura política e o retorno ao estado de legalidade. As campanhas das chamadas *diretas-já*, pelas eleições diretas, encheram as praças no país. Em abril de 1984, reuniram mais de 1 milhão de pessoas no Vale do Anhangabaú, em São Paulo.

4. Redemocratização

Em 1985, terminou o governo militar e teve início a então chamada *Nova República*, ainda que pela eleição indireta de Tancredo Neves. Com a sua morte trágica — acontecimento que provocou comoção popular —, o vice José Sarney tornou-se o primeiro presidente civil desde 1964.

Era pesada, no entanto, a herança da ditadura. A crise política e econômica desafiava soluções, devido à inflação, à enorme dívida externa — sob o controle do Fundo Monetário Internacional (FMI) —, ao arrocho salarial e à crescente pauperização da classe média. Vários planos de estabilização econômica tentaram — sem sucesso — mudar a moeda e congelar preços. Cresceu a pobreza, e aumentou a violência no campo e nas cidades.

Após inúmeras dificuldades na fase de elaboração, em 1988 foi promulgada nova Constituição. O choque entre as forças conservadoras foi sentido em diversos momentos, sobretudo quanto a questões sociais e à reforma agrária. Os tímidos avanços alcançados achavam-se muito aquém das esperanças nela depositadas pelos setores mais progressistas.

Fernando Collor, o primeiro presidente civil eleito pelo voto popular, governou apenas por dois anos (1990-1992). Entre ineficazes medidas econômicas de impacto, foi denunciado em escândalos de corrupção. A intensa mobilização popular culminou com o seu *impeachment*.

O ideário neoliberal, que vinha se impondo desde a década de 1970, adquiriu mais força após a derrocada do Leste Europeu (após 1989). No Brasil essa tendência econômica tornou-se perniciosa, por não usufruirmos sequer das vantagens sociais já alcançadas em países capitalistas mais desenvolvidos. Em 1995, atingimos o lamentável recorde de mais alta concentração de renda do mundo. Dez anos após (2005) temos a segunda pior distribuição de renda — o primeiro lugar é de Serra Leoa, na África. Para se ter uma idéia, segundo a Folha Online, de 1º-6-2005, 1% dos brasileiros mais ricos (1,7 milhão de pessoas) detém uma renda equivalente à renda dos 50% mais pobres (86,5 milhões de pessoas).

A tendência neoliberal teve continuidade nos governos seguintes: nos dois anos em que o vice-presidente Itamar Franco substituiu Collor e nos oito anos do governo Fernando Henrique Cardoso (1994-2002), que, no primeiro mandato, conseguira do Congresso a aprovação do dispositivo de reeleição. Esse período foi marcado por medidas econômicas para a internacionalização da economia, tais como a venda de empresas estatais e a criação de incentivos para atrair investimentos de capital estrangeiro. Apesar disso, aumentaram o desemprego e o endividamento externo do país.

Em 2003, assumiu a presidência Luiz Inácio Lula da Silva, um dos fundadores do Partido dos Trabalhadores (PT). Em três eleições anteriores, Lula havia tentado eleger-se, mas sofreu forte oposição devido à sua origem operária e ao fato de grande parte dos militantes do seu partido ter pertencido a movimentos de esquerda, inclusive à guerrilha, durante o período da ditadura. No entanto, ao contrário das expectativas de muitos, no plano econômico foi de certo modo mantido o programa do governo anterior, e continuaram altas as taxas de juros e elevados os índices de desemprego. Na agricultura, o agronegócio continuou estimulando o tão criticado modelo agro-exportador. A lentidão no processo de reforma agrária tem acirrado os conflitos entre grupos, tais como o Movimento dos Trabalhadores Rurais Sem-Terra (MST) e os grandes proprietários rurais. Também as promessas de maior empenho na resolução das questões sociais enfrentam dificuldades de implementação.

Uma das explicações para a lentidão desse processo talvez decorra da aliança com partidos conservadores, para garantir a governabilidade, o que ocorreu nas eleições de Fernando Henrique Cardoso e repetiu-se na de Lula.

Educação

O critério de separar os capítulos por séculos em alguns momentos exige reparos, a fim de que se perceba a artificialidade dessas divisões. De fato, ao estudarmos o século XX, devemos levar em conta que o Brasil republicano começou no final do século XIX, em 1889. Mais ainda, desde a década de 1870 novas idéias já permeavam os conflitos de interesses e as diversas ideologias. O escravismo, defendido pelas oligarquias rurais, estava sendo abalado por várias leis de restrição ao sistema e coexistia com o movimento abolicionista e também com o trabalho livre assalariado de imigrantes. As idéias monarquistas conflitavam com as concepções liberais, e até mesmo estas se distinguiam entre as tendências radicais e democráticas e as de mentalidade mais conservadora.

Veremos como essas correntes se impuseram umas sobre as outras, orientando ou impedindo as transformações na educação.

1. Novos tempos republicanos: a organização escolar

Na segunda parte do capítulo 9 já vimos como desde o final do Império aumentara o interesse pela educação, com significativa ampliação do debate, por meio de conferências pedagógicas, criação de bibliotecas, museus, além da difusão de livros e artigos de jornal sobre pedagogia.

Uma das características da atuação do Estado tivera início no final do século XIX, tomando força nas primeiras décadas do século seguinte, ao se esboçar um modelo de escolarização baseado na escola seriada, com normas, procedimentos, métodos, instalações adequadas, como se constata com a construção de prédios monumentais para os estabelecimentos, sobretudo os *grupos escolares*. Evidentemente isso significava desvio substancial na aplicação das minguadas verbas para o ensino, mas essas edificações visavam a atestar o interesse do governo pelo ensino público.

Ao mesmo tempo, os novos espaços organizados representavam o esforço de implantar a ordem e a disciplina. Assim relatam Faria Filho e Gonçalves Vidal: "Se novos espaços escolares foram necessários para acolher o ensino seriado, permitir o respeito aos ditames higiênicos do fim do século XIX, facilitar a inspeção escolar, favorecer a introdução do método intuitivo e disseminar a ideologia republicana, novos tempos escolares também se impunham. Num meio onde a escola até então era instituição que se adaptava à vida das pessoas — daí as escolas isoladas insistirem em ter seus espaços e horários próprios organizados de acordo com a conveniência da professora, dos(as) alunos(as) e levando em conta os costumes locais —, era preciso mais que produzir e legitimar um novo espaço para a educação. Era preciso também que novas referências de tempos e novos ritmos fossem construídos e legitimados"[2].

Além disso, cresceu o interesse pela formação de professores. Devido à descentralização do ensino fundamental, a criação das escolas normais dependia da iniciativa pioneira de alguns estados, como o de São Paulo — a Escola Normal foi criada por Caetano de Campos em 1890. Aliás, devido à participação de paulistas no governo federal, essa escola — e também a do Rio de Janeiro, então Distrito Federal — serviu de modelo para a instalação dos cursos nos demais estados.

O projeto político republicano visava a implantar a educação escolarizada, oferecendo o ensino para todos. É bem verdade que se tratava ainda de uma escola dualista, em que para a elite era reservada a continuidade dos estudos, sobretudo científicos — já que os republicanos recusavam a educação tradicional humanista —, enquanto o ensino para o povo ficava restrito ao elementar e profissional.

A Constituição republicana de 1891, ao reafirmar a descentralização do ensino, atribuiu à União a incumbência da educação superior e secundária, reservando aos estados o ensino fundamental e profissional. Desse modo reforçou o viés elitista, já que a educação elementar recebia menor atenção. O ensino secundário, privilégio das elites, permanecia acadêmico e propedêutico — voltado para a preparação ao curso superior — e humanístico, apesar dos esforços dos positivistas para reverter

[2] Luciano Mendes de Faria Filho e Diana Gonçalves Vidal, "Os tempos e os espaços escolares no processo de institucionalização da escola primária no Brasil", in *Revista Brasileira de Educação*, Campinas, Autores Associados/ Anped (Associação de Pós-Graduação e Pesquisa em Educação), nº 14, maio a agosto de 2000, p. 25.

este quadro. Persistia, portanto, o sistema dualista e tradicional de ensino.

As reformas não se implantaram, de fato, devido à ausência de infra-estrutura adequada, apesar do esforço iniciado de construção de prédios e formação de professores. Além disso, a Igreja Católica reagia de forma negativa às novidades positivistas atribuídas ao governo republicano, que na Constituição estabelecera a separação da Igreja e do Estado e a laicização do ensino nos estabelecimentos públicos.

Como vimos na educação durante o Império, o jornalista Rangel Pestana vinha, desde a década de 1870, atuando na criação de cursos voltados para a educação popular e de escolas femininas, além dos cursos profissionalizantes. Suas iniciativas influenciaram outras que acabaram por repercutir nas primeiras reformas realizadas no período republicano. Assim comenta Hilsdorf: "(...) a rigor, ao longo dos anos 1890-1900, os republicanos cafeicultores redesenham, recriam e reproduzem *todo* o sistema de ensino público paulista, realizando a escola ideal para todas as camadas sociais, pois criam ou reformam as *instituições*, da escola infantil ao ensino superior (jardins-da-infância, grupos escolares, escolas reunidas, escolas isoladas, escolas complementares, escolas normais, ginásios, escolas superiores de medicina, engenharia e agricultura e escolas profissionais), e definem a *pedagogia* que nelas será praticada (a pedagogia moderna em confronto com a pedagogia tradicional)"[3].

Não se deve pensar, porém, que estaria se efetivando a democratização do ensino, pois as escolas tinham as poucas vagas disputadas pela classe média – e não pelos mais pobres –, enquanto a elite continuava com a educação com preceptores, em casa. Além disso, a rede escolar do país variava conforme o estado, entre os quais São Paulo era o mais favorecido.

Após a Primeira Grande Guerra, com a industrialização e a urbanização formou-se a nova burguesia urbana, e estratos emergentes de uma pequena burguesia exigiam o acesso à educação. Retomando, porém, os valores da oligarquia, esses segmentos aspiravam à educação acadêmica e elitista e desprezavam a formação técnica, considerada inferior. O operariado precisava de um mínimo de escolarização, e começaram as pressões para a expansão da oferta de ensino. A situação era grave, já que na década de 1920 o índice de analfabetismo atingira a alta cifra de 80%.

O conflito das forças emergentes produziu muitos movimentos políticos e culturais, como vimos. Na educação, a efervescência da discussão pedagógica era ímpar.

No correr do capítulo veremos que tipo de educação resultou dos diversos embates entre grupos, até chegarmos ao golpe militar, em 1964.

2. O projeto positivista

Já nos referimos à concepção positivista ao examinarmos a pedagogia do século XIX e agora veremos como essas idéias tiveram influência entre nós. Os oficiais das gerações mais novas de formados pela Escola Militar, fundada em 1874, foram os principais simpatizantes das idéias positivistas no Brasil. O currículo dessa academia, voltado para as ciências exatas e engenharia, distanciava-se da tradição humanista e acadêmica, além disso, esses oficiais sentiam-se atraídos pela disciplina e moral severas, típicas do comtismo. Não por acaso,

[3] Maria Lucia Spedo Hilsdorf, *História da educação brasileira*: leituras. São Paulo, Pioneira Tomson Learning, 2005, p. 66.

os dizeres de nossa bandeira republicana, "Ordem e Progresso", resultam da inspiração positivista.

Benjamin Constant, um dos ilustres professores da Escola Militar, embora inicialmente desinteressado de assuntos políticos, acabou por se envolver no movimento que culminou com a proclamação da República. Escolhido ministro da Instrução, Correios e Telégrafos, empreendeu a reforma educacional de 1890. Este ministério, que estranhamente abrangia assuntos tão díspares, durou apenas dois anos, ao fim dos quais a educação passou para a pasta do Interior e da Justiça. Apenas em 1930 seria criado o Ministério da Educação e Saúde.

Além de Benjamin Constant, outros adeptos do positivismo foram Miguel Lemos e Teixeira Mendes, cujo pensamento repercutiu na pedagogia. Mas, enquanto na Europa o positivismo de Augusto Comte, coerente com a exaltação à tecnologia, privilegiava a ciência como forma superior de conhecimento, no Brasil a tentativa de superar o ensino de caráter humanístico e literário não alcançou seus objetivos. Aliás, nem mesmo Tobias Barreto (1839-1889) teve sucesso na tentativa de renovação, ao divulgar autores alemães no campo jurídico e pedagógico. Neste último caso, tinha justamente a esperança de aplicar aqui as idéias da bem-sucedida escola realista alemã.

No entanto, não há como negar a influência paulatina do positivismo em diversos segmentos sociais que de certo modo se opunham à monarquia e desejavam uma nova ordem social, assentada no ideal do progresso. Embora as idéias positivistas não chegassem a penetrar no ideário da população, elas foram disseminadas pelos *clubes republicanos* e pela Sociedade Positivista do Rio de Janeiro (fundada em 1876), alcançando intelectuais e professores que lecionaram em diversas instituições do Rio de Janeiro, tais como o Colégio Pedro II, a Escola Militar, a Escola Naval, a Escola de Medicina e outras. Vimos, no capítulo 9, como também escolas secundárias seguiram de perto os parâmetros positivistas, como a Sociedade Culto à Ciência, de Campinas.

Resta ressaltar que mesmo os positivistas não tinham opinião unânime sobre o tipo de educação que desejavam implementar. Por exemplo, embora estivessem de acordo com a separação entre Estado e Igreja — o que supunha o ensino laico —, havia os que defendiam a prevalência da escola pública sustentada pelo Estado, enquanto outros, como Miguel Lemos, não atribuíam a missão de educar a governo algum. Ao contrário, preconizavam o ensino livre, de iniciativa particular e sem privilégios acadêmicos, como a exigência de diploma.

Assim comenta Elomar Tambara: "Na prática, [os positivistas] defendiam que nem ao governo estadual cabia competência para agir sobre a esfera da educação, uma vez que isto seria interferir na 'liberdade espiritual', na liberdade de consciência. Cabia, portanto, à iniciativa particular, agir de forma que melhor lhe conviesse nesta área. Era a assunção da máxima positivista, tão cara aos republicanos positivistas: 'ensine quem quiser, onde quiser e como puder'"[4]. É bem verdade que inclusive Miguel Lemos sabia da impossibilidade de implantar esse ideal de ensino livre, mas advertia que ele deveria permanecer como horizonte constante.

A influência positivista da Primeira República no plano educacional teve efeitos passageiros, além de que vários projetos nem sequer foram implantados. Alguns

[4] In Maria Stephanou e Maria Helena Camara Bastos (orgs.), "Educação e positivismo no Brasil", in *Histórias e memórias da educação no Brasil*. Petrópolis, Vozes, 2004, v. II: *Século XIX*, p. 176 e 177.

intelectuais, como Rui Barbosa, até acusavam os positivistas de terem conhecimento superficial das doutrinas pedagógicas de Comte. De fato, por introduzir as ciências físicas e naturais nas escolas de nível elementar e secundário, a reforma contrariava a orientação comtista, que as recomenda apenas para os maiores de 14 anos.

Além disso, Fernando de Azevedo diz que ao sobrecarregar de disciplinas o ensino normal e secundário "com a matemática, elementar e superior, a astronomia, a física, a química, a biologia, a sociologia e a moral, o reformador rompe com a tradição do ensino literário e clássico e, pretendendo estabelecer o primado dos estudos científicos, não fez mais do que instalar um ensino enciclopédico nos cursos secundários, com o sacrifício dos estudos de línguas e literaturas antigas e modernas"[5].

3. Experiências anarquistas

Antes de analisar a atuação do governo na escola pública, vale destacar que nas primeiras décadas da República houve diversas tentativas de implantar uma educação não atrelada aos interesses capitalistas, mas que articulasse os trabalhadores em geral e seus filhos, no sentido de uma crítica à ideologia burguesa. Ainda na Primeira República, as idéias socialistas e anarquistas influenciaram na organização de grupos de defesa dos direitos dos trabalhadores, desde a formação de sindicatos, de partidos políticos, até a realização de congressos, que fomentaram greves e reivindicações.

Enquanto os socialistas reivindicavam maior empenho do Estado para estender a educação a todos, os anarquistas, conhecidos críticos das instituições, rejeitavam os sistemas públicos por considerá-los ideológicos, divulgadores de preconceitos e comprometidos com os interesses da classe dominante. Atribuíam a cada grupo social a responsabilidade pela organização da educação, ou seja, para eles, a tarefa de educar cabia à comunidade anarquista.

Os imigrantes italianos e espanhóis trouxeram as idéias anarquistas, dando força intelectual para as primeiras greves operárias. Nas décadas de 1910 e 1920, desenvolveram intenso trabalho de conscientização, por meio de panfletos, jornais, bibliotecas, centros de estudos, peças de teatro, festas. Fundaram Ligas Operárias de assistência e colônias comunitárias, entre as quais a precursora — apesar da curta duração — foi a Colônia Cecília, no interior do estado do Paraná.

Os anarquistas conseguiram fundar várias "escolas operárias" em quase todos os estados brasileiros. Essas escolas eram conhecidas como *escolas modernas* ou *escolas racionalistas*, títulos com referência explícita ao pedagogo catalão Ferrer i Guàrdia (veja o capítulo 10). Introduziram a co-educação, por considerar saudável o convívio entre meninos e meninas, além de misturarem crianças de diversos segmentos sociais, para estimular a convivência entre eles. Defendiam a instrução científica e racional, a educação integral, e enfatizavam o ensino laico, combatendo inclusive toda forma de religiosidade. Evidentemente, também procediam à ampla politização do trabalhador. Em geral essas escolas duravam pouco tempo, porque, acusadas de propagar ideologia "exótica" e perturbadora da "ordem", eram fechadas pela polícia.

Evidentemente, a atuação dos grupos de esquerda, em uma sociedade conservadora como a nossa, sofria reveses e dificuldades intransponíveis com a repressão legal e policial. Por exemplo, em 1907 foi aprovada a lei que determinava a expulsão de estran-

[5] *A cultura brasileira*: introdução ao estudo da cultura no Brasil. 4. ed. Brasília, Ed. UnB, 1963, p. 616.

geiros acusados de pôr em risco a segurança do país. Na ótica do poder, eram consideradas subversivas as ideologias de inspiração socialista e libertária. Vale lembrar que também o Partido Comunista teve pouquíssimos e curtos períodos de legalidade.

Destacamos a elaboração teórica anarquista de José Oiticica (1882-1957), punido com o exílio em decorrência do intenso ativismo político. Professor universitário, também lecionou no Colégio Pedro II, no Rio de Janeiro. Além da obra de cunho libertário, escreveu poesias, contos, teatro e ocupou-se com importantes questões lingüístico-filológicas.

Em 1925, numa obra escrita para difundir o anarquismo entre os trabalhadores, diz José Oiticica: "A chave dessa educação burguesa é o preconceito. O Estado, exatamente pelo mesmo processo usado com os soldados, vai gravando, à força de repetições, sem demonstrações ou com argumentos falsos, certas idéias capitais, favoráveis ao regime burguês, no cérebro das crianças, dos adolescentes, dos adultos. Essas idéias, preconceitos, vão se tornando, pouco a pouco, verdadeiros dogmas indiscutíveis, perfeitos ídolos subjetivos. (...) Essa idolatria embute no espírito infantil os chamados deveres cívicos: obediência às instituições, obediência às leis, obediência aos superiores hierárquicos, reconhecimento da propriedade particular, intangibilidade dos direitos adquiridos, amor da pátria até o sacrifício da vida, culto à bandeira, exercício do voto, necessidade dos parlamentos, tribunais, força armada etc. etc."[6].

Segundo o professor Silvio Gallo, na década de 1980 recrudesceu o interesse acadêmico pelas pesquisas sobre o anarquismo, que poderão revitalizar as idéias pedagógicas anarquistas. Mas completa: "no âmbito da educação básica, talvez jamais voltemos a ver manifestações e experiências tão intensas quanto aquelas da Primeira República".

4. Escolanovismo

As décadas de 1920 e 1930 foram férteis em discussões sobre educação e pedagogia. Diversos interesses opunham-se, sobretudo entre liberais e conservadores, ao lado de alguns grupos da esquerda socialista e anarquista e outros da direita, como os integralistas, sem nos esquecermos dos interesses dos militares na educação. No meio desse debate, muitas vezes áspero, o governo estruturava suas reformas, nem sempre tão democráticas e igualitárias como sonhavam os mais radicais.

Os conservadores eram representados pelos católicos defensores da pedagogia tradicional, não propriamente a jesuítica, mas aquela influenciada por Herbart. Os liberais democráticos eram os simpatizantes da Escola Nova, e seus divulgadores estavam imbuídos da esperança de democratizar e de transformar a sociedade por meio da escola. Para tanto, procuravam reagir ao individualismo e ao academicismo da educação tradicional, propondo a renovação das técnicas e a exigência da escola única (não dualista), obrigatória e gratuita. Eram conhecidos como educadores "profissionais", devido à especialização de seus interesses, focados na educação, além de vários deles terem produzido obra abundante sobre o assunto e participado de reformas de ensino nos seus estados de origem. Vale lembrar o caráter científico das novas técnicas, amparadas no conhecimento da sociologia, psicologia, biologia e pedagogia moderna.

---

[6] *Doutrina anarquista ao alcance de todos*, 2. ed. São Paulo, Econômica, 1983, p. 30, apud Silvio Gallo, *Educação anarquista*: um paradigma para hoje. Piracicaba, Unimep, 1995, p. 114.

De fato, antes mesmo que o ideário da Escola Nova fosse bem conhecido, diversos estados empreenderam reformas pedagógicas calcadas nas propostas daqueles que seriam os expoentes do movimento escolanovista na década seguinte. Foram as reformas de Lourenço Filho (Ceará, 1923), Anísio Teixeira (Bahia, 1925), Francisco Campos e Mário Casassanta (Minas Gerais, 1927), Fernando de Azevedo (Distrito Federal, 1928) e Carneiro Leão (Pernambuco, 1928). Além dessas, em 1920 Sampaio Dória tentou implementar em São Paulo uma reforma mais ampla, que também se estendesse a todos. Para tanto, instituiu uma primeira etapa, de dois anos, gratuita e obrigatória, a fim de garantir a universalização da alfabetização de todas as crianças. No entanto, o projeto não teve seqüência.

No capítulo anterior, vimos como o ideário da Escola Nova nasceu na Europa e nos Estados Unidos, criticando a educação tradicional, entre outros aspectos, ao defender o ativismo pedagógico. No tópico *Pedagogia* deste capítulo, veremos, entre os escolanovistas brasileiros, a notável contribuição do filósofo Anísio Teixeira (1900-1971), que, após uma viagem aos Estados Unidos, voltou entusiasmado com o pensamento de John Dewey, a ponto de se tornar responsável pela disseminação das idéias do pragmatismo no Brasil. Outro nome importante é o de Fernando de Azevedo (1894-1974), sociólogo que sofreu influência também de Durkheim e que, ao lado de Anísio Teixeira e Lourenço Filho (1897-1970), participou dos movimentos de reforma do ensino e encabeçou os documentos de 1932 e, posteriormente, de 1959, em favor da escola pública.

O professor Jorge Nagle, em *Educação e sociedade na Primeira República*, nota que as características dos anos 1920 foram o "entusiasmo pela educação" e o "otimismo pedagógico", promovidos por aqueles intelectuais e educadores que empreenderam debates e planos de reforma para recuperar o atraso brasileiro e foram os gestores dos movimentos nas décadas seguintes.

No conflito acirrado entre católicos e escolanovistas, com freqüência estes últimos eram acusados de "ateus e comunistas". Talvez com exceção de Paschoal Lemme e Hermes Lima, nenhum deles era comunista, mas, bem ao contrário, eles representavam o liberalismo democrático e os anseios da burguesia capitalista urbana em ascensão. Faziam oposição aos valores ultrapassados da velha oligarquia, mas não questionavam o sistema capitalista como tal. Essa posição pode ser comprovada pela crença em um Estado neutro, "a serviço de todos", e por uma concepção não ideológica da ciência e da técnica. Mais ainda, por serem os disseminadores da "ilusão liberal" da "escola redentora da humanidade", segundo a qual a educação constituiria a mola da democratização da sociedade.

Embora tenha havido difusão dessas idéias, nem sempre foi possível aplicá-las, ficando suas experiências restritas a alguns locais. Por outro lado, apesar das vantagens do novo método, o escolanovismo ocupava-se mais com os aspectos técnicos, o que ajudou a desviar o debate educacional do seu foco mais importante, a universalização da educação popular.

Na década de 1950, a concepção dos pedagogos da Escola Nova sofreu outras influências e adquiriu diferentes nuanças, como veremos mais adiante.

Manifesto dos Pioneiros da Educação Nova

Devido ao clima de conflito aberto, em 1932 foi publicado o Manifesto dos Pioneiros da Educação Nova, assinado por 26 educadores, entre eles Fernando de Azevedo e Anísio Teixeira. O documento defendia a educação obrigatória, pública, gratuita e leiga como dever do Estado, a ser implantada em programa de âmbito nacional.

Um dos objetivos fundamentais expressos no Manifesto — que certamente fora redigido sob a inspiração de Anísio Teixeira — era a superação do caráter discriminatório e antidemocrático do ensino brasileiro, que destinava a escola profissional para os pobres e o ensino acadêmico para a elite. Ao contrário, propunha a escola secundária unitária, com uma base comum de cultura geral para todos, em três anos, e só depois, entre os 15 e 18 anos, o jovem seria encaminhado para a formação acadêmica e a profissional. Entre outras reivindicações, este propósito não foi acolhido na nova Constituição de 1934.

Revendo os movimentos que antecederam a publicação do Manifesto, encontramos a criação da Associação Brasileira de Educação (ABE), em 1924, entidade da qual participavam vários grupos e que promoveu diversos debates importantes. Na sua primeira fase, a ABE sofreu forte influência da militância católica, e só após 1932 os escolanovistas fizeram prevalecer sua presença naquela entidade. De fato, na IV Conferência Nacional de Educação, realizada no final de 1931, foi anunciado o projeto de publicação para o ano seguinte de um manifesto que apresentaria diretrizes para a educação brasileira.

Entre as preocupações dos escolanovistas, estava o fato de que, passadas quatro décadas da proclamação da República, não tínhamos ainda uma escola republicana, aberta para todos. Mas receavam que o governo — começava a era getulista —, embora pedisse diretrizes para a melhoria do ensino, talvez até já tivesse definido de fato o teor da reforma. Além disso, temiam a força da militância católica, que insistia em instituir o ensino religioso nas escolas, até porque para ela a verdadeira educação seria apenas aquela baseada em princípios cristãos. Também nesse quesito os escolanovistas foram derrotados na Constituição, que instituiu o ensino religioso, embora facultativo.

Assim, os escolanovistas queriam fixar seu Manifesto como um "divisor de águas", reiterando a necessidade de o Estado assumir a responsabilidade da educação, que se achava em defasagem com as exigências do desenvolvimento.

5. A atuação da ala católica

Em oposição aos escolanovistas, os representantes da ala católica expressavam-se na revista *A Ordem*, fundada em 1921 pelo filósofo Jackson de Figueiredo, no "Centro de Estudos D. Vital" (1922) e, posteriormente, na Liga Eleitoral Católica (LEC) e na Confederação Católica de Educação. Baseavam-se nos princípios do tomismo, a chamada "filosofia perene" de Santo Tomás de Aquino (século XIII), que na Idade Média adaptou o pensamento aristotélico à teologia cristã. Esta filosofia ressurgira no final do século XIX, com o movimento neotomista, por iniciativa do papa Leão XIII. Entre nós, o pensador Alceu Amoroso Lima exerceu forte influência na defesa dessas idéias.

Como vimos, os pensadores católicos criticavam a tendência laica instalada pela República. Preconizavam a reintrodução do ensino religioso nas escolas por considerar que a verdadeira educação devia estar vinculada à orientação moral cristã. Para eles, as escolas leigas "só instruem, não educam". Politicamente representavam uma força conservadora, comprometida com a antiga oligarquia, daí o viés reacionário de seu discurso. Outra característica que marcava a atuação dos pensadores católicos era um ferrenho anticomunismo.

Convém lembrar que, no final do século XIX, muitas das mais conceituadas escolas pertenciam a religiosos e ofereciam um ensino humanístico restrito às elites, o que ainda continuou ocorrendo no século seguinte.

6. Reforma Francisco Campos

A partir da década de 1930, a educação despertara maior atenção, quer pelos movimentos dos educadores, quer pelas iniciativas governamentais, ou ainda pelos resultados concretos efetivamente alcançados. É possível compreender essas mudanças analisando o contexto político, social e econômico a que já nos referimos. Com a crise do modelo oligárquico agroexportador e o delineamento do modelo nacional-desenvolvimentista com base na industrialização, exigia-se melhor escolarização, sobretudo para os segmentos urbanos — tecnocratas, militares e empresários industriais.

Em 1930, o governo provisório de Getúlio Vargas criou o Ministério da Educação e Saúde, órgão importante para o planejamento das reformas em âmbito nacional e para a estruturação da universidade. Francisco Campos, cuja atuação já era conhecida no estado de Minas Gerais, foi escolhido para o cargo de ministro. Adepto da Escola Nova, imprimiu uma orientação renovadora nos diversos decretos de 1931 e 1932, embora, por ser um conciliador, tivesse atendido também a interesses que não correspondiam aos anseios dos escolanovistas.

Pode-se dizer que, pela primeira vez, uma ação planejada visava à organização nacional, já que as reformas anteriores tinham sido estaduais. Os decretos que efetivaram a reforma Francisco Campos, além dos que dispunham sobre o regime universitário, trataram da organização da Universidade do Rio de Janeiro, da criação do Conselho Nacional de Educação, do ensino secundário e do comercial.

O novo estatuto das universidades brasileiras propunha a incorporação de pelo menos três institutos de ensino superior, "incluídos os de Direito, de Medicina e de Engenharia ou, ao invés de um deles, a Faculdade de Educação, Ciências e Letras". Esta última, evidentemente, voltava-se para a premente necessidade de formação do magistério secundário. Voltaremos a esse assunto no próximo item.

O ensino secundário passou a ter dois ciclos: um fundamental, de cinco anos, e outro complementar, de dois anos, este último visando à preparação para o curso superior. Pretendia-se, assim, evitar que o ensino secundário permanecesse meramente propedêutico, descuidando-se da formação geral do aluno. Todas as escolas se equipararam ao Colégio Pedro II, até então considerado modelo, e foram estabelecidas normas de admissão de professores e de inspeção do ensino ministrado.

Apesar de algum avanço, podem ser feitas críticas ao total descaso pela educação fundamental, o que representou um empecilho para a real democratização do ensino. Além disso, a formação de professores não se concretizou de fato. No ensino profissionalizante, foi regulamentada a atividade de contador, e o curso comercial mereceu mais atenção do que o industrial, este sim, de premente necessidade na conjuntura econômica que se delineava.

A falta de articulação entre o curso secundário e o comercial evidenciava a rigidez do sistema, enquanto o enciclopedismo dos programas de estudo, ao lado de uma rigorosa avaliação, tornou o ensino altamente seletivo e elitizante.

7. As primeiras universidades

Sabemos que as universidades surgiram na Europa ainda na Idade Média. Na época contemporânea houve a reformulação de muitas delas, nos moldes dos interesses da economia industrial capitalista e das novidades científicas. No entanto, enquanto a Espanha permitira a criação de universidades em suas colônias na América Latina, ainda no século XIX, vimos que os brasileiros do Brasil colônia precisavam encaminhar-se a Portugal e França para a diplomação universitária.

É bem verdade que os colégios jesuítas e os seminários podiam ser considerados instituições similares a cursos superiores, embora reservados para a formação dos padres. Também a partir da vinda da família real portuguesa para o Brasil, vários cursos superiores foram criados, tais como a Escola Politécnica (engenharia civil), a Academia Militar, cursos médico-cirúrgicos, de química, de agricultura, de economia, além de cursos avulsos como matemática superior, retórica e filosofia, desenho e história etc. Na época do Primeiro Império, em 1927, foram instalados cursos jurídicos em Recife e São Paulo. Ao longo do Império, porém, vários projetos de formação de universidade tiveram suas propostas sempre recusadas.

Em que pesem as dificuldades, na década de 1930 destacou-se o empenho do Estado na organização das universidades. Os decretos de Francisco Campos imprimiram nova orientação, tendo em vista maior autonomia didática e administrativa, ênfase na pesquisa, na difusão da cultura, e ainda o benefício da comunidade. Embora algumas universidades já existissem, resultavam de simples agregação de faculdades, permanecendo cada uma delas de fato isoladas e autônomas nas questões de ensino. Era esse o caso da Universidade do Rio de Janeiro (1920) e da Universidade Federal de Minas Gerais (1927).

A Universidade de São Paulo (USP), implementada pelo governo de São Paulo em 1934, tornou-se a primeira universidade com o novo tipo de organização de acordo com decreto federal. Resultou da incorporação de diversas faculdades[7]. Para os cursos da Faculdade de Filosofia, Ciências e Letras da USP, foram convidados professores estrangeiros: ao todo, treze, dos quais seis franceses, quatro italianos e três alemães.

No ano seguinte, instalou-se no Rio de Janeiro a Universidade do Distrito Federal (naquela época, a capital federal era o Rio de Janeiro), tendo à frente o incansável pedagogo Anísio Teixeira, responsável pela aglutinação de cinco faculdades e pela contratação de professores estrangeiros.

Em 1936, o governo federal reconheceu a Faculdade de Filosofia S. Bento, em São Paulo, fundada em 1908 pela Ordem Beneditina e que desde 1911 se agregara à Universidade Católica de Louvain (Bélgica).

Merece registro o impulso no campo de formação do magistério, com a reorganização de algumas escolas secundárias existentes. Também na recém-fundada Faculdade de Filosofia de São Paulo, os alunos que se formavam obtinham complementação pedagógica no Instituto de Educação.

Em 1937 diplomaram-se no Brasil os primeiros professores licenciados para o ensino secundário. Diz Fernando de Azevedo: "Com esse acontecimento inaugurou-se, de fato, uma nova era do ensino secundário, cujos quadros docentes, constituídos até então de egressos de outras profissões, autodidatas ou práticos experimentados no magis-

[7] Foram incorporados: a Faculdade de Direito do Largo São Francisco, a Escola Politécnica, a Faculdade de Medicina, a Faculdade de Farmácia e Odontologia, o Instituto de Educação e a Escola Superior de Agricultura Luiz de Queiroz, de Piracicaba, e a Faculdade de Filosofia, Ciências e Letras da USP, na rua Maria Antônia.

tério, começaram a renovar e a enriquecer-se, ainda que lentamente, com especialistas formados nas faculdades de filosofia que, além do encargo da preparação cultural e científica, receberam por acréscimo o da formação pedagógica dos candidatos ao professorado do ensino secundário"[8].

8. Reforma Capanema

Na vigência do Estado Novo (1937-1945), durante a ditadura de Vargas, o ministro Gustavo Capanema empreendeu outras reformas do ensino, regulamentadas por diversos decretos-leis assinados de 1942 a 1946 e denominados Leis Orgânicas do Ensino[9].

A reforma do ensino primário só seria regulamentada após o Estado Novo, em 1946, com a introdução de diversas modificações. A criação do ensino supletivo de dois anos, por exemplo, foi importante para a diminuição do analfabetismo, atendendo os adolescentes e adultos que não tinham se escolarizado.

Nos termos da lei, a influência do movimento renovador se fez presente, estipulando o planejamento escolar, além de propor a previsão de recursos para implantar a reforma. Também foi dada atenção à estruturação da carreira docente, bem como à condigna remuneração do professor.

Se a lei despertava otimismo, os fatos, nem tanto. As inúmeras dificuldades para sua aplicação se deviam, muitas vezes, à inadequação à nossa realidade. Basta ver que, apesar da expansão das escolas normais, continuava alto o número de professores leigos, não formados, e tal índice aumentou de 1940 em diante[10].

A Lei Orgânica também regulamentou o curso de formação de professores. Embora as escolas normais existissem desde o século XIX, pertenciam à alçada do estado. A partir de então a lei propunha a centralização nacional das diretrizes. Persistia, no entanto, a predominância de matérias de cultura geral em detrimento das de formação profissional, bem como o rígido critério de avaliação. Com o tempo, as escolas normais se tornaram reduto das moças de classe média em busca da "profissão feminina".

O curso secundário, reestruturado, passou a ter quatro anos de ginásio e três anos de colegial, este dividido em curso clássico (com predominância de humanidades) e científico.

A lei do ensino secundário, em seu artigo 1º, especificava que as finalidades desse ensino eram "formar a personalidade integral dos adolescentes", "acentuar e elevar a consciência patriótica e a consciência humanística", "dar preparação intelectual geral que possa servir de base a estudos mais elevados de formação especial" e, ainda, segundo o artigo 25, "formar as individualidades condutoras".

A esse respeito, diz Otaíza Romanelli: "Em síntese, a julgar pelo texto da lei, o ensino secundário deveria: a) proporcionar cultura geral e humanística; b) alimentar uma ideologia política definida em termos de patriotismo e nacionalismo de caráter fascista; c) proporcionar condições para o ingresso no curso superior; d) possibilitar a

---

[8] *A cultura brasileira*: introdução ao estudo da cultura no Brasil, p. 753.

[9] Em 1942, a Lei Orgânica do Ensino Industrial, a criação do Serviço Nacional de Aprendizagem Industrial (Senai), a Lei Orgânica do Ensino Secundário. Em 1943, a Lei Orgânica do Ensino Comercial e, em 1946, após a queda de Vargas, a Lei Orgânica do Ensino Primário, a Lei Orgânica do Ensino Normal, a criação do Serviço Nacional de Aprendizagem Comercial (Senac), a Lei Orgânica do Ensino Agrícola.

[10] Estudo de Maria José Garcia Werebe, apud Otaíza Romanelli, *História da educação no Brasil*: 1930/1973. 9. ed. Petrópolis, Vozes, 1987, p. 162.

formação de lideranças. Na verdade, com exceção do item b, constituído de um objetivo novo e bem característico do momento histórico em que vivíamos, a lei nada mais fazia do que acentuar a velha tradição do ensino secundário acadêmico, propedêutico e aristocrático"[11].

Em pleno processo de industrialização do país, persistia a escola acadêmica. Os cursos mantidos pelo sistema oficial não acompanhavam o ritmo do desenvolvimento tecnológico da indústria em expansão. As escolas oficiais eram mais procuradas pelas camadas médias desejosas de ascensão social e que, por isso mesmo, preferiam os "cursos de formação", desprezando os profissionalizantes. Acrescente-se o fato de continuarem existindo os exames e provas, que tornavam o ensino cada vez mais seletivo e, portanto, antidemocrático. Outro aspecto discriminador, que contrariava a bandeira de co-educação dos escolanovistas, estava na recomendação explícita na lei de encaminhar as mulheres para os "estabelecimentos de ensino de exclusiva freqüência feminina".

9. Ensino profissional

Ainda no início do período republicano eram poucas as iniciativas voltadas para o ensino profissional. Quando muito, a necessidade da ampliação desse tipo de educação às vezes dependia de justificativas ideológicas, tais como preparar para o trabalho a fim de evitar, nos segmentos mais pobres, a ociosidade, a desordem pública, sobretudo devido à influência dos "agitadores" — referência aos anarco-sindicalistas. Outras vezes, argumentava-se sobre a importância de adequar o Brasil ao progresso que, em outras nações, se devia ao desenvolvimento industrial.

Em 1909, o governo federal criou dezenove escolas de aprendizes e artífices, uma em cada estado. Devido ao prevalecimento dos interesses políticos, a dispersão das escolas não resultou da escolha dos locais mais adequados, uma vez que as indústrias estavam se concentrando no centro-sul, sobretudo em São Paulo. Além disso, na maioria delas eram ensinados ofícios artesanais — como marcenaria, alfaiataria e sapataria — e não os manufatureiros, requeridos pelo surto industrial que se iniciava. O Liceu de Artes e Ofícios de São Paulo era uma das poucas escolas que procuravam atender às exigências da produção fabril, oferecendo ensino de tornearia, de mecânica e de eletricidade.

A sistematização desse ensino, porém, só ocorreria em 1942, com a reforma educacional do ministro Capanema, quando definiu, pela Lei Orgânica, a criação de dois tipos de ensino profissional. Um deles, mantido pelo sistema oficial, e o outro, paralelo, pelas empresas, embora supervisionado pelo Estado.

Assim, em 1942 foi criado o Serviço Nacional de Aprendizagem Industrial (Senai), organizado e mantido pela Confederação Nacional das Indústrias, com cursos para aprendizagem, aperfeiçoamento e especialização, além de programas de atualização profissional. Pelo mesmo procedimento, em 1946 — já após o Estado Novo — surgiu o Serviço Nacional de Aprendizagem Comercial (Senac). A população de baixa renda, desejosa de se profissionalizar, encontrou nesses cursos boas condições de estudo, mesmo porque os alunos eram pagos para aprender. Daí o sucesso do empreendimento particular paralelo.

Mesmo reconhecendo o êxito do Senai e do Senac, é preciso identificar nesse sistema a manutenção do sistema dual de ensino.

[11] *História da educação no Brasil*: 1930/1973, p. 157.

Como conclui Otaíza Romanelli, "a legislação acabou criando condições para que a demanda social da educação se diversificasse apenas em dois tipos de componentes: os componentes dos estratos médios e altos, que continuaram a fazer opção pelas escolas que 'classificam' socialmente, e os componentes dos estratos populares, que passaram a fazer opção pelas escolas que preparavam mais rapidamente para o trabalho. Isso, evidentemente, transformava o sistema educacional, de modo geral, em um sistema de discriminação social"[12].

10. Expansão do ensino

Como pudemos ver, a educação na Primeira República sofreu transformações, muitas em decorrência das necessidades da configuração social e econômica do país.

Apesar de os assuntos sobre educação terem merecido posteriormente atenção incomparavelmente maior, sobretudo com os debates instigados pelos escolanovistas, nem todas as reformas se concretizaram. Persistiam o dualismo escolar e o descuido com o ensino fundamental.

Como se não bastasse, a Constituição de 1937, refletindo as tendências fascistas do Estado Novo, atenuou o impacto de algumas conquistas, principalmente das relacionadas com o dever do Estado como educador, deslocando a ênfase para a sugestão da liberdade da iniciativa privada. No período da ditadura, o movimento renovador entrou em recesso.

Mesmo assim, a oferta de escolarização foi ampliada. Segundo Fernando de Azevedo, de 1930 a 1940 o desenvolvimento do ensino primário e secundário alcançou níveis jamais registrados até então no país. De 1936 a 1951 o número de escolas primárias dobrou e o de secundárias quase quadruplicou, ainda que essa expansão não fosse homogênea, por se concentrar nas regiões urbanas dos estados mais desenvolvidos[13].

Também as escolas técnicas se multiplicaram, e, segundo Lourenço Filho, se em 1933 havia 133 escolas de ensino técnico industrial, em 1945 este número subiu para 1.368, e o número de alunos, quase 15 mil em 1933, ultrapassou então 65 mil[14].

11. Período da República Populista

De 1945 a 1964, o país retornou ao estado de direito, com governos eleitos pelo povo e marcados pela esperança de um progresso acelerado. Como vimos, ocorreram mudanças no modelo econômico. O desenvolvimentismo — até então caracterizado pelo nacionalismo — começou a entrar em contradição com o processo de internacionalização da economia, devido à instalação das empresas multinacionais, no governo de Juscelino Kubitschek.

Vivia-se então a franca esperança no desenvolvimento do Brasil (o mote de Juscelino Kubitschek era "50 anos em 5"). O período também foi fértil em significativas contribuições culturais: o Cinema Novo, a Bossa Nova e a conquista da Copa de Futebol em 1958.

Na educação, um debate nunca visto teve como pano de fundo o anteprojeto da Lei de Diretrizes e Bases (LDB), que levou treze anos para entrar em vigor.

No início da década de 1960, a discussão sobre a educação popular tomou corpo com diversos movimentos importantes.

[12] *História da educação no Brasil*: 1930/1973, p. 169.

[13] *A cultura brasileira*: introdução ao estudo da cultura no Brasil, p. 718.

[14] Apud Barbara Freitag, *Escola, Estado e sociedade*. 5. ed. São Paulo, Moraes, 1984, p. 54.

Darcy Ribeiro, inspirado nas idéias de Anísio Teixeira, fundou a Universidade de Brasília, em 1961, concretizando o projeto de renovação universitária.

Depois do governo JK até a renúncia de Jânio Quadros, seguiu-se a turbulência do governo de João Goulart, interrompido pelo golpe militar de 1964, quando aquela fecunda fermentação cultural foi violentamente reprimida pela ditadura.

Antes desses tempos sombrios, porém, veremos a educação no período de 1945 a 1964.

12. Lei de Diretrizes e Bases de 1961

A Constituição de 1946 refletiu o processo de redemocratização do país, após a queda da ditadura de Vargas. Em oposição à Constituição outorgada de 1937, os "pioneiros da educação nova" retomaram a luta pelos valores defendidos anteriormente.

Em 1948, o ministro Clemente Mariani apresentou o anteprojeto da Lei de Diretrizes e Bases, baseado em um trabalho confiado a educadores, sob a orientação de Lourenço Filho. Além dos escolanovistas, participaram católicos tradicionalistas como o padre Leonel Franca e Alceu Amoroso Lima. O percurso desse projeto foi longo e tumultuado e estendeu-se até 1961, data da sua promulgação.

As primeiras divergências surgiram com a crítica dos escolanovistas à descentralização do ensino. Porém, o auge do acirramento dos ânimos ocorreu quando o deputado Carlos Lacerda, político de discurso inflamado e representante dos interesses conservadores, deslocou a discussão para o aspecto da "liberdade de ensino". Em 1959, Lacerda apresentou um substitutivo defendendo a iniciativa privada, por considerar competência do Estado o suprimento de recursos técnicos e financeiros e a igualdade de condições das escolas oficiais e particulares.

Ora, a maioria das escolas particulares de grau secundário pertencia tradicionalmente às congregações religiosas, e o ensino aí ministrado sempre favoreceu os segmentos privilegiados. Por isso, os religiosos católicos assumiram o debate, retomando o argumento de que a escola leiga não educava, apenas instruía. Opondo-se a um pretenso monopólio do Estado — já que este nunca teve condições de assumir a educação de fato —, defendiam a "liberdade" das famílias de escolher a melhor educação para seus filhos.

O que os católicos criticavam era o tema republicano da laicidade do ensino e, desse modo, representavam as forças conservadoras, por defenderem uma posição elitista: sob a temática da liberdade de ensino, de fato retardavam a democratização da educação.

Do outro lado dessa tendência reacionária, posicionaram-se os "pioneiros da educação nova", que, apoiados por intelectuais, estudantes e líderes sindicais, mobilizaram-se novamente, dando início à Campanha em Defesa da Escola Pública[15]. O movimento culminou com o "Manifesto dos Educadores Mais uma Vez Convocados" (1959), assinado por Fernando de Azevedo e mais 189 pessoas.

Este Manifesto diferia do anterior, de 1932, por enfatizar as questões de política educacional. Seus signatários continuavam defendendo as mesmas diretrizes pedagógicas, porém queriam esclarecer que admitiam a existência das duas redes de ensino

[15] Fizeram parte da *Campanha em Defesa da Escola Pública:* Florestan Fernandes, Fernando de Azevedo, Almeida Júnior, Carlos Mascaro, João Villa Lobos, Fernando Henrique Cardoso, Laerte Ramos de Carvalho, Roque Spencer Maciel de Barros, Wilson Cantoni, Moisés Brejon, Maria José Garcia Werebe, Luiz Carranca, Anísio Teixeira, Jayme Abreu, Lourenço Filho, Raul Bittencourt, Carneiro Leão, Abgar Renault e outros.

— a particular e a oficial —, mas que as verbas públicas deveriam ser exclusivas da educação popular.

Quando a Lei nº 4.024 (LDB) foi publicada em 1961, já se encontrava ultrapassada, porque, nesse meio tempo um país semiurbanizado, com economia predominantemente agrícola, passara a ter exigências diferentes, decorrentes da industrialização. Embora o anteprojeto da lei fosse avançado na época da apresentação, envelhecera no correr dos debates e do confronto de interesses. Vejamos alguns desses aspectos.

De certo modo, não houve alteração na estrutura do ensino, conservando-se a mesma da reforma Capanema, mas com a vantagem de permitir a equivalência dos cursos, o que quebrou a rigidez do sistema, ao facilitar a mobilidade entre eles. Outro avanço estava no ensino secundário menos enciclopédico, com significativa redução do número de disciplinas. Também a padronização foi atenuada, permitindo a pluralidade de currículos em termos federais.

Todavia, inúmeras desvantagens decorriam da nova lei. Apesar das pressões para que o Estado destinasse recursos apenas para a educação pública, a lei atendia também as escolas privadas. Dizia o artigo 95: "A União dispensará a sua cooperação financeira ao ensino sob a forma de: (...) c) financiamento a estabelecimentos mantidos pelos estados, municípios e *particulares* [grifo nosso] para compra, construção ou reforma de prédios escolares e respectivas instalações e equipamentos, de acordo com as leis especiais em vigor".

Com a criação do Conselho Federal de Educação (CFE) e dos Conselhos Estaduais de Educação (CEE), nos quais era permitida a representação das escolas particulares, tornavam-se inevitáveis a pressão e o jogo de influências para obter recursos. Essa "cooperação financeira", porém, não deixava de contribuir para manter a situação de injustiça numa sociedade em que 50% da população em idade escolar se encontrava fora da escola.

O ensino técnico continuou a não merecer atenção especial, quer o setor industrial, quer o comercial, e muito menos o agrícola. Diz a educadora Maria José Garcia Werebe: "Como o número de escolas existentes no país era insuficiente, a procura de mão-de-obra especializada excedia de muito o número de operários e técnicos diplomados. No estado de São Paulo, o mais industrializado do país, entre 1951 e 1953 o número de trabalhadores cresceu de 50%, enquanto o número de trabalhadores qualificados, em apenas 5%. Eis por que grandes empresas, em que as exigências de mão-de-obra qualificada eram urgentes, passaram a instituir o sistema de treinamento em serviço, oferecendo aos operários mais capazes oportunidades de, sob a direção de técnicos, completarem sua formação"[16].

Todos esses desencontros aumentaram o descompasso entre a estrutura educacional e o sistema econômico. De resto, podemos observar como a legislação sempre reflete os interesses apenas das classes representadas no poder.

13. Movimentos de educação popular

Apesar do desalento dos intelectuais que lutaram por uma LDB mais democrática, na primeira metade da década de 1960 sucedeu-se um período de profunda efervescência ideológica. Como veremos no tópico *Pedagogia*, definir a nossa identidade nacional provocou abundante produção teórica — com a produção intelectual do Instituto Superior de Estudos Brasileiros (Iseb) —, mas também uma ação efetiva em

[16] *Grandezas e misérias do ensino no Brasil.* São Paulo, Ática, 1994, p. 70.

movimentos de educação e cultura popular, empenhados não apenas na alfabetização, mas também no enriquecimento cultural e na conscientização política do povo.

Variava a composição ideológica desses grupos, com influência tanto marxista como cristã. Também o modo de atuação mudava: peças de teatro (às vezes apresentadas na rua); atividades nos sindicatos e universidades; promoção de cursos, exposições e publicações; exibição de filmes e documentários; alfabetização da população rural ou urbana marginalizada e animação cultural nas comunidades com o treinamento de líderes locais tendo em vista melhor participação política.

Os principais foram:

• Centros Populares de Cultura (CPC). O primeiro surgiu em 1961, por iniciativa da União Nacional dos Estudantes (UNE). Os Centros se espalharam entre 1962 e 1964.

• Movimentos de Cultura Popular (MCP). O primeiro deles, ligado à prefeitura de Recife, Pernambuco, data de 1960. A este grupo pertenceu o educador Paulo Freire, figura importante da educação brasileira e mundial, criador da pedagogia libertadora, como veremos adiante. Depois, esses MCP espalharam-se pelo Brasil, funcionando com financiamento público.

• Movimentos de Educação de Base (MEB). Criados em 1961 pela Conferência Nacional dos Bispos do Brasil (CNBB), estavam diretamente ligados à Igreja Católica e eram mantidos pelo governo federal (governo Jânio Quadros). Inicialmente se dedicavam à alfabetização das populações de zona rural, mas, à medida que cresceu a chamada ala progressista da Igreja, os movimentos se tornaram mais conscientizadores e voltados para a conquista de bens sociais de que o povo se achava excluído.

Aliás, no início dos anos 1960, o papa João XXIII reformulara a doutrina social-cristã, o que ensejou aos católicos outro tipo de ação, não mais passiva diante das desigualdades e conivente com as elites, mas orientada para o resgate da dignidade dos segmentos populares excluídos. Estendeu-se na América Latina a teoria cristã emancipadora da Teologia da Libertação, que repercutiu no Brasil de forma mais intensa. Jovens estudantes cristãos e também sacerdotes passaram a atuar criticamente, desenvolvendo programas de conscientização, ao lado de comunistas e socialistas, todos voltados para a "construção de um novo país".

Há uma polêmica em torno da atuação de todos esses movimentos. Uma das críticas os acusa de populismo, de incorrerem em paternalismo e, portanto, de serem autoritários, já que os intelectuais teriam a intenção de "orientar" o povo na direção do que eles consideravam ser o "melhor" caminho. Mesmo que, em alguns momentos e sob alguns aspectos, a crítica procedesse, a generalização é injusta, diante da inegável importância e originalidade desses movimentos, bem como da fecundidade da reflexão desencadeada a respeito da cultura nacional. Para compreendê-los melhor, convém analisar a ideologia nacional-desenvolvimentista reinante e o anseio de resolver o dramático e sempre desprezado problema do ensino brasileiro: o da educação universal. Além disso, aqueles grupos representaram um modo de atuação que não exigia apenas providências do Estado, mas procuravam eles mesmos delinear, na sociedade civil, os caminhos possíveis de mudança.

O golpe militar de 1964 desativou esses movimentos de conscientização popular, por considerá-los subversivos, e penalizou seus líderes. Os únicos que permaneceram foram os MEB, mas com retração nas suas atividades e mudança de orientação.

14. Algumas inovações educacionais

No período que antecedeu ao golpe militar e também antes do recrudescimento da ditadura, ainda se destacaram diversos projetos de renovação do ensino público, sob o ideário escolanovista: os ginásios e colégios vocacionais, o Colégio de Aplicação da Universidade de São Paulo (USP), os pluricurriculares, o Grupo Experimental da Lapa (na cidade de São Paulo). Dentre as experiências feitas pelo governo do estado de São Paulo, destacamos o Colégio de Aplicação da Universidade de São Paulo e os ginásios e colégios vocacionais.

O Colégio de Aplicação estabeleceu o primeiro convênio com a USP em 1957, para desenvolver um trabalho pioneiro de renovação pedagógica do curso secundário. Essa experiência tornou-se possível com a adoção de algumas medidas: cuidado na formação e atualização de professores, remuneração das horas extras de trabalho docente, acompanhamento de orientação educacional e pedagógica, instalação de classes de alunos cada vez mais reduzidas.

A intenção inicial de transferir a experiência para as escolas comuns da rede de ensino não se concretizou por diversos motivos. Com o tempo, o Colégio de Aplicação atraía cada vez mais a clientela privilegiada — a elite econômica e a intelectual —, desejosa de oferecer a seus filhos uma educação de qualidade. Além disso, com a ditadura, o Colégio tornou-se alvo de suspeita de subversão, até ser extinto em 1970.

Outra experiência, decorrente dos ginásios e colégios vocacionais, iniciou-se em 1961, com a instalação de escolas-piloto no interior do estado de São Paulo e na capital. Em linhas gerais, estas tinham o objetivo de inserir o aluno no mundo do trabalho, além de estimular a consciência crítica da realidade nacional.

Também essas escolas beneficiavam a elite, além de não ter havido tempo nem condições de estender a experiência a outros estabelecimentos devido à crônica falta de verbas e de pessoal e à interrupção abrupta dos trabalhos pela denúncia de subversão. O material didático e os planos pedagógicos foram recolhidos ao II Exército, enquanto a diretora do Serviço de Ensino Vocacional, Maria Nilde Mascelani, foi presa e cassada em 1969. Quanto a professores, funcionários e alunos, alguns foram presos, outros sofreram vistorias em suas casas, foram indiciados em inquéritos ou arbitrariamente aposentados.

Sobre esse tema, diz Maria José Garcia Werebe: "Essas experiências foram interrompidas pelo governo, por terem sido consideradas 'politicamente perigosas'. De fato a adoção de uma pedagogia que visava a despertar o espírito crítico e criador dos alunos, levando-os a pesquisar e a não aceitar passivamente o conhecimento recebido, não poderia ter sido tolerada num regime militar autoritário, como o que vigorava no país, na época"[17].

15. Anos de chumbo

Durante vinte anos (de 1964 a 1985) os brasileiros viveram o medo gerado pelo governo do arbítrio e pela ausência do estado de direito. Esses anos de chumbo, além do sofrimento dos torturados e "desaparecidos", foram desastrosos para a cultura e a educação. Também provocaram prejuízos econômicos e políticos ao país.

Vimos que, no início da década de 1960, o Brasil atravessava um período de séria contradição entre a ideologia política e o modelo econômico. Se por um lado o nacionalismo populista buscava a identidade do povo brasileiro e sua independência, por outro cedia à internacionalização, submetendo-se ao controle estrangeiro.

[17] *Grandezas e misérias do ensino no Brasil*, p. 221.

O golpe militar de 1964 optou pelo aproveitamento do capital estrangeiro e liquidou de vez o nacional-desenvolvimentismo. A "recuperação" econômica proposta usou o modelo concentrador de renda, que favorece uma camada restrita da população e submete os trabalhadores ao arrocho salarial. Com o êxodo rural, as grandes cidades não tinham como acolher a todos decentemente. Surgiram sérios problemas decorrentes da situação de empobrecimento, com graves índices de miserabilidade.

Os brasileiros perderam o poder de participação e crítica, e a ditadura se impôs, violenta. Uma sucessão de presidentes militares fortaleceu o Executivo enquanto fragilizava o Legislativo. Diversas medidas de exceção acentuaram o caráter autoritário do governo: Lei de Segurança Nacional, Serviço Nacional de Informações, prisões políticas, inquéritos policiais militares, proibição do direito de greve, cassação de direitos políticos, exílio etc.

A partir de 1968 a repressão recrudesceu, com torturas e mortes, além de "desaparecimentos" e "suicídios", tornando arriscada qualquer oposição ao regime. Mesmo assim, em 1969 começou a guerrilha urbana, violentamente reprimida.

16. Reflexos da ditadura na educação

A repercussão imediata do governo autoritário na educação se fez sentir na reestruturação da representação estudantil. Em 1967, foram postas fora da lei as organizações consideradas subversivas, como a União Nacional dos Estudantes (UNE). A intenção era evitar a representação em âmbito nacional, permitindo a atuação do Diretório Acadêmico (DA), restrito a cada curso, e do Diretório Central dos Estudantes (DCE), para cada universidade. Foi proibida qualquer tentativa de ação política: "Estudante é para estudar; trabalhador para trabalhar".

As escolas do grau médio sofreram controle, e seus grêmios foram transformados em centros cívicos, sob a orientação do professor de Educação Moral e Cívica, cargo ocupado por pessoa de confiança da direção, o que, em outras palavras, significava comprovar não ter passagem pelo Departamento Estadual de Ordem Política e Social (Deops). Este organismo controlava a participação das pessoas em movimentos de protesto, fichando como comunistas as consideradas subversivas.

Aliás, a intenção explícita da ditadura em "educar" politicamente a juventude revelou-se no decreto-lei baixado pela Junta Militar em 1969, que tornou obrigatório o ensino de Educação Moral e Cívica nas escolas em todos os graus e modalidades de ensino. No ensino secundário, a denominação mudava para Organização Social e Política Brasileira (OSPB) e, no curso superior, para Estudos de Problemas Brasileiros (EPB). Nas propostas curriculares do governo transparecia o caráter ideológico e manipulador dessas disciplinas.

A extinta UNE, no entanto, continuou a agir clandestinamente e em outubro de 1968 realizou um congresso no interior do estado de São Paulo (Ibiúna), onde cerca de novecentos estudantes de todo o Brasil foram presos e interrogados.

A situação explosiva e a repressão provocaram a radicalização do movimento estudantil, que reivindicava urgente reforma universitária. É bom lembrar que o ano de 1968 foi marcado mundialmente pela revolta estudantil iniciada em maio, em Paris. Os estudantes da Faculdade de Filosofia da USP, na época situada à rua Maria Antônia, no centro da cidade de São Paulo, entraram em confronto com os da Universidade Mackenzie, de tradição conservadora e berço do Comando de Caça aos Comunistas (CCC). Após violento conflito, o prédio da USP foi depredado e em seguida desativado.

A reação da ditadura recrudescia. Em dezembro de 1968, o Ato Institucional nº 5 (AI-5) retirou todas as garantias individuais, públicas ou privadas e concedeu ao presidente da República poderes para atuar como executivo e legislativo. Em fevereiro de 1969, o Decreto-lei nº 477 proibia aos professores, alunos e funcionários das escolas toda e qualquer manifestação de caráter político. Como se vê, os conflitos eram "resolvidos" pelo expediente do decreto-lei, solução autoritária típica das ditaduras.

Com o pretexto de averiguar atividades subversivas, instalou-se o terrorismo nas universidades. Processos sumários e arbitrários demitiam ou aposentavam professores. Muitos se exilaram em países latino-americanos, na Europa e também nos Estados Unidos. Além desse êxodo, os profissionais remanescentes trabalhavam sob o risco de censura e delação, o que sem dúvida prejudicou, e muito, a vida cultural e o ensino no Brasil.

Outro problema "resolvido" pela ditadura foi o dos excedentes dos exames vestibulares. A ampliação do mercado de trabalho, devido à implantação das empresas multinacionais, estimulou a demanda de escolarização. A antiga universidade, porém, não tinha condições de atender à procura. Sem acesso à faculdade, depois de aprovados em exame vestibular, os estudantes pressionavam o governo por mais vagas.

O Decreto nº 68.908/71 pôs fim à crise dos excedentes, criando o vestibular classificatório. O critério deixava de ser a nota de aprovação, para ser aceito apenas o número de candidatos condizente com as vagas disponíveis, mediante classificação.

17. Reforma tecnicista e acordos MEC-Usaid

A tendência tecnicista em educação resultou da tentativa de aplicar na escola o modelo empresarial, que se baseia na "racionalização", própria do sistema de produção capitalista. Um dos objetivos dos teóricos dessa linha era, portanto, adequar a educação às exigências da sociedade industrial e tecnológica, evidentemente com economia de tempo, esforços e custos. Em outras palavras, para inserir o Brasil no sistema do capitalismo internacional, seria preciso tratar a educação como *capital humano*. Investir em educação significaria possibilitar o crescimento econômico.

No Brasil, a tendência tecnicista foi introduzida no período da ditadura militar, nas décadas de 1960 e 1970, e prejudicou sobretudo as escolas públicas, uma vez que nas boas escolas particulares essas exigências foram contornadas. Uma das conseqüências funestas foi a excessiva burocratização do ensino, porque, para o controle das atividades, havia inúmeras exigências de preenchimento de papéis. Evidentemente, essa tendência ignorava que o processo pedagógico tem sua própria especificidade e jamais permite a rígida separação entre concepção e execução do trabalho. Não tem sentido reduzir o professor a mero executor de tarefas organizadas pelo setor de planejamento, tampouco é possível imaginar que a excelência dos meios técnicos possa tornar a sua função secundária.

O professor Dermeval Saviani, citando o chileno Mattelart, conclui que o prejuízo atingiu principalmente a América Latina, "já que desviou das atividades-fim para as atividades-meio parcela considerável dos recursos sabidamente escassos destinados à educação. Por outro lado sabe-se que boa parte dos programas internacionais de implantação de tecnologias de ensino nesses países tinha atrás de si outros interesses, como, por exemplo, a venda de artefatos tecnológicos obsoletos aos países subdesenvolvidos"[18].

Para implantar o projeto de educação proposto, o governo militar não revogou a LDB de 1961 (Lei nº 4.024), mas introduziu alterações e fez atualizações. Enquanto essa lei fora antecedida por amplo debate na sociedade civil, ao contrário, a Lei nº 5.540/68 (para o ensino universitário) e a Lei nº 5.692/71 (para o 1º e 2º graus) foram impostas por militares e tecnocratas.

Diversos acordos, realizados desde o golpe de 1964, só vieram a público em novembro de 1966. Foram os acordos MEC-Usaid (Ministério da Educação e Cultura e *United States Agency for International Development*), pelos quais o Brasil receberia assistência técnica e cooperação financeira para a implantação da reforma.

A partir daí, desenvolveu-se uma reforma autoritária, vertical, domesticadora, que visava a atrelar o sistema educacional ao modelo econômico dependente, imposto pela política norte-americana para a América Latina. Vale lembrar que os militares atuaram no interior das universidades, silenciando o debate e intervindo de forma violenta nos *campi*, cassando professores e desarticulando movimentos estudantis.

A reforma assentava-se em três pilares:

• educação e desenvolvimento: formação de profissionais para atender às necessidades urgentes de mão-de-obra especializada no mercado em expansão;

• educação e segurança: formação do cidadão consciente — daí as disciplinas sobre civismo e problemas brasileiros (Educação Moral e Cívica, Organização Social e Política do Brasil e Estudos de Problemas Brasileiros);

• educação e comunidade: criação de conselhos de empresários e mestres para estabelecer a relação entre escola e comunidade.

Pressupostos teóricos do tecnicismo

Os pressupostos teóricos do tecnicismo podem ser encontrados na filosofia positivista e na psicologia behaviorista (ver capítulos 9 e 10). Essas teorias valorizam a ciência como uma modalidade de conhecimento objetivo, portanto, passível de verificação rigorosa por meio da observação e da experimentação. Aplicadas à educação, restringem-se ao estudo do comportamento, nos seus aspectos observáveis e mensuráveis. Coerente com esse princípio, o ensino tecnicista buscava a mudança do comportamento do aluno mediante treinamento, a fim de desenvolver suas habilidades. Por isso privilegiava os recursos da tecnologia educacional, encontrando no behaviorismo as técnicas de condicionamento.

O taylorismo, igualmente inspirado pelo positivismo, foi uma maneira pela qual as indústrias do começo do século XX conseguiam tornar mais ágil a produção em série. O processo taylorista separa a concepção da execução do trabalho, criando o setor de planejamento e submetendo o operário ao parcelamento das tarefas. Não por acaso, os novos gestores do projeto de educação também se orientavam pelas teorias de Taylor e Fayol, mestres da Teoria Geral de Administração de Empresas.

Outra influência na tendência tecnicista aplicada à educação derivou de economistas que, a partir da década de 1960, desenvolveram a Teoria do Capital Humano (TCH), divulgada pela Escola de Chicago, sobretudo por Theodore Schultz, autor de

---

[18] *Escola e democracia*: teorias da educação; curvatura da vara; onze teses sobre educação e política. 3. ed. São Paulo, Cortez/Autores Associados, 1984, p. 19.

O valor econômico da educação. Para ele, "as escolas podem ser consideradas empresas" especializadas em produzir instrução.

Desse modo, a educação tecnicista encontrava-se imbuída dos ideais de racionalidade, organização, objetividade, eficiência e produtividade. As reuniões de planejamento deveriam definir objetivos instrucionais e operacionais rigorosamente esmiuçados, estabelecendo o ordenamento seqüencial das metas a serem atingidas a fim de evitar "objetivos vagos", que dessem margem a interpretações diversas. Nessa perspectiva, o professor é um técnico que, assessorado por outros técnicos e intermediado por recursos técnicos, transmite um conhecimento técnico e objetivo.

A adaptação do ensino à concepção taylorista típica da mentalidade empresarial tecnocrática exigia, portanto, o planejamento e a organização racional do trabalho pedagógico, a operacionalização dos objetivos, o parcelamento do trabalho com a devida especialização das funções e a burocratização. Tudo para alcançar mais eficiência e produtividade.

É preciso ressaltar que, apesar dos esforços, o tecnicismo não conseguiu implantar-se de fato. Os professores permaneceram ainda imbuídos da tendência tradicional ou das idéias escolanovistas, embora obrigados a se desincumbir de inúmeros procedimentos burocráticos.

No entanto, convém estarmos atentos no atual momento de globalização da economia e de mergulho na sociedade capitalista, fortalecida pelo ideário do neoliberalismo: o risco continua sendo encarar a educação como uma técnica de adaptação humana ao mundo do mercado, como veremos no item 26.

18. Reforma universitária de 1968

A Lei nº 5.540/68, que tratava do ensino de 3º grau, introduziu diversas modificações na LDB de 1961. Em tempo recorde, o Grupo de Trabalho da Reforma Universitária (GTRU), formado por pessoas especialmente designadas pelo presidente general Costa e Silva, definiu as diretrizes da reforma. O projeto baseava-se nos estudos do Relatório Atcon (Rudolph Atcon, teórico norte-americano) e do Relatório Meira Matos (coronel da Escola Superior de Guerra). O Congresso não ofereceu dificuldades para aprová-lo: depois das cassações de mandatos, intimidações, não se podia esboçar nenhum tipo de oposição ao governo autoritário.

A reforma extinguiu a cátedra (cargo de professor universitário, titular em determinada disciplina), unificou o vestibular e aglutinou as faculdades em universidades para a melhor concentração de recursos materiais e humanos, tendo em vista maior eficácia e produtividade. Instituiu também o curso básico nas faculdades para suprir as deficiências do 2º grau e, no ciclo profissional, estabeleceu cursos de curta e longa duração. Desenvolveu ainda um programa de pós-graduação.

A reestruturação completa da administração visava a racionalizar e modernizar o modelo, com a integração de cursos, áreas e disciplinas. Uma nova composição curricular permitia a matrícula por disciplina, instituindo-se o sistema de créditos. A nomeação de reitores e diretores de unidade dispensava a exigência de pessoas ligadas ao corpo docente universitário, bastando possuir "alto tirocínio da vida pública ou empresarial". Como convém a uma reforma em que o viés tecnocrático se sobrepõe ao pedagógico.

Vale lembrar que a definitiva implantação da pós-graduação, com cursos de mestrado e doutorado, recebeu significativo apoio a partir da década de 1970, por fundamentar a concepção de desenvolvimento nos governos militares. Apesar desse propósito inicial, esses cursos expandiram-se, garantindo o desenvolvimento da pesquisa e melhorando a qualificação dos professores universitários. Aliás, na década seguinte os professores se organizaram em entidades representativas de âmbito nacional, retomando a discussão sobre o papel da universidade, sobretudo no período do início da redemocratização do país.

Enquanto durou a ditadura, porém, o controle externo de várias decisões — como a seleção e a nomeação de pessoal — provocou a perda da autonomia da universidade. A divisão em departamentos fragmentou a antiga unidade, instaurando um processo de burocratização nunca visto. Da mesma forma, se até então os alunos se reuniam em classes compondo uma turma, o sistema de matrícula por disciplina desfez grupos relativamente estáveis. Essa técnica de romper a interação entre pessoas e grupos parece ter a intenção de atenuar a crescente politização dos estudantes.

19. Reforma do 1º e do 2º graus de 1971

A reforma do ensino fundamental e médio realizou-se durante o período mais violento da ditadura, no governo Médici. Os membros do grupo de estudos foram escolhidos pelo coronel Jarbas Passarinho, então ministro da Educação.

Diz o artigo 1º da Lei nº 5.692/71: "O ensino de 1º e 2º graus tem por objetivo geral proporcionar ao educando a formação necessária ao desenvolvimento de suas potencialidades como elemento de auto-realização, qualificação para o trabalho e preparo para o exercício consciente da cidadania". Para levar a efeito tal objetivo, a lei reestruturou o ensino, ampliando a obrigatoriedade escolar de quatro para oito anos. Com isso, aglutinou o antigo primário com o ginasial, suprimindo os exames de admissão, responsáveis pela seletividade. A criação da escola única profissionalizante representou a tentativa de extinguir a separação entre escola secundária e técnica, uma vez que, terminado o ensino médio, o aluno teria uma profissão. Para aqueles que não conseguiam concluir os estudos regulares, foi reestruturado o curso supletivo.

As integrações de primário e ginásio, secundário e técnico obedeceram aos princípios da continuidade e da terminalidade. A continuidade garantia a passagem de uma série para outra, desde o 1º até o 2º grau. Pelo princípio da terminalidade, esperava-se que, ao terminar cada um dos níveis, o aluno estivesse capacitado para ingressar no mercado como força de trabalho, caso necessário.

Para tanto, diversos pareceres regulamentaram o currículo, que constava de uma parte de educação geral e outra de formação especial da habilitação profissional. Esta última devia ser programada conforme a região, oferecendo sugestões de habilitações correspondentes às três áreas econômicas: primária (agropecuária), secundária (indústria) e terciária (serviços). Para se ter uma idéia, só para o 2º grau havia uma lista de 130 habilitações. Além disso, como matérias obrigatórias foram incluídas Educação Física, Educação Moral e Cívica, Educação Artística, Programa de Saúde e Religião (esta era obrigatória para o estabelecimento e optativa para o aluno).

Com as alterações curriculares, algumas disciplinas desapareceram "por falta de espaço", como Filosofia, no 2º grau, ou foram aglutinadas, como História e Geografia, que passaram a constituir os Estudos Sociais, no 1º grau.

Outro prejuízo inestimável foi a desativação da antiga Escola Normal, destinada à formação de professores para o ensino fundamental. Com a nova denominação "habilitação magistério", e incluída no rol de profissões esdrúxulas, perdeu sua identidade e os recursos humanos e materiais necessários à especificidade de sua função.

Selecionamos algumas críticas dos professores Carlos Luiz Gonçalves e Selma Garrido Pimenta[19] à nova habilitação de magistério:

• apresentou-se esvaziada de conteúdo, pois não propiciava a formação geral adequada nem a formação pedagógica consistente;

• de "segunda categoria", por receber os alunos com menor possibilidade de acesso a cursos de maior *status*;

• sem articulação didática de conteúdo entre as disciplinas do núcleo comum e da parte profissionalizante;

• conforme definida na lei, não permitia a formação do professor e menos ainda do especialista (4º ano). A formação era toda fragmentada.

Para tentar minimizar o problema dos precários índices de alfabetização, em 1967 foi criado o Movimento Brasileiro de Alfabetização (Mobral), que começou a funcionar de fato em 1970, época em que a taxa de analfabetismo de pessoas de mais de 15 anos chegou a 33%. Em 1972, caiu para 28,51%. O programa de alfabetização utilizava o consagrado método Paulo Freire (que veremos no tópico *Pedagogia*), só que esvaziado do conteúdo ideológico considerado subversivo. Havia, pois, uma adulteração indevida do método, impensável sem o processo de conscientização.

Estudos mostravam o baixo rendimento alcançado pelo programa, se levarmos em conta o grande número de inscritos. Essa avaliação torna-se ainda menos otimista quando se verifica que nem sempre a aprovação significava desempenho de leitura, pois muitos dos "alfabetizados" permaneciam analfabetos funcionais, sem desenvoltura para ler e mal sabendo escrever o próprio nome.

20. Avaliação das reformas

Os efeitos das reformas de ensino no período da ditadura foram desastrosos para a educação brasileira.

Trataremos primeiro das aparentes vantagens da Lei nº 5.692, relativa aos 1º e 2º graus:

• extensão da obrigatoriedade do 1º grau (1ª a 8ª séries);

• escola única: superação da seletividade com a eliminação do dualismo escolar, já que não mais havia separação entre o ensino secundário e o técnico;

• profissionalização de nível médio para todos: superação do ensino secundário propedêutico, pois passou a existir a terminalidade;

• integração geral do sistema educacional do nível primário ao superior (continuidade);

• cooperação das empresas na educação.

A situação, porém, não era bem essa, e hoje podemos dizer que a reforma não só foi um fracasso como provocou prejuízos inestimáveis. Vejamos alguns aspectos.

A obrigatoriedade de oito anos tornou-se letra morta, uma vez que não havia recursos materiais e humanos para atender à demanda.

A profissionalização não se efetivou. Faltavam professores especializados, as escolas não ofereciam infra-estrutura adequada aos cursos (oficinas, laboratórios, material), sobretudo nas áreas de agricultura e indústria. Daí o subterfúgio do recurso à área terciária, de instalação menos onerosa. Sem a adequada preparação para o trabalho, era lançado no mercado um "exército de reserva" de mão-de-obra desqualificada e barata, o que fez manter nossa dependência para com os países desenvolvidos.

[19] *Revendo o ensino de 2º grau*: propondo a formação de professores. São Paulo, Cortez, 1990, p. 108.

Por outro lado, as escolas particulares, sobretudo as destinadas à formação da elite, não se submeteram à letra da lei, mas apresentavam um "programa oficial" que atendia apenas formalmente às exigências legais. Na realidade, o trabalho efetivo em sala de aula continuava voltado para a formação geral e preparação do vestibular.

Além disso, ao introduzir disciplinas sobre civismo, impunha-se a ideologia da ditadura, reforçada pela extinção da Filosofia e pela diminuição da carga horária de História e Geografia, o que exerceu a mesma função de diminuir o senso crítico e a consciência política da situação.

Portanto, a escola da elite continuava propedêutica, enquanto as oficiais aligeiravam seus programas com disciplinas mal ministradas, descuidando-se da formação geral. De maneira mais grave ainda persistia a seletividade, já que a elite, bem preparada, ocupava as vagas das melhores universidades. Como conseqüência, a reforma não conseguiu desfazer o dualismo escolar.

Quanto à reforma universitária, também é importante lembrar que nesse período ocorreu um processo sem precedentes de privatização do ensino. Grande parte dos cursos, nos moldes do sistema empresarial, nem sempre oferecia igual qualidade pedagógica. Com a criação indiscriminada de cursos superiores, preponderavam os que exigiam poucos recursos materiais e humanos e permitiam a superlotação das classes. Evidentemente, para as faculdades privadas de baixo nível dirigiam-se os alunos mais pobres, porque, mal preparados para a disputa pelas vagas, não tinham acesso às melhores faculdades, geralmente das universidades públicas.

A relação entre escola e comunidade reduziu-se a captar mão-de-obra para o mercado e à intenção de adaptar ao ensino o modelo da estrutura organizacional das empresas burocratizadas e hierarquizadas.

Sem desconsiderar as críticas precedentes, todas graves, o fundamental se acha no caráter tecnocrático da reforma, segundo o qual os valores da eficiência e da produtividade se sobrepunham aos pedagógicos. Além disso, a alegada neutralidade técnica, que asseguraria a administração e o planejamento despolitizados, na verdade camuflava e fortalecia estruturas de poder, substituindo a participação democrática — fundamental em qualquer projeto humano, sobretudo pedagógico — pela decisão de poucos. Portanto, essa reforma, embora aparentemente técnica, neutra, apolítica, de fato, foi política.

21. Transição democrática

No início da década de 1980, o regime militar dava sinais de enfraquecimento, entrando em curso o lento processo de democratização. A sociedade civil, a classe política, as organizações estudantis apresentavam-se de modo mais contundente contra o arbítrio, buscando recuperar espaços perdidos. Exilados políticos anistiados retornavam ao Brasil.

No plano da educação, por volta de 1980 já era amplamente reconhecido o fracasso da implantação da reforma da LDB, e a Lei nº 7.044/82 dispensava as escolas da obrigatoriedade da profissionalização, retomando a ênfase na formação geral.

Nos debates intensificou-se a luta pelo retorno da Filosofia, excluída do currículo. Pelo Parecer nº 342/82 do Conselho Federal da Educação deu-se um tímido recomeço, em que a Filosofia ressurgia como disciplina optativa. Nesse processo todo, nada foi conseguido sem esforço, mas com trabalho intenso e pressão da sociedade civil.

Em 1985 passamos ao primeiro governo civil depois da ditadura, ainda com inúmeros remanescentes da fase autoritária.

À revelia dos movimentos populares, com destaque para a campanha das diretas-já, manteve-se a eleição indireta para a presidência da República. Com a morte do presidente eleito, Tancredo Neves, assumiu o vice José Sarney, começando o governo civil como um político imposto pela aliança que tornara possível sua vitória. Saído das fileiras do Partido Democrático Social (PDS) — fiel à ditadura —, no ano anterior (1984) Sarney votara contra a emenda que propunha restabelecer as eleições diretas.

Com a abertura política, os partidos extintos voltaram à legalidade, bem como os organismos de representação estudantil (UNE, UEE etc.). Abrandada a censura, com algumas recaídas, é bem verdade, o debate político retornou à cena, não só na "praça pública" como nas salas de aula.

Desde o período da ditadura, fortaleciam-se diversos grupos representativos da sociedade civil: a Conferência Nacional dos Bispos do Brasil (CNBB), a Associação Brasileira de Imprensa (ABI), a Ordem dos Advogados do Brasil (OAB), a Sociedade Brasileira para o Progresso da Ciência (SBPC), o Partido do Movimento Democrático Brasileiro (PMDB), da oposição, e os sindicatos, sobretudo o dos metalúrgicos do ABCD paulista, responsável por importante greve geral em 1978 e que também forneceu as bases para a criação do Partido dos Trabalhadores (PT).

No ano de 1978, os professores intensificaram a mobilização em diversos estados, a fim de recuperar as perdas salariais, que haviam atingido índices inéditos, o que agravara a pauperização da profissão. Só para dar um exemplo, em São Paulo a greve na rede estadual foi deflagrada por uma liderança paralela à dos órgãos oficiais de representação, porque tanto a Associação dos Professores do Ensino Oficial do Estado de São Paulo (Apeoesp) como o sindicato dos professores da rede particular tinham, até então, diretorias pouco comprometidas com os interesses da categoria[20].

Foi longo e espinhoso o esforço da oposição para tornar esses organismos de classe realmente representativos e integrados, desde os do ensino primário até os do nível superior, além de desenvolver a consciência política dos professores. Ao lado da imediata reposição das perdas salariais, os professores lutavam pela regulamentação da carreira do magistério e por condições mais dignas para exercê-la.

Após a análise do rescaldo da ditadura, a situação pedia não só urgente valorização do magistério, mas a necessária recuperação da escola pública, aviltada e empobrecida naqueles anos todos. O debate propriamente pedagógico foi grandemente reativado em cinco Conferências Brasileiras de Educação (realizadas de 1980 a 1988), pela circulação de inúmeras revistas especializadas e por uma fecunda produção de teses universitárias voltadas para a investigação dos problemas da área.

22. Iniciativas oficiais pós-ditadura

Não pretendemos fazer o levantamento de todas as iniciativas oficiais orientadas para resolver a questão premente do ensino público, mas destacar algumas medidas voltadas para a sua reversão. Para tanto, era preciso buscar soluções corajosas e não meramente paliativas ou eleitoreiras.

Havia muito tempo as escolas públicas recorriam a expedientes — como quermesses e Associações de Pais e Mestres — a fim

[20] Para mais detalhes, consultar Maria Luísa Santos Ribeiro, *A formação política do professor de 1º e 2º graus*. 2. ed. São Paulo, Cortez, 1987.

de arrecadar dinheiro para reformas ou atendimento de outras necessidades. A remuneração do professor continuava ínfima e aviltante.

Após o fracasso do Plano Cruzado (1986), o congelamento forçado da mensalidade na escola particular, seguido por uma explosão de preços, provocou maior elitização do ensino, ainda mais porque a escola paga se tornava inacessível também à clientela habitual de determinados segmentos da classe média. O que salta à vista é a continuada elitização da educação, com a escola de qualidade cada vez mais restrita a grupos privilegiados, enquanto a pública se reduzia a condições lamentáveis.

Diante do estrago provocado pela lei do ensino profissionalizante, os debates se concentraram na reestruturação dos cursos de formação de professores de grau superior (pedagogia e licenciatura), bem como do secundário (habilitação magistério). Nesse sentido, foi significativo o esforço despendido na reformulação da habilitação específica de 2º grau para o magistério, a começar pelo governo estadual de Minas Gerais. Segundo orientação do Plano Mineiro de Educação (1984/87), 31 escolas normais foram transformadas em Centros Específicos de Formação e Aperfeiçoamento do Magistério (Cefams). O primeiro grupo de professores desses centros freqüentou cursos de especialização promovidos pela Universidade Federal de Minas Gerais, a fim de "tomar contato com o que havia de mais atualizado em sua respectiva área de atuação, [e] pudesse disseminar os novos conhecimentos e práticas pelos colegas"[21].

Também em São Paulo, diversos Cefams foram implantados em todo o estado, a partir de 1988. Nos cursos em período integral, os alunos tinham direito a bolsas de estudo, recebendo salários durante os quatro anos em que freqüentavam a escola. Os professores eram remunerados não só pelas aulas dadas, mas pelas horas-aulas referentes à correção de provas, preparação de aulas e reuniões pedagógicas.

Mais adiante, no item 24, veremos uma modificação mais radical, orientada para a lenta desativação dos cursos de magistério de nível médio, na expectativa de serem substituídos paulatinamente pela formação superior.

Ainda no estado de São Paulo, em 1988 foi instituído o Programa de Formação Integral da Criança (Profic), com a finalidade de oferecer jornada de tempo integral para as classes de 1º grau, com o intuito de resolver problemas de evasão e de repetência. Além disso, ante a situação de abandono das crianças e riscos de violência nas ruas, a escola "protetora" funcionaria como local de segurança, fornecendo também alimentação e atendimento médico. Depois de inúmeras dificuldades, o projeto foi desativado pelo governo seguinte e substituído pela proposta de aumento da jornada nas primeiras séries. A grande crítica se devia à ausência de estrutura adequada à implantação, já que 40% das escolas funcionavam em regime de quatro turnos.

No estado do Rio de Janeiro, na gestão do educador e pedagogo Darcy Ribeiro como secretário da Educação no governo de Leonel Brizola, foram criados os Centros Integrados de Educação Pública (Cieps). Os prédios, concebidos pelo arquiteto Oscar Niemeyer e construídos com blocos pré-fabricados, poderiam acomodar mil crianças em horário integral de dois turnos. Ao lado da intenção de ministrar ensino de boa qualidade, espalhadas por todo o estado, as escolas ofereciam infra-estrutura composta de

[21] Luiz Antônio Cunha, *Educação, Estado e democracia no Brasil*. 2. ed. São Paulo, Cortez, 1995, p. 183.

bibliotecas, quadras de esporte, refeitório, vestiário, gabinete médico e odontológico.

Esse projeto, envolto em ampla propaganda, provocou reações contraditórias de aplausos e rejeição. Pelo fato de existirem inegáveis intenções eleitoreiras, nem sempre as críticas eram desapaixonadas. Posteriormente, distante daqueles acontecimentos, pode-se fazer uma avaliação mais isenta, percebendo que os frutos do empreendimento não condizem com a agitação de 1985, quando foi inaugurado o primeiro Ciep. As principais críticas que se seguiram foram reunidas por Luiz Antônio Cunha[22].

Os prédios, em que pese a notoriedade do arquiteto, tiveram a construção encarecida devido às exigências de adaptá-los aos terrenos. A pressa em concretizar o projeto antes das eleições de 1986 — nas quais Darcy Ribeiro era candidato a governador — trouxe problemas posteriores como afundamentos, vazamentos, rachaduras e mau isolamento acústico. Embora devessem atender às necessidades das áreas carentes, muitas vezes os prédios eram construídos à margem de rodovias ou em cruzamentos que facilitassem sua visibilidade.

Também não existia muita clareza de metodologia e de pressupostos teóricos, além da dificuldade de preparar professores para a consecução efetiva do projeto. Criticava-se ainda o assistencialismo da proposta, que atribuía à escola o papel de resolver problemas sociais, como a infância abandonada, a carência de alimentação e o tratamento de saúde.

A principal objeção, porém, referia-se ao saldo alcançado. Em fins de 1987, apesar da intenção de oferecer aos pobres uma "escola de ricos", dos 500 Cieps prometidos apenas 117 entraram em funcionamento, atendendo à ínfima porcentagem de 3% do alunado estadual e municipal, e não ao mínimo de 20% anunciado. Ora, o alto investimento requerido provocara uma distorção, ao concentrar recursos para poucos, desqualificando o ensino da maioria. De novo, a dualidade no ensino público contrariava a meta de democratizar as condições educacionais.

Projetos arquitetônicos e pedagógicos desse porte também seduziram a administração da prefeita Marta Suplicy, na cidade de São Paulo, por ocasião da implantação do Centro Educacional Unificado (CEU) em diversos bairros da periferia.

Aliás, esse tipo de projeto foi apresentado pela primeira vez por Anísio Teixeira, na Bahia, embora lá a Escola-Classe e a Escola-Parque tivessem propostas diferentes (como veremos no item sobre aquele educador, no tópico *Pedagogia*). O problema desses investimentos é que eles são onerosos, não atendem a totalidade do alunado e geralmente sofrem solução de continuidade, sobretudo do ponto de vista pedagógico, quando muda a gestão do governo.

Lembramos a reflexão de Luiz Antônio Cunha a respeito da dificuldade de implantar e manter as diretrizes pedagógicas: "Os padrões de gestão da rede pública que prevalecem são os que, à falta de melhor denominação, chamo de administração 'zigue-zague': as mais diferentes razões fazem com que cada secretário de Educação tenha o seu plano de carreira, a sua proposta curricular, o seu tipo de arquitetura escolar, as suas prioridades. Assim os planos de carreira, as propostas curriculares, a arquitetura escolar e as prioridades mudam a cada quatro anos, freqüentemente até mais rápido, já que nem todos permanecem à frente da secretaria durante todo o mandato do governador ou do prefeito"[23].

[22] *Educação, Estado e democracia no Brasil*, p. 129-162.

[23] *Educação, Estado e democracia no Brasil*, p. 474 e 475.

23. A Constituição de 1988

A questão da escola pública acirrou discussões no decorrer dos trabalhos da Constituinte de 1987/88. Muitos foram os confrontos e pressões, inclusive da escola particular, desejosa de manter o acesso às verbas públicas garantidas pela Constituição anterior.

Destacamos alguns pontos importantes da nova Constituição:

• gratuidade do ensino público em estabelecimentos oficiais;

• ensino fundamental obrigatório e gratuito;

• extensão do ensino obrigatório e gratuito, progressivamente, ao ensino médio;

• atendimento em creches e pré-escolas às crianças de zero a seis anos;

• acesso ao ensino obrigatório e gratuito como direito público subjetivo, ou seja, o seu não-oferecimento pelo poder público, ou sua oferta irregular, importa responsabilidade da autoridade competente (podendo ser processada);

• valorização dos profissionais do ensino, com planos de carreira para o magistério público;

• autonomia universitária;

• aplicação anual pela União de nunca menos de 18% e pelos estados, Distrito Federal e municípios de 25%, no mínimo, da receita resultante de impostos, na manutenção e desenvolvimento do ensino;

• distribuição dos recursos públicos assegurando prioridade no atendimento das necessidades do ensino obrigatório nos termos do plano nacional de educação;

• recursos públicos destinados às escolas públicas podem ser dirigidos a escolas comunitárias confessionais ou filantrópicas, desde que comprovada a finalidade não-lucrativa;

• plano nacional de educação visando à articulação e ao desenvolvimento do ensino em seus diversos níveis e à integração das ações do poder público que conduzam à erradicação do analfabetismo, universalização do atendimento escolar, melhoria da qualidade do ensino, formação para o trabalho, promoção humanística, científica e tecnológica do país.

A partir das linhas mestras dessa Lei Magna foi estabelecida a nova Lei de Diretrizes e Bases da Educação Nacional (LDBEN).

24. A nova LDB de 1996

Aprovada a Constituição em 1988, restava elaborar a lei complementar para tratar das Diretrizes e Bases da Educação Nacional. Se lembrarmos que a LDB anterior levara treze anos para ser aprovada (de 1948 a 1961), oferecendo no final um texto já envelhecido, havia motivo de preocupação a respeito de sua regulamentação, o que ocorreu em dezembro de1996, com a publicação da Lei nº 9.394.

O primeiro projeto da LDB resultou de amplo debate, não só na Câmara, mas também foi ouvida a sociedade civil, sobretudo no Fórum Nacional em Defesa da Escola Pública, composto de várias entidades sindicais, científicas, estudantis e de segmentos organizados da educação. O projeto original exigiu do relator Jorge Hage — que deu nome ao substitutivo — um trabalho importante de finalização porque, pela primeira vez, uma lei não resultaria de exclusiva iniciativa do Executivo, e sim do debate democrático da comunidade educacional.

Porém, com o apoio do governo e do ministro da Educação, o senador Darcy Ribeiro propôs outro projeto, que começou a ser discutido paralelamente e terminou por ser aprovado em 1996. Os defensores deste último consideravam que o substitutivo anteriormente apresentado, entre outros defeitos, era muito detalhista — tinha 172 artigos — e corporativista (interessado em defender determinados setores). Em contraposição, o projeto aprovado foi criticado por ser vago demais, omisso em pontos fundamentais e autoritário, não só por não ter sido precedido por debates, mas por privilegiar o Poder Executivo, dispensando as funções deliberativas de um Conselho Nacional composto por representantes do governo e da sociedade.

Sem a pretensão de uma análise exaustiva, vejamos alguns pontos que mereceram maiores críticas, tanto positivas como negativas[24].

De modo geral, a lei foi acusada de neoliberal, por não garantir a esperada democratização da educação, sobretudo porque o Estado delegou ao setor privado grande parte de suas obrigações. Por exemplo, a educação profissional não se encontra obrigatoriamente vinculada à escola regular. No parágrafo 4º do artigo 36, lemos: "A preparação geral para o trabalho e, facultativamente, a habilitação profissional poderão ser desenvolvidas nos próprios estabelecimentos de ensino médio ou em cooperação com instituições especializadas em educação profissional". Em seguida, diz o artigo 40: "A educação profissional será desenvolvida em articulação com o ensino regular ou por diferentes estratégias de educação continuada, em instituições especializadas ou no ambiente de trabalho". Desse modo, proliferam as "escolas técnicas" geralmente privadas, cujo objetivo é sempre o de atender às demandas do mercado e que, por isso mesmo, estão mais voltadas para o adestramento. É bom lembrar que no primeiro projeto encaminhado à Câmara, a educação profissional achava-se articulada à formação geral e humanística.

Quanto à destinação dos recursos públicos, uma questão discutida desde longa data, embora tenha havido avanços em relação à lei anterior — que oferecia subvenção, assistência técnica e financeira, inclusive para a iniciativa privada "para compra, construção ou reforma de prédios escolares e respectivas instalações e equipamento" —, a lei atual restringe essa destinação apenas às escolas públicas, embora possa atender a escolas comunitárias, confessionais ou filantrópicas, desde que comprovem finalidade não-lucrativa (art. 77). É bem verdade que também destina recursos para bolsas de estudo para alunos da educação básica, quando houver falta de vagas na rede pública e desde que demonstrem insuficiência de recursos. Para alguns críticos, seria mais coerente aplicar mais verbas justamente para ampliar a rede pública. Uma vantagem da nova lei, ainda nesse quesito, é o esclarecimento sobre o que *não* constitui despesa de manutenção do ensino, evitando assim o desvio de recursos para a construção de pontes e a pavimentação de ruas, sob a alegação de que facilitam o acesso para alguma escola.

Ainda quanto ao ensino privado, o *lobby* dos empresários do ensino superior conseguiu alterar a exigência que constava do projeto de um corpo docente formado na sua maioria por mestre e doutores, reduzindo essa cota para um terço "pelo menos".

Quanto ao ensino religioso nas escolas públicas, também houve pressão para a sua inserção no currículo, o que foi consentido no artigo 33, mas com a ressalva da matrícula facultativa, sem ônus para os cofres públicos e de acordo com as preferências manifestadas pelos alunos ou por seus responsáveis.

[24] Para a ampliação do debate, sugerimos consultar Dermeval Saviani, *A nova lei da educação*: trajetória, limites e perspectivas. Campinas, Autores Associados, 1997, e Pedro Demo, *A nova LDB*: ranços e avanços. 17. ed. Campinas, Papirus, 1997.

A educação infantil (artigos 29 a 31), sem obrigatoriedade, permanece fora de fiscalização, já que não foi exigida supervisão pelo município ou estado.

Em janeiro de 2006 o Senado aprovou o projeto de lei que amplia a duração do ensino fundamental de oito para nove anos, garantindo o acesso de crianças a partir de 6 anos de idade.

No artigo 36, §1º, inciso III, que estabelece para o ensino médio o domínio dos conhecimentos de filosofia e sociologia necessários ao exercício da cidadania, deparamos com uma incoerência, já que essas disciplinas não são obrigatórias, continuam como optativas, na expectativa de retorno às grades curriculares: que profissionais, portanto, seriam responsáveis pelo cumprimento da lei?

A formação de professores para a educação básica mereceu um avanço, ao se determinar, nos artigos 62 e 63, a exigência de curso de nível superior, de graduação plena em universidades e institutos superiores de educação, para substituir o curso de magistério de nível médio. Constituiu também um avanço a proposta de programas de educação continuada e procedimentos para a valorização dos profissionais da educação. Resta saber como serão realizados, ainda mais que no artigo 62 há a ressalva de se admitir, "como formação mínima para o exercício do magistério na educação infantil e nas quatro primeiras séries do ensino fundamental, a oferecida em nível médio, na modalidade Normal". Ou seja, como não fica claro que essa exceção seria permitida apenas nos locais que ainda não oferecem institutos superiores de educação, os cursos de magistério continuam existindo em diversos estados brasileiros.

Um elemento de flexibilidade da lei ocorre no artigo 23, que permite a organização da educação básica em séries anuais, períodos semestrais, ciclos, alternância regular de períodos de estudos etc., o que supõe ampla autonomia de cada escola, desde que se tenha em vista a avaliação da aprendizagem. Flexível também é a "progressão regular por série". Embora seja um avanço, o professor Pedro Demo diz que a flexibilidade traz "os riscos de ser confundida com o abuso do direito de interpretar; por exemplo, a progressão regular ou continuada será facilmente interpretada como 'progressão automática', introduzindo a farsa já comum de empurrar o aluno para a frente sem qualquer comprovação da aprendizagem adequada".

Enfim, essa lei foi a lei possível de ser aprovada, sobretudo se considerarmos o aspecto conservador que ainda persiste nos quadros de nosso Legislativo. Segundo o professor Dermeval Saviani, "embora [a lei] não tenha incorporado dispositivos que claramente apontassem na direção da necessária transformação da deficiente estrutura educacional brasileira, ela, de si, não impede que isso venha a ocorrer". E completa: "A abertura de perspectivas para a efetivação dessa possibilidade depende da nossa capacidade de forjar uma coesa vontade política capaz de transpor os limites que marcam a conjuntura presente. Enquanto prevalecer na política educacional a orientação de caráter neoliberal, a estratégia da resistência ativa será a nossa arma de luta. Com ela nos empenharemos em construir uma nova relação hegemônica que viabilize as transformações indispensáveis para adequar a educação às necessidades e aspirações da população brasileira"[25].

[25] *A nova lei da educação*: trajetória, limites e perspectivas, p. 238.

Ao percorrer a história da educação, podemos constatar que, em todas as épocas, a escola foi seletiva, um privilégio de poucos. Ainda que, no século XVII, Comênio já defendesse "ensinar tudo a todos" e, no século XIX, muitas nações começassem a implantar a escola pública, gratuita e laica, estamos longe de atingir a universalização efetiva desse propósito. Basta constatar que sempre os segmentos mais pobres da sociedade têm sido excluídos da escola e, quando muito, dependendo das necessidades econômicas, tem-lhes sido permitido freqüentar cursos profissionalizantes, o que reforça o dualismo escolar (uma educação intelectualizada restrita à elite e atividades manuais para os segmentos populares).

Mas não só. Lembramos que em grande parte da história da humanidade as mulheres foram excluídas da educação ou encaminhadas para as atividades condizentes com sua "natureza feminina" de esposas e mães, confinadas no espaço doméstico. Apenas a partir do final do século XIX a co-educação deu os primeiros passos, embora o acesso da mulher a cursos superiores permanecesse muito restrito por algum tempo. Isso sem falar que a conquista da cidadania, pelo direito de votar, só ocorreu para ela na primeira metade do século XX, em datas diferentes conforme o país.

Além dos pobres e das mulheres, as sociedades sempre excluíram aqueles considerados "inferiores", tais como deficientes (físicos e mentais) e imigrantes. São excluídos também aqueles que abandonam cedo a escola, por apresentarem dificuldades em acompanhar o modelo de escola implantado, por serem indisciplinados ou por necessidade de trabalhar para ajudar no sustento da família. O que se verifica, afinal, é uma escola excludente e, portanto, não-democrática.

Só muito recentemente tem havido maior empenho em universalizar a educação, inicialmente pela defesa da *integração* dos diferentes e mais recentemente pela sua *inclusão*. Embora esse dois conceitos eventualmente possam ser aceitos como sinônimos, a professora Maria Teresa Eglér Mantoan os distingue, atribuindo ao primeiro um tipo de inserção que mantém o diferente segregado, ou seja, criam-se salas especiais, separadas das aulas regulares destinadas aos "normais". Já "o radicalismo da inclusão vem do fato de exigir uma mudança de paradigma educacional (...). Na perspectiva inclusiva, suprime-se a subdivisão dos sistemas escolares em modalidades de ensino especial e de ensino regular. As escolas atendem às diferenças sem discriminar, sem trabalhar à parte com alguns alunos, sem estabelecer regras específicas para se planejar, para aprender, para avaliar"[26].

Entre todos os possíveis segmentos que são objeto de inclusão, optamos por analisar, ainda que brevemente, apenas a inserção de indígenas e negros.

"Raça" ou etnia?

A divisão clássica das "raças" em branca (ariana), negra (africana), amarela/indígena (asiática) não é hoje aceita como antes. Os estudos atuais, baseados nos avanços da genética, indicam que o genoma humano — o conjunto de genes que caracterizam a espécie humana — é constituído por cerca de 30 mil a 50 mil genes diferentes, muitos deles comuns a todos os seres humanos. Durante milênios, ocorreram lentas modificações genéticas que determinaram diferenças morfológicas entre as "raças" (cor da

[26] *Inclusão escolar*: O que é? Por quê? Como fazer?. São Paulo, Moderna, 2003, p. 25.

pele, tipo de cabelo, configuração de crânio, lábios, nariz etc.), em decorrência da adaptação das populações a fatores geográficos como radiação solar, temperatura e outros.

Segundo o pesquisador em genética humana, Sérgio Danilo Pena, "hoje existe consenso, entre antropólogos e geneticistas, de que, sob este prisma biológico, raças humanas não existem. (...) Por outro lado, certamente raças existem como construções sociais e culturais, e o racismo é uma realidade, por mais perverso e detestável que seja". Em estudo realizado no laboratório de genética médica de Minas Gerais, o professor Pena concluiu que "a interpretação genética dos achados de nossa pesquisa é que a população brasileira atingiu um nível muito elevado de mistura gênica. A esmagadora maioria dos brasileiros tem algum grau de ancestralidade genômica africana"[27].

Por isso muitas vezes escrevemos "raça" entre aspas, devido à imprecisão do conceito, porque "raça" não significa mais um dado biológico, e sim uma construção discursiva e cultural. Nesse sentido, podemos continuar discutindo o *racismo* como um preconceito enraizado nos povos que se consideram "superiores" a outros, como justificativa para submetê-los (consultar o dropes 3).

Homogeneizar ou democratizar?

Voltemos um pouco para a segunda parte do capítulo 6, em que examinamos como se procedeu a catequese dos indígenas no Brasil. De acordo com a mentalidade quinhentista, tanto o reino português como a Igreja Católica atuavam no sentido de *homogeneizar as diferenças*, nivelando a todos pelo que se considerava verdadeiro e superior: a cultura cristã européia. A catequese, então, constituiu um esforço para acentuar a semelhança e apagar as diferenças, pela qual os jesuítas buscavam transformar o "selvagem" em "civilizado" e o não-cristão em cristão, para que todos fossem o mais iguais possível. Nessa linha de pensamento, o objetivo era silenciar a cultura indígena, aí incluídos a religião, a língua, os costumes.

Atualmente, porém, conforme recentes estudos de etnologia e antropologia, a tendência tem sido a de valorizar as diferenças e aceitar a presença múltipla das diversas etnias. Desse modo, a pluralidade cultural não é vista como deficiência, mas como riqueza a ser preservada. Não no sentido de um multiculturalismo em que cada cultura "permaneça intocada", mas com a possibilidade de discussão *intercultural*, em que, além de defender suas identidades lingüísticas e étnicas, nem por isso os grupos percam de vista a conexão entre si.

Nas últimas décadas do século XX várias foram as medidas de cunho jurídico, político e institucional no sentido de reverter aquela visão antiga, baseada na hierarquização de poderes que se reduzia à incorporação do diferente ou à sua exclusão. Em 1953 a Unesco iniciou os trabalhos de mudança desse paradigma, ressaltando, entre outras providências, a preservação das línguas maternas, ou seja, uma alfabetização bilíngüe desses povos.

Existem hoje no Brasil mais de 200 etnias indígenas, além de 55 grupos de índios isolados, que falam pelo menos 180 línguas (na época da descoberta, estima-se que eram cerca de 1.300 línguas...), pertencentes a mais de 30 famílias lingüísticas diferentes.

No Brasil, perdurou ainda um bom tempo a visão do indígena como alguém a ser

[27] Tendências e debates: "Há uma base objetiva para definir o conceito de raça?", in *Folha de S.Paulo*, 21-12-2002, p. 3.

tutelado pelo Estado, tendo em vista a sua lenta aculturação, tal como explicitava o Estatuto do Índio (Lei nº 5.371 de 1967). No entanto, a Constituição de 1988 inovou no sentido de garantir as especificidades de cada sociedade, como podemos observar no artigo 231: "São reconhecidos aos índios sua organização social, costumes, línguas, crenças e tradições, e os direitos originários sobre as terras que tradicionalmente ocupam, competindo à União demarcá-las, proteger e fazer respeitar todos os seus bens". No parágrafo 2º do artigo 210, lemos: "O ensino fundamental regular será ministrado em língua portuguesa, assegurada às comunidades indígenas também a utilização de suas línguas maternas e processos próprios de aprendizagem".

Essas disposições foram detalhadas nos artigos 78 e 79 da LDB de 1996, os quais, ao mesmo tempo que destacam os objetivos de recuperar suas memórias históricas, reafirmar suas identidades étnicas, valorizar suas línguas e ciências, garantem também o acesso às informações e aos conhecimentos técnicos e científicos da sociedade nacional e demais sociedades indígenas e não-índias. Além disso, há intenção expressa, entre outras, de formar pessoal especializado para a educação escolar nas comunidades indígenas, bem como de utilizar material didático específico elaborado pelos próprios índios.

Se já significa muito essa mudança de paradigma, é preciso constatar, no entanto, que nem sempre tem sido fácil transformar a teoria em prática. Além do preconceito e da discriminação arraigados na tradição hierarquizante da nossa sociedade, acentuados pela degradação a que se viram compelidos esses povos, há dificuldades para o Estado de colocar em funcionamento o que já foi estabelecido por lei. Segundo dados do Instituto Nacional de Estudos e Pesquisas Educacionais Anísio Teixeira, de 2003, existem 1981 escolas de ensino fundamental em terras indígenas. Por motivos diversos, poucos deles têm acesso à educação superior, o que já vem acontecendo em algumas universidades que abriram vagas para indígenas.

A "pedagogia da escravidão"

Vimos que no início da colonização os portugueses escravizavam os índios, apesar das dificuldades decorrentes do confronto direto com os religiosos, que os confinavam em missões, e também da resistência dos nativos ao trabalho servil.

Com o tempo, a escravidão negra preponderou, tanto nas plantações de cana no Nordeste, como na mineração e depois na cultura do café, quando então os imigrantes vieram substituir a mão-de-obra escrava. Diferentemente dos indígenas, que, desde o início da colonização, tiveram a atenção dos missionários empenhados na catequização e, muitas vezes, na sua proteção, os negros que para cá vieram nunca mereceram atenção especial dos padres e de quem quer que fosse.

Ao contrário, eles os tinham em pouca conta. Basta lembrar o incidente a que já nos referimos conhecido como "questão dos moços pardos": no século XVII, alguns mulatos tiveram suas matrículas recusadas nos colégios dos jesuítas "por serem muitos e provocarem arruaças", mas os padres tiveram de renunciar à decisão discriminatória, devido aos subsídios que recebiam da Coroa. De qualquer modo, os jesuítas estavam entre as pessoas, como fazendeiros, advogados, médicos, que produziram a ideologia de depreciação do negro como indivíduo semi-humano e destinado ao trabalho servil. Aliás, faz parte da mentalidade do escravizador justificar os maus-tratos pela inferiorização da capacidade de compreender e de comportar-se desses seres considerados primários.

O professor Mário Maestri define como "*pedagogia da escravidão* as práticas empreendidas direta e indiretamente pelos escravizadores para enquadrar, condicionar e preparar o cativo à vida sob a escravidão. Ou seja, para submetê-lo, da forma mais plena e com o menor esforço possível, a sua função de viver para produzir a maior quantidade de bens, com o menor gasto"[28].

O processo de "educação para a submissão" começava já na África, onde muitas vezes os jovens prisioneiros, pertencentes às mais diversas etnias, conviviam por um tempo em outras tribos que não eram as suas de origem, sem entenderem a língua uns dos outros. Depois, viajavam nos porões dos navios negreiros, em situações precárias de higiene e alimentação, amontoados e sujeitos a epidemias, muitos deles morrendo pelo caminho.

Ao serem introduzidos no trabalho — a maioria no campo e um número menor nas cidades —, os escravos tinham o feitor como intermediário entre eles e o senhor, em um duro embate para conformar o corpo e a mente às longas jornadas e ao castigo físico exemplar, em local que fosse visto por todos. Como nenhum interesse havia em ensinar ao cativo a língua portuguesa, muitos a aprendiam precariamente; além disso, muitas vezes tinham de conviver com negros de etnias diferentes que não falavam a mesma língua.

A inserção nas atividades agrícolas não merecia treinamento específico, devido à simplicidade delas, que podiam ser realizadas por imitação, evidentemente sob a ameaça freqüente de castigo físico. Alguns deles, chamados de *negros ladinos*, demonstravam maior facilidade em aprender e eram encaminhados para a execução de ofícios como os de carreteiro, pedreiro, charqueador, que exigiam maior habilidade e treino mais prolongado. Pouquíssimos aprendiam a ler e a escrever, embora houvesse os que conseguiam bons resultados. Os escravos domésticos e os que residiam nas cidades eram os que se ocupavam de atividades mais complexas, que exigiam treinamento mais intenso.

Assim comenta o professor Mário Maestri, ao finalizar o mesmo artigo: "Em todos os momentos da escravidão imperou inconteste a visão do castigo físico como recurso pedagógico imprescindível ao aprendizado e à manutenção da qualidade do ato produtivo. Pilar das visões de mundo das classes escravizadoras, a idéia do *castigo físico justo*, como recurso pedagógico excelente, penetrou nas classes subalternizadas da época, tornando-se, a seguir, uma das mais arraigadas visões pedagógicas *informais* da civilização brasileira".

26. Educação e neoliberalismo

Aproveitando a advertência feita pelo professor Saviani no final do item 24, vamos examinar como a orientação neoliberal[29] tem interferido na educação brasileira. Vimos no capítulo anterior que, a partir da década de 1970, recrudesceram as idéias neoliberais, que combatiam as orientações keynesianas do Estado intervencionista, protecionista, retomando os princípios do liberalismo que fundamentam o Estado mínimo.

Sem levar em conta que o capitalismo passou ao longo do tempo por diversas cri-

[28] "A pedagogia do medo: disciplina, aprendizado e trabalho na escravidão brasileira", in Maria Stephanou e Maria Helena Camara Bastos (orgs.), *Histórias e memórias da educação no Brasil*, v. I: *Séculos XVI-XVIII*, p. 192.

[29] A título de revisão, se necessário, consultar o item 2 do tópico *Contexto histórico* do capítulo 7 e os capítulos subseqüentes, que assinalam as mudanças do capitalismo burguês até hoje.

ses que precisaram ser contornadas, aliás, sempre a favor do capital, os neoliberais culpam o Estado intervencionista e os sindicatos pelos problemas atuais da economia de mercado: os sindicatos, por pressionarem as empresas por aumento de salário e benefícios, e o Estado por ceder às pressões sociais, aumentando seus gastos. As metas do Estado neoliberal que visam antes de tudo à estabilidade econômica e à disciplina orçamentária foram estabelecidas no chamado Consenso de Washington (1990), cujas decisões repercutiram na política dos países periféricos. Isso porque, ao pedirem empréstimos ao Fundo Monetário Internacional (FMI), esses países obrigavam-se a seguir as normas impostas pelo Banco Mundial (Bird) para o controle das políticas domésticas — inclusive na educação —, além, evidentemente, de acelerarem o processo de endividamento, que, por sua vez, tem reforçado a dependência.

Segundo a professora Angélica Maria Pinheiro Ramos, dentre as recomendações do Banco Mundial para o Brasil, destaca-se o financiamento diversificado, que supõe a destinação dos recursos de acordo com a qualidade das escolas, ou seja, conforme sua situação no *ranking* do sistema de avaliação dos diversos níveis de ensino pelo MEC, o que estimula a "concorrência" entre os estabelecimentos. Essa orientação pressupõe a procura de "fontes alternativas" (ou seja, particulares) para o financiamento da educação, estimulando a política do ensino pago, sobretudo o superior, bem como a privatização do ensino de pós-graduação ou o estímulo a convênios com diversas empresas, no intuito de captar recursos para projetos de pesquisa e extensão. A exigência de contenção dos gastos reflete-se nos salários congelados dos professores e na retirada de vantagens adquiridas.

Nessa linha, fica claro o reducionismo do papel da educação, pelo seu atrelamento a interesses estranhos a ele. Mais adiante, Ramos completa: "Não é demais reafirmar que a implementação de muitas dessas ações está embasada — em geral — numa compreensão de educação enquanto mercadoria e de investimento em educação como uma inversão em 'capital humano', já presentes em Friedman e na TCH [Teoria do Capital Humano]. Conforme Nereide Saviani, esse conjunto de medidas adotadas tem 'por eixo um *novo* conceito de público', que estaria 'desvinculado do estatal e gratuito', com a transferência da responsabilidade para a sociedade civil, a comunidade, a família, embora se admitindo subsídios para os necessitados — tal como já recomendava Friedman"[30].

Vale lembrar que, conforme o espírito de contenção de gastos, ocorreu uma política de congelamento de salários dos professores das universidades federais, além de cortes de verbas para a pesquisa e a pós-graduação.

Pedagogia

No capítulo referente ao século XIX, vimos que a fermentação das discussões pedagógicas no Brasil teve início ainda no final do Império, intensificando-se após a proclamação da República. As novas idéias, vindas da Europa e depois dos Estados Unidos, estimularam nossas reflexões, inicialmente com a divulgação do método

[30] Angélica Maria Pinheiro Ramos, *O financiamento da educação brasileira no contexto das mudanças político-econômicas pós-90*. Brasília, Plano Editora, 2003, p. 131. Obs.: a autora se refere a artigo de Maria Clara Soares, "Banco Mundial: políticas e reformas", in *O Banco Mundial e as políticas educacionais*, 2. ed. São Paulo, Cortez, 1998, e ao artigo de Nereide Saviani, "Educação brasileira em tempos neoliberais", in *Revista Princípios*, São Paulo, nº 45, maio/julho de 1997.

intuitivo e depois com o embate entre a pedagogia tradicional, sobretudo a ministrada pelas escolas cristãs, e o ideário positivista, que, entre outras coisas, defendia a laicidade do ensino.

Além do positivismo, no início da República alguns intelectuais sofreram influência do ecletismo, reunião de diversas tendências filosóficas das quais retiravam o que lhes interessava para interpretar a realidade e agir sobre ela. É o caso, por exemplo, de Rui Barbosa e do médico Caetano de Campos, administrador que empreendeu a reforma da Escola Normal de São Paulo, em 1890.

Nas primeiras décadas do século XX houve também a difusão das idéias anarquistas e comunistas, que criticavam a repartição injusta dos benefícios culturais reservados a um pequeno núcleo de privilegiados e defendiam a escola única, universal. Geralmente, porém, as escolas eram fechadas e os movimentos abortados, bem como suas vozes silenciadas com prisões, tal como aconteceu com o teórico anarquista brasileiro José de Oiticica, que foi exilado.

Nesse período os escolanovistas buscavam atender às novas necessidades de um país cada vez mais urbano e industrializado, ao mesmo tempo que se contrapunham à educação tradicional dos educadores católicos. Vimos, no tópico anterior, as idas e vindas dos projetos estatais às vezes orientados para uma escola pública, universal e unitária, que até hoje não se concretizou. Em seguida, analisaremos com mais detalhes as tendências teóricas que animaram — e ainda animam — as experiências efetivas e outras que permanecem como sonhos irrealizados.

1. Anísio Teixeira

Já discorremos, no tópico *Educação*, como ocorreu o movimento escolanovista no Brasil, representado por educadores como Anísio Teixeira, Fernando de Azevedo, Lourenço Filho, Almeida Júnior, Hermes Lima, Paschoal Lemme, Frota Pessoa e outros que trouxeram uma influência renovadora, apoiados em pedagogias como as de Dewey, Kilpatrick, Decroly e Kerschensteiner.

Os escolanovistas fertilizaram de maneira vigorosa o debate sobre educação na Primeira República. Chamados de "profissionais" do ensino, na sua maioria tinham formação pedagógica, escreveram livros, ocuparam cargos públicos, realizaram reformas de ensino, participaram de movimentos em defesa da educação, publicaram artigos nos jornais da época.

Não se tratava, porém, de um grupo homogêneo do ponto de vista ideológico, o que ficou claro inclusive por ocasião do acirramento dos ânimos que culminou com a virada política do Estado Novo: Paschoal Lemme e Hermes Lima eram socialistas, Anísio Teixeira e Fernando de Azevedo eram liberais, só que o primeiro defendia uma posição mais democrática e igualitária do que o segundo, enquanto Lourenço Filho e Francisco Campos continuaram ocupando cargos públicos durante a ditadura.

Vamos em seguida destacar a prática e a teoria de um dos maiores expoentes da educação brasileira, Anísio Teixeira.

A trajetória de Anísio Teixeira

Entre os escolanovistas, é notável a contribuição do pedagogo, filósofo e educador Anísio Teixeira (1900-1971), responsável pela difusão das idéias pragmatistas de John Dewey no Brasil. Com atuação sempre marcante desde a década de 1920, enfrentou duas ditaduras, viveu um período de reclusão voluntária de 1935 a 1945 e morreu em circunstâncias trágicas até hoje não esclarecidas, na época da ditadura militar.

Nascido na Bahia, formou-se em direito no Rio de Janeiro e fez pós-graduação em educação em Nova York, quando teve contato pessoal com John Dewey e familiarizou-se com sua teoria pedagógica. Visitou vários países na Europa para conhecer os diversos sistemas escolares.

De inteligência brilhante e apaixonado pelo tema da educação, começou cedo sua atuação efetiva. Em 1924 — portanto com apenas 24 anos — ocupou o cargo de inspetor geral de ensino do governo da Bahia e fez a reforma educacional daquele estado. Em 1931 foi nomeado diretor da Instrução Pública do Distrito Federal (então Rio de Janeiro). Aí teve a oportunidade de concretizar seus planos teóricos de integração da escola primária, do secundário e do ensino de adultos, culminando com a criação da universidade municipal daquela cidade. Essa reforma de ensino projetou-o nacionalmente.

Foi signatário do Manifesto dos Pioneiros da Educação Nova, em 1932, e participou ativamente da discussão sobre educação. No entanto, perseguido pela ala conservadora das escolas privadas confessionais e acusado de comunista pelos partidários de Vargas, cujo governo já se encaminhava para a ditadura do Estado Novo, Anísio Teixeira em 1935 abdicou da presidência da ABE, demitiu-se do cargo que ocupava no município do Rio de Janeiro e afastou-se da vida pública de 1935 a 1945, quando ocorreu a redemocratização do país.

Em 1950, na Bahia, foi responsável por outra reforma, ao criar em Salvador o Centro Popular de Educação Carneiro Ribeiro, depois também conhecido como Escola-Parque. A idéia inicial era atender 4 mil alunos, visando a uma educação integral, que incluía alimentação, higiene, socialização, preparação para o trabalho e para a cidadania. Para tanto, projetou o funcionamento de cinco escolas: quatro delas, chamadas Escolas-Classe, acolheriam cada uma mil alunos, para o ensino do currículo escolar, e a quinta seria a Escola-Parque, onde, em turnos, se revezariam os 4 mil alunos das Escolas-Classe para aulas de educação física, atividades sociais e artísticas, cursos profissionalizantes e envolvimento com a comunidade. Desse projeto resultou a instalação de apenas três Escolas-Classe. Como vimos no tópico *Educação*, essa idéia pioneira de democratização do ensino fertilizou outras iniciativas posteriores, tais como os Cieps, no Rio de Janeiro, experiências sempre abortadas.

De retorno ao Rio de Janeiro, em 1951, ocupou diversos cargos, pronunciou conferências, foi signatário do documento, o Manifesto dos Educadores Mais uma Vez Convocados, de 1959, e participou da discussão da LDB de 1961.

Continuavam, porém, os ataques dos segmentos conservadores. Foi de tal ordem a perseguição dos religiosos às idéias de Anísio Teixeira que, em 1958, um memorial dos bispos católicos o acusava de "extremista" e solicitava sua demissão do cargo público federal que ocupava. A reação de intelectuais foi imediata, e um documento de defesa, assinado por 529 educadores, cientistas e professores impediu que a demissão se concretizasse.

Em 1961, com Darcy Ribeiro, foi um dos idealizadores da Universidade de Brasília (UnB), da qual chegou a ser reitor. Finalmente, em 1964, por ocasião do início da ditadura militar, foi afastado e aposentado compulsoriamente. Seguiu então para os Estados Unidos, onde lecionou em diversas universidades. Ao retornar ao país, continuou ativo no debate sobre a educação e envolvido com a publicação de novos livros.

A pedagogia progressiva

Além de atuar em inúmeras reformas educacionais, Anísio Teixeira foi um pensador fecundo, com amplo conhecimento da história brasileira, ancorado numa filosofia da educação. Sempre escreveu nos intervalos de suas atividades na vida pública, começando cedo sua produção intelectual, ao publicar *Aspectos americanos da educação* (1928), voltado para a divulgação do pensamento de Dewey no Brasil, e em 1936 traduziu *Democracia e educação*, principal obra daquele educador. Entre outros livros, escreveu *Educação não é privilégio*, *Pequena introdução à filosofia da educação*: a escola progressiva ou a transformação da escola[31], *Educação para democracia*: introdução à administração escolar e *Educação é um direito*.

Devido à influência de Dewey, Anísio Teixeira preferia usar a expressão "escola progressiva" e não Escola Nova, como afinal ficou consagrado no movimento escolanovista. Assim justifica sua preferência: "E progressiva por quê? Porque se destina a ser a escola de uma civilização em mudança permanente (Kilpatrick) e porque, ela mesma, como essa civilização, está trabalhada pelos instrumentos de uma ciência que ininterruptamente se refaz. Com efeito, o que chamamos de 'escola nova' não é mais do que a escola transformada, como se transformam todas as intituições humanas à medida que lhes podemos aplicar conhecimentos mais precisos dos fins e meios a que se destinam".

Aqui, vale lembrar a posição de Anísio Teixeira sobre o ensino tradicional, cujos princípios precisariam ser reformulados pela didática da escola progressiva. Se para ele é positiva a necessidade de nos apropriarmos dos conhecimentos científicos e dos valores construídos pela sociedade, critica, porém, a maneira pela qual esse processo ocorre na escola tradicional, por meio de memorização e repetição de um saber acabado. Ao contrário, é preciso dar condições para que o aluno desenvolva uma atitude científica, que aprenda por si mesmo, o que não é possível pela distribuição de disciplinas separadas ministradas por professores em compartimentos estanques. A escola deveria ser o lugar da elaboração de projetos, que exigem reflexão, intensa atividade participativa e que levam à conquista progressiva da autonomia e da responsabilidade do educando.

Na sua obra *Pequena introdução à filosofia da educação*, Anísio Teixeira lembra que a educação tradicional provocou a separação entre escola e vida, quando, na verdade, "a escola deve ser uma parte integrada da própria vida, ligando as suas experiências às experiências de fora da escola". E completa: "a reorganização [do programa escolar] importa em nada menos do que trazer a vida para a escola. A escola deve vir a ser o lugar aonde a criança venha a viver plena e integralmente. Só vivendo, a criança poderá ganhar os hábitos morais e sociais de que precisa, para ter uma vida feliz e integrada, em um meio dinâmico e flexível tal qual o de hoje".

Assim como Dewey, tem como meta a democratização do ensino, sobretudo em um país como o nosso, de escolarização tardia e alto índice de analfabetismo. Lembrando os títulos de dois de seus livros, para Anísio Teixeira a educação é um *direito* e, portanto, não pode continuar como *privilégio* da elite. Para a democratização da sociedade, defende a instalação da *escola pública*, *universal*, *leiga*, *gratuita* e *unitária*. Por isso considera que as crianças e os jovens — na sua tota-

[31] Esta obra, ao ser publicada pela primeira vez, em 1932, saiu com o título *Educação progressiva*: uma introdução à filosofia da educação. Mais tarde, ao reeditá-la, o próprio autor inverteu a ordem do título, já que a expressão "escola progressiva", de sua preferência, tornara-se menos conhecida.

lidade, sem excluir os segmentos populares — deveriam freqüentar a escola primária e secundária com finalidades culturais e científicas. No ensino secundário, todos, indistintamente, continuariam recebendo essa formação integral, complementada com práticas de diversas profissões, de maneira flexível e variada, a fim de atender aos diversos interesses e capacidades dos alunos. Seria essa a maneira de superar a tradição do dualismo escolar, que sempre destinou à elite a educação acadêmica e aos pobres o ensino profissional, geralmente de modo precoce, antes que as crianças desse último segmento tivessem acesso aos bens simbólicos da sua cultura, distorção que garante a reprodução das desigualdades sociais.

Seu interesse pela universidade segue o mesmo ideal de instituições criativas, voltadas para os problemas do país, garantidas pela mentalidade científica de incentivo à pesquisa e ao aperfeiçoamento docente, além de batalhar pela ampliação dos recursos a elas devidos.

Subjacente a essas diretrizes, encontramos a convicção segundo a qual a sociedade justa e democrática depende da renovação cultural de todos os seus segmentos, o que seria alcançado por meio da educação unitária.

2. A contribuição do Iseb

Retomando a história do Brasil, constatamos que na década de 1950 e início da de 1960 a economia caracterizava-se pelo nacional-desenvolvimentismo e a política, pelo populismo.

Uma grande contribuição teórica, naquele período, veio do Instituto Superior de Estudos Brasileiros (Iseb), que, fundado em 1955, durou dez anos, até ser extinto pelo golpe militar de 1964. Os principais participantes foram Roland Corbisier, Hélio Jaguaribe, Álvaro Vieira Pinto, Cândido Mendes, Celso Furtado e Nelson Werneck Sodré, que, além de algumas concordâncias fundamentais, assumiam posições ideológicas diversificadas.

O Instituto propôs-se à tarefa de repensar a cultura brasileira autônoma, não-alienada, rompendo a tradição colonial de transplante cultural. Aliás, essa questão já havia algum tempo desafiava os países da "periferia" do desenvolvimento industrial capitalista. Desde as décadas de 1930 e 1940, os teóricos da Comissão Econômica para a América Latina (Cepal) tentavam explicar as causas do atraso da América Latina.

Segundo esses intelectuais, que muito influenciaram os isebianos, o liberalismo seria incapaz de evitar o aumento da pobreza bem como as disparidades sociais internas e entre as nações. Em consonância com o intervencionismo proposto pelo economista inglês Keynes (1883-1946), esperava-se que o Estado regulamentasse as forças do mercado, a fim de proteger a população desfavorecida.

Os isebianos, embora não fossem hostis ao capital estrangeiro, recomendavam, em nome do desenvolvimento nacional, a utilização de critérios que não trouxessem prejuízo. É bem verdade que nem sempre prevaleciam as posições de aceitação, e alguns teóricos se colocaram em franca oposição à entrada das indústrias estrangeiras no país.

Em linhas gerais, portanto, o Iseb não se mostrou contrário ao capitalismo, mas apenas cuidadoso com a regulamentação das forças que atuavam no seu interior. Até intelectuais de esquerda, como Nelson Werneck Sodré, mesmo sem negar a contradição entre capital e trabalho, concordavam que o desenvolvimento do país era a meta primordial.

Tornava-se urgente descobrir o país e seus problemas, e para isso era necessário relacionar cultura e economia. Desse modo, em economia e política o Iseb defendia a produção e a indústria nacionais, daí o nacional-desenvolvimentismo, que caracterizava sua orientação.

As bases teóricas do Instituto eram as mais diversas: marxismo, existencialismo (sobretudo o personalismo do francês Emmanuel Mounier), pensamento cristão, como é o caso de Álvaro Vieira Pinto. À influência cristã é preciso fazer uma ressalva, pois se distingue daquela dos católicos conservadores a que nos referimos. Como vimos no tópico anterior, a Igreja Católica, a partir do Concílio Vaticano II (1962-1965), imprimiu uma orientação — que vinha se fazendo sentir havia algum tempo — voltada preferencialmente para os pobres. A repercussão desse pensamento progressista na América Latina foi intensa, inclusive com o emprego do método dialético marxista, sem, contudo, aderir integralmente ao marxismo como doutrina.

Muito complexa é a crítica da contribuição do Iseb. Se, por um lado, seu fechamento pelo governo militar supôs o comprometimento "subversivo" com a ideologia marxista, por outro, não lhe foram poupadas acusações de veicular uma ideologia de direita, mais direcionada para a defesa nacional contra os estrangeiros do que contra o capitalismo. Segundo esses críticos, o Iseb teria ainda supervalorizado o papel da consciência e da ideologia para incrementar o desenvolvimento brasileiro.

De qualquer modo, é conveniente analisar a contribuição isebiana no contexto histórico e econômico daquela época, sem se esquecer do esforço que tinha em vista a compreensão da cultura e da identidade brasileiras. A intensa produção teórica do período repercutiu nos diversos movimentos pedagógicos, com a explícita intenção de transformar o processo mental, despertando as massas para a reflexão crítica a respeito da situação de exploração a que foram relegadas. Essa reflexão acarretou acentuado interesse pela educação popular, manifestado na obra de Paulo Freire e nos Movimentos de Educação de Base (MEB).

3. Paulo Freire: a trajetória de um educador

Podemos dizer, sem risco de errar, que Paulo Freire (1921-1997) foi um dos grandes pedagogos da atualidade, respeitado não só no Brasil, mas também no mundo. Mesmo que suas idéias e práticas tenham sofrido críticas as mais diversas, é indispensável considerar a fecunda contribuição que deu à educação popular.

Antes de tudo, Paulo Freire era cristão. Seu cristianismo, porém, embasava-se em uma teologia libertadora, preocupada com o contraste entre a pobreza e a riqueza resultante de privilégios sociais. Mantida a fé, sua formação intelectual alterou-se com o tempo, influenciada inicialmente pelo neotomismo. Percorreu em seguida os caminhos da fenomenologia, do existencialismo e do neomarxismo.

Seu primeiro livro, *Educação como prática da liberdade* (1965), ainda apresenta uma visão idealista marcada pelo pensamento católico. Já em *Pedagogia do oprimido* (1970) faz uma abordagem dialética da realidade, cujos determinantes se encontram nos fatores econômicos, políticos e sociais. Escreveu também *Cartas à Guiné-Bissau* e *Vivendo e aprendendo* (com o grupo do Instituto de Ação Cultural — Idac). Posteriormente, ao retornar do exílio, publicou, entre uma vasta produção intelectual, *A importância do ato de ler*, *A educação na cidade*, *Pedagogia da esperança* e *Pedagogia da autonomia*. A maioria mereceu tradução e comentários em vários países.

Paulo Freire nasceu em Recife em 1921 e morreu em São Paulo em 1997. Suas primeiras experiências educacionais começaram em 1962 em Angicos, no Rio Grande do Norte, onde trezentos trabalhadores do campo se alfabetizaram em 45 dias. O impacto desse resultado foi tão grande que Miguel Arraes, então governador de Pernambuco, autorizou trabalho semelhante nas favelas de Recife e, em seguida, em todo o estado. Também o governo federal interessou-se pelo projeto e pretendia organizar 20 mil "círculos de cultura", procedimento de seu método de alfabetização, a fim de atingir cerca de 2 milhões de adultos por ano. Fez parte do Movimento de Cultura Popular (MCP) de Recife, a que já nos referimos no tópico *Educação*, quando, em 1964, o governo militar interrompeu-lhe as atividades ao determinar sua prisão. Viveu exilado durante catorze anos no Chile e posteriormente como cidadão do mundo.

Ao contrário do que se poderia supor, sua produção tornou-se cada vez mais rica, o que o fez conhecido em toda parte. Por seu intermédio, o Chile (antes da ditadura do general Augusto Pinochet) recebeu uma distinção da Unesco por ser um dos cinco países que mais contribuíram para superar o analfabetismo.

Em Genebra, Suíça, com outros exilados brasileiros, fundou em 1970 o Idac, que prestava assessoria a movimentos bem diversos, como os operários dos sindicatos italianos; para as mulheres, ao lado do movimento feminista da Suíça; alfabetização de adultos da Guiné-Bissau (ex-colônia portuguesa); atividades similares em outras jovens nações africanas como Cabo Verde, Angola, São Tomé e Príncipe, bem como na Nicarágua, na América Central.

Enquanto isso, no Brasil, em 1967 o governo militar criou o Mobral, numa pretensa campanha nacional cujos resultados negativos já abordamos. Neste projeto, o método de Paulo Freire foi aplicado de maneira deformada, apenas com as fichas de leitura, sem o processo de conscientização. Se o governo militar considerava o método subversivo, mutilando-o, ofereceu o seu avesso, impensável como mera técnica de alfabetização.

Ao voltar do exílio, Paulo Freire retomou suas atividades de escritor e debatedor, assumiu cargos nas universidades e foi secretário municipal da Educação em São Paulo (1989-1991). Conferencista respeitado em vários países, também teve suas obras traduzidas em diversas línguas.

Em *Pedagogia da esperança*: um reencontro com a pedagogia do oprimido, obra publicada em 1992, Paulo Freire faz um relato de sua caminhada intelectual e retoma os temas da democratização da educação como modo de consciência crítica do contexto vivido, reforçando a necessidade da esperança e do sonho para lutar melhor e enfrentar os obstáculos. Nesse sentido, faz sérias críticas aos empecilhos antepostos pelo neoliberalismo.

Pedagogia do oprimido

Paulo Freire parte do princípio de que vivemos em uma sociedade dividida em classes, na qual os privilégios de uns impedem a maioria de usufruir os bens produzidos. Se a vocação humana de se realizar só se concretiza pelo acesso aos bens culturais, ela é "negada na injustiça, na exploração, na opressão, na violência dos opressores, mas afirmada no anseio de liberdade, de justiça, de luta dos oprimidos, pela recuperação de sua humanidade roubada"[32].

Um desses bens necessários é a educação, da qual tem sido excluída grande parte da população dos países periféricos. Por isso, Paulo Freire refere-se a dois tipos de

[32] Paulo Freire, *Pedagogia do oprimido*. 8. ed. Rio de Janeiro, Paz e Terra, 1980, p. 30.

pedagogia: a pedagogia dos dominantes, na qual a educação existe como prática da dominação, e a pedagogia do oprimido — tarefa a ser realizada —, na qual a educação surge como prática da liberdade.

Não é simples instaurar a nova pedagogia, pois com freqüência o oprimido "hospeda" o opressor dentro de si. Mesmo reconhecendo-se oprimido, assume a atitude fatalista de aceitação de "sua sina". Às vezes se desvaloriza, justificando a "natural superioridade" do opressor; outras vezes, inseguro, tem medo da liberdade que não ousa assumir, aumentando assim a irresistível atração pelo opressor. Ou, ainda, aspira a ocupar uma posição entre os "superiores", renegando suas raízes e tornando-se também um opressor.

Por outro lado, os dominantes não podem ser vistos de modo maniqueísta, como aqueles que se reconhecem opressores. É mais comum acharem natural sua superioridade, justificando a pobreza pelos vícios inerentes aos próprios indivíduos. Não se perguntam também por que os pobres são excluídos da cultura formal, achando mais fácil explicar a ignorância das massas como resultado da incapacidade pessoal de estudo. Ainda mais, os dominantes se vêem como generosos quando pretendem ajudar o pobre a sair da miséria e reagem violentamente a qualquer tentativa de alterar o que consideram ser a ordem natural da sociedade.

O movimento de libertação deve partir dos próprios oprimidos, cuja pedagogia será "aquela que tem de ser forjada com ele e não para ele, enquanto homens ou povos, na luta incessante de recuperação de sua humanidade". Trata-se de um trabalho de conscientização e de politização. Não basta que o oprimido tenha consciência crítica da opressão, mas que se disponha a transformar essa realidade. "A práxis é reflexão e ação dos homens sobre o mundo para transformá-lo. Sem ela, é impossível a superação da contradição opressor-oprimidos."

Concepção problematizadora da educação

A pedagogia do dominante é baseada em uma concepção "bancária", centrada predominantemente na narração. Afirma Paulo Freire: "A narração, de que o educador é o sujeito, conduz os educandos à memorização mecânica do conteúdo narrado. Mais ainda, a narração os transforma em 'vasilhas', em recipientes a serem 'enchidos' pelo educador. (...) Em lugar de comunicar-se, o educador faz 'comunicados' e depósitos, que os educandos, meras incidências, recebem pacientemente, memorizam e repetem. Eis aí a concepção 'bancária' da educação, em que a única margem de ação que se oferece aos educandos é a de receberem os depósitos, guardá-los e arquivá-los"[33].

As práticas derivadas dessa concepção são verbalistas, voltadas para a transmissão e avaliação de conhecimentos abstratos. O professor "deposita" o saber e o "saca" por meio do exame. Define-se aí uma relação de verticalidade (o saber é doado de cima para baixo) e de autoritarismo (quem sabe manda).

Fica assim caracterizada a passividade do educando, tornado objeto, e o paternalismo do educador, único sujeito do processo. Essa educação baseia-se na existência de um mundo estático e harmônico, isto é, sem contradições. Por isso, a concepção "bancária" de educação mantém a ingenuidade do oprimido e o acomoda em seu mundo de

[33] *Pedagogia do oprimido*, p. 66 e 68.

opressão: eis a educação como prática da dominação.

A concepção problematizadora da educação, ao contrário, baseia-se em outra compreensão da consciência e do mundo, típica da fenomenologia (ver capítulo 10). Considera que conhecer não pode ser o ato de uma "doação" do educador ao educando, mas um processo que se estabelece no contato da pessoa com o mundo vivido. E este não é estático, mas dinâmico, em contínua transformação.

A educação autêntica supera a relação vertical entre educador e educando e instaura a relação dialógica. O diálogo supõe troca, não imposição. "Desta maneira, o educador já não é o que apenas educa, mas o que, enquanto educa, é educado, em diálogo com o educando, que, ao ser educado, também educa. (...) Já agora ninguém educa ninguém, como tampouco ninguém se educa a si mesmo: os homens se educam em comunhão, mediatizados pelo mundo. Mediatizados pelos objetos cognoscíveis, que na prática 'bancária' são possuídos pelo educador, que os descreve ou os deposita nos educandos passivos"[34].

O conhecimento que deriva desse processo é crítico, porque autenticamente reflexivo, e implica o ato do constante desvelar a realidade e nela se posicionar. Esse saber acha-se entrelaçado com a necessidade de transformar o mundo, pois os indivíduos se descobrem como seres históricos, "como seres que estão sendo, como seres inacabados, inconclusos, em e com uma realidade, que, sendo histórica também, é igualmente inacabada. (...) Daí que seja a educação um quefazer permanente. Permanente, na razão da inconclusão dos homens e do devenir da realidade"[35].

Numa sociedade de privilégios, é inevitável considerar a pedagogia "perigosa": "Nenhuma 'ordem' opressora suportaria que os oprimidos todos passassem a dizer: 'Por quê?'"[36].

Método Paulo Freire

Coerente com o posicionamento filosófico, o método não pode ser reduzido a mera técnica de alfabetização. Nem os educadores seriam os "sabidos", que de antemão preparam o que deve ser impingido ao educando. Para Paulo Freire, em um Brasil tão grande, com nítida cisão entre cidade e campo e tão diferentes culturas regionais, é impossível saber antecipadamente o que interessa e motiva o educando. Por isso rejeita as cartilhas, como "roupa de tamanho único, que serve pra todo mundo e pra ninguém", as quais tratam de temas distantes da realidade vivida.

Nesse espírito novo, os educadores superam a postura autoritária e, abertos ao diálogo, procuram ouvir o próprio povo. Vejamos, a seguir, as etapas desse processo.

Inicialmente, Paulo Freire recomenda fazer o levantamento do universo vocabular dos grupos, a fim de escolher *palavras geradoras*, que variam conforme o lugar. Por exemplo, em uma região de Pernambuco as palavras escolhidas foram: tijolo, voto, siri, palha, biscate, cinza, doença, chafariz, máquina, emprego, engenho, mangue, terra, enxada, classe. Já nas favelas do Rio de Janeiro elas foram outras: favela, chuva, arado, terreno, comida, batuque, poço, bicicleta, trabalho, salário, profissão, governo, mangue, engenho, enxada, tijolo, riqueza.

Em seguida são organizados os círculos de cultura, constituídos de grupos peque-

[34] *Pedagogia do oprimido*, p. 78 e 79.
[35] *Pedagogia do oprimido*, p. 82 e 83.
[36] *Pedagogia do oprimido*, p. 87.

nos sob a coordenação de um animador, que tanto pode ser um professor ou um companheiro já alfabetizado. Diante da representação de uma favela, por exemplo, há o debate sobre o problema da habitação, da alimentação, do vestuário, da saúde, da educação, descobrindo-a como uma situação problemática. Em seguida, passa-se à visualização da palavra favela. Para Paulo Freire, "a alfabetização de adultos, para que não seja puramente mecânica e memorizada, o que se há de fazer é proporcionar-lhes que se conscientizem para que se alfabetizem"[37].

Algumas atividades também são desenvolvidas no processo de pós-alfabetização, com a análise de textos simples, mas sem abandonar a problematização da situação enfocada. Como Paulo Freire defende a autogestão pedagógica, o professor é apenas animador do processo, para evitar o autoritarismo que costuma minar a relação pedagógica. Ao dar mais valor à aprendizagem por meio das discussões de grupos, Paulo Freire recusa a transmissão de conhecimentos vindos de fora. Mesmo quando há necessidade de textos, prefere que os próprios alunos os redijam. Nesse sentido, sua pedagogia representa não só um esforço, mas um trabalho efetivo em direção à democratização do ensino.

Ao longo das mais diversas experiências de Paulo Freire pelo mundo, o resultado sempre foi gratificante e muitas vezes comovente. A pessoa iletrada chega humilde e culpada, mas aos poucos descobre com orgulho que também é um "fazedor de cultura" e, mais ainda, que a condição de inferioridade não se deve à sua incompetência, mas à sua humanidade roubada.

O método de Paulo Freire pretende superar a dicotomia entre teoria e prática: no processo, quando o indivíduo descobre que sua prática supõe um saber, conclui que, de certa maneira, conhecer é interferir na realidade. Percebendo-se como sujeito da história, toma a palavra daqueles que até então detêm seu monopólio. Alfabetizar é, em última instância, ensinar o uso da palavra.

A palavra tem, portanto, duas dimensões: "ação e reflexão, de tal forma solidárias, em uma interação tão radical que, sacrificada, ainda que em parte uma delas, se ressente, imediatamente, a outra. Não há palavra verdadeira que não seja práxis. Daí que dizer a palavra verdadeira seja transformar o mundo"[38].

A contribuição de Paulo Freire

Ao lado do reconhecimento do seu trabalho, Paulo Freire também sofreu críticas, muitas vezes apaixonadas. Foi recriminado pelos católicos conservadores por usar categorias marxistas em seu discurso pedagógico. Para alguns intelectuais de esquerda, ele não teria ultrapassado o pensamento cristão idealista e liberal. Claramente influenciado pelos intelectuais do Iseb, foi acusado de sucumbir, como aqueles, ao nacional-desenvolvimentismo. Outros criticam ainda a não-diretividade e o espontaneísmo, que supervalorizariam a contribuição do educando. Sob esse aspecto, dizem ser impossível o diálogo entre educador e educando, por haver assimetria muito grande entre eles.

Considerando todas as críticas, pertinentes ou não, é inegável a contribuição de Paulo Freire, não apenas para a educação de adultos. Os fundamentos da sua pedagogia permitem a aplicação dos conceitos analisados em uma amplitude maior, ou

[37] *Educação como prática da liberdade*. 3. ed. Rio de Janeiro, Paz e Terra, 1971, p. 120.
[38] *Pedagogia do oprimido*, p. 91.

seja, na própria concepção libertadora de educação.

Paulo Freire liga-se a uma das tendências da moderna concepção progressista, que veremos adiante, segundo a qual, descoberto o caráter político da educação, é necessário torná-la acessível às camadas populares. Ainda mais, torná-la o espaço da discussão e da problematização que visa a transformar a realidade social.

4. Outras tendências durante a ditadura

Apesar das dificuldades da censura, alguns intelectuais continuavam repensando nossa educação. Desde a década de 1960 os trabalhos de Lauro Oliveira Lima (1921) divulgavam a teoria de Jean Piaget (ver capítulo 10), psicólogo que influenciou de modo significativo a pedagogia contemporânea, no sentido da melhor compreensão dos estágios do desenvolvimento mental desde a infância até a adolescência. Naquela época, a teoria piagetiana era estudada, sobretudo em seus aspectos psicológicos — nem tanto os epistemológicos —, tendo sido bem incorporada às tendências da Escola Nova.

O escolanovismo piagetiano de Lauro Oliveira Lima se apresenta, no entanto, multifacetado. Ao fazer a crítica à escola tradicional, divulga as idéias de desescolarização de Ivan Illich, introduz certas características do não-diretivismo, técnicas de dinâmica de grupo e mostra afinidades com o tecnicismo pedagógico em via de implantação.

Na década de 1970 fez sucesso no Brasil a tradução de obras pedagógicas de educadores não-diretivistas, fazendo contraste com o tecnicismo implantando em nossas escolas pela ditadura. Dentre elas, destacam-se *Sociedade sem escolas*, de Ivan Illich, e *Liberdade sem medo*, de Alexander Neill, fundador de Summerhill.

Neste mesmo período, a produção teórica dos crítico-reprodutivistas (ver no capítulo 10 os representantes estrangeiros dessa tendência) critica as ilusões da escola como veículo da democratização. Com a difusão dessas teorias no Brasil, diversos autores se empenham na releitura do nosso fracasso escolar. Barbara Freitag analisa a educação de 1964 a 1975 a partir das teorias de Althusser e Gramsci. Maria de Lourdes Deiró Nosella elenca os livros didáticos e investiga a ideologia a eles subjacente. Luiz Antônio Cunha critica a escola liberal, sobretudo a Escola Nova, denunciando a política que leva à discriminação e à falência educacional no Brasil.

Com o incremento dos cursos de pós-graduação, vários trabalhos de pesquisa histórica sobre a educação brasileira vieram suprir algumas lacunas da escassa produção anterior. Dentre os antigos, destacam-se os citados pedagogos da Escola Nova, Laerte Ramos de Carvalho e Jorge Nagle. Posteriormente, autores como Otaíza de Oliveira Romanelli, Casemiro dos Reis Filho, Maria Luísa Santos Ribeiro, além de outros, investigaram períodos específicos.

Nos estudos sobre educação popular destacam-se Celso Rui Beisiegel, Vanilda Pereira Paiva e Carlos Rodrigues Brandão. Especial é a contribuição de Paulo Freire, a que já dedicamos atenção. Voltado para a educação popular e defendendo a escola do trabalho, Maurício Tragtenberg sofre a influência do pensamento antiautoritário de Lobrot e denuncia as formas de poder na escola. De maneira semelhante, Miguel Gonzales Arroyo se orienta para o pensamento libertário.

O sociólogo e educador Florestan Fernandes, ante a pressão das escolas particulares, sempre lutou pela destinação exclusiva das verbas públicas para a escola pública. Além de expor suas idéias em livros e jornais, como deputado participou ativamente da Assembléia Nacional Constituinte de 1987/88, defendendo a democratização do ensino.

Criticando a escola liberal, Moacir Gadotti desenvolve a pedagogia do oprimido, inspirando-se em Paulo Freire. Ao incorporar a dialética marxista, destaca o papel crítico e revolucionário do professor, que deve mostrar as contradições (entre opressor e oprimido, por exemplo) em vez de camuflá-las. Por não se tratar de tarefa fácil, a ser realizada no interior da ação conservadora e reacionária, exige paciência e clareza do que é possível ser feito.

Muitos desses pedagogos, embora tenham iniciado seus trabalhos no período da ditadura militar, continuam ainda hoje em plena produção intelectual.

5. Pedagogia histórico-crítica

Voltado para a educação popular, outro grupo de filósofos e pedagogos tem revisto nossa educação apoiado na teoria da *escola progressista* (ver capítulo 10). No final da década de 1970, esse grupo fez a revisão de nossa educação e elaborou uma teoria pedagógica que recebeu diversas denominações, entre as quais, *pedagogia crítico-social dos conteúdos*, *pedagogia dialética* e, finalmente, *pedagogia histórico-crítica*. Embora essas idéias tenham germinado no período da ditadura, tiveram repercussões no período posterior.

Os principais representantes da tendência são o seu iniciador Dermeval Saviani (1944) e, ainda, José Carlos Libâneo, Guiomar Namo de Mello, Carlos Roberto Jamil Cury e outros. Apóiam-se no materialismo dialético de Marx, Makarenko e Gramsci, na teoria progressista de Georges Snyders e também em Bernard Charlot e Bogdan Suchodolski (ver capítulo 10). Atentos à ação educacional concreta, reelaboram essas influências analisando a realidade brasileira.

Estudioso da LDB de 1961, Dermeval Saviani publicou, em 1973, *Educação brasileira*: estrutura e sistema. Neste trabalho conclui pela inexistência de um sistema educacional brasileiro, uma vez que nossas leis não resultam de intencionalidade e planejamento, deixando prevalecer a importação e a improvisação de teorias. Por isso não podemos falar propriamente em sistema, mas apenas em estrutura, com as incoerências internas e externas que tornam as nossas leis inadequadas à realidade brasileira e, portanto, inoperantes, incapazes de propiciar as transformações de que tanto necessitamos.

A tarefa da pedagogia histórico-crítica insere-se na tentativa de reverter o quadro de desorganização que gera uma escola excludente, com altos índices de analfabetismo, evasão, repetência e, portanto, de seletividade.

Apropriação do saber elaborado

Para os teóricos da pedagogia histórico-crítica, influenciados pela dialética marxista, não há uma natureza humana dada de uma vez por todas, porque o ser humano se constrói pelo trabalho, inserido na cultura em que vive. Ora, todo trabalho tem como resultado um produto material, que ao mesmo tempo exige a produção de um saber. Ou seja, o fazer não se separa da ideação, que consiste no trabalho não-material de elaboração de conceitos e valores. Como a produção espiritual varia conforme os povos, cada pessoa precisa se inteirar desses saberes, para se humanizar. Por isso, pensar, sentir, querer, agir, avaliar pressupõem a apropriação individual do saber socialmente elaborado.

Portanto, "o trabalho educativo é o ato de produzir, direta e intencionalmente, em cada indivíduo singular, a humanidade que é produzida histórica e coletivamente pelo conjunto dos homens". Daí que, para a educação escolar, a pedagogia histórico-crítica se propõe a tarefa de:

"a) identificação das formas mais desenvolvidas em que se expressa o saber objetivo produzido historicamente, reconhecendo as condições de sua produção e compreendendo as suas principais manifestações, bem como as tendências atuais de transformação;

"b) conversão do saber objetivo em saber escolar de modo a torná-lo assimilável pelos alunos no espaço e tempo escolares;

"c) provimento dos meios necessários para que os alunos não apenas assimilem o saber objetivo enquanto resultado, mas apreendam o processo de sua produção, bem como as tendências de sua transformação"[39].

A atividade nuclear da escola é, portanto, a transmissão dos instrumentos que permitam a todos a apropriação do saber elaborado socialmente. Como mediadora entre o aluno e a realidade, a escola se ocupa com a aquisição de conteúdos, formação de habilidades, hábitos e convicções.

A escola na sociedade de classes

Sabemos que, na sociedade dividida em classes, a posse dos instrumentos de sistematização do saber não se dá de maneira homogênea, mas excludente, privilegiando alguns poucos. Portanto, "se a escola não permite o acesso a esses instrumentos, os trabalhadores ficam bloqueados e impedidos de ascenderem ao nível da elaboração do saber, embora continuem, pela sua atividade prática real, a contribuir para a produção do saber"[40].

É bem verdade que essa exclusão não se faz de forma absoluta, já que o trabalho manual, desde o mais simples, exige um mínimo de saber adquirido. Por isso, no início da industrialização capitalista, no século XVIII, o economista Adam Smith recomendava que os trabalhadores tivessem acesso à educação, com a ressalva de que fosse em "doses homeopáticas", oferecendo-se apenas o necessário para se tornarem produtivos e fazer crescer o capital.

A posição de Adam Smith não constitui exceção, mas faz parte da essência da sociedade de classes, cujos bens — incluída aí a educação — não são distribuídos de forma homogênea entre todos os seus membros. Apesar disso, o discurso proferido pela maior parte dos teóricos é o de que a escola poderia ser um degrau para a equalização social. Como vimos, essa ilusão, já presente na teoria de alguns pedagogos do século XVII, como Comênio, intensificou-se nos séculos XIX e XX. Compreendendo a escola como uma ilha, à parte das desigualdades sociais, esses teóricos confiam no poder democratizante da educação.

Para Saviani, tanto as pedagogias tradicionais como a Escola Nova e a pedagogia tecnicista são, portanto, não-críticas, no sentido de não perceberem o comprometimento político e ideológico que a escola sempre teve com a classe dominante. Já a partir da década de 1970, começam a ser discutidos os determinantes sociais, isto é, a maneira pela qual a estrutura socioeconômica condiciona a educação.

No extremo dessa constatação, Saviani analisa as chamadas teorias crítico-reprodutivistas, que, se "tiveram o mérito de pôr em evidência o comprometimento da educação com os interesses dominantes, também é certo que contribuíram para disseminar entre os educadores um clima de

[39] Dermeval Saviani, *Pedagogia histórico-crítica*: primeiras aproximações. 4. ed. Campinas, Autores Associados, 1994, p. 17 e 20.

[40] Dermeval Saviani, *Pedagogia histórico-crítica*: primeiras aproximações, p. 100.

pessimismo e de desânimo, que, evidentemente, só poderia tornar ainda mais remota a possibilidade de articular os sistemas de ensino com os esforços de superação do problema da marginalidade nos países da região [América Latina]"[41]. A proposta histórico-crítica, tentando superar tanto a ingenuidade como o pessimismo, conclui que a pedagogia realmente democrática deveria ser formulada do ponto de vista dos interesses dos dominados.

Coerente com o caráter histórico da educação, cabe ao pedagogo discernir, entre o saber produzido, os conteúdos essenciais a serem elaborados e apropriados pelo estudante. Mais ainda, conforme o contexto econômico, social e político, esse "saber burguês" precisa ser apropriado pela classe trabalhadora, que o colocará a serviço de seus interesses. Só assim seria possível alcançar uma "cultura popular elaborada, sistematizada. Isto aponta para a superação dessa dicotomia [saber erudito *versus* saber popular], porque se o povo tem acesso ao saber erudito, o saber erudito não é mais sinal distintivo de elites, quer dizer, ele se torna popular"[42].

Nesse sentido, Saviani critica as medidas tomadas pela chamada "educação compensatória", baseada na intenção de suprir as necessidades que os alunos das classes desfavorecidas trazem de casa, sobretudo as deficiências de alimentação e saúde. Decorre dessa orientação a ênfase na merenda escolar, no atendimento médico e odontológico. Sem desconsiderar a magnitude dessas carências, o principal projeto da escola tem de ser o educativo, sob pena de continuar reproduzindo diferenças sociais. Ou seja, a única possibilidade de as classes populares superarem a marginalização está no esforço de assimilarem os conteúdos até então reservados à elite.

Objeções e dicotomias

À medida que se configuram as linhas mestras da pedagogia histórico-crítica, surgem objeções de outros teóricos, tanto conservadoras como progressistas. Por exemplo, os que não aceitam as restrições ao escolanovismo acusam a pedagogia histórico-crítica de ressuscitar a escola tradicional. Segundo eles, a ênfase na transmissão dos conteúdos desprezaria as conquistas da Escola Nova, que tão bem soube valorizar os métodos de ensino e descobrir na educação a importância do processo, e não do produto.

Saviani atribui essas objeções a "falsas dicotomias". Ao responder à primeira delas, referente à dicotomia forma e conteúdo, argumenta que em nenhum momento rejeita a contribuição da Escola Nova, mas busca uma outra proposta pedagógica de superação. E também não privilegia os conteúdos, à revelia dos métodos e dos processos, porque justamente estes constituem a questão central da pedagogia.

Outra dicotomia — saber acabado *versus* saber em processo — é também refutada por Saviani: não se trata de transmitir um saber acabado, à semelhança da escola tradicional. Coerente com a concepção dialética, se a produção social do saber é histórica — e, portanto, a criança recebe da geração anterior o patrimônio da humanidade —, significa que o saber existente é suscetível de mudança. Para transformar essa herança, no entanto, é preciso começar pelo acesso a ela.

---

[41] Dermeval Saviani, *Escola e democracia*: teorias da educação; curvatura de vara; onze teses sobre educação e política, p. 33 e 34.

[42] Dermeval Saviani, *Pedagogia histórico-crítica*: primeiras aproximações, p. 103.

6. Teóricos do construtivismo

Como vimos no tópico *Educação*, tem se destacado no Brasil a implantação das teorias construtivistas, sobretudo nas escolas particulares. A teoria de Piaget já era conhecida há mais tempo pelos escolanovistas, principalmente nos seus aspectos psicológicos, a partir da divulgação de Lauro Oliveira Lima. Desde a década de 1980 passaram a ser enfatizados também os pressupostos epistemológicos do construtivismo, acrescentando-se a esses estudos a contribuição do russo Vygotsky e da argentina Emilia Ferreiro, todos eles já examinados no capítulo 10.

O construtivismo também influenciou a elaboração dos Parâmetros Curriculares Nacionais, aprovados após a LDB de 1996, no sentido de recomendar que a formação do aluno não se reduza à acumulação de conhecimentos, objetivo comum da pedagogia tradicional. Mas também advertem sobre os enganos da assimilação inadequada do construtivismo, quando o professor descuida dos conteúdos, já que o compromisso da instituição escolar é "garantir o acesso aos saberes elaborados socialmente" e que devem "estar em consonância com as questões sociais que marcam cada momento histórico".

Ainda nos Parâmetros, existe um enfoque especial na questão dos temas transversais. Estes temas — especificados como Ética, Pluralidade Cultural, Meio Ambiente, Saúde, Orientação Sexual e temas sociais locais — não constituem disciplinas inseridas na grade curricular, mas "atravessam" os diferentes campos do conhecimento, a fim de facilitar o trabalho de modo contínuo e integrado às diversas áreas do saber. "Por exemplo, a questão ambiental não é compreensível apenas a partir das contribuições de Geografia. Necessita de conhecimentos históricos, das Ciências Naturais, da Sociologia, da Demografia, da Economia, entre outros".

Para essa inserção, é abundante a indicação bibliográfica de teóricos que, se não forem propriamente construtivistas, têm afinidades com essa tendência. Por exemplo, o filósofo Jürgen Habermas, representante da "ética do discurso", dialoga explicitamente com o psicólogo Lawrence Kohlberg. Essa fecunda interação é registrada no Brasil por Barbara Freitag, enquanto a trajetória intelectual e a prática de Kohlberg é também examinada por Angela Biaggio. Entre nós tem sido proveitosa a interlocução do professor Ulisses Ferreira de Araújo com psicólogos e pedagogos catalães, tais como Josep Puig, Maria Dolors Busquets, Montserrat Moreno e outros[43].

A partir dos anos 1990, os educadores passaram a discutir o *construtivismo pós-piagetiano* e, posteriomente, o *pós-construtivismo*. De fato, se antes a ênfase do estudo do construtivismo estava em conhecer a *psicogênese do conhecimento*, isto é, a maneira pela qual a criança constrói o conhecimento, era preciso acrescentar a essas teorias epistemológicas as descobertas feitas durante a atividade mesma da *aprendizagem* infantil. A questão principal passou a ser, portanto, a didática: como fazer para que a criança aprenda?

É este o enfoque de Ester Pillar Grossi, que estudou na França com Gérard Vergnaud. Este psicólogo e educador esteve algumas vezes no Brasil para dar cursos e conferências sobre pós-construtivismo.

[43] Conferir na *Bibliografia* as obras desses autores. Por sua vez, a Editora Moderna publicou duas coleções voltadas especialmente para a discussão dos temas transversais: Aprendendo a Com-Viver e Está na minha mão — Viver Valores.

Esta teoria não desconsidera tópicos importantes da concepção piagetiana, sobretudo seus aspectos psicológicos. No entanto, por não ser educador, Piaget não teve a vivência de sala de aula, na qual o professor enfrenta o desafio de alcançar bons resultados na aprendizagem dos seus alunos. Seguindo inicialmente a orientação de Vygotsky e Wallon, que destacaram a importância do outro no processo educativo, Vergnaud vai além dos mestres: o pós-construtivismo, amparado nos estudos de antropologia, psicanálise, ciências políticas, filosofia, alcança uma visão mais abrangente da aprendizagem, entendida então como um fenômeno grupal: não observa apenas o desenvolvimento mental (da inteligência e afetividade) do sujeito que aprende, mas enfatiza sua interação com o outro, além de examinar o educando como sujeito-em-situação, inserido em determinado contexto histórico e cultural, uma vez que a aprendizagem só progride quando leva em conta aspectos da realidade concreta.

Conclusão

Começamos o século XX com a lenta mudança do modelo agrário-exportador, o advento da burguesia industrial urbana e a ampliação da oferta de ensino. Entre os anos 1950 e 1980, o país urbanizou-se e avançou em vários aspectos sociais e econômicos. O trunfo de se tornar um dos países mais ricos, no entanto, contrasta com o fato de ser um triste recordista em concentração de renda, com efeitos sociais perversos: conflitos com os sem-terra, os sem-teto, infância abandonada, morticínio nas prisões, no campo, nos grandes centros. Persiste na educação (e em outros setores, como na saúde) uma grande defasagem entre o Brasil e os países desenvolvidos, porque a população não recebeu até agora um ensino fundamental de qualidade.

Quando os governos passaram a dar um mínimo de atenção à organização nacional do ensino, tivemos reformas tumultuadas, aprovadas entre contradições de interesses que mantêm o dualismo escolar, próprio de uma visão elitista da educação. Isso sem esquecer (e poderíamos?) a longa noite dos vinte anos da ditadura militar, que obscureceu nossa vida cultural, silenciando os intelectuais e artistas e intimidando professores e alunos.

Para não sucumbirmos ao derrotismo, lembramos que desde a década de 1990 setores da sociedade civil têm se expressado com maior autonomia, fazendo pressão contra a corrupção e os desmandos do governo e exigindo os direitos dos cidadãos. Mesmo que nem sempre os resultados tenham sido plenamente os desejados, não há como desprezar os avanços nesse sentido.

No campo educacional, é grande a valorização dos estudos pedagógicos. Nas três últimas décadas, em vários estados brasileiros educadores tentam implantar projetos inovadores. Acrescentem-se os núcleos de estudos e pesquisas, fecundando uma geração de educadores e de historiadores da educação capazes inclusive de elaborar teorias adequadas à compreensão da realidade brasileira.

Com isso queremos destacar a importância de continuar exigindo do Estado o cumprimento de suas obrigações (afinal, a Constituição diz que a educação constitui um direito subjetivo). Aliás, como vimos, o movimento tem sido na contramão, devido às práticas neoliberais que cada vez mais desincumbem o Estado dessa responsabilidade. É uma pena que, apesar da participação efetiva dos grupos da sociedade plural nas discussões dos problemas educacionais, nem sempre as leis aprovadas derivaram dessa discussão fecunda e democrática.

Mais ainda, é preciso que continuemos atuando de forma coerente e intencional, a fim de reverter o quadro precário da educação. Sem a intenção de fazer uma lista exaustiva das tarefas a serem realizadas, destacamos alguns pontos importantes. É preciso:

• instaurar uma política educacional que destine as verbas públicas para o ensino público, com diretrizes educacionais coerentes e continuidade de implantação, evitando os desencontros das políticas governamentais;

• valorizar o professor (salário, concurso de ingresso, carreira, formação continuada), o que certamente manteria na ativa os profissionais de qualidade;

• instituir escola para todos, sem sucumbir à tentação da monumentalidade: não necessitamos de grandes prédios, mas de qualidade de ensino, com rede escolar suprida de bibliotecas, obras de referência, instalações adequadas, condições reais de reuniões educacionais e pedagógicas.

Essas seriam as condições mínimas para implantar a escola pública, universal, gratuita, democrática e de qualidade.

Dropes

1 - Analfabetismo

Em 1920 o índice de analfabetismo no Brasil era de 80%.

Considerando as pessoas de 15 anos ou mais, são as seguintes as taxas de analfabetismo no Brasil:

1940........56,17%
1950........50,48%
1960........39,35%
1970........33,01%
1980........25,45%
1985........20,69%
1991........20,10%
2000........13,60%
2002........11,80% (ou 14,6 milhões de analfabetos)

Analfabetismo funcional
2002
Brasil: 26% (ou 32,1 milhões de analfabetos funcionais)
Por regiões, o maior e o menor índice:
Nordeste: 40,8%
Sul: 19,7%

(Dados de 1940 a 1970, extraídos de "Aspectos da Educação no Brasil", in Otaíza Romanelli, *História da educação no Brasil*: 1930/1973, 9. ed. Petrópolis, Vozes, 1987, p. 75. Dados de 1980 e 1985, segundo *Anuário estatístico do Brasil*, 1986, FIBGE. Dados de 1991 a 2002, de acordo com *Síntese dos Indicadores Sociais*, *site* do IBGE.)

2 - A luta pela educação de qualidade deve passar, necessariamente, pela contestação desta lógica [que coloca a valorização do capital em primeiro plano], que é a mesma que transforma a escola em empresa, a educação em mercadoria e professores e alunos em simples objetos de manipulação, mesmo quando crêem — de forma equivocada — serem eles próprios os "sujeitos" responsáveis pelo fracasso da escola. (Angélica Maria Pinheiro Ramos)

3 - Etnia é um grupo social cuja identidade se define pela comunidade de língua, cultura, tradições, monumentos históricos e território. (...) Observe-se que não fizemos uso da raça como critério fundamental da definição de etnia. Este conceito, tal como é comumente usado, não tem fundamento científico. Os únicos fins com que tem sido e continua a ser usado são os de justificar a discriminação e alimentar o ódio racial, bem como o de criar e manter a hostilidade entre os grupos humanos. Na realidade, os caracteres biológicos, transmitidos por via hereditária, distribuem-se, através de uma linha contínua, nas diversas partes do mundo, de tal modo que, em cada um dos grupos humanos, é possível verificar a predominância de determinadas características. Contudo, os caracteres predominantes num grupo vão-se juntando gradualmente aos dos grupos vizinhos, acabando por não ser possível distinguir um determinado grupo com base nos caracteres biológicos. (Lucio Levi)

• Leituras complementares

❶ Desafios presentes e futuros

(...) ao longo de século XX o percentual de analfabetos absolutos no conjunto da população veio declinando continuamente, alcançando na metade dos anos 90 um patamar próximo a 15% dos jovens e adultos brasileiros. Em 1996, entretanto, quase um terço da população com mais de 14 anos não havia concluído sequer quatro anos de estudos e aqueles que não haviam completado o ensino obrigatório de oito anos representavam mais de dois terços da população nessa faixa etária. Pesquisa recente mostrou que são necessários mais de quatro anos de escolarização bem-sucedida para que um cidadão adquira as habilidades e competências cognitivas que caracterizam um sujeito plenamente alfabetizado diante das exigências da sociedade contemporânea, o que coloca na categoria de analfabetos funcionais aproximadamente a metade da população jovem e adulta brasileira.

Esses dados demonstram que o desafio da expansão do atendimento na educação de jovens e adultos já não reside apenas na população que jamais foi à escola, mas se estende àquela que freqüentou os bancos escolares mas neles não obteve aprendizagens suficientes para participar plenamente da vida econômica, política e cultural do país e seguir aprendendo ao longo da vida. Cada vez torna-se mais claro que as necessidades básicas de aprendizagem dessa população só podem ser satisfeitas por uma oferta permanente de programas que, sendo mais ou menos escolarizados, necessitam institucionalidade e continuidade, superando o modelo dominante nas campanhas emergenciais e iniciativas de curto prazo, que recorrem a mão-de-obra voluntária e recursos humanos não-especializados, características da maioria dos programas que marcaram a história da educação de jovens e adultos no Brasil.

A estruturação tardia do sistema público de ensino brasileiro, suas mazelas e os equívocos das políticas educacionais não parecem suficientes, porém, para esclarecer as causas da persistência de elevados índices de analfabetismo absoluto e funcional e de uma média de anos de estudos inferior àquela de países latino-americanos com níveis equivalentes de desenvolvimento econômico. Essa descontinuidade entre as dimensões econômica e cultural da modernização torna-se compreensível quando percebemos a estreita associação entre a incidência da pobreza e as restrições ao acesso à educação. A história brasileira nos oferece claras evidências de que as margens da inclusão ou da exclusão educacional foram sendo construídas simétrica e proporcionalmente à extensão da cidadania política e social, em íntima relação com a participação na renda e o acesso aos bens econômicos. A tese corrente que converte associações positivas em nexos causais, afirmando que a elevação da escolaridade promove o acesso ao trabalho e melhora a distribuição de renda, é apenas uma meia-verdade elevada à condição de certeza com base em certa dose de ingenuidade sociológica e otimismo pedagógico. A inversão dessa mesma equação nos leva a crer ser improvável a elevação da escolaridade da população sem a simultânea ampliação de oportunidades de trabalho, transformação do perfil da distribuição da renda e de participação política da maioria dos brasileiros.

Sérgio Haddad e Maria Clara Di Pierro, "Escolarização de jovens e adultos", in *Revista Brasileira de Educação*, Campinas, Autores Associados/Anped (Associação de Pós-Graduação e Pesquisa em Educação), nº 14, maio a agosto de 2000, p. 126.

❷ [A organização dos conhecimentos da criança]

O erro de visão da escola tradicional está em lhe querer dar [à criança], de chofre, a organização final da matéria, cujo sentido só o especialista percebe.

O aluno que tiver gosto e inclinação pode chegar até lá. Os seus projetos se poderão desenvolver, em uma certa época, ao longo de linhas especializadas, o seu interesse puramente intelectual pode acentuar-se, chegando assim aos mais altos graus de organização científica. Tal desenvolvimento será natural e lógico, porque não há nenhuma antinomia entre a sua primeira atividade prática e as culminâncias intelectuais que vier a alcançar. Afinal, a criança que se educa e o cientista que descobre mais uma verdade agem do mesmo modo. Ambos usam inteligentemente os recursos que têm às mãos para a consecução de um determinado fim.

Mas, a grande maioria não chegará ao ponto em que se encontram os especialistas. A que fica, então, reduzido o ensino?

O aluno não ganhará um conhecimento completo da ciência, mas obterá uma noção eficiente do seu método e dos seus processos. O seu pensamento ganhará, em física, em matemática, em geografia, em história, a atitude acertada para encarar os fenômenos. Perceberá ele ainda a função do conhecimento científico.

Spencer, analisando o saber de mais valor para o homem contemporâneo, concluiu que esse saber era o saber científico. Implicitamente, pressupôs, entretanto, que a ciência podia ser ensinada pelos seus resultados e não pelos seus métodos. O essencial, porém, é dar ao educando a atitude científica, com os seus hábitos de reflexão, de inquérito, de análise, de crítica e de sistematização.

Esse resultado pode perfeitamente ser atingido dentro da teoria escolar que estamos a defender. Mais do que isso. Tal resultado é o característico do método de que estudamos aqui um dos elementos.

Chegamos, desta sorte, às mesmas conclusões a que nos tinham levado as primeiras reflexões sobre a criança e o programa.

Resumamos essas conclusões:

1. A escola deve ter por centro a criança e não os interesses e a ciência dos adultos.

2. O programa escolar deve ser organizado em atividades, "unidades de trabalho" ou projetos, e não em matérias escolares.

3. O ensino deve ser feito em torno da intenção de aprender da criança e não da intenção de ensinar do professor.

4. A criança, na escola, é um ser que age com toda a sua personalidade e não uma inteligência pura, interessada em estudar matemática ou gramática.

5. Os seus interesses e propósitos governam a escolha das atividades, em função do seu desenvolvimento futuro.

6. Essas atividades devem ser reais (semelhança com a vida prática) e reconhecidas pelas crianças como próprias.

Anísio Teixeira, *Pequena introdução à filosofia da educação*: a escola progressiva ou a transformação da escola. Rio de Janeiro, DP&A, 2000, p. 88-90.

❸ Forma e conteúdo

As objeções levantadas contra a pedagogia histórico-crítica costumam assumir a forma de falsas dicotomias. (...)

Uma primeira dicotomia é aquela que se expressa na oposição entre forma e conteúdo. Segundo essa objeção, a proposta em questão seria conteudista, e, nesse sentido, desconsideraria as formas, os processos e os métodos pedagógicos. (...) No entanto, isso já tem sido refutado de diferentes maneiras. Num discurso que escrevi para a formatura da Universidade de Santa Úrsula, (...) enfatizo que a questão central da Pedagogia é a questão dos métodos, dos processos. O conteúdo, o saber sistematizado, não interessa à Pedagogia enquanto tal. É nesse sentido que em trabalhos mais antigos eu faço referência ao fato de que o cientista tem uma perspectiva diferente do professor em relação ao conteúdo. Enquanto o cientista está interessado em fazer avançar a sua área de conhecimento, em fazer progredir a ciência, o professor está mais interessado em fazer progredir o aluno. O professor vê o conhecimento como um meio para o crescimento do aluno; enquanto para o cientista o conhecimento é um fim, trata-se de descobrir novos conhecimentos na sua área de atuação. Nesse sentido, (...) o melhor geógrafo não será necessariamente o melhor professor de geografia; nem será o historiador aquele que desempenhará melhor o papel de professor de história (...) E por quê? Porque para ensinar é fundamental que se coloque inicialmente a seguinte pergunta: para que serve ensinar uma disciplina como geografia, história ou português aos alunos concretos com os quais se vai trabalhar? Em que essas disciplinas são relevantes para o progresso, para o avanço e para o desenvolvimento desses alunos?

Daí surge o problema da transformação do saber elaborado em saber escolar. Essa transformação é o processo através do qual selecionam-se, do conjunto do saber sistematizado, os elementos relevantes para o crescimento intelectual dos alunos e organizam-se esses elementos numa forma, numa seqüência tal que possibilite a sua assimilação. Assim, a questão central da pedagogia é o problema das formas, dos processos, dos métodos; certamente, não considerados em si mesmos, pois as formas só fazem sentido na medida em que viabilizam o domínio de determinados conteúdos.

(...) A escola tem o papel de possibilitar o acesso das novas gerações ao mundo do saber sistematizado, do saber metódico, científico. Ela necessita organizar processos, descobrir formas adequadas a essa finalidade. (...) A existência do saber sistematizado coloca à pedagogia o seguinte problema: como torná-lo assimilável pelas novas gerações, ou seja, por aqueles que participam de algum modo de sua produção enquanto agentes sociais, mas participam num estágio determinado, estágio esse que é decorrente de toda uma trajetória histórica?

Dermeval Saviani, *Pedagogia histórico-crítica*: algumas aproximações. 4. ed. Campinas, Autores Associados, p. 95-98.

Atividades

Questões gerais

1. O projeto político republicano visava a implantar a educação escolarizada universal. Explique em que esse objetivo se realizou e quais as suas deficiências.

2. "Ordem e Progresso" não era apenas o dístico da bandeira republicana. Analise o que ele representava para a nova sociedade e para o programa escolar.

3. Reúna-se com seu grupo para fazer uma pesquisa sobre a atuação dos anarquistas no início do século XX.

4. A partir deste texto de Otaíza Romanelli, responda às questões a seguir: "A Primeira República teve (...) um quadro de demanda educacional que caracterizou bem as necessidades sentidas pela população e, até certo ponto, representou as exigências educacionais de uma sociedade cujo índice de urbanização e de industrialização era baixo. A permanência, portanto, da velha educação acadêmica e aristocrática e a pouca importância dada à educação popular fundavam-se na estrutura e organização da sociedade. Foi somente quando essa estrutura começou a dar sinais de ruptura que a situação educacional principiou a tomar rumos diferentes. De um lado, no campo das idéias, as coisas começaram a mudar com os movimentos culturais e pedagógicos em favor de reformas mais profundas; de outro, no campo das aspirações sociais, as mudanças vieram com o aumento da demanda escolar impulsionada pelo ritmo mais acelerado do processo de urbanização ocasionado pelo impulso dado à industrialização após a Primeira Guerra e acentuado depois de 1930".

a) Qual é a relação entre industrialização e urbanização?

b) Por que a situação educacional muda com o início da industrialização?

c) Quais são os movimentos culturais e pedagógicos a que a autora se refere?

5. "Otimismo pedagógico" e "entusiasmo pela educação": em que medida essas expressões caracterizam o período de 1920 e 1930?

6. Leia este trecho extraído do Manifesto dos Pioneiros da Educação Nova e responda às questões a seguir: "A educação superior ou universitária, a partir dos 18 anos, inteiramente gratuita como as demais, deve tender, de fato, não somente à formação profissional e técnica, no seu máximo desenvolvimento, como à formação de pesquisadores, em todos os ramos de conhecimentos humanos. Ela deve ser organizada de maneira que possa desempenhar a tríplice função que lhe cabe de elaboradora ou criadora de ciência (investigação), docente ou transmissora de conhecimentos (ciência feita) e de vulgarizadora ou popularizadora, pelas instituições de extensão universitária, das ciências e das artes".

a) Identifique alguns dos autores do Manifesto, a época da sua divulgação e destaque sua importância.

b) Qual é a crítica feita pelo Manifesto à educação superior?

c) Explique de que forma estas idéias reaparecem na implantação da reforma da universidade ainda na década de 1930.

7. Leia a crítica feita por Wallon à Escola Nova e responda às questões a seguir: "Embora o psicólogo francês Wallon tenha apoiado o movimento da educação nova, afirma que o erro de Dewey foi o de 'querer fundar a existência e a estrutura da sociedade sobre simples relações psicológicas entre indivíduos e não reconheceu sua realidade própria, nem as infra-estruturas materiais e históricas que dominam a existência dos indivíduos'" (apud Maria José Garcia Werebe).

a) Utilize a crítica de Wallon para compreender as dificuldades enfrentadas pelos "pioneiros da educação nova" no Brasil.

b) Em que sentido os grupos anarquistas percebiam o que os escolanovistas não costumavam destacar?

c) Se os escolanovistas eram de fato liberais, e não marxistas, como explicar as violentas críticas que lhes faziam os católicos?

8. Que avanços e limites a reforma Francisco Campos trouxe para o cenário da educação? Quais as deficiências?

9. Destaque a importância do Senai e do Senac e as condições econômicas da sua criação. Que crítica pode ser feita a essa iniciativa?

10. Compare a reforma Capanema e a LDB de 1961, salientando as inovações da última.

11. O que significa dizer que, desde o período do governo JK, o Brasil vivia a contradição entre a ideologia política e o modelo econômico em via de implantação?

12. Qual foi a importância dos movimentos de educação popular? Que críticas são feitas a eles?

13. Indique alguns exemplos elucidativos de como a ditadura reverteu a expectativa de democratizar o ensino.

14. O que foram os acordos MEC-Usaid?

15. Quais são os pressupostos da educação tecnicista? Que crítica pode ser feita a sua pretensa neutralidade?

16. Analise os prejuízos para a educação como resultado da implementação da Lei nº 5.692/71 para o ensino do então 1º e 2º graus.

17. Analise os antecedentes da aprovação da LDB de 1996, a partir da polêmica entre os projetos Jorge Hage e o do senador Darcy Ribeiro. Quais as vantagens e restrições da nova lei?

18. Especifique a mudança de mentalidade que separa as duas épocas da história do Brasil: a catequese dos índios durante a colonização e as atuais políticas de inclusão desses povos.

19. Durante o período escravagista no Brasil, em que sentido podemos falar em "educação dos escravos"?

20. Retome as questões discutidas no período da ditadura sobre a educação tecnicista e consulte também o dropes 2, a fim de analisar as semelhanças entre elas. Posicione-se pessoalmente a respeito.

21. No seu entender, quais são as tarefas a serem efetuadas visando à maior democratização do ensino?

22. Leia o artigo da Constituição Brasileira de 1988 e responda às questões seguintes:

"Art. 213. Os recursos públicos serão destinados às escolas públicas, podendo ser dirigidos a escolas comunitárias, confessionais ou filantrópicas, definidas em lei, que:

I — comprovem finalidade não-lucrativa e apliquem seus excedentes financeiros em educação;

II — assegurem a destinação de seu patrimônio a outra escola comunitária, filantrópica ou confessional, ou ao Poder Público, no caso de encerramento de suas atividades".

a) Explique o teor da polêmica que antecedeu a aprovação deste artigo no Congresso Constituinte.

b) Faça referências a fatos da história da educação brasileira que justifiquem como esta questão da destinação das verbas públicas é bem antiga.

23. Leia o trecho de Anísio Teixeira e responda às questões a seguir: "As democracias, sendo regimes de igualdade social e povos unificados, isto é, com igualdade de direitos individuais e sistema de governo de sufrágio universal, não podem prescindir de uma sólida educação comum, a ser dada na escola primária, de currículo completo e dia letivo integral, destinada a preparar o cidadão nacional e o trabalhador ainda não qualificado, e, além disso, estabelecer a base igualitária de oportunidades, de onde irão partir todos, sem limitações hereditárias ou quaisquer outras, para múltiplos e diversos tipos de educação semi-especializada e especializada, ulteriores à educação primária".

a) Relate quais foram as medidas efetivamente implantadas por Anísio Teixeira, no Rio de Janeiro ou em Salvador.

b) Quais intenções do autor até hoje não foram cumpridas?

c) Que idéia de Anísio Teixeira foi incorporada por Darcy Ribeiro no estado do Rio de Janeiro?

d) Por que a implantação desses projetos sofrem solução de continuidade?

24. Leia o trecho de Guido Mantega e responda às questões a seguir: "Naquele momento histórico pelo qual passava a sociedade brasileira do final da década de 50, a burguesia industrial e o proletariado estariam na mesma trincheira, porque suas contradições tornavam-se secundárias quando comparadas com as que ambos tinham em relação aos latifundiários feudais e outras classes arcaicas. Assim, em pleno final dos anos 50, quando a acumulação industrial já assumira a hegemonia econômica da nação — tornando a exploração da mais-valia industrial a principal forma de valorização do capital na sociedade brasileira — a culpa da exploração e do baixo nível de vida da sociedade brasileira recaía sobre o latifúndio atrasado e seus aliados imperialistas".

a) Localize o momento histórico a que o texto se refere.

b) Situe os intelectuais do Iseb na problemática exposta na citação.

c) Apresentando, de um lado, a burguesia industrial e o proletariado na mesma trincheira e, de outro, a realidade da exploração da mais-valia industrial, o autor explicita uma crítica ao Iseb. Explique essa crítica com suas palavras.

25. Leia as duas falas de camponeses, dirigidas ao animador do círculo de cultura e citadas por Paulo Freire, e responda às questões a seguir: "Desculpe, nós devíamos estar calados e o senhor falando. O senhor é o que sabe; nós, os que não sabemos." / "Por que o senhor não explica primeiramente os quadros (referia-se às codificações), assim nos custará menos e não nos dói a cabeça."

a) Analisando essas frases, identifique as dificuldades para se instaurar a educação problematizadora.

b) Por que o método de Paulo Freire foi considerado subversivo pelo governo militar?

c) Por que a apropriação do método Paulo Freire pelo Mobral significou uma descaracterização da sua pedagogia?

26. Leia a citação de Dermeval Saviani e responda às questões a seguir: "Do ponto de vista prático, trata-se de retomar vigorosamente a luta contra a seletividade, a discriminação e o rebaixamento do ensino das camadas populares. Lutar contra a marginalidade através da escola significa engajar-se no esforço para garantir aos trabalhadores um ensino da melhor qualidade possível nas condições históricas atuais. O papel de uma teoria crítica da educação é dar substância concreta a essa bandeira de luta, de modo a evitar que ela seja apropriada e articulada com os interesses dominantes".

a) Identifique no texto a influência marxista do autor.

b) Justifique a escolha da denominação de pedagogia histórico-crítica de acordo com a indicação feita na citação sobre o que seria a função da escola.

c) O que é para o autor uma pedagogia não-crítica?

27. Faça uma pesquisa para identificar os pedagogos brasileiros seguidores da teoria do construtivismo. Analise também as modificações teóricas efetuadas.

28. Examine nos Parâmetros Curriculares Nacionais os aspectos que indicam a influência da teoria construtivista.

29. Sobre a educação ética, responda:

a) A educação de valores deve ser prerrogativa da família ou a escola também deve assumir essa responsabilidade?

b) Em caso afirmativo, quais seriam os riscos de uma empreitada desse tipo?

c) Examine o que os Parâmetros Curriculares Nacionais sugerem a respeito dos *temas transversais* e explique o que significa essa proposta. Posicione-se pessoalmente a respeito.

d) Reveja, no capítulo anterior, o item sobre Lawrence Kohlberg e discuta com seu grupo como se poderia aplicar aquela teoria no projeto de educação de valores.

30. Compare os dados do dropes 1 e responda: em que medida o problema educacional brasileiro não se restringe exclusivamente à área da educação, mas se acha imbricado com a questão social e política?

31. Discuta com seu grupo os prós e contras das cotas oferecidas nas universidades para negros e indígenas.

Questões sobre as leituras complementares

Considerando a leitura complementar 1, responda às questões a seguir.

1. Distinga analfabeto absoluto e analfabeto funcional. Em seguida, relacione com os dados do dropes 1, para analisar as conseqüências deles para uma verdadeira democracia no país.

2. Explicar por que, segundo o autor, a afirmação de que "a elevação da escolaridade promove o acesso ao trabalho e melhora a distribuição de renda" é apenas uma meia-verdade. O que mais seria preciso fazer na opinião dele?

3. Posicione-se pessoalmente a respeito do assunto.

Considerando a leitura complementar 2, responda às questões a seguir.

4. O autor critica a educação em que a ciência pode ser ensinada pelos seus resultados e não pelos seus métodos. Justifique a crítica usando os conceitos da pedagogia de Anísio Teixeira.

5. Identifique, no texto, a herança rousseauniana.

6. Identifique a influência de John Dewey.

7. Analise em que medida essa teoria já foi assimilada em nossas escolas e em que aspectos ainda não conseguiu ser aplicada.

Considerando a leitura complementar 3, responda às questões a seguir.

8. Diante do saber sistematizado, qual é a diferença de postura de um cientista e de um educador?

9. Por que para o educador o mais importante é a questão dos métodos, dos processos?

10. Complete o texto explicando o significado da valorização do conteúdo para a educação da classe popular.

Capítulo 12

Para onde vai a educação?

1. Novos tempos

Partindo do pressuposto de que a educação só pode ser compreendida em determinado contexto histórico, torna-se evidente a atenção aos novos rumos a serem perseguidos daqui em diante, considerada a especificidade das mudanças ocorridas na segunda metade do século XX.

Não se trata de uma simples encruzilhada, que pede desvios de percurso ou pequenas reformas, como acontece em crises menores. O momento exige invenção, com ousadia de imaginação para criar o novo. O modelo da escola tradicional mostra-se anacrônico, e as propostas para o ensino e aprendizagem não se referem apenas às novas gerações, mas aos que permanecem excluídos do sistema, bem como à educação continuada dos adultos educados pelos antigos padrões.

É preciso detectar com urgência os sintomas do mundo que emerge, o que não é fácil. Algumas transformações em processo já foram vistas no tópico *Contexto histórico* do capítulo 10. Vamos retomá-las aqui, destacando seus aspectos principais.

‹ Um dos paradoxos do século XXI está, de um lado, na discussão sobre as tecnologias de ponta que exigem a mudança de paradigma da escola tradicional e, de outro, na constatação de que muitos nem sequer tiveram acesso às primeiras letras.

Outro estilo de vida

O século XX ficou marcado pela ênfase na ciência e na tecnologia, que transformou rapidamente os usos e costumes. Dentre as conquistas tecnológicas, destacam-se os transportes ultra-rápidos, a automação, a comunicação eletrônica. Aviões, rádio, televisão, fax, satélites e a rede cada vez mais expandida da internet subvertem o espaço e o tempo, aproximando os povos e alterando a maneira de pensar e trabalhar.

No âmbito dos negócios, essas facilidades desencadearam a globalização da economia. O fortalecimento das empresas transnacionais, por sua vez, paulatinamente enfraquece a capacidade de os Estados nacionais interferirem na gestão dos negócios.

A explosão dos negócios mundiais, acompanhada pelo avanço tecnológico da crescente robotização e automação das empresas, nos faz antever profundas modificações no trabalho. Só para antecipar algumas: a automação e a informatização provocaram a expansão do setor de serviços (terciário) e nos fizeram entrar no mundo pós-industrial; na indústria (setor secundário), a flexibilização do trabalho o distanciou da rigidez da linha de montagem do fordismo, porque as atividades mecânicas e repetitivas se tornaram função das máquinas robotizadas. Essas alterações exigem um trabalhador polivalente, com capacidade de iniciativa e adaptação rápida às mudanças. Pelo mesmo motivo da automação, aumentou o desemprego e em alguns setores houve ampliação do tempo livre.

Outra conseqüência da comunicação eletrônica é a cultura da informação, com todas as suas vantagens e prejuízos. O volume de informações veiculado pelos meios de comunicação de massa amplia os horizontes e até ajuda a superar estereótipos. Por outro lado pode, negativamente, homogeneizar e descaracterizar culturas tradicionais, bem como alienar e massificar, quando predomina o consumo passivo da informação sem crítica.

Além disso, vivemos em uma época que privilegia a imagem, e os meios audiovisuais nos bombardeiam o tempo todo com figuras atraentes e fragmentárias. O signo verbal escrito cede lugar ao simulacro, ou seja, pode-se mesmo dizer que as imagens espetacularizam a vida, na medida em que simulam o real com formas hiper-reais, convertendo as pessoas em espectadores de um *show* permanente. A universalização da imagem não se restringe ao mundo do lazer e do entretenimento, mas deu origem a outra maneira de pensar, distante do saber tradicional, em que as informações eram canalizadas sobretudo pela transmissão oral ou escrita.

A explosão demográfica e a crescente urbanização são outros fatores responsáveis pelas transformações nos estilos de vida. A grande massa urbana se amontoa para assistir aos espetáculos de música, aos jogos esportivos ou ainda às grandes cerimônias religiosas. No extremo oposto dessas aglomerações, os indivíduos atomizados em suas casas recebem de forma solitária as informações divulgadas pela mídia.

Os acontecimentos descritos nos têm deixado perplexos a respeito dos valores e das categorias que utilizamos para compreender o mundo e a nós mesmos, o que alterou de modo contundente as maneiras de pensar, sentir e agir.

2. O paradigma da modernidade

Essas mudanças provocaram uma crise singular. Podemos dizer que as dificuldades hoje enfrentadas pelos adolescentes são diferentes dos conflitos de gerações de outros tempos. Ou seja, poucas vezes na história defrontamos com uma *crise de paradigma*.

Um paradigma é um modelo, um conjunto de idéias e valores capaz de situar os membros de uma comunidade em determinado contexto, a fim de possibilitar a compreensão da realidade e a atuação a partir de valores comuns. Nesse sentido, uma crise de paradigma se define pela mudança conceitual dos modelos que satisfaziam essa comunidade, ao mesmo tempo que a caracterizavam.

Assim, no Renascimento e na Idade Moderna, a chamada *revolução científica*, decorrente da aceitação do modelo copernicano do heliocentrismo para a astronomia e da "nova ciência" da física constituída pelo método experimental de Galileu, depois enriquecida por Newton — assinala a superação do modelo da ciência aristotélica, que prevalecera desde a Antiguidade e durante a Idade Média. Essa revolução representou na época uma ruptura metodológica desencadeada pelo projeto epistemológico de Descartes e Francis Bacon no século XVII (ver capítulo 7) e que em última análise afirmou-se no reconhecimento da subjetividade.

Estava nascendo aí o *paradigma da modernidade*. Esses ideais amadureceram no Iluminismo (século XVIII), cuja metáfora das luzes elege a razão como o instrumento mais adequado do conhecimento e orientador da ação. Desse modo, o indivíduo poderia alcançar o que Kant chamara de *maioridade do espírito humano*.

Aquela nova racionalidade configurou-se nos mais diversos aspectos:

• valorização da subjetividade, garantia da autonomia do sujeito, tolerância religiosa, ética laica;

• valorização da ciência como modo privilegiado de conhecimento, que resultou no desenvolvimento da tecnologia; pretendia-se assim expulsar as crendices, superstições, e cumprir o prognóstico de Bacon: "saber é poder"; o corolário do binômio ciência–técnica é o progresso, expressão das promessas da modernidade;

• elaboração do conceito de Estado representativo, sustentado nas noções de cidadania e participação, em oposição ao absolutismo dos reis; essas idéias frutificaram no anseio de liberdade e igualdade, metas da democracia;

• oposição ao arbítrio e exigência de um estado de direito — porque fundado em leis —, cuja expansão busca a garantia dos direitos humanos;

• economia de mercado, livre de entraves; o modelo liberal, porém, sofreu modificações: se no início do século XX necessitou do apoio do Estado-Providência, o neoliberalismo ressurgiu fortalecido depois da década de 1970.

3. O paradigma emergente

No momento vivemos a *crise* do paradigma da modernidade: está se constituindo outro modelo, que alguns chamam de *pós-moderno*. De maneira geral, o que se configurava desde o final do século passado era a crise das instituições da modernidade, tais como o Estado-nação, a família, a escola.

O diagnóstico da crise, porém, difere conforme o teórico que busca compreender essa realidade movediça. Jürgen Habermas, por exemplo, considera que o projeto da modernidade apenas está incompleto, podendo ainda realizar as promessas não cumpridas. Na mesma linha, entre nós, Sérgio Paulo Rouanet (1934) prefere usar o termo *neomoderno*, que justamente dá a idéia de continuidade. Outros, como Jean-François Lyotard e Jean Baudrillard, admitem a ruptura que anuncia a *pós-modernidade*.

O excesso de regulação

Para o sociólogo português Boaventura de Sousa Santos, o projeto da modernidade era ambicioso e revolucionário, se excedendo em alguns aspectos e em outros não se cumprindo. Neste último sentido, ele diz: "O que quer que falte concluir da modernidade não pode ser concluído em termos modernos, sob pena de nos mantermos prisioneiros da megaarmadilha que a modernidade nos preparou: a transformação incessante das energias emancipatórias em energias regulatórias. Daí a necessidade de pensar em descontinuidades, em mudanças paradigmáticas e não meramente subparadigmáticas"[1].

Vejamos como os elementos de emancipação se tornaram forças de regulação extrema, chegando até à repressão. A ciência e a técnica, expressões máximas da racionalidade, trouxeram a esperança do conhecimento objetivo da realidade e também a possibilidade de intervenção mais efetiva no mundo, transformando-o de maneira nunca vista na história da humanidade. Com isso, alguns consideraram possível desconsiderar as abordagens compreensivas feitas pelo mito e pela religião, por serem "inferiores", olhando com reserva também para os frutos da intuição e da imaginação.

A razão que predomina na ciência e na técnica, no entanto, constitui apenas uma das faces da racionalidade, chamada *razão instrumental*, a que recorremos para saber *o que* fazer e *como* fazer. De nada nos serve, porém, para indagar *para que* fazer. Esse último domínio requer a *razão vital*, campo por excelência das relações humanas afetivas. Voltada para o sentido da vida, os fins últimos da existência, o destino da humanidade, essa razão, no entanto, encontra-se perigosamente empobrecida.

Ora, a razão instrumental visa à dominação da natureza para fins práticos e lucrativos, sendo fácil constatar que a ciência e a técnica estão a serviço do capital e do poder. Por isso, a sua lógica é a da eficácia, do sucesso, do ganho, do progresso, exercida com tal força que nem sempre percebemos que o predomínio da razão instrumental introduz uma "irracionalidade" no modo de vida contemporâneo. Os fins realmente humanos foram esquecidos, ou pelo menos ocupam lugar secundário, enquanto tudo o que deveria ser meio e instrumento passa a ser princípio e fim.

Já que o mundo matematizado da ciência e da técnica é despoetizado, o indivíduo da era tecnológica vive em um mundo "desencantado", em que as paixões, as emoções, os sentidos, a imaginação, a intuição e os mitos foram transformados em "inimigos do pensamento".

No dizer de Habermas, a razão instrumental, com os valores próprios do agir estratégico, "coloniza" o *mundo da vida* (*Lebenswelt*) contaminando as relações humanas, que se baseiam na ação comunicativa. Por sua vez, esta deveria ser presidida por outra lógica, a da sociabilidade, marcada pelo afeto, pela reciprocidade, pela solidariedade — e não pelo lucro e pela eficácia. A conseqüência é que o ser humano se vê afastado do seu centro, isto é, da sua dimensão autônoma (crítica e reflexiva), e incapaz de gerir seu próprio destino. Dá-se também o enfraquecimento dos laços de uma desejável intersubjetividade, marcada pela solidariedade e cooperação, já que nessa ordem empobrecida da universalização da razão instrumental predominam o egoísmo, a competição e a exploração.

Não estamos sendo pessimistas demais ao indicar que os prejuízos na qualidade de vida propriamente humana são fruto das contradições do sistema engendrado na modernidade. Vejamos algumas delas.

• O contraponto do progresso encontra-se na ameaça nuclear e na degradação ambiental, com os perigos de poluição industrial, desertificação, destruição da flora e da fauna,

[1] *Pela mão de Alice*: o social e o político na pós-modernidade. São Paulo, Cortez, 1995, p. 93.

efeito estufa, buraco na camada de ozônio. São exemplos do que os filósofos frankfurtianos identificaram como *sofrimento da natureza*, por sermos incapazes de reconhecer que a natureza não é uma realidade a ser dominada. Não por acaso, segundo Horkheimer, "a história dos esforços humanos para subjugar a natureza é também a história da subjugação do homem pelo homem".

• Sem desconsiderar a necessidade da especialização dos campos do saber e do agir, decorrentes do rigor instaurado pela ciência e pela técnica, é inegável o reconhecimento de que perdemos muito ao privilegiá-la. Por um lado, a especialização cria a figura do incompetente, aquele que é leigo no assunto dominado pelo *expert*. A conseqüência é a tecnocracia, ou seja, o especialista decide, porque sabe, e os demais obedecem, porque não sabem. Por outro lado, também o especialista, restrito a um saber fragmentado, perde a visão do todo, o que tem provocado problemas epistemológicos e éticos.

• A ampliação dos mercados atende às necessidades da economia liberal, mas traz prejuízos aos países periféricos ou semiperiféricos, que se encontram à margem dos benefícios oferecidos pela nova ordem econômica. Com isso a polarização entre o Norte rico e o Sul pobre agudiza as contradições de uma ordem mundial injusta. Com a desigual distribuição de riquezas, os países mais ricos do mundo (que não passam de uma dezena) começam a sofrer as conseqüências do recrudescimento das condições de pobreza a que foi relegada grande parte da população dos países periféricos, excluída dos benefícios do progresso: basta constatar os movimentos migratórios que, por sinal, têm desencadeado sentimentos de xenofobia na população dos países centrais.

• A experiência do socialismo real implantado na ex-União Soviética desmoronou no final da década de 1980 sem resolver a contradição de imposição da ordem igualitária por meio da violência e à revelia da subjetividade.

• Mesmo nos países liberais, os ideais de representatividade começam a dar sinais de esgotamento. Apesar da conquista do sufrágio universal, a democratização do sistema político é dificultada por desvios como o clientelismo, a corrupção e o personalismo de governantes. Por outro lado, as massas despolitizadas nem sempre fazem escolhas adequadas ou se omitem na inércia e na indiferença pelas questões políticas, o que se configura como uma das patologias da democracia representativa. Ao mesmo tempo, se neste início de século, à diferença da reivindicadora década de 1960, diminuiu o interesse pela macropolítica, recrudesceram, no entanto, os esforços de grupos minoritários na sociedade civil (as ONGs), para fazer valer suas reivindicações.

4. Desafios da educação

Não resta dúvida de que os acontecimentos do final do século XX provocaram perplexidade e desorientação, sobretudo em pais e professores cujos parâmetros se encontram em estado de desagregação.

Nesse momento, é perigosa toda atitude nostálgica de valorizar a velha ordem, posicionamento que favorece a violência, na tentativa de enquadrar os jovens "desencaminhados", reforçando a falta de humildade para reconhecer o novo.

Evidentemente, essa atitude de humildade dos mais velhos, ao reconhecerem a diferença — abstendo-se de decretar com antecipação a "patologia" dos comportamentos diferentes —, não significa passividade e aceitação cega do novo. Ou seja, reconhecer a mudança é também descobrir as maneiras de intervenção saudável no comportamento dos jovens.

O acolhimento do novo depende da construção de nova(s) maneiras(s) de conhecimento e de poder, de uma subjetividade emancipada e de outra sociabilidade. Portanto, é preciso lembrar que a educação exige intencionalidade e recusa o espontaneísmo na ação. Mas que também se beneficia de um espírito desarmado, disposto a reconstruir e abrir caminhos à força da imaginação.

Por exemplo, mesmo que o livro continue constituindo um dos pilares da escolarização, e de fonte de prazer humano, não há como deixar de reconhecer o impacto da imagem e a importância da mídia como uns dos grandes apelos do mundo pós-moderno. Em vez de demonizar os instrumentos de informação, é melhor investigar a sua importância na constituição de aspectos mais amplos de sociabilidade e de subjetividade. É educar incorporando as novas técnicas e, mais do que isso, promovendo a capacidade de leitura crítica das imagens e das informações transmitidas pela mídia.

Antes de realizar essa tarefa, é bom lembrar que outra transformação tem exigido igual atenção crítica do educador, qual seja a que se verifica no mundo do trabalho. Como vimos, na sociedade informatizada prevalece o setor terciário, enquanto no secundário ocorre maior flexibilização do trabalho, com preponderância da atividade intelectual, e exigência de maior iniciativa. Aqui, o risco está numa escolarização por demais atrelada aos apelos do mercado, desprezando a formação geral e crítica do educando.

Outro aspecto é a redução da jornada de trabalho, cuja decorrência é a necessidade de preparar as novas gerações para fruir o tempo livre de modo criativo. Sabemos que na sociedade marcada pelo imperialismo do trabalho e da razão instrumental nem sempre é fácil para o indivíduo ocupar o tempo de lazer de forma criativa, já que se encontra "achatado" na unidimensionalidade, empobrecido na capacidade de invenção, imaginação e fantasia. Com freqüência o tempo livre é usado para liberar a fadiga, reproduzir práticas da moda e sucumbir ao tédio.

Sem fazer futurologia, mesmo porque não há como prever o rumo das mudanças, é possível esboçar algumas linhas prospectivas, além das já indicadas, que podem fertilizar nossa atuação futura.

Os novos recursos da comunicação

A sociedade informatizada caracteriza-se pela abundância de informações, daí precisarmos estar atentos ao acesso, seleção e controle desses dados, sobretudo pelo fato de que elaborar, difundir e utilizar o saber sempre significou uma forma de poder.

Os computadores, por exemplo, são hoje janelas para o mundo que possibilitam a troca de arquivos, acesso a bancos de dados internacionais, divulgação de pesquisas, discussão de temas os mais variados. Na tentativa de incorporar os novos recursos, no entanto, há casos em que a escola apenas adquire as novas máquinas sem, no entanto, alterar a tradição das aulas acadêmicas.

O importante é que os novos recursos, como o computador, a televisão, o cinema, os vídeos, CDs, DVDs não sejam meros instrumentos, mas venham a desencadear transformações estruturais na velha escola. Só assim — como podemos ler no dropes 1 — a função do professor pode ser revitalizada, libertando-o da aula de saliva e giz e estimulando o aluno a uma posição menos passiva e mais dinâmica.

O outro lado da moeda é que o acesso ao computador tem criado um novo tipo exclusão, qual seja a do analfabeto digital. Mas, para que haja verdadeira "democracia eletrônica", diz o filósofo Pierre Lévy: "não se deve entender por isso um 'acesso ao equipamento', a simples conexão técnica que, em pouco tempo, estará de toda forma muito barata, nem mesmo um 'acesso ao conteúdo' (consumo de informações ou de conhecimentos difundidos por especialistas). Devemos antes entender um acesso de todos aos processos de inteligência coletiva, quer dizer, ao ciberespaço como sistema aberto de autocartografia dinâmica do real, de expressão das singularidades, de elaboração dos problemas, de confecção do laço social pela aprendizagem recíproca, e de livre navegação nos saberes"[2].

Educação permanente

Se até agora a universalização da educação tem sido uma das bandeiras dos educadores comprometidos com a democracia, daqui para a frente o problema escolar se amplia. Porque não basta adquirir as primeiras letras, mas ter condições de continuar numa escola sem fim.

Diante das transformações vertiginosas da alta tecnologia, que muda em pouco tempo os produtos e a maneira de produzi-los, criando umas profissões e extinguindo outras, ninguém mais pode se formar em alguma profissão para o resto da vida. Estamos falando da *educação permanente*, exigência de continuidade dos estudos e, portanto, de acesso às informações, mediante uma autoformação controlada.

É nesse sentido que o filósofo Adam Schaff se referiu a outro tipo de homem que surge, o *homo studiosus*, que em última análise realizaria o sonho do *homo universalis*, cuja instrução integral permitiria a mudança de profissão, a adaptação a quaisquer situações e a estimulação da criatividade para se renovar sempre.

Para que a recepção das informações (e das imagens...) seja suficientemente crítica, precisamos indagar sobre os conteúdos transmitidos. A seguir, veremos a importância da formação geral e interdisciplinar.

Estudos culturais

Existe uma tendência perigosa em especializar desde cedo os estudantes, de acordo com uma pretensa tendência ou vocação, seja lá o nome que lhe for dado. Em muitas escolas de grau médio os alunos agrupam-se em classes de humanas, biomédicas e exatas, quando não se dirigem precocemente às escolas estritamente profissionalizantes, como é o caso dos segmentos populares.

Se já considerávamos um prejuízo o adolescente escolher sem saber bem o quê, daqui em diante essas rupturas precoces da formação configuram-se mais danosas. Porque ele precisa, antes de tudo, abrir seus horizontes humanos com uma visão do todo. Por isso, a formação deve ser abrangente, dando condições para o domínio da língua, nas suas expressões de fala, leitura e escrita, bem como para o conhecimento dos mais diversos campos da cultura, como história, geografia, política, moral, arte etc.

Só para citar um exemplo, há casos em que o ensino de artes é desprezado como perfumaria, quando na verdade oferece importante estimulação ao pensamento divergente, próprio da atividade criativa. E não nos referimos à formação do artista ou do fruidor de arte, mas à oportunidade a qualquer pessoa, por meio da arte, de explorar os sentidos, cultivar os sentimentos, abrir-se para a imaginação e a intuição. Desse modo, educa-se para a criatividade, para a invenção, subvertendo o convencional e o definitivo dos modelos impostos.

---

[2] *Cibercultura*. São Paulo, Editora 34, 1999, p. 186.

Interdisciplinaridade

Evidentemente, não estamos propondo um currículo de inúmeras disciplinas ministradas nos moldes tradicionais de aulas isoladas. As questões sobre a transmissão dos valores culturais e sua discussão podem "atravessar" todas as demais disciplinas: a formação da cidadania está entre os objetivos de qualquer professor. Além disso, a escola deve encontrar outros meios criativos — e não acadêmicos — para discutir a herança cultural, muitas vezes até veiculada externamente pelos canais de difusão na própria sociedade. Por isso mesmo, há muito os pedagogos vêm advertindo sobre a necessidade de superarmos o ensino de disciplinas pela introdução de projetos que tornem a aprendizagem mais ativa.

Alguns diriam, no entanto, não ser possível permanecer o tempo todo na perspectiva geral, já que a alta tecnologia exige especialização, o que é correto. Nada impede, porém, não perder de vista a interdisciplinaridade ou a transdisciplinaridade, que permite a visão do todo. Muitas universidades já possuem *centros transdisciplinares*, que não substituem os departamentos, cuja atividade é o estudo específico das disciplinas. Os especialistas continuam garantindo o alto nível da pesquisa, mas encontram nesses centros a possibilidade de interação e integração.

A abordagem global do conhecimento supõe a superação das disciplinas fragmentadas, por meio da exigência de uma complementaridade entre as diversas áreas do saber. Essa tendência à interpenetração tem sido sentida inclusive nas ciências chamadas *híbridas*, que rompem com as tênues fronteiras do conhecimento (a físicoquímica, a bioquímica, a biofísica, a mecatrônica, a medicina nuclear) e mantêm a necessidade contínua de complementação, não só entre elas, mas também de diálogo com a filosofia, a propósito da reflexão ética e política, como, por exemplo, nas questões de bioética.

Até aqui estamos nos referimos às pesquisas e à produção do saber. No entanto, também no ensino deve prevalecer o interesse de buscar novas metodologias pedagógicas, que permitam à equipe de professores abordar o conteúdo não em compartimentos estanques, como ainda é costume, mas de modo interdisciplinar e por meio de projetos.

5. Para não concluir

Pelas pistas que possuímos do mundo que espera nossos jovens, só sabemos que será muito diferente do presente, com inevitável mudança de paradigma(s). Se melhor ou pior, impossível prever. Apenas precisamos não permanecer como espectadores, mas tomar nas mãos o desafio de construir o novo.

Se não podemos prever, pelo menos temos noções sobre o que não queremos: com tantas incertezas, seríamos capazes de construir um mundo mais humano?

Dropes

1 - A estratégia opõe-se ao programa, ainda que possa comportar elementos programados. O programa é a determinação *a priori* de uma seqüência de ações tendo em vista um objetivo. O programa é eficaz, em condições externas estáveis, que possam ser determinadas com segurança. Mas as menores perturbações nessas condições desregulam a execução do programa e o obrigam a parar. A estratégia procura incessantemente reunir as informações colhidas e os acasos encontrados durante o percurso.

Todo nosso ensino tende para o programa, ao passo que a vida exige estratégia e, se possível, serendipidade[3] e arte. (Edgar Morin)

2 - (...) os atuais projetos de reforma [da escola] giram em torno desse buraco negro que lhes é invisível. Só seria visível se as mentes fossem reformadas. E aqui chegamos a um impasse: *não se pode reformar a instituição sem uma prévia reforma das mentes, mas não se podem reformar as mentes sem uma prévia reforma das instituições.* Essa é uma impossibilidade lógica que produz um duplo bloqueio.

(...)

É preciso saber começar, e o começo só pode ser desviante e marginal. A Universidade moderna, que rompeu com a Universidade medieval, nasceu no início do século XIX, em Berlim, capital de uma pequena nação periférica, a Prússia. Difundiu-se, depois, pela Europa e pelo mundo. Agora, é ela que precisa ser reformada. E a reforma também começará de maneira periférica e marginal. Como sempre, a iniciativa só pode partir de uma minoria, a princípio incompreendida, às vezes perseguida. Depois, a idéia é disseminada e, quando se difunde, torna-se uma força atuante. (Edgar Morin)

3 - (...) frente ao novo papel do conhecimento em nosso cotidiano, as estruturas de ensino poderiam evoluir, por exemplo, para um papel muito mais organizador de espaços culturais e científicos do que propriamente de "lecionador" no sentido tradicional. De toda forma o espaço urbano abre possibilidades para a organização de *redes culturais interativas* que colocam novos desafios ao próprio conceito de educação. (Ladislau Dowbor)

[3] Serendipidade: ato de procurar uma coisa e achar outra; o imprevisto. Serendip era o nome de uma ilha ao sul da Índia, que depois se chamou Ceilão e hoje é denominada Sri Lanka; segundo um conto oriental, três príncipes de Serendip, percorrendo seus territórios, fizeram importantes e inesperadas descobertas. Usa-se o termo para designar a descoberta fortuita, mas fértil para quem é capaz de combinar "acaso" e "sagacidade".

● Leituras complementares

❶ Escola, comunidade com projeto[4]

A escola tem há vários anos vindo a ser organizada em termos de quatro princípios que Roldão[5] designou como "*homogeneidade, segmentação, seqüencialidade e conformidade*" e de cuja operacionalização resulta a previsão de percursos iguais para todos, a organização dos alunos por turmas tanto quanto possível homogêneas e de composição estável, a existência de tempos e espaços previamente definidos e espartilhados em grades horárias, a progressiva segmentação disciplinar e a multidocência à medida que

[4] Por motivos didáticos, adaptamos o texto ao português do Brasil.

[5] Maria do Céu Roldão, "A mudança anunciada da escola em um paradigma de escola em ruptura?", in Isabel Alarcão (org.). *Escola reflexiva e nova racionalidade.* Porto Alegre, Artmed, 2001, p. 127.

a informação ganha em profundidade e o conhecimento perde o significado do conjunto. Como afirma Barroso[6], toda a organização escolar — dos tempos, das grades, dos espaços e dos recursos de aprendizagem — gira em torno da unidade turma. Com efeito, apenas as atividades extracurriculares e algumas curriculares de caráter inovador transgridem este princípio.

As escolas, os professores, os políticos e os pais começam a interrogar-se sobre se este paradigma organizacional de incrível uniformidade e o paradigma de educação e aprendizagem que lhe está subjacente (e que se baseia na idéia da transmissão linear do saber do professor para o aluno), se adequa à nova realidade caracterizada por: uma população escolar altamente heterogênea e massificada; acessibilidade da informação; exigência do conhecimento como bem social; requisitos da sociedade global relativamente aos saberes qualificados; necessidade de se explorarem as capacidades de trabalho individual e cooperativo para se transformar em conhecimento o saber que brota da assimilação das informações. (...).

Em 1995, numa comunicação em Congresso realizado no Rio de Janeiro, Alarcão e Tavares alertavam para a necessidade de se romper com os paradigmas tradicionais de educação e formação (...). Também em 2001, Roldão fala da ruptura de paradigma de escola e da substituição dos princípios de homogeneidade, segmentação, seqüencialidade e conformidade pelos de diversificação, finalização, reflexibilidade e eficácia.

Neste paradigma novo, a noção de grupo de aprendizagem, a reconstituir-se em função das necessidades ou dos objetivos, deveria substituir a de turma fixa, o que obviamente implica outras formas de organização da relação do aluno com os professores, com as fontes de informação e com o saber. No mesmo sentido se pronunciou Perrenoud, quando de uma conferência proferida na Fundação Calouste Gulbenkian em Lisboa, em novembro de 2001. Idealizou uma nova organização do trabalho na escola, baseada em objetivos (e não tanto em programas), em ciclos de aprendizagem plurianuais (em vez de ciclos anuais), em grupos flexíveis (em vez de turmas imutáveis), em módulos intensivos (em vez de grelhas horárias do tipo zapping), em projetos pluridisciplinares (em vez de capelinhas disciplinares), em tarefas escolares à base de problemas e de projetos (em vez dos exercícios clássicos).

Eu afirmei que Perrenoud idealizou, porque o autor, ele próprio, reconheceu as dificuldades de implementar estas novas formas de organização sem romper com o paradigma vigente e, muito realisticamente, apontou as dificuldades de se romper com este paradigma. Concordo com o sentido de realidade que o autor imprimiu ao seu discurso e acho que poderia ser perigoso para o sistema educativo e para a educação em geral uma ruptura brusca com o *status quo*.

Mas considero inevitável um afastamento progressivo do *status quo* se efetivamente queremos mudar a cara da escola. E é aí que pode entrar a minha concepção de escola reflexiva como escola inteligente que decide o que deve fazer em cada situação específica e registra o seu pensamento no projeto educativo que pensa para si. Só essa escola, situada e reativa, caracterizada pela sua sensibilidade aos índices contextuais, é capaz de agir com flexibilidade nos contextos complexos, diferenciados e instáveis que hoje caracterizam as situações das organizações escolares. Só através dessa atenção

[6] J. Barroso, "Da cultura da homogeneidade à cultura da diversidade: construção da autonomia e gestão do currículo", in *Fórum escola*: diversidade e currículo. Lisboa, Ministério da Educação-DEB, 1999, p. 79-92.

dialogante com a própria realidade que lhe fala é que a escola será capaz de agir adequadamente, que o mesmo é dizer, agir em situação.

Isabel Alarcão, *Professores reflexivos em uma escola reflexiva*. 2. ed. São Paulo, Cortez, 2003, p. 87-90.

❷ O potencial de democratização

O que era a área mais rica e mais nobre do intercâmbio social de valores e de criatividade, a cultura, está sendo apropriado pelo "big business". Cabe sem dúvida uma crítica a esse processo. Mas cabe também entender que estas mesmas tecnologias poderão se tornar o suporte de um fantástico enriquecimento social, se soubermos criar as condições políticas e institucionais que redirecionem o seu uso.

É essencial também uma visão orientada para o futuro. Ao olharmos o passado, uma cultura menos dominada por grandes grupos econômicos tinha também um caráter extremamente elitizado. A cultura era de *salão*. O livro era para uns poucos privilegiados. Ver um belo espetáculo era para quem tinha possibilidade de ir ao teatro. Hoje, muitos prazeres deste tipo chegam por exemplo a 92% dos domicílios brasileiros, que é a porcentagem de domicílios com aparelho de televisão. Mais uma vez, trata-se de não jogar a criança junto com a água do banho, e entender o imenso potencial que se abre. É o controle monopolizado dos meios mundiais de comunicação que está em jogo, e não a revolução positiva que estes meios permitem.

A importância da democratização dos meios de comunicação que dão suporte à divulgação cultural tem duas faces. Por um lado, trata-se de assegurar que este meio essencial de comunicação de uma sociedade mundializada respeite as diversas culturas, os diversos ambientes sociais, as minorias, a riqueza cultural do mundo, evitando a pasteurização generalizada do *Marlboro country*, ou a chamada *Mcdonaldização* do planeta. Ou seja, a democratização é essencial para a riqueza cultural dos próprios meios de comunicação.

Por outro lado, e mais importante ainda, está o fato de que estes meios de comunicação são hoje vitais para a formação de atitudes e valores relativamente a todas as áreas da reprodução social. É vital a elevação geral da cultura ambiental, por exemplo, para refrear o ritmo atual de destruição dos recursos. É vital criar um grande número de instrumentos locais de comunicação, funcionando em rede, conectando-se a sistemas mais amplos ou globais segundo interesses diversificados, para permitir a gradual harmonização do desenvolvimento econômico no mundo, por meio de redes de consulta tecnológica ou outras. É vital disponibilizar amplas redes de comunicação para transformar a educação num processo interativo de enriquecimento mútuo de escolas de qualquer parte do mundo.

(...)

Na medida em que compreenderam a imensa alavanca econômica que representa controlar a circulação de informações numa sociedade centrada no conhecimento, grandes empresas se lançaram com unhas e dentes na disputa dos novos espaços das telecomunicações que, enquanto geravam mais custos que lucro, eram pacificamente geridas pelo Estado em qualquer parte do mundo.

O elemento essencial, em termos de estrutura do setor, é a convergência de três grandes forças: as corporações transnacionais em geral, os grandes grupos de controle das comunicações, e os grupos políticos tradicionais.

(...)

O mais importante é entender que a conectividade global revoluciona profundamente as próprias bases da nossa organização social. Este potencial pode se transformar, na linha de uma Internet universal, num tipo de *pool*[7] mundial de informações e entretenimento, gerando uma verdadeira sociedade do conhecimento, ou se tornar um instrumento global de manipulação, fator de empobrecimento cultural, de dominação política e de desequilíbrios econômicos mais profundos.

No conjunto, não podemos buscar soluções isoladamente na educação, ou na comunicação, ou em diferentes espaços culturais. É a dimensão do conhecimento, nas suas mais diversas manifestações, que mudou de forma radical. O mundo do capital batalha hoje de maneira impiedosa este novo continente econômico. O mundo dos intelectuais, da educação, da cultura no sentido mais significativo — dos que fazem efetivamente a cultura — ainda permanece bem alheio a uma guerra onde estão se decidindo os destinos de todos nós.

Ladislau Dowbor, *Tecnologias do conhecimento*: os desafios da educação. Petrópolis, Vozes, 2001, p. 71-75.

[7] *Pool*: o sentido principal do conceito está no campo econômico: empresas do mesmo ramo que formam um mercado comum para seus produtos. No texto, o autor usa o sentido derivado do termo: um conjunto de pessoas voltadas para um determinado objetivo.

Atividades

Questões gerais

1. Em que sentido podemos dizer que vivemos numa "civilização da imagem"? Quais as suas conseqüências para a educação?

2. A predominância da imagem no mundo contemporâneo ameaça de algum modo a existência do livro? Posicione-se pessoalmente a respeito e justifique sua posição.

3. Explique por que a escola não passa atualmente por uma crise qualquer, mas sofre os efeitos de uma ruptura de paradigmas.

4. Escolha um dos ideais do paradigma da modernidade e analise suas vantagens e prejuízos.

5. Explique o que Horkheimer quis dizer nesta frase: "A história dos esforços do homem para sujeitar a natureza é igualmente a história da sujeição do homem pelo homem".

6. Explique o que Adam Schaff quis dizer nesta citação: "É provável que todas estas transformações do estilo de vida venham a produzir o homem lúdico, ou o *homo ludens*. O *homo universalis* e o *homo ludens* constituirão as duas faces do homem na época iniciada com a atual revolução industrial".

7. Considerando a época de transição que vivemos, discuta quais são os riscos de uma formação em disciplinas de pura especialização.

8. "Lente" é um nome antigo para professor, que significa "aquele que lê"; tem a mesma raiz do termo ainda usado "lecionar", que deriva do latim *lectio*, "leitura, o que se lê, texto", que por sua vez significa "lição". A partir disso, discuta com seu grupo como muitas escolas ainda hoje solicitam o trabalho de antigos "lentes", o que reforça a necessidade de mudarmos a "cara" da escola e de seus mestres. Relacione esta reflexão com o conteúdo do dropes 3.

9. A partir de um grafite em uma rua de Buenos Aires — "O futuro já não é o que era" —, discuta a perplexidade do indivíduo contemporâneo diante das modificações que vivenciamos, explicando por que não se trata de uma crise como outra qualquer.

10. Explicite o significado de *serendipidade* e, em seguida, pesquise descobertas científicas que possam exemplificar esse fenômeno. E na sua vida pessoal e profissional, já ocorreu algo semelhante?

11. Analise a frase do escritor francês Marcel Proust e aplique-a no contexto da escola contemporânea: "Uma verdadeira viagem de descobrimento não é encontrar novas terras, mas ter um olhar novo".

12. Tendo em vista o dropes 1, responda:

a) Embora afirme que nosso ensino tende para o programa e a vida exige estratégia, Morin na verdade gostaria que também na escola o programa fosse substituído pela estratégia. Explique por quê.

b) Reúna-se em grupo com seus colegas para discutir sobre futurologia: o que substituiria a sala de aula da escola tradicional?

b) Relacione este dropes com a leitura complementar 1. Reúna-se com seu grupo para discutir que tipos de atividades poderiam ser desenvolvidos na escola que privilegiasse a estratégia.

Questões sobre as leituras complementares

1. A autora da leitura complementar 1 caracteriza o antigo paradigma e o atual a partir de quatro aspectos diferentes, respectivamente: homogeneidade, segmentação, seqüencialidade e conformidade para o tradicional, e diversificação, finalização, reflexibilidade e eficácia para o emergente. Reúna-se com seu grupo para discutir o que significa cada um desses conceitos e dêem exemplos.

2. Considerando a leitura complementar 2, responda às questões:

a) Explique por que o autor se recusa a uma posição maniqueísta[8] diante do uso da alta tecnologia na difusão da cultura.

b) Tendo em vista as três grandes forças destacadas pelo autor — as corporações transnacionais em geral, os grandes grupos de controle das comunicações, e os grupos políticos tradicionais —, dê exemplos de sua atuação efetivamente identificável no Brasil.

c) Qual a sua opinião a respeito do intercâmbio cultural possibilitado pela internet?

---

[8] Maniqueísta: na pergunta, o sentido do termo caracteriza a avaliação simplista da realidade como se ela fosse constituída por tendências antagônicas e bem definidas, uma representando o bem, outra, o mal. No sentido original, segundo uma antiga religião persa, o *maniqueísmo* é a crença em dois princípios absolutos, o Bem e o Mal.

Orientação bibliográfica

Bibliografia básica

História da educação e da pedagogia

ABBAGNANO, N. e VISALBERGHI, A. *História da pedagogia*. Lisboa, Livros Horizonte, 1981-1982.

CAMBI, Franco. *História da pedagogia*. São Paulo, Ed. Unesp, 1999.

DEBESSE, Maurice e MIALARET, Gaston (orgs.). *Tratado das ciências pedagógicas.* São Paulo, Nacional. v. 2: *História da pedagogia*, 1974.

EBY, Frederick. *História da educação moderna*: teoria, organização e prática educacionais. Porto Alegre, Globo, 1962.

GADOTTI, Moacir. *Pensamento pedagógico brasileiro*. São Paulo, Ática, 1995.

HILSDORF, Maria Lucia Spedo. *História da educação brasileira*: leituras. São Paulo, Pioneira Thomson Learning, 2005.

HUBERT, René. *História da pedagogia*. 3. ed. São Paulo, Nacional, 1976.

LARROYO, Francisco. *História geral da pedagogia*. São Paulo, Mestre Jou. v. 1: 2. ed., 1982; v. 2: 4. ed. atualizada, 1974 (com apêndice de Célio Cunha, "A educação no Brasil").

LOMBARDI, José Claudinei e NASCIMENTO, Isabel Moura (orgs.). *Fontes, história e historiografia da educação*. Campinas, Autores Associados/HISTEDBR, 2004.

LUZURIAGA, Lorenzo. *História da educação e da pedagogia*. 19. ed. São Paulo. Nacional, 2001.

MANACORDA, Mario Alighiero. *História da educação*: da Antiguidade aos nossos dias. 11. ed. São Paulo, Cortez, 2003.

MARROU, Henri-Irénée. *História da educação na Antiguidade*. São Paulo, EPU/Edusp, 1973.

MONROE, Paul. *História da educação*. 16. ed. São Paulo, Nacional, 1984.

PONCE, Aníbal. *Educação e luta de classes*. 15. ed. São Paulo, Cortez, 1996.

RIBEIRO, M. Luísa Santos. *História da educação brasileira*: a organização escolar. 17. ed. Campinas, Autores Associados, 2001.

ROMANELLI, Otaíza de Oliveira. *História da educação no Brasil*: 1930/1973. 25. ed. Petrópolis, Vozes, 2001.

ROSA, Maria da Glória de. *A história da educação através dos textos*. 16. ed. São Paulo, Cultrix, 1995.

SAVIANI, Dermeval, LOMBARDI, José Claudinei e SANFELICE, José Luís (orgs.). *História e história da educação*: o debate teórico-metodológico atual. São Paulo, Autores Associados/HISTEDBR, 2000.

______. *O legado educacional do século XX no Brasil.* Campinas, Autores Associados, 2004.

SOCIEDADE BRASILEIRA DE HISTÓRIA DA EDUCAÇÃO (org.). *Educação no Brasil*: história e historiografia. Campinas/São Paulo, Autores Associados/SBHE, 2001.

STEPHANOU, Maria e CAMARA BASTOS, Maria Helena (orgs.). *Histórias e memórias da educação no Brasil.* Petrópolis, Vozes. v. I: *Séculos XVI-XVIII*, 2004; v. II: *Século XIX;* e v. III: *Século XX*, 2005.

VIDAL, Diana Gonçalves e HILSDORF, M. Lucia Spedo. *Brasil, 500 anos*: tópicos em história da educação. São Paulo, Edusp, 2000.

Dicionários (pedagogia, filosofia, história e outros)

ABBAGNANO, Nicola. *Dicionário de filosofia.* 4. ed. São Paulo, Martins Fontes, 2000.

ARÉNILLA, Louis *et al. Dicionário de pedagogia.* Lisboa, Instituto Piaget, s. d.

BLACKBURN, Simon. *Dicionário Oxford de Filosofia.* Rio de Janeiro, Jorge Zahar, 1997.

BOBBIO, Norberto *et al. Dicionário de política.* Brasília, Ed. UnB, 2000. 2 v.

BURGUIÈRE, André (org.). *Dicionário das ciências históricas.* Rio de Janeiro: Imago, 1993.

CANTO-SPERBER, Monique (org.). *Dicionário de ética e filosofia moral.* São Leopoldo, Usininos, 2003. 2 v.

CORMARY, Henry (org.). *Dicionário de pedagogia.* Lisboa, Verbo, 1980.

JAPIASSÚ, Hilton e MARCONDES, Danilo. *Dicionário básico de filosofia.* Rio de Janeiro, Jorge Zahar, 1990.

LALANDE, André. *Vocabulário técnico e crítico da filosofia.* 3. ed. São Paulo, Martins Fontes, 1999.

MORA, José Ferrater. *Dicionário de filosofia.* São Paulo, Martins Fontes, 2001.

Revistas

CADERNOS CEDES (Centro de Estudos de Educação e Sociedade). Unicamp, Campinas, Fundação Carlos Chagas/Autores Associados.

CADERNOS DE PESQUISAS. São Paulo, Fundação Carlos Chagas/Autores Associados (quadrimestral).

EDUCAÇÃO. São Paulo, Editora Segmento.

EDUCAÇÃO & SOCIEDADE. Revista de Ciência da Educação. Unicamp, Campinas (quadrimestral).

FÓRUM EDUCACIONAL. Instituto de Estudos Avançados em Educação. Rio de Janeiro, Fundação Getúlio Vargas.

PRO-POSIÇÕES. Revista quadrimestral da Faculdade de Educação, Unicamp, Campinas.

REVISTA BRASILEIRA DE EDUCAÇÃO. Campinas, Autores Associados/Anped (Associação Nacional de Pós-Graduação e Pesquisa em Educação) (quadrimestral).

REVISTA BRASILEIRA DE HISTÓRIA DA EDUCAÇÃO. SBHE/Autores Associados.

REVISTA DA ANDES. São Paulo, Associação Nacional de Educação (semestral).

REVISTA NOVA ESCOLA, São Paulo, Abril.

Coleções

COTIDIANO ESCOLAR. São Paulo, Moderna.

EDUCAÇÃO CONTEMPORÂNEA. Campinas, Autores Associados.

EDUCAÇÃO E CONHECIMENTO. Petrópolis, Vozes.

EDUCAÇÃO EM PAUTA. São Paulo, Moderna.

LOGOS. São Paulo, Moderna.

MAGISTÉRIO: FORMAÇÃO E TRABALHO PEDAGÓGICO. Campinas, Papirus.

OS PENSADORES. São Paulo, Abril Cultural.

PENSADORES & EDUCAÇÃO. Belo Horizonte, Autêntica.

PENSAMENTO E AÇÃO NO MAGISTÉRIO. São Paulo, Scipione.

POLÊMICAS DO NOSSO TEMPO. Campinas, Autores Associados.

QUESTÕES DA NOSSA ÉPOCA. São Paulo, Cortez.

Orientação para trabalhos

ARANHA, M. L. e MARTINS, M. H. *Temas de filosofia*. 3. ed. São Paulo, Moderna, 2005 (consultar Apêndice, "Os instrumentos do filosofar", p. 320-335).

SEVERINO, Antonio Joaquim. *Metodologia do trabalho científico*. 22. ed. rev. e ampl. São Paulo, Cortez, 2002.

Bibliografia geral

ALARCÃO, Isabel. *Professores reflexivos em uma escola reflexiva*. 2. ed. São Paulo, Cortez, 2003.

ALTHUSSER, Louis. *Aparelhos ideológicos de Estado*: nota sobre os aparelhos ideológicos de Estado. 8. ed. Rio de Janeiro, Graal, 2001.

ARAÚJO, Ulisses Ferreira. *Temas transversais e a estratégia de projetos*. São Paulo, Moderna, 2003.

ARIÈS, Philippe. *História social da criança e da família*. 2. ed. Rio de Janeiro, Zahar, 1981.

AZEVEDO, Fernando de. *A cultura brasileira*: introdução ao estudo da cultura no Brasil. 6. ed. rev. e ampl. Brasília, Ed. UnB, 1997.

BOURDIEU, Pierre e PASSERON, Jean-Claude. *A reprodução*: elementos para uma teoria do sistema de ensino. Lisboa, Vega, s. d. (Universidade, 1). São Paulo, Francisco Alves, 1975.

CARVALHO, Laerte Ramos de. *As reformas pombalinas da instrução pública*. São Paulo, Edusp/Saraiva, 1978.

CHARLOT, Bernard. *A mistificação pedagógica*: realidades sociais e processos ideológicos na teoria da educação. 2. ed. Rio de Janeiro, Zahar, 1983.

CUNHA, Luiz Antônio. *Educação e desenvolvimento social no Brasil*. 8. ed. Rio de Janeiro, Francisco Alves, 1985.

___. *Educação, Estado e democracia no Brasil*. 4. ed. São Paulo, Cortez, 2001.

___. *O ensino de ofícios artesanais e manufatureiros no Brasil escravocrata*. São Paulo/Brasília, Unesp/Flacso, 2000.

___. *O ensino de ofícios nos primórdios da industrialização*. São Paulo/Brasília, Unesp/Flacso, 2000.

___. *O ensino profissional na irradiação do industrialismo*. São Paulo/Brasília, Unesp/Flacso, 2000.

___ (org.). *Escola pública, escola particular e a democratização do ensino*. São Paulo, Cortez/Autores Associados, 1985.

CURY, Carlos R. Jamil. *Ideologia e educação brasileira*: católicos e liberais. 3. ed. São Paulo, Cortez/Autores Associados, 1986.

DEBESSE, Maurice e MIALARET, Gaston (orgs.). *Tratado das ciências pedagógicas*. São Paulo, Nacional (Atualidades Pedagógicas, 113-117). v. 1: *Introdução*, 1974; v. 2: *História da pedagogia*, 1974; v. 3: *Pedagogia comparada*, 1977; v. 4: *Psicologia da educação*, 1974; v. 5: *Psicologia pedagógica*, 1974.

DELORS, Jacques (org.) *A educação para o século XX*: questões e perspectivas. Porto Alegre, Artmed/Unesco, 2005.

DEMO, Pedro. *A nova LDB*: ranços e avanços. 17. ed. Campinas, Papirus, 1997.

DEWEY, John. *Democracia e educação*: introdução à filosofia da educação. 4. ed. São Paulo, Nacional, 1979.

___. *Vida e educação*. In Col. Os Pensadores. São Paulo, Abril Cultural, 1980.

DIAS, Rosa Maria. *Nietzsche educador.* São Paulo, Scipione, 1991.

DOWBOR, Ladislau. *Tecnologias do conhecimento*: os desafios da educação. Petrópolis, Vozes, 2001.

DURKHEIM, Émile. *Educação e sociologia*. Lisboa, Ed. 70, 2001.

FERNANDES, Florestan. *Educação e sociedade no Brasil*. São Paulo, Dominus (Ed. da Universidade de São Paulo), 1966.

FOUCAULT, Michel. *Microfísica do poder*. 18. ed. Rio de Janeiro, Graal, 2003.

FRANCA, Leonel. *O método pedagógico dos jesuítas*: o *Ratio Studiorum*. Trad. e introd. Leonel Franca. Rio de Janeiro, Agir, 1952.

FREIRE, Paulo. *A importância do ato de ler*. 2. ed. São Paulo, Cortez, 1982.

___. *Educação como prática da liberdade*. 33. ed. Rio de Janeiro, Paz e Terra, 1999.

___. *Pedagogia do oprimido*. 41. ed. Rio de Janeiro, Paz e Terra, 2002.

FREITAG, Barbara. *Escola, Estado e sociedade*. 6. ed. rev. São Paulo, Moraes, 1986

___. *Itinerários de Antígona*: a questão da moralidade. Campinas, Papirus, 1992.

FREYRE, Gilberto. *Casa-grande e senzala*. 47. ed. Rio de Janeiro, Global, 2003.

GRAMSCI, Antonio. *Concepção dialética da história*. 10. ed. Rio de Janeiro, Civilização Brasileira, 1995.

___. *Os intelectuais e a organização da cultura*. 5. ed. Rio de Janeiro, Civilização Brasileira, 1985.

HOLANDA, Sérgio Buarque de. *Raízes do Brasil*. 3. ed. São Paulo, Companhia das Letras, 1997.

JAEGER, Werner. *Paidéia*. São Paulo, Martins Fontes, 2001.

LA TAILLE, Yves de *et al*. *Piaget, Vygotsky, Wallon*: teorias psicogenéticas em discussão. São Paulo, Summus, 1992.

LIBÂNEO, José Carlos. *Democratização da escola pública*: a pedagogia crítico-social dos conteúdos. São Paulo, Loyola, 1985.

MANFREDI, Silvia Maria. *Educação profissional no Brasil*. São Paulo, Cortez, 2002.

MATTOS, Luiz Alves de. *Primórdios da educação no Brasil*: o período heróico (1549 a 1570). Rio de Janeiro, Gráfica Editora Aurora, 1958.

MORIN, Edgar. *A cabeça bem-feita*: repensar a reforma, reformar o pensamento. 7. ed. Rio de Janeiro: Bertrand Brasil, 2002.

_____. *Os sete saberes necessários à educação do futuro*. 3. ed. São Paulo, Cortez, 2001.

NAGLE, Jorge. *Educação e sociedade na Primeira República*. São Paulo, EPU/Edusp, 1974.

NEVES, Lúcia Maria Wanderley. *Educação e política no Brasil de hoje*. 3. ed. São Paulo, Cortez, 2002.

___. (org.). *Educação e política no limiar do século XXI*. Campinas, Autores Associados, 2000.

NEVES, Luiz Felipe Baêta. *O combate dos soldados de Cristo na Terra dos papagaios*: colonialismo e repressão cultural. Rio de Janeiro, Forense-Universitária, 1978.

OLIVEIRA, Marta Kohl de. *Vygotsky*: aprendizado e desenvolvimento; um processo sócio-histórico. São Paulo, Scipione, 1993.

PAIVA, Vanilda Pereira. *Educação popular e educação de adultos*. 4. ed. São Paulo, Loyola, 1987.

___. (org. e introd.). *Perspectivas da educação popular*. 2. ed. Rio de Janeiro, Graal, 1986.

PINSKY, Jaime e PINSKY, Carla Bazzanezi (orgs.). *História da cidadania*. São Paulo, Contexto, 2003.

PISTRAK. *Fundamentos da escola do trabalho*. Introd. Maurício Tragtenberg. São Paulo, Brasiliense, 1981.

PUIG, Josep Maria. *A construção da personalidade moral*. São Paulo, Ática, 1998.

____ *et al*. *Democracia e participação escolar*: propostas de atividades. São Paulo, Moderna, 2000.

____. *Ética e valores*: métodos para um ensino transversal. São Paulo, Casa do Psicólogo, 1998.

____. *Práticas morais*: uma abordagem sociocultural da educação moral. São Paulo, Moderna, 2004.

RAMOS, Angélica Maria Pinheiro Ramos. *O financiamento da educação brasileira no contexto das mudanças político-econômicas pós-90*. Brasília, Plano, 2003.

REIS FILHO, Casemiro dos. *A educação e a ilusão liberal*. São Paulo, Cortez/Autores Associados, 1981.

RIBEIRO, Maria Luísa Santos. *A formação política do professor de 1º e 2º graus*. 2. ed. São Paulo, Cortez, 1987.

ROSSI, Wagner Gonçalves. *Capitalismo e educação*: contribuição ao estudo crítico da economia da educação capitalista. São Paulo, Cortez e Moraes, 1978.

___. *Pedagogia do trabalho*: caminhos da educação socialista. São Paulo, Moraes, 1982.

ROUSSEAU, Jean-Jacques. *Emílio ou da educação*. 4. ed. São Paulo, Martins Fontes, 2004.

SANTOS, Boaventura de Sousa. *Pela mão de Alice*: o social e o político na pós-modernidade. São Paulo, Cortez, 1995.

SAVIANI, Dermeval. *A nova lei da educação*: trajetória, limites e perspectivas. Campinas, Autores Associados, 1997.

___. *Da nova LDB ao novo plano nacional de educação*: por uma outra política educacional. Campinas, Autores Associados, 1998.

___. *Educação brasileira*: estrutura e sistema. 8. ed. Campinas, Autores Associados, 1996.

___. *Educação*: do senso comum à consciência filosófica. 12. ed. Campinas, Autores Associados, 1996.

___. *Escola e democracia*: teorias da educação; curvatura da vara; onze teses sobre educação e política. 35. ed. Campinas, Autores Associados, 1997.

___. *Pedagogia histórico-crítica*: primeiras aproximações. 7. ed. Campinas, Autores Associados, 2003.

___. "Tendências e correntes da educação brasileira". In: MENDES, Trigueiro. *Filosofia da educação brasileira*. Rio de Janeiro, Civilização Brasileira, 1983.

SCHAFF, Adam. *A sociedade informática*: as conseqüências sociais da segunda revolução industrial. São Paulo, Unesp/Brasiliense, 1996.

SEBARROJA, Jaume Carbonell *et al.* (orgs.). *Pedagogias do século XX*. Porto Alegre: Artmed, 2003.

SNYDERS, Georges. "A pedagogia em França nos séculos XVII e XVIII". In DEBESSE, M. e MIALARET, G. (orgs.). *Tratado das ciências pedagógicas*. São Paulo, Nacional. v. 2: *História da pedagogia*, 1974.

___. *Escola, classe e luta de classes*. São Paulo, Centauro, 2005.

___. *Pedagogia progressista*. Coimbra, Almedina, 1974.

___. *Pedagogias não-diretivas*. São Paulo, Centauro, 2002.

SUCHODOLSKI, Bogdan. *A pedagogia e as grandes correntes filosóficas*. 3. ed. Lisboa, Livros Horizonte, 1984.

TEIXEIRA, Anísio. *Educação no Brasil*. Rio de Janeiro, UFRJ, 1999.

___. *Educação não é privilégio*. 4. ed. Rio de Janeiro, UFRJ, 1994.

___. *Pequena introdução à filosofia da educação*: a escola progressiva ou a transformação da escola. Rio de Janeiro, DP&A, 2000.

VERNANT, Jean-Pierre. *Mito e pensamento entre os gregos*. Rio de Janeiro, Paz e Terra, 2002.

___. *As origens do pensamento grego*. São Paulo, Difel, 2002.

VYGOTSKY, L. S. *A formação social da mente*. 8. ed. São Paulo, Martins Fontes, 2000.

WEREBE, Maria José Garcia. *Grandezas e misérias do ensino no Brasil*. São Paulo, Ática, 1997.

XAVIER, Maria Elizabete S. Prado. *Capitalismo e escola no Brasil*: a constituição do liberalismo em ideologia educacional e as reformas do ensino (1931-1961). Campinas, Papirus, 1990.

___. *Poder político e educação de elite*. 3. ed. São Paulo, Cortez/Autores Associados, 1992.

ZEQUERA, Luz Helena Toro. *História da educação em debate*: as tendências teórico-metodológicas na América Latina. Campinas, Alínea, 2002.

Índice de nomes

* Não confundir com Benjamin Constant (1767-1830), político e filósofo suíço que viveu na França.